Marc E

DER FALL DES

Buch

Als der ehemalige Präsident der USA in Athen landet, um einen Vortrag auf einem wichtigen Kongress zu halten, wird er im Namen des Internationen Strafgerichtshofs verhaftet. Kurz darauf macht ein heimlich aufgenommenes Handyvideo den Vorfall auf Social Media öffentlich. Diplomatische Hektik bricht aus. Der amtierende US-Präsident steht im Wahlkampf und fürchtet um seinen Sieg. Das Weiße Haus stößt daher sofort Drohungen aus, gegen den internationalen Gerichtshof und gegen alle europäische Staaten. Die US-Geheimdienste suchen fieberhaft nach dem Whistleblower, der die Anklage überhaupt erst möglich gemacht hat. Auf der anderen Seite wappnet sich eine junge Frau, der Großmacht USA im Namen des internationalen Gerichtshofs die Stirn zu bieten. Dabei ist ihr größtes Anliegen, denjenigen zu schützen, der gesehen hat, was den mächtigsten Mann der Welt zu Fall bringen könnte. Etwas, das so unglaublich ist, dass einige Leute alles tun würden, damit es nicht an die Öffentlichkeit gelangt...

Autor

Marc Elsberg wurde 1967 in Wien geboren. Er war Strategieberater und Kreativdirektor für Werbung in Wien und Hamburg sowie Kolumnist der österreichischen Tageszeitung »Der Standard«. Heute lebt und arbeitet er in Wien. Mit seinen internationalen Bestsellern BLACKOUT, ZERO und HELIX etablierte er sich auch als Meister des Science-Thrillers. Mit GIER lieferte er einen spannenden Thriller und zugleich eine Kritik des allgegenwärtigen Wettbewerbs. DER FALL DES PRÄSIDENTEN widmet sich dem Geschäft der Politik und seinen Ungerechtigkeiten. Marc Elsberg hat sich als gefragter Gesprächspartner von Politik und Wirtschaft etabliert.

Weitere Informationen unter: www.marcelsberg.de

Von Marc Elsberg bereits erschienen

Blackout (auch als Premiumausgabe) · Zero · Helix · Gier

Besuchen Sie uns auch auf
www.instagram.com/blanvalet.verlag und
www.facebook.com/blanvalet.

Marc Elsberg

DER FALL
DES PRÄSIDENTEN

Thriller

blanvalet

Penguin Random House Verlagsgruppe FSC® N001967

1. Auflage
Copyright © 2022 by Marc Elsberg. Dieses Werk wurde vermittelt
durch die Literarische Agentur Michael Gaeb.
Copyright dieser Ausgabe © 2022 by Blanvalet
in der Verlagsgruppe Random House GmbH,
Neumarkterstr. 28, 81673 München
Redaktion: Angela Kuepper
Umschlaggestaltung: www.buerosued.de
Umschlagmotiv: Hang Zhang/EyeEm/Getty Images
NG · Herstellung: DM
Satz: Uhl + Massopust, Aalen
Druck und Bindung: GGP Media GmbH, Pößneck
Printed in Germany
ISBN 978-3-7341-1109-9

www.blanvalet.de

Wie immer,
für Ursula

1

Die tief stehende Sonne hinter dem Privatjet strich über dessen schwarzen Lack und warf lange Schatten auf das Rollfeld. Ihre Strahlen blendeten Dana. Sie stand zweihundert Meter entfernt neben einem der Eingänge zum Flughafengebäude. Hier beachtete sie niemand. Kurz vor sechs Uhr abends fühlte sich die Luft auf ihrer Haut immer noch warm und schwül an.

Ein großer Mann ganz in Schwarz trat mit leicht gebeugtem Kopf aus der Tür des Flugzeugs. Routiniert sah er sich um. Ein zweiter folgte. Security. Wie erwartet. Mit prüfenden Blicken in die Landschaft stiegen sie herunter auf den Asphalt. Musterten kurz das Empfangskomitee. Gaben ein Zeichen nach oben. Daraufhin löste sich die Silhouette des Besuchers aus dem Schatten der Türöffnung. Eine mittelgroße, schlanke Figur mit den schlaksigen und doch gespannten Bewegungen eines Langstreckenläufers.

Federnden Schrittes kam er hinab. Seht her, wie viel Energie und Lässigkeit in mir stecken! Im Schlepptau zwei weitere Sicherheitsleute. Dahinter noch vier Personen. Zwei Männer, zwei Frauen. Assistentinnen, Kofferträger.

Bis vor dreieinhalb Jahren galt Douglas Turner als mächtigster Mann der Welt. Nach dem Ende seiner Amtszeit hatte er für sagenhafte achtzig Millionen Dollar Vorschuss seine Memoiren geschrieben (schreiben lassen), war in die Boards einiger Unternehmen eingezogen, hatte seine Stiftung eingerichtet und hielt Vorträge, für die er angeblich bis zu eine halbe Million Dollar kassierte. Jeweils. So wie diesen, für den er nach Athen gekommen war.

Mit dem bekannten Grinsen begrüßte er die Personen am Fuß der Flugzeugtreppe – vier Vertreter der Veranstalter und Hauptsponsoren, dazu persönliche Assistenten der Veranstalter, des Sponsors, zwei hochrangige Politiker und ein leitender Polizist. *Meet and greet*, genaue Zeitdauer und Orte waren im Vertrag fixiert. Nicht länger als notwendig.

Weitere Polizisten wachten an unauffälligeren Positionen über den Flughafen verstreut. Die meisten davon hatte Dana im Blick.

Die Truppe stieg in eine Stretchlimousine. Security und Entourage folgten in normalen schwarzen Pkw. Umständliche Einreiseformalitäten in den öffentlichen Zonen mit den Passagieren anderer Flüge waren keine vorgesehen. Komplett erspart wurde Turner die Prozedur als Privatperson aber nicht. Dafür würde er in den VIP-Bereich des Flughafens gebracht.

Zu dem Eingang, an dem Dana wartete.

Jahrelang hatten sie auf diesen Moment hingearbeitet. Alles genau vorbereitet. Sie bekamen nur diese eine Chance.

Jetzt durfte sie nicht scheitern. Sich keinen Fehler leisten.

Sie machte sich bereit.

Showdown.

Sanft hielt die Stretchlimousine vor dem Eingang zum Flughafengebäude. Vom Asphalt her strahlte noch die Hitze des Tages. Aus dem Wagen dahinter stiegen wieder zuerst die Sicherheitsmänner. Scannten kurz die Umgebung. Öffneten die Tür der Stretch.

Ein unwürdiges Fahrzeug für Menschen, die Bedeutung demonstrieren sollten und wollten. Wie sie sich mit gebeugtem Kopf und Rücken aus dem zu niedrigen Gefährt winden mussten. Keinerlei Macht und Erhabenheit. Selbst Douglas Turner bekam das nicht elegant hin.

Begleitet von dem Empfangskomitee und seiner Entourage, betrat er das Gebäude. Ein funktionaler Raum: ein paar Stühle und Tische, dahinter zwei Counter. Dazwischen warteten sechs uniformierte Beamte der Einreisebehörde. Der leitende Polizeibeamte vom Flugfeld wies Douglas Turner den Weg.

Niemand achtete auf die sechzehn Polizisten, die bis jetzt an den Wänden gewartet hatten und sich nun unauffällig der Gruppe näherten. Oder auf die Frau, die im Schatten neben dem Eingang gestanden hatte und hinter den Polizisten nun ebenfalls näher kam. Sicherheit für einen so hochrangigen Gast wurde erwartet.

Bis einer der Leibwächter sich misstrauisch umsah. Seine rechte Hand verschwand unter dem Jackett.

»Achtung, Mister President!«

Drei Polizisten stürzten auf den Leibwächter zu, die übrigen nahmen sich die anderen Sicherheitsmänner vor. Sie erwischten den Leibwächter, als er zu der Waffe im Brusthalfter griff. Einer der Polizisten fixierte dessen Arm mit der Waffe, die anderen verdrehten den freien Arm nach hinten und traten gegen seine Beine. Der Arm mit der Waffe schnellte senkrecht in die Höhe. Der Präsident und die anderen Anwesenden duckten sich. Ein ohrenbetäubender Knall ertönte. Aus dem Loch in der Decke rieselte Staub. Die Polizisten rangen den Mann zu Boden, traten auf seine Hand, entrissen ihm die Waffe. Die übrigen Leibwächter lagen bereits, fixiert von je drei Polizisten. Die verbliebenen Uniformierten der Einreisebehörde hatten Turner umringt.

»Douglas Turner?«, fragte jener Polizist, der dem Ex-Präsidenten direkt gegenüberstand. Eine rhetorische Frage, wie Turner gleich feststellen sollte, als sein verdutztes »Was soll…?« von dem uniformierten Gegenüber in tadellosem Englisch unterbrochen wurde: »Ich verhafte Sie im Auftrag des Internationalen Strafgerichtshofs wegen Kriegsverbrechen.«

2

Ein ungläubiges Atemholen lang schienen der Raum und die Menschen darin zu einem Standbild gefroren.

Die Sicherheitsmänner versuchten, sich aus dem Griff der Polizisten zu lösen. Turners Entourage wollte an den Uniformierten vorbeidrängen. Die Polizisten aber wichen nicht zur Seite.

»Das ist ein schlechter Scherz!«, rief einer der Veranstalter.

»Haben Sie den Verstand verloren?!«, ein anderer.

Mehrere Personen aus Turners Assistententeam bestürmten die Mitglieder des Empfangskomitees, andere zückten ihre Telefone.

»Genug jetzt!«, forderte einer der Sponsoren, ein ältlicher Asketentyp in teurem Anzug. »Tun Sie etwas!«, forderte er den führenden Polizisten in ihrer Runde auf.

Der trat zu der Gruppe um den Präsidenten.

»Douglas Turner, bitte kommen Sie mit«, sagte er.

»Sie sind verrückt?!«, rief einer der griechischen Politiker und zog sein Mobiltelefon hervor. »Ich informiere sofort die Justizministerin!«

»Kalomira Stakis ist informiert«, entgegnete der oberste Polizist. »Was denken Sie denn?«

»Ist Ihnen bewusst, was Sie hier tun?«, fragte der Präsident mit seiner typischen Bariton-Singsangstimme. Alle anderen verstummten.

»Sie produzieren die größte diplomatische Krise nach dem

Zweiten Weltkrieg«, erklärte er ruhig. Er blickte dem führenden Polizisten in die Augen. »Die Konsequenzen für Sie, Ihre Vorgesetzten, Ihr Land und Ihre Mitbürger sowie alle Verantwortlichen in Behörden und beim Internationalen Strafgerichtshof werden schon so unangenehm genug sein. Noch können Sie Schlimmeres abwenden.«

Turner blieb gleichmütig, schien sich seiner Sache sehr sicher.

»Dies ist lediglich eine Assistenzleistung für den Internationalen Strafgerichtshof, gestützt auf internationales Recht«, erwiderte der Polizist mit neutraler Stimme. »Hier«, er wies auf einen der Uniformierten neben sich, »steht Ihnen auch ein Dolmetscher zur Verfügung, falls Sie einen benötigen.«

»Die Vereinigten Staaten von Amerika erkennen die Zuständigkeit des Internationalen Strafgerichtshofs für US-Bürger nicht an«, sagte Turner. »Im Gegenteil haben sie mehrmals sehr deutlich gemacht, dass die USA die Verfolgung ihrer Bürger durch den Strafgerichtshof unter keinen Umständen dulden werden. Der American Service-Members' Protection Act erlaubt dem US-Präsidenten jegliche Mittel, um betroffene US-Bürger zu befreien. Auch Waffengewalt.«

In dem Getümmel interessierte sich niemand für Dana. Während mehrere Mitglieder von Turners Begleitern bereits telefonierten – mit der US-Botschaft und dem US-Außenministerium wahrscheinlich, vielleicht auch direkt mit dem Weißen Haus –, stellte sie sich neben den Polizisten. Die Männer überragten sie alle fast um Haupteslänge.

»Ignorieren rechtsstaatlicher Institutionen ist üblicherweise eine Eigenschaft von Despoten«, sagte sie zu Turner, »und nicht der Führungsnation der freien Welt. Oder?«

Für einen Moment verschlug es dem Ex-Präsidenten die Sprache.

»Dana Marin, Vertreterin des Internationalen Strafgerichtshofs«, stellte sie sich vor. »Wenn Sie jemandem drohen wollen, dann bitte mir, nicht den Männern hier, die nur ihren Job machen.«

Ihr überraschendes Auftreten und ihre Entschiedenheit irritierten Turner und die anderen Anwesenden.

Mittlerweile wisperte seine gesamte Entourage, die während ihres Erscheinens nur kurz aufgeblickt hatte, aufgeregt in ihre Mobiltelefone. Auch einer der Politiker, einer der Veranstalter und der Sponsor telefonierten.

»Damit kommen Sie doch nicht durch!«, rief der zweite Politiker. Auf einigen Stirnen entdeckte Dana Schweiß.

»Ich würde vorerst auch nicht mit zu vielen Personen darüber reden«, erklärte Dana in Richtung der Telefonierenden. »Je mehr Menschen davon wissen, desto früher wird die Sache öffentlich.« Sie erhob ihre Stimme über das verärgerte Gezischel und die Einwürfe einiger Anwesender. »Sie alle wollen sich sicher darauf vorbereiten, wie Sie in der Sache den Medien gegenübertreten.«

»Was werfen Sie dem Präsidenten überhaupt konkret vor?!«, rief einer der Politiker wütend.

»Dem Präsidenten ist nichts vorzuwerfen!«, korrigierte ihn harsch ein junger Mann aus Turners Gefolge, der aussah wie aus dem Katalog für angehende US-Kongress- oder Boardmitglieder, die ihre Karriere als Mitarbeiter einflussreicher Persönlichkeiten begannen.

»Der Internationale Strafgerichtshof hat eine Pressemeldung vorbereitet. Sie wird in etwa zwei Stunden erscheinen, sobald Mister Turner an seinen vorläufigen Aufenthaltsort verbracht wurde. Darin wird es mehr Informationen geben. So lange bleibt Ihnen also, Stellungnahmen auszuarbeiten.«

»Das werden Sie alle furchtbar bereuen«, zischte der Ex-Präsident durch die Zähne. Seine Gelassenheit war dahin. »Informiert sofort den Botschafter!«, rief er seinen Leuten zu.

»Gehen wir«, sagte Dana, und die Polizisten schoben Turner sacht, aber bestimmt zum Ausgang.

Niemand bemerkte, dass der Assistent des Sponsors während der gesamten Zeit mit dem Smartphone in seiner Hand nicht telefonierte.

3

»Arthur Jones! Arthur Jones!«

Das Brausen von zwanzigtausend Stimmen füllte das Target Center in Minneapolis, begleitet vom tausendfachen Winken der Papierwimpel in den Farben der Nationalflagge.

Auf dem Podium vorn, sehr klein, stand der amtierende Präsident, hinter ihm die übliche Schar handverlesener Unterstützer aus erkennbar allen Bevölkerungsgruppen, sorgfältig ausgewogen zusammengestellt. Frauen, Männer, Kinder, jung, alt, heller, dunkler, Insider würden auch ein Mitglied der LGBTQ-Community erkennen. Alle trugen dieselben Sweater mit dem rot-blau-weißen Schriftzug ARTHUR JONES FOR PRESIDENT.

Auf dem gigantischen Monitor hinter ihnen hob der lächelnde Präsident, zwanzigfach vergrößert, beschwichtigend die Arme, um seine Rede fortzusetzen.

Den Moment musste Derek nutzen. Gemeinsam mit etwa dreißig Technikern, Veranstaltungsmanagern und Mitgliedern des Wahlkampfpersonals beobachtete er die Szene aus dem Regieraum, einem großen Plexiglas-Ei oberhalb des Publikums und gegenüber der Bühne. Er hasste es, den Präsidenten unterbrechen zu müssen. Jones' Zornesausbrüche waren gefürchtet. Gerade kostete er die Klimax seiner Rede aus, das Bad in der Menge, nach dem er so dürstete. Weiter wachsen würde seine Wut, sobald er den Grund für den Coitus interruptus erfuhr.

»Rede möglichst rasch beenden, Mister President«, sagte Derek so leise in sein Headset, dass es niemand anders im Plexiglas-Ei hörte. Auf dem Riesenmonitor erkannte er an Jones' Gesicht, dass dieser die Nachricht über den Knopf in seinem Ohr gehört hatte, aber nicht glauben konnte. Glauben wollte. Der Präsident behielt sein Lächeln bei, änderte aber die beruhigenden Handbewegungen zu einem Winken, das den Jubel der Menge erneut anfachte. Ein Profi. Wollte jetzt Zeit gewinnen, um sichergehen zu können, dass er richtig verstanden hatte.

Zehntausende waren an diesem Morgen aus dem halben Bundesstaat angereist, um ihrem Idol zuzujubeln. Einen US-Präsidenten holte man nicht ohne triftigen Grund vorzeitig aus einer Wahlkampfrede vor einer randvollen Halle. Manche blieben sogar dann vor einer Schulklasse sitzen, wenn man ihnen ins Ohr flüsterte, dass die USA gerade angegriffen wurden. Vielleicht würden Medienanalysten sich auf den TV-Schirmen später in aufgeregten Interpretationen überschlagen, ob der Präsident in diesem Augenblick die Nachricht erfahren hatte. Würden seine Mimik hundertmal über die Bildschirme der Nation laufen lassen. Sie kannten Jones' Wahlkampfreden mittlerweile, wussten, welche Themen darin vorkamen. Würden sich vorerst nur wundern, dass er diesmal Teile ausgelassen hatte. Später würden ihnen diese fehlenden Teile das Argument liefern, dass er wohl rascher hatte zum Schluss kommen müssen.

Doch genau das mussten sie verhindern. Deshalb sollte Jones von der Bühne gehen und sich einklinken in die bereits vorbereitete Krisenschaltung mit den wichtigsten Kabinettsmitgliedern in Washington und wo die sich sonst noch gerade aufhielten.

»Rede möglichst rasch beenden«, wiederholte Derek. »Asap.«

Der Präsident behielt sein Lächeln bei, senkte die Hände als Signal, dass er weitersprechen wollte, und nickte ein paarmal. Für das Publikum musste es aussehen wie eine zufriedene Anerkennung des zwanzigtausendfachen Jubels, doch der kurze Blick währenddessen hinauf zu dem Plexiglas-Ei, den Derek auf dem Großmonitor gut erkennen konnte, zeigte ihm, dass Jones verstanden hatte.

»Arthur Jones, amtierender und nächster Präsident der Vereinigten Staaten!«, rief der Moderator, während Jones winkend und federnden Schrittes von der Bühne ging.

Die Halle tobte. Abertausende Wimpel flatterten, von der Decke regnete rot-blau-weißer Glitter.

Umringt von Security, schritt der Präsident mit verhaltener Eile durch den abgezäunten Gang entlang der vorderen Publikumsreihen und schüttelte noch die eine oder andere Hand, bevor er in den Eingeweiden des Veranstaltungszentrums verschwand, begleitet von einem halben Dutzend Kameras und ein paar Handykameras ausgesuchter Medien, der Presseabteilung des Weißen Hauses und des Wahlkampfteams. Über sie konnte Derek auf den Monitoren im Backstagebereich Jones' Weg verfolgen. Durch die weniger glamourösen Gänge mit Sichtbetonwänden und Rohren an der Decke.

Der Backstagebereich bestand aus sechs unterschiedlich großen Räumen. Einer war für den Präsidenten allein, einer für die Maske, einer für die Medien, die übrigen für Mitglieder des Wahlkampfteams. Eine Riesenmaschine, über siebzig Leute telefonierten, bedienten Social-Media-Kanäle, bearbeiteten nach, wuselten zwischen den Tischen umher. Und das waren nur die vor Ort. Aus dem übrigen Wahlkampfteam hatte Derek vorerst niemanden eingeweiht. Um möglichst wenig Aufsehen zu erregen, hatte er die Konferenzschaltung in Jones' Garderobe vorbereitet. Niemanden würde es verwundern, wenn sich der Präsident kurz allein dorthin zurückzog.

Einige wunderten sich dennoch. Beim Durcheilen der Räume hatte Derek Gesprächsfetzen aufgeschnappt. Kürzere Rede heute. Migration kaum angesprochen. Vor allem gegen Ende gehastet.

Derek würde ihnen einen Grund liefern. Später. Jetzt platzte Jones durch die Tür, gefolgt vom Schwarm der Securitys, Assistenten und Kameras. Gratulationen von allen Seiten, trotzdem, Händeschütteln, kurzes Winken und »Danke« an das Team. Derek schloss sich dem Pulk um den Präsidenten an, wurde auf einen Wink von Jones ganz an ihn herangelassen.

»Du hast hoffentlich einen sehr guten Grund, mich vorzeitig da runterzuholen«, zischte er.

»Gut ist er nicht«, sagte Derek, »aber wahlentscheidend.«

Sie hasteten weiter Richtung Garderobe, vor deren Tür alle anderen zurückbleiben mussten. Derek schloss die Tür von innen. Nun waren da nur mehr er und der Präsident. Und auf den Bildschirmen von drei Laptops die Gesichter der Mitglieder des Nationalen Sicherheitsrats.

Der Anblick erstickte Jones' drohenden Wutausbruch. Dieser Aufmarsch bedeutete Ärger.

»Um siebzehn-zweiundvierzig Ortszeit, zehn-zweiundvierzig EDT, verhaftete die griechische Polizei in Athen Douglas Turner«, erklärte Derek. »Sie handelte aufgrund eines vorläufigen Haftbefehls des Internationalen Strafgerichtshofs.«

Jetzt hatte er Jones doch überrascht. Der Präsident allerdings besaß eine sehr schnelle Auffassungsgabe. Und kaltblütiges Kalkül. Er musterte Derek kurz.

»Geschieht ihm recht, dem Arsch«, grummelte er. »Anyway ...« Er checkte seine Armbanduhr. Dann blickte er in die Runde auf den Laptopschirmen. »Siebzehn Minuten her. Es ist noch nicht offiziell«, sagte er. »Sonst wäre da draußen die Hölle los.«

»Noch nicht«, sagte Derek. »Vor fünfzehn Minuten erreichten die ersten Anrufe seiner Mitarbeiter das Außenministerium, die US-Botschaft in Athen, das Weiße Haus. Die Verhaftung fand nicht in der Öffentlichkeit statt. Medien waren keine anwesend.

In etwa eineinhalb Stunden will der Strafgerichtshof eine Pressemeldung herausgeben. Sobald Turner an seinen vorläufigen Aufenthaltsort gebracht wurde.«

»Dazu wird es nicht kommen«, sagte Jones entschieden. »Die glauben doch nicht im Ernst, dass wir das zulassen? Was tun wir?«

»Wir erkennen die Zuständigkeit des Internationalen Strafgerichtshofs für US-Bürger nicht an«, klang die Stimme des Justizministers aus einem der Laptops. »Daher sollten wir direkten Kontakt vermeiden. Wir dürfen nicht einmal den Eindruck erwecken, dass wir uns auf ein Verfahren einlassen.«

»Wie lauten die konkreten Vorwürfe?«

»Will das Gericht mit der Pressemeldung bekannt geben. Unsere Leute sind dran, vorher etwas zu erfahren.«

»Trotzdem müssen wir mit ihnen reden«, sagte der Chief of Staff. »Wir haben mehrere Back Channels.« Inoffizielle Kontakte.

»Wir sollten ihnen sofort die Instrumente zeigen«, sagte der Außenminister, ein ehemaliger Fünf-Sterne-General mit gemeißeltem Gesicht unter dem kahl geschorenen Kopf. »Ich telefoniere gern mit der Chefanklägerin persönlich.«

»Keine direkten Kontakte«, wandte der Justizminister ein, »schon gar nicht auf so hoher Ebene ...«

»Je höher die Ebene, desto besser«, widersprach der Außenminister. »Die müssen uns ernst nehmen. Sehr ernst!«

»Adam hat recht«, sagte Jones und meinte den Außenminister. »Wir müssen diese Sache beenden, bevor sie überhaupt richtig begonnen hat. Das gelingt nur, wenn wir an allen Fronten sofort höchsten Druck aufbauen. Nicht nur beim Strafgerichtshof. Der sitzt in Den Haag. Sondern auch bei der niederländischen Regierung als Gastgeberin des Strafgerichtshofs. Bei den Griechen natürlich. Bei der Europäischen Union. Und bei den wichtigsten Staatschefs der Union. Das gesamte Arsenal androhen. Einreisesperren in die USA für alle Personen, mir egal, ob sie französischer Präsident, deutscher Kanzler oder einer dieser EU-Oberclowns sind. Wirtschaftliche Sanktionen. Verbote für europäische Banken, in den USA Geschäfte zu machen, Rückzug aus der NATO und so weiter. Zur Not sogar den American Service-Members' Protection Act.«

»Es sind unsere Verbündeten«, gab der Außenminister zu bedenken.

»Papperlapapp! Verbündete tun so etwas nicht!«

»Das könnte aber auch unserer Wirtschaft …«, wandte die Ministerin für Homeland Security ein, doch Jones schnitt ihr das Wort ab.

»Es kommt ja nicht so weit! Aber androhen müssen wir deutliche Maßnahmen!«

»Wenn wir es nicht ernst meinen, sollten wir nicht damit drohen.«

»Ich meine das todernst«, bellte Jones. »Turner ist ein selbstgerechter, grenzdebiler, narzisstischer Mistkerl! Und Republikaner dazu! Aber wir können es nicht zulassen, dass ein ehemaliger US-Präsident von diesem Gericht auch nur ins Visier genommen, geschweige denn verhaftet wird! Wer ist der Nächste? Der chinesische Präsident? Der russische? Ich?! Haben die komplett den Verstand verloren?!!« Er fing Dereks Blick auf. Der rollte kurz mit den Augen Richtung Tür. Nicht zu laut. Da draußen waren Leute.

Jones schnaufte. Er schlug mit der Handfläche auf den Tisch, redete aber wieder mit normaler Lautstärke: »Ich will sofort alle an den Telefonen. Das Gericht, den EU-Kommissionspräsidenten, den deutschen Kanzler und den französischen Präsidenten, fürs Erste.«

»Und wenn die noch gar nicht Bescheid wissen?«, fragte der Verteidigungsminister. »Dann wecken wir schlafende Hunde.«

»Wenn die das verschlafen haben, wird es Zeit, dass sie aufwachen!« Arthur Jones stützte sich mit beiden Händen vor dem Laptop ab, auf dem der CIA-Chef eingespielt war. Beugte den Kopf wie ein Stier vor dem Angriff. »Wo wir über verschlafen reden«, fuhr er eiskalt fort. »Wie konnte es überhaupt so weit kommen? Warum wussten wir nicht Bescheid? Warum wussten Sie nicht Bescheid?«, wandte er sich direkt an den Geheimdienstmann.

»Geheime Haftbefehle«, antwortete der ungerührt. »Die kann das Gericht in sehr kleinem Kreis halten. Wenn sie es geschickt genug anstellen ...«

»Wenn sie es ...?!«, donnerte Jones, beherrschte sich dann und sagte mit unterdrücktem Zorn: »Genau dafür sind Sie mit Ihren elektronischen Spielereien da! Geheimnisse gar nicht erst entstehen zu lassen! Oder sie rechtzeitig aufzudecken!« Er atmete durch. »In Ordnung«, sagte er. »Konzentrieren wir uns auf das Wesentliche. Turner rauszuholen, bevor die Öffentlichkeit von der Geschichte erfährt. Und dafür zu sorgen, dass sie nie etwas davon erfährt.«

»Wir sollten trotzdem die Presseabteilungen mit einbeziehen«, sagte Derek. »Auch wenn wir Turner in der kommenden Stunde freibek...« Derek wusste, dass er einen Fehler gemacht hatte, noch bevor Jones ihm das Wort abschnitt.

»Wenn?!«, sagte der Präsident gefährlich leise. »Das ist keine Option.«

»Auch nachdem wir Turner freibekommen haben«, korrigierte sich Derek, »wird es Gerüchte geben. Dem Vernehmen nach waren zwei Dutzend Polizisten anwesend, mehrere Vertreter und Sponsoren der Veranstaltung, bei der Turner auftreten sollte, und zwei griechische Politiker. Irgendjemand wird etwas erzählen. Und sei es nur seiner Frau oder einem Freund. Das wird schwer bis nicht einzufangen sein. Deshalb müssen unsere Medienabteilungen sich vorbereiten. Weißes Haus und Wahlkampfteam.«

»Denen wollen wir ja wohl nicht davon erzählen?!«, fuhr der Präsident ihn an.

»Nein. Sie erfahren, dass von irgendjemandem böswillige Propagandagerüchte vorbereitet werden, um die Wahl zu beeinflussen, wahrscheinlich von russischen Trollfarmen.«

»Meinetwegen«, sagte Jones. »Aber vorsichtig.« Der Präsident klatschte in die Hände. »Also los! Lasst uns den Idioten rausholen, bevor jemand von der Geschichte Wind bekommt!«

In Dereks Hand hatte das Mobiltelefon zu vibrieren begonnen. Nachrichtenalarm. Einer nach dem anderen. Gleichzeitig wandte auf dem Laptop zuerst der CIA-Direktor kurz den Blick von der Kamera ab, nach unten, als läse er eine E-Mail oder etwas auf seinem Mobiltelefon, das wahrscheinlich vor ihm auf dem Tisch lag.

Derek hatte kein gutes Gefühl dabei. Er prüfte das Display.

»Fuck«, flüsterte er. »Mister President«, wandte er sich an Jones, »ich fürchte, die Situation hat sich gerade grundlegend verändert.«

4

»Hey, Steve, wach auf!«

Jemand hatte Steve die Kopfhörer vom Ohr gezogen. Statt Johnnie Taylor brüllte jetzt Jürgen hinein. Schon längst spuckten einem die Leute wieder direkt ins Ohr. Als hätte es Corona nie gegeben.

»Sieh dir das an!«

Steve schaute eigentlich gerade auf den Bildschirm. Mit seinen Kurven und Tabellen auf der einen Seite, dem App-Design auf der anderen.

»Was soll ich ansehen?«

Er blickte auf. In dem Loftbüro war alles wie immer. Zwanzig- und Dreißigjährige und zwei Vierzigjährige, die alles dransetzten, am jüngsten von allen auszusehen, standen in einer großen Traube um einen Bildschirm und starrten darauf. Oder auf ihre Handys. Oder auf beides. Nur dass sie alle das sonst eher für sich taten.

»Was?«, fragte er Jürgen. »Porno?«

»Besser.«

»Was denn nun?«

»Guck selbst.«

»Alter, jemand muss hier arbeiten.«

»Ist echt krass«, sagte er. »I mean – this is crazy!«

Als würde Steve es auf Englisch besser verstehen. Was er im Allgemeinen tat. So wie die meisten anderen hier.

Crazy. Krass. Die Ähnlichkeit war ihm noch nie aufgefallen. Selber Wortursprung? Musste er mal nachsehen. Widerwillig erhob er sich. Man wollte dann ja doch nicht der Spielverderber sein.

»Der ehemalige US-Präsident Douglas Turner wurde in Athen verhaftet«, erklärte Jürgen auf dem Weg. »Wegen Kriegsverbrechen!«

Seine Worte wirkten auf Steve, als hätte jemand einen Kübel Eiswasser über ihn ausgegossen.

Kühler Schweiß trat auf seine Stirn und Nase.

»Du machst Witze«, sagte er. Krächzte er.

»Nein! Schau!«

Jetzt stand er bei den anderen vor dem großen Bildschirm. Da lief ein Video.

Steve sah nur unscharfe Hinterköpfe irgendwelcher Menschen durch das Bild schwanken. Tumultartige Szenen. Dahinter, klein, immer wieder kurz ein paar Uniformierte. Einer der Beamten sprach zu einem der Männer in der vorderen Reihe, von dem Steve auch nur den Hinterkopf sah. Er ahnte, wessen. Die Bilder verwischten und verwackelten, Stimmen in verschiedenen Sprachen riefen durcheinander, hauptsächlich Englisch, doch Steve verstand kaum ein Wort. Er hörte genau hin. Die Stimmen klangen dumpf, verwaschen, weit weg. Aber wenn man wusste, was gesagt werden könnte, verstand man. Zuerst den Namen.

»Douglas Turner?«

Damit war eigentlich schon alles klar. Der Angesprochene erwiderte kurz etwas, doch der Polizist redete gleich weiter: »Ich verhafte Sie im Auftrag des Internationalen Strafgerichtshofs wegen Kriegsverbrechen.«

Sie führten ihn ab.

In der Menschentraube um Steve arbeiteten sieben Nationalitäten: Deutschland, Österreich, Dänemark, Schweden, Taiwan,

Südkorea, Vereinigte Staaten. Aufgeregt riefen sie durcheinander. Kommentierten in allen möglichen Sprachen, vor allem auf Englisch.

Wie cool ist das denn? Die spinnen ja! Die trauen sich was! Das werden sich die Amis nicht gefallen lassen. Höchste Zeit, dass sich mal einer traut!

In diesem Laden waren die Meinungen eindeutig.

Tina, eine Schwedin, wandte sich an Steve. »Du kommst aus den USA. Was hältst du davon?«

Was Steve als US-Bürger darüber dachte? Gerade dachte er gar nichts. Sein ganzer Körper war ein einziger Schrei: Lauf weg! Verschwinde!

»Ja«, rang er sich ab. »Verrückte Sache.«

Das war unverbindlich. Er wollte das jetzt nicht mit ihr diskutieren. Oder mit irgendjemandem.

»Was ist passiert?«, fragte er.

Jetzt bloß nichts anmerken lassen.

»Ist gerade erst in den sozialen Medien aufgetaucht«, sagte Tina. »Ich weiß auch nicht mehr.«

»Noch weiß niemand mehr«, sagte Jürgen.

Steve musste mehr wissen. Er nestelte sein Telefon aus der Hosentasche. Wenn bloß seine Finger nicht so gezittert hätten.

5

Verwackelte Bilder, unscharfe Silhouetten von Köpfen im Vordergrund waberten durch das Bild auf Danas Telefon und verdeckten den Großteil der Szenerie. Wenig hilfreich für ein ruhiges Bild war auch der Fahrstil des Polizeiwagens, in dem sie mittlerweile hinter dem Bus mit dem verhafteten Ex-Präsidenten herraste. Auf dem Schirm ihres Smartphones erkannte Dana ein paar griechische Polizisten. Und dann kurz, aber doch, Douglas Turner. Noch war nicht klar, was hier geschah. Zumindest für jemanden, der nicht dabei gewesen war. Danas Magensäure dagegen verteilte sich glühend in ihrem ganzen Körper, stieg ihr bis unter die Schädeldecke. Laute Stimmen riefen unverständlich durcheinander. Sie mussten zu den Näherstehenden gehören, doch Dana verstand nur Wortfetzen, die selbst für Eingeweihte wenig Sinn ergaben. Die Kamera stellte auf einen der Köpfe im Vordergrund scharf, ein hagerer Mittfünfziger mit zurückgekämmtem dunkellockigem Haar. Der Sponsor, erkannte Dana. Aufgeregt rief er etwas jemandem außerhalb des Bildes zu. Die Männer im Hintergrund verschwanden fast in der Unschärfe. Wer immer gefilmt hatte, drehte die Linse ein wenig, und wieder stellte er den Präsidenten zwischen den Polizisten scharf. Nun konnte man Turner besser erkennen. Ziemlich eindeutig. Und neben ihm für eine, zwei, drei unendliche Sekunden eine kleine schlanke Mittdreißigerin in einem grauen Kostüm, mit strengem Blick hinter der Brille und zurückgebundenem Haar. Dana.

Alles geschah gleichzeitig. Vor vier Minuten hatte ihr Konvoi den Flughafen verlassen. Keine Polizeiwagen, vier Kleinbusse, verschiedene Fabrikate, unterschiedliche Farben, Weiß, Beige, Grau, um kein Aufsehen zu erregen. Im ersten sechs schwer bewaffnete Polizisten. Im zweiten Douglas Turner, auf der Rückbank zwischen zwei Polizisten. Im dritten Dana und drei weitere Polizisten, der neben ihr hatte zu ihrem Telefon hinübergeschielt. Im vierten noch einmal sechs schwer bewaffnete. Mit einem Affentempo rasten sie durch schmale Straßen, überholten, bremsten, beschleunigten, zwangen Dana immer wieder, sich mit einer Hand am Türgriff festzuhalten.

Kurz darauf war der Anruf aus Den Haag gekommen.

Im Video auf Danas Mobiltelefon diskutierte der Ex-Präsident aufgebracht mit den Polizisten. Unterbrochen von Schatten, die immer wieder an der Linse vorbeihuschten und das Bild für Sekundenbruchteile oder auch länger verdunkelten. Man hätte das Ganze auch für eine mittelmäßige Fälschung halten können, wenn man nicht dabei gewesen wäre. Wie Dana.

»Und, ist es das?«, fragte Maria Cruz, die aufgebrachte Chefanklägerin des Strafgerichtshofs, in Danas Headset. Die Argentinierin war kurz angebunden, als würde sie noch mit jemand anders sprechen. Was nicht weiter verwunderlich wäre. In Den Haag musste gerade Armageddon losgebrochen sein.

»Leider nicht«, bestätigte Dana.

Das Video schwenkte auf einen der amerikanischen Sicherheitsmänner, der von drei griechischen Gesetzeshütern festgehalten wurde. Englischsprachige Gesprächsfetzen drangen immer deutlicher durch. Sie mussten von den Mitgliedern aus Turners Entourage stammen, die begonnen hatten, das Weiße Haus, das US-Außenministerium und die US-Botschaft in Athen zu informieren.

»Wer, zum Teufel, hat das veröffentlicht?«, zischte Maria.

»Keine Ahnung«, sagte Dana.

Auf dem Screen herrschte nur mehr Tumult. Polizisten, die Menschen zurückdrängten. Im Hintergrund Turner. Noch einmal Dana. Ab sofort kannte die ganze Welt ihr Gesicht. In welcher Rolle sie dort gewesen war, würden sie schnell herausgefunden haben. Die Medien. Die US-Behörden. Die US-Geheimdienste. Die glühende Magensäure schwappte von ihrer Schädeldecke zurück, Schweiß überzog ihre Haut bis auf die letzte Pore. Sie hatte gewusst, worauf sie sich einließ, als sie den Job in Den Haag angenommen hatte. Geahnt, worauf sie sich bei diesem speziellen Projekt einstellen musste. Hatte schlaflose Nächte verbracht. Doch jetzt war es Realität. Und sofort anders gelaufen als geplant. Schlechter. Viel schlechter.

»Hier ist die Hölle los«, sagte Maria. »Das kannst du dir vorstellen.«

Dana konnte. Sie hatten über Reaktionen diskutiert. Doch die Realität fühlte sich nun so anders an als die Theorie. Dana war durchgeschwitzt bis auf ihre Unterwäsche. Dabei hatte sie sich alles so viel cooler vorgestellt. Allerdings hatte sie auch nicht erwartet, dass Bilder von ihr über den gesamten Globus verteilt wurden, wie sie gerade einen Ex-US-Präsidenten verhaften ließ.

»Okay«, sagte Maria. »Mit solchen Dingen war zu rechnen. Wir haben die Sache angefangen, jetzt müssen wir sie zu Ende führen. Gib mir Bescheid, sobald ihr angekommen seid.«

Wenn wir ankommen, dachte Dana. Doch verdeckte Einsatzteams würden selbst die US-Geheimdienste nicht in so kurzer Zeit an Ort und Stelle bringen.

»Ich muss Schluss machen«, sagte die Chefanklägerin. »Da ist ein Anruf, den ich wohl annehmen muss.«

Maria Cruz hatte unangenehme Gespräche mit mächtigen Männern nie gescheut. Nicht als Staatsanwältin in Buenos Aires, wo sie die Verbrechergenerale der einstigen Militärjunta trotz ursprünglicher Amnestie einer späten Gerechtigkeit zuzuführen versucht hatte. Später nicht als jüngste Justizministerin in einer männerdominierten Regierung. Und auch als stellvertretende Anklägerin am Internationalen Strafgerichtshof in Den Haag hatte sie es oft genug mit unangenehmen Gesellen zu tun gehabt. Darunter waren immer wieder Vertreter der Vereinigten Staaten gewesen. Etwa, als es um mögliche Ermittlungen gegen US-Soldaten oder Verantwortliche wegen Folterungen und anderer Vergehen in Afghanistan ging. Das hatte sich nicht gebessert, seit sie vor fünf Jahren Chefanklägerin geworden war. Nur kurz, bevor dieser Fall auf ihrem Tisch gelandet war. Und jetzt hatte sie den stellvertretenden US-Außenminister am Telefon. Damit hatte sie nicht so schnell gerechnet. Aber auch nicht mit einem Videoleak der Verhaftung.

Zwar hatten die Vereinigten Staaten im Jahr 2000 das Statut von Rom unterschrieben, welches die Grundlage des Gerichts bildete. Diese Unterschrift hatten sie 2002 allerdings zurückgezogen und das Statut nicht ratifiziert. So wie die Volksrepublik China, Indien, der Irak, Iran, Israel, Kuba, Nordkorea, Pakistan, Russland, Syrien, Saudi-Arabien, der Sudan und die Türkei. Solange es nicht gegen ihre eigenen Bürger ging, arbeiteten die USA aber durchaus mit dem Gericht zusammen.

Unter normalen Umständen hätten sie nun wohl zuerst einen Back Channel bemüht. Kein offizieller Vertreter hätte gleich direkt Kontakt mit ihr aufgenommen in der Sache. Damit würden sie dem Gericht mehr Zuständigkeit zugestehen, als sie wollten. Ohne das Video hätten sie Zeit genug gehabt, einen informellen Kontakt einzuweihen und zu beauftragen. Einen pensionierten Diplomaten vielleicht, sogar ein ehemaliges Regierungsoberhaupt einer eng befreundeten Nation oder besonders einflussreiche Geschäftsleute, die auch gern einmal Geheimdiplomatie spielten.

»Herr Außenminister«, begrüßte sie ihn. Persönlich hatte sie ihn noch nicht kennengelernt.

»Kommen wir direkt zur Sache«, erklärte die raue Stimme. »Sie lassen Douglas Turner sofort frei! Bis dahin herrscht ab jetzt ein Einreiseverbot für sämtliche Angehörige des ICC in die USA.« Er verwendete die Abkürzung der englischen Bezeichnung »International Criminal Court«.

»Das ist nichts Neues«, erwiderte Maria kühl. Tatsächlich hatten die USA schon bei anderer Gelegenheit versucht, auf diese Weise Druck auf das Gericht auszuüben. Mit Erfolg.

»Außerdem«, fuhr er fort, »werden sämtliche privaten Vermögensbesitze von ICC-Mitarbeitern in den USA eingefroren. US-Unternehmen wird verboten, mit ICC-Mitarbeitern Geschäfte zu machen. Nicht-US-Unternehmen, die mit ICC-Mitarbeitern Geschäfte machen, müssen mit Geschäftsverboten in den USA rechnen.«

Das würde ihre Arbeit nicht einfacher machen. Maria konnte nur hoffen, dass nicht alle Unternehmen diesem Druck nachgaben.

»Der Haftbefehl bleibt trotzdem aufrecht«, sagte Maria. Sie konnte nicht sagen: »Douglas Turner bleibt in Haft.« Sie wusste nicht, ob die griechischen Politiker und Behörden dem Druck standhalten würden, der sicherlich bereits auf sie ausgeübt wurde.

»Sie werden das so bitter bereuen!«, tobte der Amerikaner. »Sie haben kein Recht, eine derartige Anklage zu erheben!«

Ein paar Minuten suchte die Truppe im Netz nach Informationen. Auch Jim aus Taiwan fragte Steve, was er darüber dachte. Ob die Verhaftung gerechtfertigt sei.

»Ich bin kein Richter«, sagte Steve, »oder Anwalt. Um ehrlich zu sein, war ich nie ein Fan von Douglas Turner. Ich habe ihn nicht gewählt.«

Er war neunundzwanzig. Es war seine erste Wahl gewesen. Er war so entsetzt gewesen wie viele andere, als Turner entgegen den meisten Prognosen knapp den Sieg errungen hatte. Letztlich nur aufgrund des kranken US-Wahlsystems, das sogar einen Kandidaten mit weniger Wählerstimmen zum Wahlsieger machen konnte. Zum Glück war er abgewählt worden!

»Also freust du dich, dass er verhaftet wurde?«

»Er ist ja nicht mehr Präsident«, erwiderte Steve.

Mit einem Mal war er wieder Amerikaner in Deutschland. War er natürlich immer. Und oft genug musste er Position beziehen. Oder sich rechtfertigen. Für etwas, das er gar nicht vertrat. Trotzdem fühlte es sich jetzt komisch an, dass der Ex-Präsident plötzlich verhaftet worden war. Einer, bei dem man das wegen seiner ehemaligen Position nie für möglich gehalten hätte.

Undenkbar.

Steve freute sich nicht.

Obwohl er wusste, dass die Verhaftung gerechtfertigt war.

»Okay, alles sehr aufregend«, erklärte er Jim. »Aber ich muss weitermachen.«

Auf dem Weg zu seinem Tisch kreiselten seine Gedanken. Hatte Ann davon gewusst? Oder Frank?

Fast hatte er alles verdrängt. Seit über drei Jahren hatte er nichts mehr von der Sache gehört.

Natürlich hatte er vergessen, wie er die Anwälte auf sicheren Kanälen kontaktieren konnte. Sich nie wieder darum gekümmert.

In Wahrheit hatte er nie daran geglaubt, dass es je dazu kommen würde.

Ein Ex-US-Präsident.

Undenkbar.

Bis es geschah.

Die Zeiten änderten sich.

Steve ließ sich in seinen Sessel fallen. Starrte auf den Bildschirm. Suchte im Netz noch einmal nach dem Video. Kein Zweifel. Inzwischen kamen auch Meldungen klassischer Nachrichtenagenturen. Sie sprachen noch von »ersten Meldungen« und »Berichten zuverlässiger Quellen«. Keine offiziellen Bestätigungen. Konnte nicht mehr lange dauern.

Steve sah sich kurz um, nahm das Handy.

Über einen der verschlüsselten Textnachrichtendienste war das Risiko wohl am geringsten. Irgendwo da drin hatte er Franks und Anns Kontakte noch. Übertragen, von älteren Geräten. Ob sie den auch noch benutzten?

Er hätte gern einen Text getippt. Wenn seine Finger nicht so gezittert hätten. Endlich bekam er die Griffel unter Kontrolle.

Er schrieb dieselbe Nachricht an beide:

Was ist da los? Wusstet ihr Bescheid? Warum wurde ich nicht informiert? Bin ich nicht betroffen? Was tun? S

Er wartete zwei Minuten auf eine Antwort. Nichts.

Schloss das Browserfenster auf dem Computermonitor. Die Arbeit würde ihn ablenken.

Das Telefon legte er vor sich auf den Tisch, das Display nach oben. Er wollte gerade die Kopfhörer aufsetzen, als Tina zu ihm schlenderte.

»Du nimmst das ja recht cool«, sagte sie.

»Ich muss Step zwei der User Experience von Dellee noch fertig machen«, sagte er. »Irgendwas Neues?«

»Nein«, sagte sie schulterzuckend. »Große Aufregung überall.«

»Klar.«

»Was, glaubst du, wird passieren?«, fragte Tina. »Ich vermute mal, die Griechen lassen ihn schnell wieder raus«, gab sie sich gleich selbst die Antwort. »Ich denke, deine Regierung wird solchen Druck machen, dass die das nicht lange durchhalten. Was meinst du?«

»Sicher«, sagte Steve.

Hoffentlich, dachte er.

Undenkbar.

Bis es geschah.

Sein Blut kochte.

Fiel Tina sein rotes Gesicht auf? Wie er schwitzte?

Auf seinem Display leuchtete eine Nachricht auf.

Ann. Steve schielte hinüber.

Nein. Keine Ahnung. Werde nachfragen. Bleib ruhig.
Du bist anonym. Ann

Sie hatte leicht reden. Bleib ruhig.

Er wischte die Nachricht weg, bevor Tina sie lesen konnte.

»Ja«, sagte er und merkte, wie seine Stimme zitterte, »ich denke, er wird da nicht lange bleiben.«

6

»Die führen ihn tatsächlich ab!«, fluchte der EU-Ratspräsident, als er das Video nun zum fünften Mal sah. Vor zwölf Minuten hatte eine seiner Assistentinnen es ihm zum ersten Mal gezeigt. Acht Minuten später stand die Konferenzschaltung mit den anderen. Auf den Bildschirmen zweier Laptops seines Teams hatte er in vier verschiedenen Fenstern den deutschen Kanzler, den französischen Präsidenten, die EU-Kommissionspräsidentin und die Hohe Vertreterin der EU für Außen- und Sicherheitspolitik zugeschaltet. So einfach hatte er das Zustandekommen einer außerplanmäßigen Besprechung noch nie erlebt. Alle waren gerade unterwegs, in Autos, in Besprechungen, wo sie sich ruhige Plätze für das dringende Gespräch gesucht hatten. Alle starrten auf ihre Handys oder die ihrer Assistenten, außerhalb des Bildrahmens, nur kurze Blicke gingen immer wieder zum Ratspräsidenten.

»Wer, zum Teufel, hat das genehmigt?!«, wütete der Ratspräsident, umgeben von sechs Personen seines Teams. »Diese verdammten Griechen müssen doch davon gewusst haben! Wo ist Nikólaos? Der Mistkerl muss zumindest eine Ahnung gehabt haben, oder?«

»Nicht zwingend«, warf der französische Präsident ein. »Falls ihn seine Behörden – oder wie heißt seine Justizministerin noch mal? – nicht informiert haben, als sie den Haftbefehl bekamen.«

»Sauhaufen! Dem reiße ich den Kopf ab! Das ist eine Angelegenheit von übernationaler Bedeutung! Da kann man nicht einfach im Alleingang ...«

»Der Internationale Strafgerichtshof ist eine unabhängige Institution«, gab der deutsche Kanzler zu bedenken. »Wir haben da gar nichts ...«

»Natürlich nicht«, höhnte der Ratspräsident, beruhigte sich aber ein wenig. »Ausgerechnet jetzt! Erst gestern gab es noch dazu diese Probleme mit den zwei Schiffen der Griechen und der Türken in der Ägäis wegen der Gasgeschichte – wieder einmal! Da sollte man doch den Ball besonders flach halten!«

»Oder jemand will hier internationales Poker mit Höchsteinsatz spielen«, meinte die Kommissionspräsidentin.

»So bescheuert können die doch nicht sein!«

»Wissen wir denn, was Turner konkret vorgeworfen wird?«

»Ist ja nicht so, dass es da nichts gäbe«, brummte der Deutsche.

»Haben sie denn überhaupt Beweise?«, fragte der Franzose. »Ich meine, vor Gericht verwertbare.«

»Muss das Gericht wohl welche haben, und zwar hieb- und stichfeste«, sagte der Deutsche. »Sonst würden sie das nicht wagen.«

»Die müssten doch eine direkte Verantwortung oder Verwicklung Turners nachweisen«, warf die Kommissionspräsidentin ein. »Woher sollen sie so etwas bekommen?«

»Nur von einem Whistleblower.«

»In dessen Haut möchte ich nicht stecken«, sagte die Kommissionspräsidentin und schüttelte sich. »Wer wäre so verrückt?«

»Oder so anständig«, hörte der Ratspräsident eine seiner Assistentinnen flüstern. Auf dem Bildschirm beugte sich der deutsche Kanzler halb aus dem Bild.

»Die Amis werden außer sich sein!«, zürnte der Ratspräsident.

»Das werden wir gleich wissen«, sagte der Deutsche, dessen

Kopf in den Bildausschnitt zurückgekehrt war. »Ich habe Arthur Jones in der Leitung.«

Die anderen reagierten mit versteinerten Mienen, glücklich, dass es nicht sie als Erste erwischt hatte.

»Na, fabelhaft«, seufzte der Deutsche, »was sage ich ihm? Irgendwelche Ideen?«

Die Mienen blieben versteinert. Aber damit hatte der Deutsche natürlich gerechnet.

»Art«, begrüßte er den US-Präsidenten, das Mobiltelefon am Ohr. »Ich schalte dich gleich einmal auf laut, ich habe ein paar Kollegen hier, die gern mithören wollen ...«

Der Franzose verdrehte die Augen, die Kommissionspräsidentin ließ ihre Backenmuskeln flattern. Die Hohe Vertreterin blieb ungerührt.

»... umso besser!«, schepperte Arthur Jones' Stimme aus dem Lautsprecher des deutschen Mobiltelefons.

»Da sind Paul, Frankreich, du weißt schon, die EU-Rats- und EU-Kommissionspräsidentin, die Hohe Vertreterin ...«

»Ja, ja!«, unterbrach ihn Jones. »Hört mal. Wer immer da den Verstand verloren hat, dem helfe Gott! Turner kommt frei, und zwar sofort! So-fort!«

»Wir haben keinen Einfluss auf ...«

»Papperlapapp! So-fort!«

»Arthur ...«

»Arthur mich nicht! Euch ist die Lage wohl klar! Wir werden vor der ganzen Welt blamiert! Wie wollt ihr das wiedergutmachen?! Das ...«

»Das Gericht ...«

»Das Gericht steht auf eurem Boden. Also kümmert euch darum!«

»Das Gericht ist trotzdem unabhängig. Ein unabhängiges Gericht, Arthur. Bei dem es um Menschenrechte geht. Ich muss einen US-Präsidenten sicher nicht daran erinnern, dass eine der wichtigsten Verfechterinnen und Entwicklerinnen der Allgemeinen Erklärung der Menschenrechte eine US-Amerikanerin war, Eleanor Roosevelt, die höchstangesehene Frau eines deiner Vorgänger, Franklin Delano Roosevelt. Sie saß vor der Veröffentlichung der Erklärung sogar der UN-Menschenrechtskommission vor, wenn ich mich nicht täusche ...«

»Spar dir deine Geschichtsstunde! Menschenrechte hin oder her, Turner kommt frei! Dafür sorgt ihr! Oder wir tun es! Ich gebe euch ein paar Anreize dazu. Wenn er bis zu unserer öffentlichen Reaktion in einer Viertelstunde kein freier Mann ist, werden wir Einreiseverbote für sämtliche Mitarbeiter des ICC verhängen. Außerdem werden wir gegen sie internationale Haftbefehle beantragen ...«

»Das kannst du nicht ...«

»Und wie ich das kann! Das ...«

»Wir können die nicht exekutieren ...«

»Ich helfe euch, das entschiedener anzugehen! Falls nichts geschieht, werden ab morgen sämtlichen europäischen Banken Geschäfte in den Vereinigten Staaten untersagt ...«

»Arthur, das gibt einen Kollaps der Weltwirtsch...«

»Nichts Arthur! Und das ist erst der Anfang. Ihr seht, ich meine es ernst!«

Die Gesichter auf den Laptops hatten sich merklich verdüstert. Als Jones die Drohung gegen die Banken aussprach, schüttelte der Franzose sacht den Kopf.

»Hör mal, Arthur«, sagte er mit seinem französischen Akzent, »hier ist Paul. Hörst du mich?«

»Paul! Schlecht, aber ich verstehe dich. Ich habe alles gesagt. Es liegt nun an euch.«

»Arthur, wie du siehst, sind wir uns des Ernstes der Lage

bewusst. Deshalb sind wir hier auch alle zusammengekommen. Aber ich frage mich, ob wirklich wir die entscheidenden Akteure sind.«

Die anderen Gesichter auf den Bildschirmen wirkten überrascht, und auch der Ratspräsident fragte sich, worauf der Franzose hinauswollte.

»Das Gericht musste doch mit genau so einer Reaktion rechnen«, fuhr Paul fort, »wie du sie gerade lieferst. Überleg: Bei früheren Gelegenheiten hat das Gericht schon den Schwanz eingezogen, wenn es nur überlegte, das Handeln von US-Soldaten zu untersuchen. *Untersuchen.* Nicht anzuklagen oder sie gar zu verhaften. Ein paar ... Erinnerungen von euch an die Macht der USA, und selbst simple Ermittlungen wurden eingestellt. Gegen einfache Soldaten. Und diesmal? Der Präsident? Verhaftet?! Ernsthaft?!! Dafür, dass sich die das tatsächlich getraut haben, gibt es meiner Meinung nach nur eine Erklärung: Jemand garantiert ihnen, dass sie diesmal nicht so harte Konsequenzen fürchten müssen. Zumindest nicht langfristig. Und du weißt genauso gut, dass wir so eine Garantie weder geben können noch würden. Ihre Rückversicherung muss von woanders kommen. Wenn du mich fragst, unterstützt das jemand bei euch. Und zwar massiv. Jemand sehr Einflussreiches.«

Die Hohe Vertreterin, für ihre beherrschte Art bekannt, hob eine Augenbraue. Der deutsche Kanzler nickte anerkennend, formte mit den Lippen ein »Chapeaux«. Und die Kommissionspräsidentin hatte trotz des Ernstes der Lage Schwierigkeiten, ein Lachen zu unterdrücken.

Aus dem Telefon in der Hand des Deutschen kam kein Ton.

»Und diesen Verdacht werden schnell auch andere haben«, fuhr der Franzose fort.

Klug gemacht, dachte der Ratspräsident. Gab dem Ami zu verstehen, dass der Verdacht bei Bedarf eben gestreut werden würde, falls wider Erwarten niemand von allein darauf käme.

»Das berücksichtigend«, sagte Paul, »bitte ich dich, die Maßnahmen in ihrer Schärfe noch einmal zu überdenken und uns einen gemeinsamen Weg aus der Situation finden zu lassen. Wir wollen doch unsere Freundschaft deshalb nicht aufs Spiel setzen.«

Auch schön gespielt. Der Franzose wusste so gut wie sie alle, dass die Amerikaner reagieren mussten, zumal Jones im Finale des Wahlkampfs stand. Ließ ihn das Gesicht wahren, bei gleichzeitiger Rückzugsmöglichkeit. Vielleicht hatte er damit vorerst das Schlimmste verhindert.

Auch der Ratspräsident konnte sich ein Grinsen nicht verkneifen. Wenngleich ein säuerliches. Dass er nicht selbst darauf gekommen war!

Jemand bei euch.

7

»Erinnern Sie sich an 1979?«, fragte Derek den Präsidenten.

»Da war ich in der Schule«, antwortete Jones. »Achte Klasse. Was hat das mit Turners Verhaftung zu tun?«

Derek war 1979 noch gar nicht geboren. Sie saßen in der Limousine zum Flughafen, von wo sie der Flieger zum nächsten Auftritt in Atlanta, Georgia, bringen sollte. Den Plan konnten sie vergessen. Sie mussten direkt zurück nach Washington. Das erwartete man in dieser Situation vom Präsidenten. Ausnahmsweise lenkte Derek den Wagen selbst. Sie brauchten keine Mithörer. Mit im Wagen saßen nur ihre Wahlkampfkoordinatorin Sandra Pilasky und die Medienchefin Kim Song, beide ebenfalls lange nach 1979 geboren. Beide über je zwei Smartphones gebeugt, auf denen sie die neuesten Nachrichten überflogen.

Derek ersparte sich weitere Ratespiele à la »Wissen Sie noch, wer damals Präsident war?«.

»Jimmy Carter war damals Präsident. Zu Beginn des Jahres fand im Iran die Islamische Revolution statt. Im November ...«

»Natürlich! Die Geiselnahme in der US-Botschaft.«

»Fünfzig US-amerikanische Botschaftsangehörige als Geiseln von Hunderten radikalisierten iranischen Studenten kosteten Carter die Präsidentschaft. Im Wahlkampf hatte er kaum mehr eine Chance gegen Ronald Reagan. Erst recht nicht, nachdem auch noch ein Befreiungsversuch auf peinlichste Weise scheiterte.«

»Die Geiselnahme endete kurz nach Reagans Amtseinführung, wenn ich mich recht entsinne«, sagte der Präsident. »Die wollten Carter weghaben und die USA demütigen ...«

»So war es«, sagte Derek. »Ich würde das mit der gegenwärtigen Situation vergleichen.«

»Der Internationale Strafgerichtshof ist kein islamistisches Terrorregime«, wandte Kim ein, »aber ich verstehe, worauf du hinauswillst.«

Sandra telefonierte flüsternd.

»Das Handling dieser Affäre wird unseren Wahlkampf entscheiden«, sagte Kim. »Wir müssen es besser machen als Carter damals.«

»Der Franzose hat nicht ganz unrecht«, sagte Sandra, die inzwischen nicht mehr telefonierte. »Das Gericht in Den Haag könnte von jemandem in den USA Rückendeckung bekommen. Zwei Möglichkeiten: jemand bei uns, der Sie loswerden will. Oder Wright und seine Mannschaft.«

»Die Republikaner werden doch keinen republikanischen Ex-Präsidenten an den ICC ausliefern«, meinte Jones.

»Wäre eine tolle Story, nicht?«, grinste Sandra.

»Bekommst du das glaubwürdig hin?«, fragte Kim.

»Dafür erwarte ich eine Entschuldigung.«

»Und wenn niemand dahintersteckt? Und das Gericht einfach gehandelt hat?«

»Das spielt gar keine Rolle. Jede Wette, dass derartige Spekulationen ohnehin bald auftauchen. Wir müssen nur entsprechend darauf reagieren. Am besten nehmen wir die Mitbewerber empört in Schutz. Kein aufrechter US-Bürger würde so etwas auch nur erwägen! Schon gar kein Präsidentschaftskandidat! Je öfter und lauter wir das wiederholen – und auf Social Media wiederholen lassen –, desto mehr Zweifel bleiben bei den Menschen hängen. Nach dem Motto ›Wo Rauch, da Feuer‹.«

»Und wenn es ein Feuer gibt?«, fragte Derek.

»Umso besser. Jemand wird das herausfinden«, sagte Sandra und fügte vieldeutig hinzu: »Das gehört auch zu unserem Job.«

»Haben wir eine erste Reaktion bereit?«, fragte Jones. »Ist in Abstimmung mit Chuck« – dem Pressesprecher des Weißen Hauses, der in Washington geblieben war. »Ohne so etwas brauchen wir am Flughafen gar nicht aufzutauchen. Da wartet sicher schon die Meute.«

Sandra tippte auf einem ihrer Phones. »Ist da.«

»Wir auch«, sagte Derek und bog auf die Abfahrt zum VIP-Bereich des Flughafens, wo die Air Force One auf den Präsidenten wartete. Und eine Horde Journalisten.

»Junge europäische Juristin zieht Zorn der gesamten USA auf sich!«

Über der Schlagzeile zeigte ein Screenshot Dana mit Turner.

Dana hatte die Nachricht auf ihrem Telefon aufs Geratewohl geöffnet. Eine von Hunderten.

Sie achtete nicht auf den Weg. Hinter den getönten Scheiben rasten links und rechts die Athener Straßen vorbei. Nur ab und zu hob sie den Blick von ihrem Telefon, um sich zu vergewissern, dass der Wagen mit Turner noch vor ihnen fuhr. Die Polizisten unterhielten sich auf Griechisch. Dana verstand kein Wort. Eine Minute nachdem das Verhaftungsvideo online gegangen war, hatte sie die erste Textnachricht auf ihrem Telefon erhalten. In den folgenden Minuten waren weitere hereingetröpfelt. Über alle Kanäle. SMS. E-Mail. Verschiedene Messenger. Schon während ihres Telefonats mit Maria Cruz war der Damm gebrochen. Sie kam nicht mehr dazu, einzelne zu lesen. Kaum hatte sie die Absenderin oder den Absender einer Nachricht identifiziert, wurde diese schon von einem neuen Fenster ersetzt, das die nächste ankündigte. So viele Menschen kannte sie gar nicht! Das unentwegte Brummen des Telefons kündete von den zahllosen Versuchen, sie telefonisch zu erreichen. Die meisten Nummern sagten ihr nichts. Dana nahm kein Gespräch entgegen.

Wahllos tippte sie die aktuell aufblinkende Nachricht an. Jenny Mandile. Dana rätselte. Bis es ihr wieder einfiel. Eine Studienkollegin, aus dem Jahr an der Georgetown University in Washington, D.C. Hatte sich seitdem bei Dana vielleicht einmal pro Jahr gemeldet, Dana sich bei ihr nicht öfter. Das letzte Mal war erst ein paar Monate her. Jetzt also schon wieder. Jenny arbeitete inzwischen in San Francisco, wenn Dana sich recht erinnerte. An der Westküste war es noch Morgen. Nachrichten reisten schnell.

Jennys Kommentar zu der Schlagzeile, die Dana zum Ziel des Zorns von 330 Millionen Menschen machte: *Bist du verrückt?*

Gute Frage, dachte Dana. War das ein Vorwurf? Oder ein Kompliment? Jenny war kein Turner-Fan. Aber US-Bürgerin.

Auf jeden Fall bist du jetzt ein Star, ging die Nachricht weiter. Darauf hätte Dana gut verzichten können. *Wenn auch nicht unbedingt eine Heldin.*

Und für Jenny?, fragte sich Dana. Obwohl sie das im Augenblick nicht wirklich interessierte. Angehängt war ein Link zu einem Bericht im Internet. Dana öffnete ihn nicht. Nicht jetzt. Den Inhalt konnte sie sich auch so vorstellen.

Nun überflog sie doch einige der anderen Nachrichten.

Ihr habt sie ja nicht alle! Wollt ihr einen Krieg mit den USA heraufbeschwören? Ein ehemaliger Schulkamerad aus Wuppertal, von dem sie seit Jahren nichts mehr gehört hatte.

Chapeaux! In deiner Haut möchte ich nicht stecken! Ein lachender Smiley. Und ein zustimmender Daumen. Ein ehemaliger Kollege von Amnesty International, wo sie während des Studiums ein halbes Jahr gearbeitet hatte.

Sie öffnete Twitter. Hashtag Turner trendete weltweit an erster

Stelle. Jeder zweite Tweet zeigte einen Screenshot aus dem Video. Auf fast jedem davon Turner, der verhaftende Polizist. Und Dana.

Schon war sie zu dem Gesicht dieser Verhaftung geworden. Perfekter hätte man die Kontrahenten dieses Duells für die Medien nicht arrangieren können. Junge Frau gegen älteren Mann. Idealistin gegen (Ex-)Politiker. Durchschnittlich bezahlte Juristin gegen Multimultimillionär. Internationaler Strafgerichtshof gegen mächtigste Nation der Welt.

Einige Twitterer hatten das schnell erkannt, andere nachgemacht und geteilt.

Dabei sollte Dana nur anwesend sein. Vom Rande beobachten. Als Zeugin, dass alles korrekt verlief. Nicht einmal etwas sagen. In der unerwartet turbulenten Situation hatte sie sich hinreißen lassen. War vom Rand ins Zentrum gerückt. Gelaufen.

Selber schuld.

Weiterhin trudelten Nachrichten ein. Und Anrufe.

Im aktuellen Fenster stand eine Nummer, die sie kannte.

Mama.

Nein, das schaffte sie jetzt nicht. Dana drückte den Anruf weg. Der Bus vor ihnen bog in eine große Einfahrt, an deren beiden Seiten sich zwei schwere, dicke Eisentore zurückzogen. Der einzige Durchlass in einer langen hohen Mauer, die von Stacheldrahtspiralen gekrönt wurde. Vor ihnen öffnete sich ein Hof, umringt von Gebäuden mit kleinen vergitterten Fenstern. Hinter ihnen schossen die restlichen Busse durch das Tor. Die Metalltore begannen sich wieder zusammenzuschieben und die Welt draußen auszuschließen.

Die Polizisten sprangen aus dem Bus. Dana verließ das Fahrzeug als Letzte. Die Sonne erreichte das Innere des Gefängnishofs nicht mehr. Nur die Stacheldrahtrollen auf den Mauerkronen blitzten in den letzten Strahlen. Dennoch fühlte sich Dana wie in einer erhitzten Pfanne. Aus den anderen Bussen stiegen die übrigen Polizisten. Vier von ihnen hatten Turner in ihre Mitte genommen. Ohne Widerstand folgte er dem, der die Verhaftung ausgesprochen hatte.

Sie hatten nur Turner mitgenommen. Die Mitglieder seiner Entourage, die Leibwächter, seine griechischen Gastgeber und die anwesenden Politiker, hatten sie am Flughafen zurückgelassen. Gegen sie lag nichts vor. Nur der Securitymann, der Widerstand geleistet hatte, war verhaftet worden. Aber das war Angelegenheit der griechischen Behörde.

Die meisten Polizisten blieben im Hof und unterhielten sich. Dana folgte dem Tross zum Eingang. Sie mussten sich ausweisen und wurden an einer Sicherheitsschleuse kontrolliert. Alle Passierenden mussten ihre Taschen leeren. Telefone, Portemonnaies. Wie auf dem Flughafen. Hinter der Schleuse bekamen sie ihren Kram zurück. Außer Douglas Turner. Ein Securitymann verstaute seine Telefone, das Portemonnaie, eine Armbanduhr und den Gürtel säuberlich in je einen Plastikbeutel.

»Was…«, wollte sich Turner empören, doch da schoben ihn die Justizwachtmeister schon weiter. Mit verdrehtem Hals warf Turner noch einen Blick über die Schulter auf sein Zeug, dann waren sie schon um die erste Ecke. Dana folgte ihnen. Ein Gefängnisangestellter führte sie durch zwei schwere Gittertüren und einen Flur in einen Raum voller abgenutzter Tische und Bürostühle. An einem der Tische warteten zwei Männer und eine Frau. Die Männer trugen dunkle Anzüge, die Frau ein beiges Kostüm. Der ältere der Männer, Anfang sechzig, wechselte ein paar Worte mit dem leitenden Justizwachtmeister auf Griechisch. Er war hager, sein Gesichtsausdruck ernst, mit tiefen Falten von der Nase zu den Mundwinkeln, das Haar ein weißer Kranz oberhalb der Ohren. Er wandte sich an Turner.

»Ich bin Michalis Stouvratos, Staatsanwalt am Berufungsgericht hier in Athen«, sagte er auf Griechisch. Der Mann neben ihm, ein Mittvierziger mit schütterem, wirrem Haar, übersetzte. »Sie wurden auf Antrag des Internationalen Strafgerichtshofs in Den Haag verhaftet. Die griechischen Gesetze schreiben für einen solchen Fall vor, dass der Verhaftete, also Sie, umgehend dem Staatsanwalt vorgeführt werden, also mir. Angesichts der außergewöhnlichen Umstände und aus Sicherheitsgründen habe ich mich entschlossen hierherzukommen, anstatt Sie mir vorführen zu lassen. Sie haben das Recht auf ...«

Vom Flur her hörte Dana laute Stimmen in den Raum dringen. In der Tür erschien der Gefängnisbedienstete von vorhin. An ihm vorbei drängte sich ein großer Mann in hellem Sommeranzug, den Kragen offen, das verschwitzte rotblonde Haar nur halbwegs geordnet.

»Jeremy McIntyre«, stellte er sich im Laufschritt vor. Die anwesenden Justizwächter wollten ihm den Weg verstellen. Mit einer Handbewegung hielt sie der Staatsanwalt davon ab.

McIntyre eilte mit ausgestreckter Hand auf Turner zu. »Botschafter der Vereinigten Staaten in Griechenland«, erklärte er.

»Höchste Zeit, dass Sie mich hier rausholen!«, bellte Turner. Die angebotene Hand ignorierte er. Nun erst begrüßte der Gesandte den Staatsanwalt. Die übrigen Anwesenden behandelte er wie Luft.

»Ich verlange ein sofortiges Ende dieser Scharade!«, rief er.

Der Dolmetscher hob an zu übersetzen, doch der Staatsanwalt winkte ab.

»Dafür ist mein Englisch gut genug«, sagte er mit einem weichen Akzent. Er wechselte wieder ins Griechische.

»Douglas Turner, Sie haben das Recht auf die Vertretung durch einen Anwalt. Der Haftbefehl wurde aufgrund des wohlbegründeten Verdachts auf vorsätzliche Angriffe auf die Zivilbevölkerung in Afghanistan sowie Mord ausgestellt.«

»Das ist doch …«, donnerte Turner, aber weder der Staatsanwalt noch der Übersetzer ließen sich davon beeindrucken und fuhren fort.

»Der Form halber muss ich auch erklären: Falls Sie sich keinen Anwalt leisten können, wird Ihnen einer gestellt.«

Wieder setzte Turner empört zu einer Bemerkung an.

»Das ist doch lächerlich …«, mischte sich der Botschafter ein, doch die beiden Griechen setzten ihren Sermon unbeirrt fort. Diesmal hielt sich Dana im Hintergrund.

»Um Ihnen das weitere Prozedere zu erklären«, übersetzte der Dolmetscher die Worte des Staatsanwalts. »Ich bin lediglich für diese Verhaftung zuständig. Griechenland hat sich, so wie alle Unterzeichnerstaaten des Statuts von Rom, mit dem der Internationale Strafgerichtshof gegründet wurde, dazu verpflichtet, mit diesem zu kooperieren. Wenn der Internationale Strafgerichtshof, wie in diesem Fall, einen vorläufigen Haftbefehl gegen eine Person ausstellt, müssen die griechischen Behörden diesen ausführen. Sobald Sie anwaltliche Vertretung haben, können Sie die nächsten Schritte absolvieren.«

»Es wird keine nächsten Schritte geben«, presste Turner hervor. Der Mann und sein unsouveränes Verhalten hatten wenig mit der großspurigen Person zu tun, die Dana aus den Medien kannte.

»Ich habe bereits mit Ihrer Justizministerin telefoniert«, erklärte der Botschafter. »Ich treffe sie im Anschluss. Ich gehe davon aus, dass ich Mister Turner gleich mitnehme, damit sich Ihre Justizministerin persönlich bei ihm für diese Ungeheuerlichkeit entschuldigen kann!«

»Sie können die Justizministerin gern treffen«, erklärte der Übersetzer die Antwort des Staatsanwalts, »allerdings ohne Mister Turner. Sobald dessen anwaltliche Vertretung feststeht, wird das zuständige Gericht hier in Athen vier Punkte behandeln …«

Turner zuckte mit den Schultern, wandte sich um und wollte gehen. »Mir ist das hier zu blö…«

Instinktiv machte Dana einen Schritt vorwärts. Zwei Justizwachtmeister verstellten ihm den Weg. Dana bremste sich. Turner versuchte, sich an den Uniformierten vorbeizudrängen. Sie hinderten ihn daran. Respekt, dachte Dana, dass diese einfachen Beamten den Mumm hatten, sich dieser Person und allem, wofür sie stand, entgegenzustellen. Sie merkte, dass sie die Hände zu Fäusten geballt hatte, während sie sich dazu zwang, auf ihrem Beobachterposten stehen zu bleiben.

»Wohin wollen Sie denn?«, fragte der Staatsanwalt mild. »Das hier ist ein Gefängnis. Niemand verlässt es so einfach.«

Zeigen Sie wenigstens ein klein bisschen Größe, hätte er wohl gern hinzugefügt, dachte Dana, wenigstens klang seine Stimme so.

Stattdessen explodierte Turner: »Sind die verrückt?! In Syrien foltern, morden, vertreiben Assad und die Russen Millionen, scheren sich einen Dreck um irgendwelche Menschenrechte, ebenso wie die Saudis im Jemen, bei der Ermordung von Kashoggi und unzähligen anderen Fällen bei ihren eigenen Leuten. Auspeitschen, Hand ab, steinigen! Die Chinesen mit den Tibetern, den Uiguren, Hongkong, ach was, ihrer gesamten Bevölkerung! Die Russen in Tschetschenien, der Ukraine, auf der Krim, in Georgien, im ganzen Land! Der wahnsinnige Filipino, Dutzende andere weltweit – und mich verhaften Sie? Mich?! Das ist doch ein Witz!« Er winkte ab und fügte herablassend hinzu: »Außerdem ist der ICC nicht zuständig.«

Der Botschafter legte die Hand auf Turners Arm und flüsterte ihm etwas zu. Mit knirschenden Zähnen, aber schweigend wandte sich Turner wieder dem Staatsanwalt zu.

»Erstens«, erklärte der Übersetzer, »wird Ihre Identität festgestellt. Falls Sie nicht der Gesuchte sein sollten, haben Sie zwei Tage

Zeit, Einspruch zu erheben. In der Folge hat das Gericht darüber zu entscheiden, ob das Verhaftungsprozedere korrekt abgelaufen ist. Drittens muss es klären, ob Ihnen alle Ihnen zustehenden Rechte gewährt wurden. Letztlich muss nach griechischem Recht auch die Frage beantwortet werden, ob die Verbrechen, die dem Verhafteten vorgeworfen werden, überhaupt zu einer Überstellung befugen würden. Sie haben die Möglichkeit, gegen die Verhaftung Einspruch zu erheben. Es ist davon auszugehen« – der Blick des Staatsanwalts traf Dana wie ein Vorwurf – »dass uns der ICC in den kommenden Tagen einen regulären Haftbefehl mit Ersuchen um Überstellung nach Den Haag übermittelt. Auch dagegen können Sie natürlich Einspruch erheben.«

Zugegeben, sie hatten den Staatsanwalt in eine Situation gebracht, um den ihn wohl niemand auf der Welt beneidete. Bislang bewältigte er die Herausforderung mit der kühlen Professionalität eines Bürokraten, der sich hinter seiner Funktion und Regeln, die andere gemacht hatten, verschanzen konnte, was in diesem Fall durchaus von Vorteil war.

»Ich fordere Sie ein letztes Mal auf, dieses Theater zu beenden«, erhob der Botschafter seine Stimme.

»Wir sind hier fertig«, sagte der Staatsanwalt. Er nickte Turner und dem Botschafter zu. »Guten Abend.«

Er schritt an dem Ex-Präsidenten vorbei. Warf dem Botschafter einen Blick zu. »Kommen Sie mit?«

Entrüstet erwiderte dieser: »Nicht ohne den Präsidenten!«

Der Staatsanwalt zuckte mit den Schultern.

»Dann nicht. Ihre Entscheidung. Abführen«, forderte er den Justizwachtmeister mit einem Blick zu Turner auf.

Dana hatte nicht erwartet, Turners Kinnlade fallen zu sehen. Noch immer konnte der einst mächtigste Mann nicht glauben, was soeben mit ihm geschah.

Dana konnte es selbst nicht glauben. Der Staatsanwalt hatte

die Tür fast erreicht. Von ihm hatte Turner nichts mehr zu erwarten. Sein nächster Blick traf den Botschafter, der hinter dem Juristen herlief und auf ihn einredete. Blieb außer den Justizwachtmeistern nur mehr Dana. Ihre Blicke verschränkten sich kurz ineinander. Wie Ringer, die ihre Arme um die Schultern des anderen schlangen, um sich ein erstes Mal miteinander zu messen. Bloß dass hier ein Leichtgewicht gegen einen Sumoringer antrat. Turners Augen konnten seinen Zorn nicht verhehlen, ebenso wenig wie die Geringachtung seines Gegenübers. Widerspruch war er nicht gewohnt. Niederlagen noch weniger. Und so hatte sich auch ein Gefühl in diese braunen Augen geschlichen, das der ehemalige Präsident selbst vielleicht noch gar nicht an sich bemerkt hatte, wie Dana vermutete: Zweifel.

Einer der Justizwachtmeister fasste Turner sacht am Arm. Der Ex-Präsident warf ihm einen wütenden Blick zu und riss seinen Arm zur Seite. Dann setzte er sich langsam in Bewegung, einen Schritt nach dem anderen, auf den Staatsanwalt und die anderen bei der Tür zu. Die Beamten folgten ihm und behielten ihn in ihrer Mitte.

Der Gefängnisdirektor persönlich führte sie durch die Gänge der Haftanstalt. Hinter ihm eskortierten vier Justizwachtmeister Turner. Ihnen folgten Stouvratos, dessen Mitarbeiterin, der Übersetzer und der Botschafter. Ganz am Schluss hielt sich Dana. Von den Wänden bröckelten hier und dort der Verputz und die Farbe ab. Es roch nach Staub, Schweiß und Putzmitteln. Der Botschafter redete weiterhin atemlos abwechselnd auf den Direktor, den Staatsanwalt und Turner ein. Für jeden hatte er einen anderen Ton. Drohend gegen den Direktor, verhandelnd mit dem Staatsanwalt, beschwichtigend und eilfertig zu Turner. Fast war Dana die Situation unangenehm. Sie wollte nur dabei sein und zusehen, ob alles mit rechten Dingen zuging. Dass Turner ordentlich behandelt wurde. Und vor allem seine Rechte wahrnehmen konnte. Nicht dass ein kleiner Formfehler sofort wieder zu seiner Freilassung führte! Fallen gab es genug: kein Übersetzer, keine Rechtsvertretung, keine Hilfe durch die US-Botschaft… Sie fühlte keinen Triumph, während sie diesen einst mächtigsten Mann der Welt, wie die Träger dieses Amts gern genannt wurden, auf dem düsteren Weg in seine Zelle begleitete.

Der Direktor schloss eine schwere graue Metalltür auf. Für einen Moment blieb die Gruppe davor stehen. Dann ließ der Direktor die Beamten und Turner passieren. Dana nahm Turners Widerwillen wahr weiterzugehen. Aber er sah wohl ein, dass er keine Wahl hatte.

»Das ist unmöglich!«, brach es aus McIntyre heraus, als er Turner in die Zelle folgen wollte. »In dieses Drecksloch können Sie den Präsidenten doch nicht stecken! Ich protestiere aufs Energischste!«

Nun gelang auch Dana ein Blick in den Raum. Er maß vielleicht drei Meter in der Breite, fünf in der Länge. Die Wände kahl, etwa bis Schulterhöhe in einem dunklen Grün, darüber Grau. Es roch nach Abort und frischer Farbe. Hatten die extra für ihren besonderen Gast gestrichen? An der hinteren Wand sah sie ein kleines vergittertes Fenster, durch das kaum Reste des Frühabendlichts fielen. Links und rechts jeweils ein einfaches Bett. Darauf ein Leintuch, ein kleines Kissen, eine zusammengelegte Wolldecke. Rechts neben der Tür eine offene Toilette. Daneben ein Metalltischchen. Am Boden verschraubt, bemerkte Dana.

»Das ist nicht Ihr Ernst!«, bestärkte McIntyre seine Empörung. Die Standards des Gefängnisses sorgten seit Jahren für Beschwerden. Nicht nur von Gefangenen. Selbst Menschenrechtsorganisationen hatten die Zustände angeprangert. Dafür war diese Zelle vergleichsweise luxuriös. Auch wenn ein Ex-US-Präsident oder ein zum Botschafter gewandelter Multimillionär das anders sahen.

»Mister Turner genießt als einer von ganz wenigen das Privileg einer eigenen Zelle«, erklärte der Direktor in einem Ton zwischen Unterwürfigkeit und Trotz. »Hier sind normalerweise bis zu vier Personen untergebracht. Mehr können wir nicht tun.«

»Ich gehe hier nicht ohne den Präsidenten weg!«, erklärte McIntyre großspurig.

»Dann bleiben Sie eben hier«, sagte der Direktor. »Es sind ja zwei Betten vorhanden.«

»Hören Sie auf mit dem Mist!«, bellte Turner ihn nun an. »Hier drinnen können Sie nichts für mich tun! Sorgen Sie lieber dafür, dass das Weiße Haus endlich etwas unternimmt!«

»Ihre Krawatte, bitte«, forderte der Übersetzer schüchtern, nachdem einer der Beamten etwas auf Griechisch zu Turner gesagt hatte und ihm die Hand entgegenstreckte.

Turner stierte ihn einen Augenblick an. Dann löste er seinen Schlips und warf ihn dem Mann vor die Füße. Ungerührt hob dieser ihn auf.

Der Direktor wechselte ein paar Worte auf Griechisch mit einem der Beamten. Dieser antwortete und nickte.

»Bitte verlassen Sie jetzt den Raum«, sagte er dann zu dem Botschafter. Der wechselte einen letzten Blick mit Turner, der ihm kühl zunickte.

»Ein Beamter wird die Nacht über vor der Tür wachen«, erklärte der Direktor in die Richtung der beiden. »Falls Mister Turner etwas braucht.«

Einer der Beamten schloss die schwere Tür. Mit einem dumpfen Geräusch fiel sie ins Schloss. Der Beamte drehte den Schlüssel in zwei Schlössern zweimal um.

Der Direktor wandte sich ab und lief an Dana vorbei den Gang entlang, durch den sie gekommen waren. Seine Leute folgten ihm bis auf einen Justizwachtmeister, der vor der Tür stehen blieb. Der Staatsanwalt und seine Mitarbeiterin. McIntyre, ohne Dana eines Blickes zu würdigen. Mit einem Gefühl der Leere stand Dana vor der Tür und starrte sie an.

Noch immer konnte sie nicht glauben, was sie da sah. Der Moment schien ihr endlos. Bis ihr der Beamte mit einem akzentreichen »Sie müssen gehen« zu verstehen gab, dass die anderen schon ein Stück weiter den Gang hinunter waren und Dana sie einholen sollte. Sie folgte ihnen mit einem ungläubigen Kopfschütteln und einem letzten Schulterblick auf die Eisentür, hinter der nun ein ehemaliger Präsident der Vereinigten Staaten saß. Stand? Im Kreis lief? Seine Faust gegen die Wand schlug? Sich fassungslos umsah? Oder die Toilette benutzte?

8

Die Sonne war untergegangen. Der Himmel strahlte in blassem Abendblau. In einer halben Stunde würde er dunkel sein. Die Busse waren aus dem Gefängnishof verschwunden. Nur zwei Limousinen standen da. Ein paar Meter weiter diskutierte der US-Botschafter mit dem Staatsanwalt. Letzterer schüttelte den Kopf und ließ den Amerikaner stehen. Er stieg in eines der Fahrzeuge, das bis zu den großen Eisentoren fuhr, die sich langsam öffneten. Dana hatte sich bis jetzt keine Gedanken darüber gemacht, wie sie hier wegkam. Sie musste ein Taxi rufen oder einen privaten Fahrdienst. Der Botschafter wollte in den anderen Wagen steigen. Dana sah gleichzeitig, was das geöffnete Tor preisgab. Die Limousine des Staatsanwalts musste sich durch einen Pulk von Journalisten mit Kameras, Mikrofonen und hochgehaltenen Telefonen kämpfen. Das war schnell gegangen.

McIntyre gab seinem Fahrer ein Zeichen. Er selbst ging zu Fuß zum Ausgang. Der Wagen folgte ihm im Schritttempo.

Für einen Moment stand Dana ganz allein auf dem Hof. Dann eilte sie dem Auto des Amerikaners hinterher.

Der Botschafter baute sich vor den Kameras auf.

Mit einer wegwerfenden Handbewegung deutete er dem davonfahrenden Wagen des Staatsanwalts hinterher.

»Da wagt jemand nicht einmal, der griechischen Bevölkerung zu erklären, in welche Katastrophe er sie gerade gestürzt hat!«, donnerte er. »Nun«, wandte er sich direkt an die Kameras, »sind die Augen der Welt auf dieses Land gerichtet. Und sie werden es an seinen Taten messen! Douglas Turner, vier Jahre lang Führer der freien Welt, wird hier behandelt wie ein schmutziger Verbrecher! Ein Kämpfer für Freiheit, Demokratie, Wohlstand und Sicherheit! Das können und dürfen weder unsere großartige Nation, die USA, akzeptieren noch unsere Verbündeten in aller Welt! Keine redliche Demokratie auf diesem Globus! Wir erwarten eine sofortige Freilassung von Douglas Turner! Die USA erkennen die Zuständigkeit des ICC nicht an und werden nicht mit ihm zusammenarbeiten. Wenn die griechische Justiz das will, bleibt es ihr überlassen. Ich bin allerdings überzeugt davon, dass die griechische Bevölkerung sich der Konsequenzen bewusst ist und das Vorgehen dieses Staatsanwalts nicht unterstützt!«

Dana hörte genau zu. McIntyres Absicht war klar und deutlich. Und ziemlich unverschämt, gemessen an internationalen diplomatischen Standards, soweit Dana sich damit auskannte. Was nicht viel war.

»Wenn die Griechinnen und Griechen damit nicht einverstanden sind«, rief er, »sollten sie das zeigen!«

Das überschritt jede Grenze unter Verbündeten, dachte Dana. Die Bevölkerung eines Landes gegen dessen Justiz, Administration und Regierung aufzuwiegeln. Noch dazu eines verbündeten Landes. Aber, zugegeben, was der Staatsanwalt gewagt hatte, überschritt auch die klassischen Gepflogenheiten zwischen Verbündeten.

»Morgen werden hier nicht ein Dutzend Journalisten stehen, sondern Hunderte! Und Griechenlands Reaktion in die ganze Welt hinaustragen! Ich bin gespannt, welche Nachricht sie senden werden! Es liegt an Ihnen!«

Interessanter Fehler, dachte Dana. Morgen. Hätte er nicht sagen dürfen. In seiner großkotzigen Art musste er davon ausgehen, dass die Affäre innerhalb der kommenden Stunden gelöst würde. »Morgen« aber verriet, dass er nicht daran glaubte. Oder einfach kein Profi war. McIntyre stieg in den Wagen. Nur im Schritttempo kam das Gefährt zwischen den aufgeregten Berichterstattern voran. Bis die ersten Reporter Dana entdeckten. Und erkannten. Rasch wandte sie sich um. Hinter sich hörte sie das dumpfe Grollen, mit dem sich das Tor schloss. Sie eilte zum Portier des Gefängnisses.

»Gibt es hier noch einen anderen Ausgang?«, fragte sie ihn auf Englisch.

Ratlos blickte er sie an.

Dann sagte er etwas auf Griechisch, bevor Dana verstand: »No English.«

Hinter ihm tauchte sein Kollege auf.

Er wedelte mit einem Finger in die andere Richtung und radebrechte: »Haben andere Tür.«

9

»Gibt es schon einen Plan, Mister President? Wie werden die USA reagieren, Mister President?! Was werden Sie tun?!«

In die Küche passten sie gerade zu viert. Amelie und Paul standen auf der einen Seite des Küchenblocks und schnippelten Gemüse, Catherine und Steve standen auf der anderen. Cath löste Eiswürfel aus den Boxen. Steve mixte die Drinks. Am Ende des Küchenblocks stand ein iPad. Darauf schoben die Reporter dem Präsidenten die Mikrofone fast in den Mund.

Arthur Jones hielt an und wandte sich den Medienvertretern zu. Er hatte ein Präsidentengesicht. Mitte fünfzig, kantig, das dunkle, leicht angegraute Haar immer noch voll.

»Das Vorgehen gegen Douglas Turner ist ein Angriff auf die Souveränität unserer großartigen Nation, die Vereinigten Staaten von Amerika.«

»Er sagte ›Vorgehen‹, nicht ›die Verhaftung‹«, stellte Paul fest.

Steve mixte zwei Martini-Cocktails und zwei Basil Smash. Ihr habt ja keine Vorstellung!

»Wir werden alle notwendigen Maßnahmen ergreifen, um US-Bürger zu schützen, überall auf der Welt.«

»Das war fast ein wenig defensiv«, sagte Cath, »findet ihr nicht?«

»Hm«, machte Paul.

»Eher«, sagte Amelie.

Zuerst machte sich Steve an die Martinis. Geschüttelt. Nicht wegen Bond, James Bond. Weil er schon mal einen Tumbler hatte. Der gemeinsame Abend war die perfekte Ablenkung. Alle hatten wenigstens ein Auge auf den Bildschirmen. Wusste der Teufel, wie seine Drinks heute schmeckten. Aber die Klassiker mixte er ohnehin blind.

»Wir erwarten von den Behörden in Athen die umgehende und bedingungslose Freilassung von Douglas Turner. Mit sofortiger Wirkung herrscht für sämtliche Mitarbeiter des Internationalen Gerichtshofs ein Einreiseverbot in die Vereinigten Staaten«, erklärte Jones. »Zudem werden ihre Vermögenswerte in den USA und jene ihrer Angehörigen eingefroren.«

Zitronenzeste für ihn. Olive für Paul.

»Einreiseverbote gelten ab morgen auch für sämtliche griechischen Bürgerinnen und Bürger, einschließlich Regierungsmitgliedern«, fuhr der Präsident hinter den Mikrofonen fort, »sollte Douglas Turner bis dahin nicht frei sein.«

»Wow«, murmelte Cath, »das mit den Angehörigen von ICC-Mitarbeitern ist Sippenhaftung, und das mit den Griechen ist offene Erpressung eines souveränen Staates. Noch dazu eines Partnerstaates. Steve, euer Präsident da, der knallt völlig durch.«

Steve sah kurz auf. Was sollte er sagen? Er hatte den Typ sogar gewählt. Um Turner und seinesgleichen loszuwerden. *Not my president.* Konnte er nicht sagen. Obwohl er sich von Jones mehr erhofft hatte.

Aus dem TV-Gerät überschlugen sich die Stimmen der Journalisten:

»... NATO-Mitglied! ... Wie wird die Europäische Union reagieren?! ... Schon Kontakt mit Ihrem Vorgänger ...?!«

»Im Raum stehen außerdem Geschäftsverbote für griechische Unternehmen und Banken in den USA und Importverbote für Produkte aus Griechenland. Bevor wir diese aussprechen, vertrauen wir jedoch auf die Vernunft der griechischen Verantwort-lichen, die Situation rasch und unkompliziert aufzulösen.«

»Na, ich weiß nicht, ob er ihnen das in diesem Augenblick leichter gemacht hat«, sagte Cath. »Lässt dich das völlig kalt?«, fragte sie Steve. Dieser Blick. Massierte sein Herz. Ein bisschen zu fest. *Don't judge a book by it's cover!* Wenn du wüsstest.

»Ich stehe in laufendem Kontakt mit allen unserer zuständigen Ministerien und Behörden. Wir behalten uns weitere Schritte vor.«

Steve hatte die Basil Smashs fertig. Reichte sie Amelie und Cath.

Hätte zu gern sein Telefon gecheckt. Bisher hatte er keine wei-tere Antwort bekommen. Weder von Frank. Noch von Ann. Also:

»Cheers!«

»... welche?! ... Anschuldigungen gegen ...?!«, riefen die Me-dienleute durcheinander. Steve verstand nur Wortfetzen, »... Be-weise?! ... woher?! ...«

»Selbstverständlich werden wir alle zur vollen Rechenschaft ziehen, die das Gericht bei diesem schandhaften Vorgehen unter-stützen«, sagte er, »insbesondere US-Bürger. Verrat dulden die Vereinigten Staaten nicht. Niemals!«

Steve fühlte sich wie in siedendes Öl getaucht. Arbeitete weiter wie ein Roboter. Aus den Augenwinkeln sah er die anderen. Sie schienen nichts zu bemerken. Paul, Amelie konnte es egal sein. Sie waren Deutsche.

»Verrat, von wegen«, schnaubte Cath. Französin mit karibi-schen Wurzeln. Auch nicht direkt betroffen.

»Von meiner Administration gab und gibt es selbstverständ-lich keinerlei Zusammenarbeit mit dem Gericht, was Ermittlun-gen gegen US-Bürger betrifft, und wird es auch keine geben«, sagte der Präsident jetzt. »Und ich bin davon überzeugt, dass auch mein Mitbewerber die verfassungsmäßigen Rechte von Douglas Turner wahrt.« Er winkte, ohne zu lächeln.

Steve hatte seinen Martini-Cocktail besonders trocken gemixt. Und heute eine winzige Note dirty.

»Woah, was war denn das jetzt?«, murmelte Amelie.

»Das war es fürs Erste.« Mit dem Daumen wies der Präsident über die Schulter zur Air Force One. »Selbstverständlich werde ich die geplanten Auftritte bis auf Weiteres verschieben und fliege nun direkt zurück nach Washington, D. C.«

Noch ein Winken, Abgang.

»Komischer Schluss«, sagte Amelie. »Habt ihr das mitbekommen?«

Steve hörte sie kaum. Starrte noch immer auf den Bildschirm. Dort entfernte sich der Rücken des Präsidenten Richtung Flugzeug. Im Vordergrund wiederholte ein Moderator aufgeregt, was ohnehin alle gerade gesehen und gehört hatten.

»Er hat Verrätern gedroht«, sagte Paul. »Wen meint er damit?«

»Wen schon«, sagte Amelie und nahm einen Schluck von ihrem Cocktail. »Whistleblower natürlich.«

Paul schüttelte den Kopf. »Bewundere ich ja, solche Typen. Obwohl ich mich immer frage, was die antreibt. Ich weiß nicht, ob ich es könnte.«

»Das Kuriose ist ja«, sagte Cath, »dass es meistens völlig normale Typen sind. Von denen niemand so was erwartet hätte. Menschen wie du und ich.«

»Bedenken vielleicht nicht die Folgen«, meinte Paul.

»Die kennt man doch inzwischen«, widersprach Amelie. »Denk an Edward Snowden und diverse andere.«

Steve hielt sich aus der Diskussion raus. Und an seinem Cocktailglas fest.

»Die meisten wissen wahrscheinlich nicht einmal so recht, warum sie es tun«, mutmaßte Amelie.

Gut möglich, dachte Steve.

»Ich meinte aber vor allem das danach«, fuhr Amelie fort. »Das über seine Mitbewerber. Er arbeitet nicht mit dem ICC zusammen. Und geht davon aus, dass das auch sein Mitbewerber nicht tut. Eine vergiftete Feststellung, wenn ihr mich fragt: Damit unterstellt er ihm genau das. Raffiniert. Kein Wunder, es ist Wahlkampf.«

In Steves Hosentasche vibrierte das Handy. Er warf einen Blick darauf.

»Ist was?«, fragte Cath.

»Nichts. Alte Bekannte aus den Staaten. Melden sich einige in den letzten Stunden.«

Von Frank oder Ann noch immer nichts. Wussten die wirklich nichts? Oder waren die in Deckung gegangen?

Zum dritten Mal tippte er eine Nachricht an die zwei. Nur vier Zeichen.

??? S

Langsam zogen unter ihnen Hügel, Wälder, Felder, Ansiedlungen vorbei. Sie flogen gerade über Ohio, vermutete Derek. Stabil lag die Air Force One in der Luft, das leise Brummen ihrer Triebwerke bildete das Hintergrundgeräusch für die aufgeregte Unterhaltung im Inneren der Maschine.

Die Landschaft lenkte Derek nur kurz von den Bildern auf dem Monitor ab. Mit seinem engsten Stab hatte sich Arthur Jones in die Präsidentensuite zurückgezogen. Die Wahlkampfkoordinatorin Sandra Pilasky und die Medienchefin des Wahlkampfteams Kim Song waren mit dabei.

Sie starrten auf die Aufnahmen aus Athen. Der Journalistenhaufen vor den Toren einer Haftanstalt, zwischen denen McIntyre seine Ansprache hielt. Die diplomatischen Qualifikationen des Industriellen bestanden in großzügigen Spenden für Jones' Wahlkämpfe. Die Wording-Empfehlungen aus der Presseabteilung des Weißen Hauses hatte er ignoriert. Deutlich sollte er sein. Aber nicht gleich die Griechen gegen ihre eigene Regierung aufbringen. Das war für Stufe zwei oder drei vorgesehen. Wenn überhaupt. So etwas musste man geschickter angehen. Plumpe Drohungen von außen schweißten ein Land meist im Inneren zusammen.

»Die Griechen haben Turner ins Athener Korydallos-Gefängnis gebracht«, erklärte Derek. »In eine Hochsicherheitszelle, die sie üblicherweise für ihre Terroristen vorsehen! Die gibt es in Griechenland ja immer wieder. Unser Botschafter vor Ort war bei ihm. Er und Turner wurden über das weitere Vorgehen informiert.«

»Ist diesen Leuten klar, in welche Situation sie sich bringen?«, fragte Jones. »Sich und uns? Die Vereinigten Staaten werden vor der ganzen Welt bloßgestellt. Der gesamten westlichen Welt! In ein Gefängnis! Ein ehemaliger US-Präsident! Ich dachte, Adam« – der Außenminister – »hat mit dem ICC gesprochen.«

»Hat die wohl nicht beeindruckt«, bemerkte Derek.

Jones stierte auf die Monitore, über die die Bilder der Nachrichtensender flackerten. Kommentatoren überschlugen sich in ersten Analysen. Moderatoren und eilig zusammengewürfelte Expertenrunden wechselten sich im aufgeregten Geschnatter ab.

»In der Presseaussendung des International Criminal Court werden dem ehemaligen Präsidenten Kriegsverbrechen vorgeworfen«, erklärte einer und wedelte mit einem Papier. »Mehr gibt der ICC derzeit nicht bekannt.«

»Aber welche sollten das sein?«, fragte ein anderer. »In die Folterungen unter George W. Bush nach 9/11 war Turner nicht involviert.«

»Wir wissen auch nicht mehr?«, fragte Jones das Team.

»Ein bisschen mehr«, erwiderte Derek. »Angriff auf Zivilbevölkerung in Afghanistan, Verschwindenlassen, Mord.« Er wurde abgelenkt von den Bildern auf einem der Monitore. »Hier«, sagte er zu Jones nur.

Staubiger, mit Steinchen übersäter rötlicher Boden wackelt über den Monitor. Knirschende Schritte. Ab und zu steigt ein khakifarbener Stiefel ins Bild. Vorbei an armseligen, dürren Gestrüppresten. Keuchen, verhaltene Stimmen, unverständlich. Ins Bild schwenkt der Lauf einer Maschinenpistole. Verschwindet. Der

Blick der Kopfkamera richtet sich nach vorn. Eine Ansammlung niedriger Häuser, in derselben Farbe wie der Boden, wohl aus Lehm.

Dazwischen spielen vereinzelt Kinder. Die Landschaft dahinter karg, schroffe Berge ohne Vegetation, in Rot bis Dunkelgrau gefärbt von der abendlichen Sonne. Blicke nach links und rechts. Männer in der typischen Kleidung, wie man sie von Videos aus Afghanistan oder Pakistan kennt. Farben wie der Boden, die Berge, die Häuser. Die weiten Hosen, manche mit Westen, die meisten mit Pakol oder Tuch auf dem Kopf. Alle tragen Bart, Sonnenbrillen und automatische Waffen. Laufen nun auf die Siedlung zu. Gebellte Befehle in einer fremden Sprache, Trampeln, wirbelnder Staub. Die Kinder in der Siedlung blicken auf, einige erstarren, andere verschwinden zwischen den Häusern.

Die Männer erreichen die Häuser. Jetzt sind alle Kinder weg. Hektische Schreie, weitere Befehle. Die Rücken einiger Bewaffneter schieben sich vor die Kamera. Die Männer nehmen die Waffen in Anschlag, treten brüllend die Tür eines Hauses auf. Die Kamera folgt ihnen in das finstere Loch, der Bildschirm wird schwarz.

Taschenlampen – an den Waffen? Woanders? – tauchen das Innere des armseligen Hauses in nervöse, gleißende Lichtscheiben. Zwischen dem rohen Männergebrüll nun hohe, panische Stimmen. Kinder, Frauen. Da hockt eine in einer Ecke, in ihrem langen Kleid, Tücher um den Kopf, vor dem Gesicht, hüllt zwei kleine Kinder mit ihren Armen ein. Davor ein Mann, bärtig, zerfurchtes Gesicht, Pakol auf dem Kopf, die Hände zur Abwehr erhoben, heiser auf die Eindringlinge einredend, wechselnd ins Flehende. Noch mehr Frauen und Kinder. Und Männer. Sie stehen vor den Läufen der Eindringlinge, gestikulierend, beschwörend, bettelnd, die Hände vor den Gesichtern wedelnd. Nun wieder im Bild der Waffenlauf des Kameraträgers, der verzweifelte Mann davor, die panischen Menschen dahinter. Ein Knall, nicht lauter als ein kleiner Feuerwerkskörper. Die Kamera fetzt nach links, alles verwackelt. Einer der Männer stürzt vor einer Maschinenpistole zu Boden. Bleibt regungslos liegen. Das Stimmengewirr noch hysterischer jetzt, Männer, Frauen, Kinder durcheinander. Fokus zurück auf den Mann vor der Kamera. Ein paar weitere Knallerbsengeräusche, dumpfes Fallen lebloser Körper, die Frau hinter dem Mann kauert sich noch mehr zusammen, zieht ihre Kinder unter die Tücher. Ein Blitz aus dem MP-Lauf, gleichzeitig der Knall. Als das Bild wieder scharf und erkennbar ist, verschwindet gerade der Männerkopf mit dem verrutschten Pakol nach unten aus dem Bild. Zwischen den Tüchern, die die Frau verhüllen, schimmern kurz zwei große schwarze Augen, die Lichter der Lampen spiegeln sich darin.

Vielfältiges Geschrei, mehr von den Schnalzgeräuschen, mit denen Geschosse die Läufe der Waffen verlassen. Das Schreien wird weniger. Dann ein Blitzgewitter. Unklar, ob aus dem Lauf im Bildausschnitt oder von woanders. Als es vorbei ist, liegt die Frau in der Ecke vornübergekippt auf dem Boden. Ein Bündel Tücher. Unter ihrer linken Seite ragen zwei reglose Beinchen hervor, das Kind kann nicht älter als zwei gewesen sein. Auf der rechten Seite das Gesicht eines vielleicht vierjährigen. Schmutzverschmiert, verfilztes, wirres Haar. Junge? Mädchen? Der Körper gleichfalls unter der Mutter. Die Augen starren direkt in die Kamera. Groß, dunkel. Blinzeln nicht. Erwarten nichts mehr. Sehen nichts mehr. Bleiben starr auf die Betrachter gerichtet. In die Ewigkeit dahinter.

Der Lauf der Waffe senkt sich aus dem Bildfeld. Die Lichtscheibe wendet sich ab, streift während ihres Schwenks durch den Raum über ein Dutzend weitere Tote, übereinandergefallen wie fortgeworfene Lumpen. Erwischt die Rücken der Bewaffneten, die das Haus verlassen. Folgt ihnen. Lässt die Toten in der Dunkelheit zurück und steigt hinaus ins vergehende Tageslicht.

»Tiere«, sagte Jones.

»Die Toten waren Taliban, hieß es«, erklärte Derek, »die Terrorangriffe geplant hatten und von afghanischen Truppen ausgeschaltet wurden.«

»Ich erinnere mich daran«, sagte Sandra. »Es sorgte vor einigen Jahren kurz für Aufregung.«

»Das sind nicht einmal amerikanische Soldaten«, erwiderte Jones. »Was hat das mit Turner zu tun?«

»Eigentlich nichts«, sagte Derek. »Da bringen die Journalisten wohl etwas durcheinander. Dieses Video zeigt einen klassischen Night Raid afghanischer Einheiten. Die wollten wohl brutale Bilder. Oder verwechseln das mit gezielten Tötungen«, sagte Derek. »Die führen wir seit Jahrzehnten durch. In verschiedenen Ländern. Besonders seit Bush nach 9/11 den ›Krieg gegen den Terror‹ erklärte. Obama intensivierte sie weiter ...«

»Ach nee«, spottete Jones. »Als hätte ich davon noch nie gehört. Mann, ich genehmige laufend gezielte Tötungen!«

»Ich weiß.«

»Das hier zeigt keine gezielte Tötung«, widersprach Jones, »sondern ein Massaker.«

»Die Vorwürfe tauchen immer wieder auf«, meinte Derek. »Dass die Einsätze nicht immer so chirurgisch genau seien wie behauptet.«

»Weiß ich doch! Aber wir haben ein klares Prozedere dafür! Ich selbst muss die Ausschaltung von Terroristen immer wieder unterzeichnen. Das wurde im Vorhinein von Dutzenden Experten und Verantwortlichen geprüft! Und dann beobachten wir die Typen oft noch wochenlang mit Teams, mit Drohnen, bevor unsere Leute zuschlagen. So etwas wie das würde ich nie genehmigen!«

Er schüttelte den Kopf. »Das bringt uns alles nicht weiter. Wir müssen andere Geschütze auffahren.« Er sah auf, zu Derek. »Jemand muss nach Athen, um sich vor Ort darum zu kümmern.«

Derek brauchte keine Sekunde, um zu verstehen, wen er damit meinte.

»Ich bin dein Wahlkampfleiter«, gab er zu bedenken.

»Eben«, sagte Art. »Und ihr habt mir vorhin erklärt, dass diese Geschichte meinen Wahlkampf entscheiden wird. Also schicke ich am besten meinen Wahlkampfleiter. Außerdem«, fügte er hinzu, »bist du der beste Fixer, den ich kenne. Du fixt das.«

»Dann muss ich ein paar Anrufe machen«, sagte Derek.

11

Der Gefängnismitarbeiter hatte Dana zu einem Personalausgang an der Rückseite gebracht. Für die Journalisten war in diesen Minuten weltweit die Pressemeldung des Strafgerichtshofs ausgesandt worden. Mehr hatte auch Dana nicht zu sagen. Bevor sie sich noch einmal zu einer Aktion wie der am Flughafen hinreißen ließ, verzog sie sich lieber unauffällig. Für heute hatte sie wahrhaftig genug Aufregung erlebt!

An dem kleinen Tor in einer schmalen Nebenstraße hatte ein Taxi sie abgeholt. Trotz der Tageszeit hatte Dana eine Sonnenbrille aufgesetzt und ihr gelocktes brünettes Haar gelöst, das sie tagsüber zurückgebunden hatte. Locker umspielte es jetzt ihre Schultern, machte ihre ganze Erscheinung entspannter als auf jenem Video, das inzwischen die halbe Welt kannte. Hoffentlich genügte das, sie unkenntlich zu machen.

Sie nannte dem Fahrer das Hotel, in dem sie am Morgen ihr Gepäck deponiert hatte. Ein gesichtsloser Kasten. Ihr Zimmer war noch nicht frei gewesen. Dana kannte Athen nicht. Sie wusste nicht einmal, in welchem Stadtteil sich ihr Hotel befand. Von dort war sie direkt mit einem Taxi in das Büro des Staatsanwalts gefahren. Den vorläufigen Haftbefehl hatte er schon am Vortag übermittelt bekommen. Als sich die Griechen daraufhin nicht geradeheraus geweigert hatten, ihn auch zu exekutieren, hatte Dana den nächstbesten Flieger aus Amsterdam nach Athen genommen. Bis zuletzt hatte sie nicht geglaubt, dass der Mann und seine Polizisten die Sache durchziehen würden. Durften. Noch immer fragte sie sich, welche Motive die verschiedenen, sicher involvierten Verantwortlichen getrieben hatten.

Der Taxifahrer redete sie auf Griechisch an.

»Sorry, just English«, antwortete sie bedauernd und hoffte, die Konversation damit beendet zu haben. Sie warf sich in die Rückbank, lehnte den Kopf gegen die Stütze und starrte aus dem Fenster, während der Chauffeur losfuhr. Zum ersten Mal an diesem Tag konnte sie für einen Moment durchatmen. Sich von der an ihr vorbeiziehenden Welt das Gehirn leeren lassen, die wirbelnden Gedanken für ein paar Minuten zum Schweigen bringen.

»Die haben ehemalige US-Präsident da hineingebracht«, sagte der Fahrer in holprigem Englisch. »Haben Mann gesehen?«

Dana beließ es bei einem nichtssagenden »Hm«.

»US-Präsident«, wiederholte der Mann aufgeregt. »Kann man sich vorstellen?«

Dana ließ ihn reden.

»Ich denke, gut, Mann«, sagte er.

Gut, Mann, was? Dass Turner verhaftet worden war? Oder dass er ein guter Mann war?

Dana begriff, dass diese Fahrt ihr nicht zur Entspannung dienen würde. Einfach Athens Straßen vor dem Autofenster, den Blick wandern lassen. Menschen beobachten, Häuser, Kneipen, Läden, Parks. Die Klimaanlage des Fahrzeugs funktionierte auch nicht richtig. Oder der Typ hatte sie nicht anständig eingestellt. Als langjährige Bewohnerin Den Haags hatte sie sich an kühleres Klima gewöhnt.

»Was finden Sie gut?«, fragte sie ihn.

»Verhaftet. Verbrecher. USA Krieg, dauernd überall. Schießen mit Drohnen in Hochzeiten.«

Wenn es so einfach wäre. Immerhin. Die erste direkte Reaktion, die Dana hörte. Unterstützte die Verhaftung.

»Die USA werden es nicht mögen«, sagte sie.

»Nein«, antwortete der Fahrer kopfschüttelnd. Jetzt klang er besorgt. »Mögen sie werden nicht. Glaube nicht, dass lange sitzt«, sagte er und lachte los. »Große immer lassen laufen, auch hier.«

Dana hatte ihr Telefon hervorgeholt und überflog die Liste der neuen Nachrichten. Wann sollte sie die alle ansehen? Geschweige denn beantworten? Einige Absender wiederholten sich. Natürlich. Henk. Ihre Mutter. Ihr Vater. Das kam selten vor.

»Wir werden sehen«, antwortete sie abwesend.

Sie öffnete die Nachricht ihrer Mutter.

Bist das du? Wirklich du?

Dazu zwei Emojis: ein Wow-Gesicht. Und ein erstauntes Gesicht.

War das ein Kompliment? Staunen? Sorge? Alles zusammen? Rasch tippte sie eine kurze Antwort.

Ja. Bin im Stress. Wie du dir vorstellen kannst. Ich rufe an, sobald ich dazu komme. Heute wahrscheinlich nicht mehr. Mach dir keine Sorgen, es geht mir gut! Tausend Umarmungen!

Senden.

Dann die Nachricht von Papa.

Sie musste sie zweimal lesen.

Hätte sie nicht schon gesessen, wäre sie auf der nächstbesten Sitzgelegenheit zusammengesackt. Sie ließ die Stirn an die Scheibe sinken und starrte hinaus.

12

Dana drückte ihren abgewetzten Plüschhasen an sich und ihre Kindernase an die Scheibe des Busses. Ihr Atem beschlug das Glas. Draußen drängten sich Menschen. Riefen durcheinander. Abgezehrte Gesichter. Welke, bleiche Haut spannte über spitzen Knochen. Augen von dunklen Ringen umrahmt. Weinten. Knorrige Hände winkten. Männer umarmten ihre Frauen, Kinder zum Abschied. Auf dem Sitz neben Dana kniete ihre Mutter und schluchzte. Schlang den linken Arm um Dana. Winkte mit der Rechten hinaus. Draußen winkte Papa. Seine Lippen zitterten. Dana verstand, dass er versuchte, nicht zu weinen. Oder wenigstens ohne Tränen. Viele da draußen hatten keine Tränen mehr.

Mit einem Ruck setzte sich der Bus in Bewegung. Zuerst stockend, weil er durch die Menschenmassen kaum hindurchfand. Dann schneller. Die meisten hatten sich gesetzt. Manche blickten noch immer durch die Fenster nach hinten. Konnten ihre Trauer nicht zurückhalten. Andere schauten ängstlich nach vorn durch die Scheibe. Oder auf die Seiten, hinauf in die Hügel und Berge, von denen jede Sekunde der Tod einschlagen konnte. Nach ein paar Minuten war der Abschiedsschmerz einer gespenstischen, ängstlichen Stille gewichen. Dana hörte nur mehr das Dröhnen des alten Dieselmotors und das Krachen des Schotters unter den Reifen.

Wir dürfen die Stadt verlassen, hatte ihre Mutter ihr erklärt.

Ein paar Busse, hatte sie gesagt. Wir wurden ausgewählt. Wegen ihrer Verletzung. Wir, das waren nicht Dana, Mama und Papa. Papa musste zurückbleiben. Außer dem Fahrer saß in dem Bus kein einziger erwachsener Mann. Frauen und Kinder. Vor ihnen fuhr ein Bus. Hinter ihnen ein dritter. Jeweils mit einigem Abstand. Damit eine Granate nicht alle drei treffen konnte. Das hatte sie erst viel später erfahren. Die UNO garantiert unsere Sicherheit, hatte ihre Mutter gesagt. Dana wusste nicht, wer das war. Sicherheit war gut. Aber nicht immer garantiert in diesem Krieg, selbst wenn vereinbart. Aber auch das hatte sie erst viel später erfahren. Lange, lange nach dieser unendlichen Fahrt durch die Nacht, durch einen weiteren Tag, in einen Abend hinein. Durch Länder, die es wenige Jahre zuvor noch nicht gegeben hatte. Auch das wusste sie damals noch nicht. Sie wusste nur, dass alle in dem Bus Angst hatten. Zuerst vor den ersten Stunden der Fahrt. Später vor dem, was sie wohl erwartete. In diesem fremden Land. In dem sie die Leute nicht verstand. In dem die Menschen Dana nicht verstanden. Dort seid ihr in Sicherheit, hatte Papa gesagt. Irgendwann schlief sie ein. Irgendwann erwachte sie wieder. Presste die Nase gegen die Scheibe. Bekam zu essen und zu trinken. Sah Landschaften vorbeiziehen. Schlief wieder ein. Und wurde wieder wach. Es sah nicht viel anders aus als daheim, fand Dana, als sie schließlich ankamen. Hochhäuser hatte sie erwartet. Und Felder voll mit Süßigkeiten. Das Paradies. Stattdessen Berge, Wälder, Wiesen, Städte. Die Städte sahen teilweise älter aus als Sarajevo. Manche auch jünger, mit kleinen eckigen Häusern. Aber nirgendwo entdeckte Dana zerschossene Gebäude mit kaputten Fenstern. Keine Einschlagkrater oder verbrannte Autos auf den Straßen. Alles wirkte so sauber. Ein paarmal fuhren sie an Männern in Uniformen mit Gewehren vorbei. Nach dem letzten Mal brachen einige im Bus in Jubel aus, andere in Tränen, viele in beides. Wir sind in Deutschland!, riefen sie. Wir haben es geschafft!

Es war schon finster, als sie ihr Ziel erreichten. Die Busse wurden langsamer. Dana sah kaum etwas. Presste die Nase gegen die Scheibe. Dann tauchten erste Menschen am Straßenrand auf. Winkten ihnen zu. Oder schüttelten sie die Fäuste? Dana konnte noch nicht lesen. Selbst wenn, hätte sie nicht verstanden, was auf den Kartons und Leintüchern stand, die manche der Menschen da draußen hochhielten. Immer mehr wurden es. Der Bus schob sich durch Menschenmassen. Die draußen riefen etwas zu ihrem Empfang. Sie sahen anders aus als die Menschen in Sarajevo. Runder, rosiger, gesünder. Keine spitzen Knochen in den Gesichtern. Keine Ringe unter den Augen. Und ihre Kleidung ... Noch nie hatte Dana so schöne Kleidung gesehen! Sie spürte, dass die Stimmung im Bus unruhig wurde. Wispern. Diskussionen. Ihre Mutter legte den Arm um Danas Schulter. An einer Scheibe vor Dana explodierte etwas. Dana fuhr zusammen. Das tat sie seit dem Granateneinschlag immer, wenn ein lautes Geräusch sie überraschte. Eine Flasche war an einer Scheibe des Busses zersprungen. Ihr Inhalt rann nun über das Glas. Warum bewarfen die Menschen da draußen sie mit Flaschen? Dort bist du in Sicherheit, hatte Papa gesagt. Waren sie etwa wieder in Sarajevo? Dana nahm die Nase von der Scheibe und drückte sie in Mamas Ellenbeuge, die da mit einem Mal war. Immer lauter wurden die Stimmen von draußen.

13

Mit einem Ruck fuhr Dana hoch. Das da draußen war Athen, nicht das Deutschland der Neunzigerjahre. Kurz nachdem sie das unerfreuliche Empfangskomitee passiert hatten, waren wesentlich herzlichere Flüchtlingshelfer auf sie zugekommen, hatten sie begrüßt und versorgt. Leicht war die Zeit danach trotz allem nicht gewesen. Besonders in den ersten beiden Jahren hatte sie ihren Vater rasend vermisst.

Zwei weitere Jahre hatte er in der unmenschlichen Belagerung Sarajevos aushalten müssen. Hatte Freunde und Familienmitglieder begraben. Erst das Markale-Massaker, das Trommelfeuer auf UN-Schutzzonen mit zahllosen Toten und die Geiselnahme Hunderter UN-Blauhelme durch die Serben hatten den über Jahre hinweg zaudernden damaligen US-Präsidenten Bill Clinton zum Eingreifen bewegt. 1995 hatten NATO-Bombardements serbischer Stellungen schließlich die brutalste Belagerung und später den Krieg beendet. Anfang 1996 hatte ihr Vater endlich zu ihnen nach Deutschland fliehen können. Nie würde Dana den Moment vergessen, als sie von der Schule gekommen war und er ihr in ihrer schäbigen Wohnung von dem abgewetzten Caritas-Sofa entgegengelächelt hatte.

Seine Nachricht auf dem Display brannte in ihren Augen wie Säure.

Wie konntest du das tun?!! Die Amerikaner haben mich damals
gerettet!!! Dich gerettet!!! Deine Mutter! Wie, glaubst du, wärt
ihr sonst aus Sarajevo herausgekommen? Ich schäme mich zutiefst
für dich! Mach das wieder gut! Du bist eine Schande für uns
alle!

Tief atmete Dana durch. Dann drückte sie die Nachricht weg. Vorerst hatte sie genug. Henk würde sie aus dem Hotel anrufen.

Die nächste Nachricht schrieb sie an die Chefanklägerin des ICC, Maria Cruz. Seit ihrer kurzen Unterhaltung auf der Fahrt ins Gefängnis hatte sie nichts mehr von ihr gehört:

Abgeliefert. Unterwegs ins Hotel.

Von Maria würde sie sicher noch etwas hören. Zu hören bekommen.

»Erste Mal Athen?«, fragte der Fahrer.

»Ja.«

»Schönste Stadt von Welt«, erklärte er.

Dana erwartete nicht, viel davon zu sehen. Außer ihrem Hotelzimmer, Gefängnissen und Gerichtssälen.

Du bist eine Schande für uns alle!

14

Derek musterte Arthur Jones. Dem Präsidenten drohte gerade seine zweite Amtszeit endgültig abhandenzukommen. Die Umfragedaten waren ohnehin nicht gut. Und nun das. Wenn er Turner nicht sehr schnell und sehr cool aus der Haft holte, konnte er seine Wiederwahl vergessen.

»Projekt ›Open Cage‹«, eröffnete er ohne umständlichen Small Talk und reichte dem Präsidenten ein Blatt. »Damit wir wissen, worüber wir reden. Ich habe ein Team zusammengestellt.«

Art studierte die Liste.

»Während der vergangenen Stunde habe ich mit allen telefoniert«, erklärte Derek. »Vorbehaltlich deiner Zustimmung«, sagte er zu Art, »bringt uns eine Maschine über Nacht nach Athen. Wir starten gleich nach unserer Landung in D.C. Der Rest des Teams stößt in Athen zu uns.«

Art nickte.

»In Ordnung«, sagte er.

»Ich gehe davon aus, dass wir einzelne Maßnahmen nicht mit dir abstimmen müssen«, sagte Derek, »bis auf eine.«

»Ja.«

»Du erwägst nicht ernsthaft einen Einsatz im Rahmen des ASMPA, des American Service-Members' Protection Act?«, fragte Kim.

»Ich muss«, antwortete Derek nüchtern.

»Griechenland ist ein Verbündeter. NATO-Mitglied. Das können wir nicht bringen.«

»Dieser Verbündete war immerhin bereit, einen unserer Ex-Präsidenten zu verhaften.«

»Griechenland hat das Rom-Statut des International Criminal Court unterzeichnet. Es ist zur Kooperation verpflichtet.«

»Papperlapapp! Einhundertneunundreißig Staaten dieser Welt haben es unterzeichnet, inklusive der USA. Bis wir die Unterschrift wieder zurückgezogen haben. Immer noch einhundertvierundzwanzig Staaten haben es ratifiziert. Auch andere ehemalige US-Präsidenten und andere hohe Amtsträger, die gezielte Tötungen genehmigten, sind in zahllose dieser Länder gereist, ohne verhaftet zu werden. Obwohl Menschenrechtsorganisationen das immer wieder forderten. Kooperation mit dem ICC – am Arsch! Warum also die Griechen? Warum jetzt? Ein durchgeknallter Staatsanwalt oder Justizminister? Die Regierung selbst? Die ganze EU?«

»Eher nicht«, warf Art ein, »du warst dabei. Sie wirkten nicht erfreut.«

»Und du glaubst ihnen?«, fragte Derek.

»Du weißt, wie man den ASMPA nennt?«, fragte Kim.

»Den-Haag-Invasionsgesetz«, sagte Derek. »Weil wir unsere Leute sogar aus Den Haag mit Gewalt heraushauen dürften.«

»Dürften. Aber würden?«

»Wozu sonst wäre so ein Gesetz gut?«, fragte Art.

»Als Kommunikationsmittel. Als Drohgebärde«, sagte Derek.

»Die ihren Biss verliert, wenn man nicht bereit ist, sie einzusetzen.« Arthur grinste. »Im Übrigen würden wir nicht in Den Haag tätig werden, sondern in Athen.«

»Ein solcher Einsatz wäre in vielerlei Hinsicht ein Desaster.«

»Ich muss dir nicht erklären, was für ein Desaster Turners Verhaftung bereits ist«, wandte Sandra ein. »Welche Botschaft durch sie an die Welt gesendet wurde: Die Vereinigten Staaten von Amerika, die großartigste, mächtigste Nation der Welt, ist nicht mehr stark genug, einen ihrer ehemaligen Präsidenten vor dem Zugriff eines läppischen Balkangerichts zu schützen. Kurz: Die Vereinigten Staaten von Amerika sind nicht länger die großartigste, mächtigste Nation der Welt. Ist das die Botschaft, die du da draußen stehen lassen willst?« Sie wandte sich an Art. »Ich weiß nicht, wie du das siehst – das heißt, ich weiß schon, wie du das siehst: Das dürfen wir nicht zulassen. Oder?« Ohne eine Antwort abzuwarten, wollte sie von Kim wissen: »Oder was schlägst du vor, wenn die Griechen Turner nicht freilassen und nach Den Haag schicken wollen?«

»Deshalb sitzt Derek hier«, sagte Kim. »Um diese Sache elegant zu lösen. Bei seiner Garderobe gelingt ihm das ja auch.«

Derek lächelte und zupfte demonstrativ an dem Revers seines Maßanzugs.

»In meinem Schrank liegt auch noch meine Rangerausrüstung«, sagte er. Er wandte sich wieder an Art: »Wir müssen einen Einsatz gemäß ASMPA vorbereiten. Damit du später glaubwürdig erklären kannst, dass du bereit warst, bis zum Äußersten zu gehen.«

Art fixierte ihn. Derek wich seinem Blick nicht aus.

»Ich denke nicht, dass wir ihn brauchen werden«, fügte Derek hinzu.

»Selbstverständlich«, sagte Art schließlich.

Neben ihm atmete Kim hörbar aus.

15

Das Hotel lag einigermaßen zentral. Zur Akropolis spaziere man zwanzig Minuten, erklärte die Empfangsdame Dana. Ob sie von der Aufregung des Tages schon gehört oder gar ihren Gast erkannt hatte, zeigte sie nicht.

Danas Zimmer lag auf der siebten Etage. Sauber, aufgeräumt, uninspiriert. Es roch nach Teppichreiniger und zitruslastigem Raumduft. Dana kippte die Fenster. Von der schmalen Straße drangen die Geräusche der Stadt herauf. Stimmen, Mopedmotoren, Hupen.

Als wäre nichts geschehen.

Zum ersten Mal seit dem Spektakel war sie allein. Für ein paar Atemzüge schloss sie die Augen und ließ den Lufthauch ihre Schläfen streicheln.

Doch die Bilder des Tages verschwanden nicht so leicht aus ihrem Kopf. Der Moment, als der Leibwächter Widerstand leistete und die Waffe zog. Dass der so weit gegangen war! Wie die Polizisten auf ihn zustürzten. Der Schuss in die Decke. Die plötzlich eingezogenen Köpfe der Anwesenden, die Angst in ihren Augen. Der Polizist vor Turner.

Ich verhafte Sie.

Turners ungläubige Belustigung. Im ersten Moment. Dann Fassungslosigkeit. Die Leibwächter auf dem Boden. Von Polizisten fixiert. Die aufgeregt telefonierende Entourage Turners. Das empörte griechische Begrüßungskomitee. Danas fatale Schritte zu dem Polizisten und Turner.

Sie öffnete die Augen. Der Himmel über Athen war jetzt schwarzblau. Draußen leuchteten die Straßenlampen, Fenster in gegenüberliegenden Gebäuden, Lichter in Lokalen auf der Straße.

Sie sollte Henk anrufen.

Zögerlich griff sie zum Telefon. Er hatte ihr zwölf Nachrichten geschickt und neun Mal versucht, sie zu erreichen. Zuletzt vor dreizehn Minuten.

Dana tippte auf den Anrufbutton.

Freizeichen.

Freizeichen.

Freizeichen.

Jetzt ließ er sie warten.

Dabei saß er sicher direkt neben dem Telefon. Sie sah ihn vor sich. Einer dieser langen, sehnigen Holländer, die ihr halbes Leben auf Fahrrädern oder in Ruderbooten verbrachten.

»Na endlich!«, hörte sie seine Stimme schließlich. »Wie geht es dir?«

»Danke. Gut. Den Umständen entsprechend.«

»Ich...«, er verstummte, setzte erneut an. »Ich weiß nicht, was ich sagen soll. Himmel! Seid ihr verrückt? Warum hast du nie erzählt, woran du da genau arbeitest?«

»Das erklärt sich von selbst, denkst du nicht?« Und als Henk nicht antwortete: »Geheimhaltungsverpflichtung. Kannst du dir ja vorstellen.«

»Aber mir...«

»Niemand Externem. Niemandem.«

Er schwieg.

»Du hättest mir etwas sagen können«, maulte er schließlich beleidigt.

Das brauchte sie jetzt nicht.

»Henk. Ich hatte einen wirklich, wirklich anstrengenden Tag.«

»Entschuldige. Natürlich. Ich bin bloß so … ich weiß nicht …
du musst einen unglaublichen Tag gehabt haben! Lief das tatsächlich so ab wie auf dem Video?«

»Dieses verdammte Video«, seufzte sie.

»Weshalb bist du nicht drangegangen, als ich angerufen habe?
Warst du dabei, als er ins Gefängnis kam? Ich habe das Interview
mit dem amerikanischen Botschafter gesehen.«

»Ja, da war ich auch. Ich bin gerade erst ins Hotel gekommen.«

»Du musst mir alles erzählen. Wenn du darfst.«

»Vielleicht später einmal. Vorerst genügt, was du in den Medien siehst. Noch müssen wir sehr vorsichtig sein. Dürfen keine
Fehler machen.«

»Aber … ich verrate doch nichts«, erklärte er empört.

Sein mangelndes Verständnis ärgerte Dana.

»Das hatten wir gerade …«

»Ja, ja … und werden die Griechen ihn wirklich drinbehalten?
Wie soll das weitergehen? Ihr werdet ihn doch nicht tatsächlich
nach Den Haag schaffen? Du bist überall zu sehen! Hier ist die
Hölle los, das kannst du dir vorstellen.«

Sie hatte wirklich noch nicht an zu Hause gedacht.

»Wo – hier?«, fragte sie. »Bei dir daheim? Oder meinst du in
Den Haag generell?«

»Im ganzen Land! Nein, bei mir haben sich nur ein paar
Freunde gemeldet.«

»Und was hast du gesagt?«

»Was sollte ich sagen? Du hast mich ja im Dunkeln gelassen.«

Sein Beleidigtsein nervte sie. Unten auf der Straße zog eine
Gruppe lachender Jugendlicher vorbei, in den Händen Bierflaschen.

»Und jetzt?«, fragte er. »Was macht ihr jetzt? Was machst *du*
jetzt?«

»Jetzt liegt es erst einmal am griechischen Gericht. Ich werde noch ein oder zwei Tage bleiben. Dann sollte das Erste erledigt sein. Vielleicht konsultieren die griechischen Richter den ICC. Aber das geschieht dann per Video. Oder es werden Dokumente und Schriftsätze hin- und hergeschickt. Nicht meine Zuständigkeit.«

»Verstehe...« Wieder verstummte er. Er wusste tatsächlich nicht, was er sagen sollte. »Gratuliere«, zum Beispiel. Oder: »Großartig, dass ihr das geschafft habt!« Oder: »Ich bin so stolz auf dich.«

Er holte Luft. »Hoffentlich geht das gut aus.«

»Wird schon«, erwiderte sie ernüchtert. Sie spürte, dass er ihr Vorwürfe machen wollte, sich aber zurückhielt.

»Ich meine«, sagte er, »das ist schon eine irre Provokation, die ihr da liefert. Habt ihr euch das gut überlegt?«

So viel dazu, dass er sich zurückhielt.

»Nein«, spottete sie, »so was machen wir immer, wenn wir mal eben Lust und Laune dazu haben.«

»Jetzt sei nicht gleich eingeschnappt. Ich mache mir eben Sorgen.«

Um wen?

»Irgendwelche abgehalfterten afrikanischen Despoten – na gut«, sagte er. »Aber einen US-Präsidenten!«

»Ex-Präsidenten.«

»Die Amis werden sich das nicht gefallen lassen«, sagte er. »Die werden schwere Geschütze auffahren. Wirtschaftssanktionen, was weiß ich...«

Ja, was weißt du schon? Sie hatte schon Gründe gehabt, warum sie dieses Telefonat so lange aufgeschoben hatte.

»Ich bin müde«, sagte sie. »Ich denke, ich geh duschen und dann schlafen.«

»Ja... ähm... Wenn du noch reden willst, ich bin da.«

Nicht für solche Gespräche.

»Danke. Gute Nacht.«

Sie beendete die Verbindung. Ließ das Telefon in ihrer Hand hängen.

Genug für heute. Ihre Mutter musste warten. Alle anderen auch.

16

Derek stand am Fuß der Treppe, die in die Gulfstream G600 führte, und sah dem ersten SUV entgegen. Der Wind hatte aufgefrischt, am Himmel zogen dunkle Wolken auf. Das Fahrzeug hielt vor ihm. Bevor der Chauffeur herausspringen und die Türen öffnen konnte, hatten sich die Passagiere schon selbst geholfen. Auf Dereks Seite stieg ein athletischer, mittelgroßer Mann mit millimeterkurz geschorenem Haar aus dem Wagen, in dunkelblauem Anzug. William Cheaver, zweiundvierzig Jahre alt, war einer der renommiertesten Experten für internationales Strafrecht. Professuren an Elitehochschulen, Berater diverser internationaler Institutionen, mehrfacher Buchautor. Ihm folgte eine Frau in dunklem Kostüm. Die gebürtige Puerto Ricanerin Alana Ruíz, achtundvierzig, im typisch hyperschmalen Look Washingtoner Establishmentfrauen, ebenfalls internationales Recht, seit Art Jones' Präsidentschaft eine führende Persönlichkeit im Justizministerium, schon mehrmals als US-Vertreterin bei der UNO gehandelt. Von der anderen Seite her umrundete ein massiger, fast zwei Meter großer Kerl in Chinos und Rugby-Sweater den Wagen. Ronald Voight, vierundvierzig, hatte als früher Digitalchef und später als Kommunikationsleiter für Senatoren, Gouverneure, Präsidenten und Unternehmen gearbeitet, bevor er in einer der größten internationalen Kommunikationsagenturen rasant zum Chef aufgestiegen war. Vor fünf Jahren hatte er sein eigenes Beratungsunternehmen gegründet. Kaum hatte Derek sie begrüßt, hielt bereits der nächste Wagen. Er entließ Lilian Pellago. Die erst Dreiunddreißigjährige mit Doktortiteln aus Harvard, Georgetown und dem MIT galt als eines der größten Talente im Außenministerium, aber auch als unkonventionell. Mit ihrem Afro und dem dunklen Hosenanzug im Siebzigerjahreschnitt, der sich von ihrer Haut fast nur durch die Stresemannstreifen abhob, hätte sie ebenso gut auf ein Vogue-Cover gepasst. Ihr wurde nachgesagt, dass sie nur zwei Stunden Schlaf brauche. Aus demselben Wagen stieg nun Trevor Strindsand. Er war einer der Geheimdienstkoordinatoren in Arthur Jones' Team. Derek hatte für jeden ein freundliches Wort übrig, während die Fahrer das Gepäck der Passagiere in die Maschine schafften. Vorstellen musste er die Anwesenden einander nicht. Sie kannten sich, mehr oder weniger. Einige hatten in früheren oder auch ihren gegenwärtigen Funktionen schon miteinander zu tun gehabt. Die gegenseitigen Begrüßungen waren professionell, teils sogar herzlich.

»In Athen wird General Nestor Booth zu uns stoßen«, erklärte er. »Army«, fügte er hinzu, denn Nestor Booth war keine bekannte Größe in Washingtoner Zirkeln. Damit war jedem klar, dass der Mann für einen eventuellen Einsatz im Rahmen des American Service-Members' Protection Act zuständig war.

»Griechenland«, sagte Voight. »Warum ausgerechnet die Griechen?«

»Sieht eher nach einer amoklaufenden Ministerin aus«, meinte Lilian Pellago. »Höre ich aus Insiderzirkeln. Die übrige Regierung wurde davon ebenso überrumpelt wie die restlichen Europäer.«

Ronald Voight sah aus seiner Überblicksposition in die Runde und nickte anerkennend: »Cooles Team. Ich freue mich auf die Zusammenarbeit.«

Die anderen erwiderten die Freundlichkeit, während sie die

Treppen hinaufstiegen. Nur Lilian Pellago blieb noch stehen, hörte jemandem in ihrem weißen Ohrstöpsel zu. Nickte, wandte sich zum Gehen.

»Gute Nachrichten«, sagte sie zu Derek, der auf sie gewartet hatte. »Gleich nach deinem Anruf habe ich ein paar Leute in Athen kontaktiert«, sagte sie, während sie an ihm vorbei die Treppe hinaufstieg. Auf seinen fragenden Blick antwortete sie, schnippisch lächelnd: »Erzähl ich dir drin.«

Nach einer langen Dusche warf sich Dana im Bademantel auf das Bett und scannte erneut ihr Telefon. Es war kurz nach acht Uhr abends. Ihre Enttäuschung über Henks Reaktion hatte sich in dumpfen Ärger irgendwo in ihrem Bauch verwandelt.

Vielleicht sollte sie einfach alle Nachrichten ungelesen und ungehört löschen. Oder archivieren. Für später. Irgendwann. Wenn das alles vorbei war. Wie auch immer es ausgehen würde.

Sie packte ihren kleinen Koffer aus. Sie hatte Kleidung für drei Tage mitgenommen. Mehr hatte sie nicht für notwendig gehalten. Eigentlich sollte sie nur die Verhaftung bezeugen. Und sicherheitshalber noch eine Nacht bleiben. Falls am nächsten Tag noch Formalitäten anfielen, für die jemand vom ICC vor Ort sein sollte. Auch wenn Dana keine bekannt waren. Das Prozedere lag vorerst in der Hand der griechischen Behörden. Dana – und die anderen beim ICC – erwarteten keine Wunder. Das Wunder war ihnen eigentlich schon mit der Verhaftung gelungen. Die Amerikaner würden alle Mittel einsetzen, Turner so schnell wie möglich aus der Haft zu bekommen: vor allem natürlich politischen Druck. Dazu rechtliche Mittel, wenn nötig.

Der International Criminal Court hatte keine eigenen Polizisten. Er besaß nicht das Recht, eigens jemanden festzunehmen. Er war auf Wohl und Wehe von der Kooperation der Unterstützerstaaten abhängig. Turner war von Griechen verhaftet worden.

Ein griechisches Gericht würde darüber entscheiden, ob Turner tatsächlich der Richtige war, dass alles den Regeln nach abgelaufen war und Turners Rechte gewahrt worden waren. Erst wenn das Gericht dies bestätigte und keine politische Stelle für eine Freilassung intervenierte, würde Turner nach Den Haag in die Obhut des ICC überstellt werden. Je nach Tempo des griechischen Gerichts und der Rechtsunterstützung, die Turner sicherlich anforderte, konnte das bis zu einigen Wochen dauern. Aber vielleicht ging es auch schneller. Die Griechen würden alles tun, um sich die Geschichte so rasch wie möglich vom Hals zu schaffen.

Da die USA die Zuständigkeit des International Criminal Court für US-Bürger (und Green-Card-Besitzer) nicht anerkannten, würden sie ungern Anwälte nach Den Haag senden. Außer um für dessen Unzuständigkeit zu argumentieren. Erst wenn es tatsächlich zu einer Anklagebestätigung kam – was erst nach der Überstellung eines Verdächtigen nach Den Haag erfolgen konnte –, würden sie wahrscheinlich doch für Turners Verteidigung sorgen. Aber noch war es eine Angelegenheit der Griechen. Deshalb würde Turner von den USA wohl höchstrangige Rechtsprofis zur Seite gestellt bekommen. Botschafter McIntyres Auftritt vor dem Gefängnis hatte einen Vorgeschmack auf einen dritten, ganz wesentlichen Aspekt gemacht: Kommunikation.

Dana loggte sich mit ihrem Tabletcomputer über ein VPN ins Hotel-WLAN. Alle wichtigen und unwichtigen Medienoutlets präsentierten die Verhaftung auf ihren Startseiten. Oft mit einem Bild, auf dem auch Dana zu sehen war. Wieder begann ihr Herz zu rasen, brach ihr der Schweiß aus. Noch hatte sie sich an ihr Bild in den Medien nicht wirklich gewöhnt.

Seitenlange Analysen, Berichte. Sondersendungen. Die US-Börsen waren noch offen und auf Sinkflug. Aus dem Weißen Haus kamen derzeit keine neuen Stellungnahmen. Turners Familie, seine Frau, blonde Helmfrisur des Establishments, forderten in dürren Worten dessen Freilassung, ansonsten verweigerten sie vorerst jeden Kommentar. Dana suchte die englischsprachige Ausgabe griechischer Medien. Davon gab es nur wenige. Sie überflog die Berichterstattung, zuerst die griechische. Die Meinungen waren gespalten. Es überwog die Furcht vor einer Revanche der USA. In Washington hatte das Außenministerium den griechischen Botschafter einbestellt. Nach ein paar Minuten hatte sich Dana an ihr Konterfei gewöhnt. Ihr Körper beruhigte sich ein wenig. Umfangreich diskutierten die Medien auch die Verantwortung. Wer hatte die Verhaftung genehmigt? Wer durfte das überhaupt? Wer konnte es?

Prozesse des ICC kamen nie ausschließlich aufgrund rechtlicher Gründe zustande. Sie brauchten die Kooperation der Politik – Zustimmungen von Innen- oder Justizministern, Kanzlern, Ministerpräsidenten, anderen. Wozu sich hundertvierundzwanzig Länder im Rom-Statut verpflichtet hatten. Doch kaum ein Politiker weltweit würde auch nur erwägen, in seinem Land einen Haftbefehl gegen einen ehemaligen US-Präsidenten durchzusetzen. Und jene wenigen, die es vielleicht wagten, waren im Allgemeinen nicht an der Macht oder mit Partnern in Koalitionen gebunden, die es nicht zulassen würden.

Danas Vorgesetzte, die Hauptanklägerin des ICC, Maria Cruz, hatte recherchiert. Und eine einmalige Chance gesehen. Sie hatte kurzfristig einen vorläufigen Haftbefehl beantragt, und die Vorverfahrenskammer des Gerichts hatte ein Ersuchen um Verhaftung an das griechische Justizministerium gestellt. Exekutieren musste ihn der Staatsanwalt des Athener Berufungsgerichts. Michalis Stouvratos galt als gnadenloser Bürokrat und pedantischer Rechtsvertreter. Das Gesetz war ihm heilig.

In der Schlüsselposition saß die griechische Justizministerin. Sie gehörte der sozialdemokratischen Partei an, die in einer seltenen und konfliktbeladenen Koalition mit der konservativen Nea

Dimokratia regierte. Schon mehrmals hatte diese den Rücktritt der Ministerin gefordert. Aus Insiderzirkeln war seit Wochen zu vernehmen gewesen, dass sie nicht nur stinksauer auf die Konservativen war, sondern auch auf ihre eigenen Leute, die sie nicht unterstützten. Gerüchte munkelten, sie wolle hinwerfen. *A window of opportunity*, hatte sich Cruz gedacht. Wenn die Justizministerin ihren politischen Gegenspielern so richtig eins auswischen wollte, dann hatte sie damit die Gelegenheit bekommen. Je nach politischer Richtung wurde die Ministerin in den griechischen Medien gefeiert oder gekreuzigt.

Maria war mit einem – notgedrungen kurzen – vorläufigen Haftbefehl ein kalkuliertes Risiko eingegangen. Ob das aufging, hing jetzt auch von der Bereitschaft der griechischen Richterinnen und Richter ab, sich nicht von der zu erwartenden Vernebelungstaktik der Verteidigung beeindrucken zu lassen.

Die internationalen Medien beschäftigten sich auch mit der globalen Situation. Erst vor wenigen Tagen war es wieder einmal zu einem Zwischenfall zwischen griechischen und türkischen Schiffen gekommen. Videos zeigten eine Fastkollision, bei dem zum Glück niemand verletzt worden war. Doch die Situation zwischen den zwei NATO-Partnern war angespannt. Was trieb Griechenland in dieser Situation dazu, den Zorn des mit Abstand wichtigsten NATO-Staates auf sich zu ziehen? Nichts wirklich, waren sich die Kommentatoren weitestgehend einig. Die Verantwortung wurde überwiegend einer durchgeknallten griechischen Justizministerin zugeschrieben.

Keine Reaktionen gab es bislang von den Staatsoberhäuptern der großen EU-Nationen. Auch Russland und China hielten sich zurück.

Zu dem Ärger über Henk hatte sich in Danas Bauch ein Gefühl von Hunger gesellt. Vor Aufregung hatte sie seit dem Morgen keinen Bissen hinunterbekommen. Sie legte das Tablet zur

Seite und zog sich an. Ein leichtes Sommerkleid für den warmen Abend. Wenn sie schon in Athen war, sollte sie wenigstens einen kurzen Blick auf die Akropolis werfen.

Und eigentlich hatte sie jeden Grund zum Feiern. Jahrelange Arbeit war heute belohnt worden! Zum Teufel mit Henk! Beim ICC in Den Haag arbeiteten sie gerade wie verrückt, um nach dem vorläufigen Haftbefehl das eigentliche Überstellungsersuchen vorzubereiten. Sollten sie Dana brauchen, würde Maria sich melden. Ein Glas Sekt hatte sie sich verdient! Sie warf ihre Handtasche über die Schulter, noch einen Blick in den Spiegel. Die Haare frisch gewaschen und offen, ein wenig wellig in der schwülen Luft. Sommerkleid statt Kostüm. Keine Brille. Eine völlig andere Person als die strenge Gerichtsmitarbeiterin auf dem Video. Kein Mensch würde sie erkennen. Nichts wie hinaus in den Sommerabend!

Derek machte es sich in seinem Sessel bequem. Der Flug in der Gulfstream G 600 von Washington, D. C., nach Athen würde gut zehn Stunden dauern. Die Piloten erwarteten die Ankunft am frühen Morgen. Genug Zeit für erste Besprechungen, Strategien und Anweisungen. Und vielleicht auch für ein paar Minuten Schlaf. An die dachte noch niemand.

Die Maschine war mit luxuriösen Ledersitzen ausgestattet, die über Schienen im Boden variabel angeordnet werden konnten. Während Start und Landung saßen sich je zwei Passagiere an kleinen Tischen gegenüber. Während des Fluges konnten diese Paarungen zu einem Besprechungstisch mit bis zu zehn Plätzen arrangiert werden.

Um diesen hatten sich die sechs Fluggäste verteilt. Das Personal hatte Häppchen und Getränke bereitgestellt und sich wieder zurückgezogen. Im winzigen Küchen-Servicebereich am hinteren Ende der Maschine warteten sie darauf, dass man sie rief. Dann, und nur dann, durften sie in die Reisekabine. Weder der Koch noch die Flugbegleiterin waren über den Grund der Reise, die Identität ihrer Gäste oder das Flugziel informiert worden. Erst in Athen würden sie vielleicht ihre Schlüsse ziehen. Selbst wenn, ihr Engagement verpflichtete sie nicht nur zu absoluter Diskretion, sondern auch zu höchster Geheimhaltung.

Ronald Voight griff beherzt zu. Der Riesenkörper brauchte dringend Energie.

»Bevor wir beginnen«, sagte Lilian Pellago, »ist die erste positive Nachricht jetzt auch offiziell: Die griechische Justizministerin wurde entlassen.«

Guter Start. Einige in der Tischrunde nickten zufrieden.

»Gegenwärtig führt der Premierminister Gespräche mit potenziellen Nachfolgern. Wir nutzen verschiedene Kanäle, um sicherzustellen, dass es keine *Loose Cannon* wie Kalomira Stakis wird.«

»Warum lässt er nicht auch gleich Turner frei?«, fragte Ronald Voight mit vollem Mund. »Damit würde er uns allen, inklusive sich selbst, einen großen Gefallen tun.«

»Ronald«, lächelte sie ihn süßlich an, »das weißt du am besten. Gesichtsverlust. Griechenland hatte das Rom-Statut unterzeichnet. Wenn er Turner heute noch mir nichts, dir nichts freilässt, macht er sich zum Gespött der halben Welt. Die ersten internationalen Stellungnahmen sind inzwischen da.«

Sie klappte den Tabletcomputer, den sie vor sich auf dem Tisch liegen hatte, hoch und stellte ihn so auf, dass die anderen den Bildschirm sehen konnten. Mit ein paar Fingerwischern aktivierte sie ein Video.

Der deutsche Kanzler, wie immer, als hätte er einen Stock verschluckt, sprach in ein Bündel Mikrofone. Untertitel übersetzten seine Erklärung ins Englische.

»… respektiert Deutschland die Entscheidung des unabhängigen International Criminal Court in Den Haag. Wir sind überzeugt davon, dass das Internationale Gericht seinen Aufgaben mit höchster Gewissenhaftigkeit nachkommt und unter genauester Beachtung internationaler Verträge handelt. Nichtsdestoweniger werden wir akribisch beobachten und prüfen, ob dessen Vorgehensweise korrekt ist. Deutschland steht zu seinen internationalen Verpflichtungen, ebenso wie zu seiner jahrzehntelangen, engen Freundschaft mit den Vereinigten Staaten. Diese tiefe politische und wirtschaftliche Verbundenheit unserer beiden Völker wird durch die Handlungen eines internationalen Organs weder infrage gestellt noch beeinträchtigt. Die Bundesrepublik wird mit allen Kräften an einer alle zufriedenstellenden Lösung der Situation mitarbeiten.«

Windelweiches Geschwurbel.

»Denen geht der Arsch auf Grundeis«, brachte Ronald Voight es auf den Punkt.

Ohne Ton ließ Lilian die Gesichter weiterer Regierungsoberhäupter über den Screen laufen, während sie erklärte: »In ähnlichem Tenor äußern sich die Regierungschefs fast aller EU-Staaten, die EU-Kommissionsvorsitzende und der EU-Ratsvorsitzende. Alle putzen sich am ICC ab, ohne jedoch rundheraus eine Enthaftung von Turner zu fordern. Zwischen den Zeilen werden einige jedoch etwas deutlicher als andere, namentlich Polen, Ungarn, Kroatien und die baltischen Staaten.«

»Klar«, meinte Ronald, »die müssen sich am meisten um einen Abzug von US-Truppen sorgen.«

»Außerdem stecken sie selber voll mit drin«, sagte Trevor Strindsand, der Geheimdienstkoordinator. »Die Deutschen lassen zu, dass vom US-Luftwaffenstützpunkt Ramstein in Deutschland Drohnenflüge für gezielte Tötungen koordiniert und gesteuert werden, deutsche, britische, italienische, niederländische und andere Geheimdienste unterstützen die USA bei den Angriffen mit Informationen. Ganz zu schweigen von den Black Sites in Polen, Rumänien oder Litauen und der freundlichen Mitarbeit vieler europäischer Geheimdienste bei den ›erweiterten Verhörtechniken‹« – die letzten zwei Worte sprach er mit einem höhnischen Grinsen aus – »nach 9/11.«

»Nur die Niederländer und die Belgier kneifen den Arsch nicht ganz so fest zusammen und erinnern stärker an die Unabhängigkeit des ICC«, fuhr Lilian fort.

»Müssen die Holländer, als dessen Standortgeber«, sagte Derek.

»Was ist mit den Briten?«, fragte Trevor. Ob ihm bewusst war, dass er die ganze Zeit mit den Fingern seiner linken Hand auf die Sitzlehne trommelte?

»Sind auch Unterzeichner des Statuts, können also schlecht völlig ausscheren. Sie fordern in ihrer Stellungnahme allerdings sehr deutlich eine sofortige klare Darlegung der Anklagepunkte und geben zu verstehen, dass sie sich keine gerechtfertigten vorstellen können.«

»China, Russland?«

»Bis jetzt nichts.«

»Die lachen sich ins Fäustchen«, sagte Ronald.

»Ich habe bereits mit mehreren hochrangigen Regierungsvertretern aus Deutschland, Frankreich, Spanien und Italien gesprochen und unseren Standpunkt deutlich gemacht«, sagte Lilian. »Und während wir hier sitzen, stehen einige meiner Mitarbeiterinnen und Mitarbeiter in Kontakt mit weiteren.«

»Laskaris?«, fragte Derek.

»Hat mir versichert, dass er alles in seiner Macht Stehende tut. Aber er müsse sich an internationale Verpflichtungen halten, die Welt schaue auf Griechenland, blabla.«

»Dann hat er nicht sehr viel Macht«, meinte Trevor. »Oder er verarscht uns ganz gewaltig. So oder so ist er ein Problem.«

»Wir alle wissen, dass das hier nicht ablaufen wird wie in einem Actionfilm«, sagte Lilian, »in dem ein heroischer Leibwächter oder ein grandioses Einsatzteam binnen wenigen Stunden und unter Einsatz von wenig Grips und sehr viel Gewalt einen Trümmerhaufen hinterlässt.«

»Apropos Einsatzteam«, sagte Trevor, »was ist mit dem American Service-Members' Protection Act?«

»Zweierlei«, sagte Derek. »Erstens, wie schon erwähnt, stößt Nestor Booth in Athen zu uns. Er ist General in der Souda Bay Naval Base auf Kreta. Er ist gebrieft und wird uns über entsprechende Optionen informieren.«

»Soll heißen, er bereitet etwas vor?«

»Grundsätzlich ja. Zweitens reden wir hier auch über eine rechtliche Frage.«

»Nicht ernsthaft«, sagte Trevor.

»Wir müssen sie zumindest in Betracht ziehen«, erwiderte Derek. »William, Alana?«

»Derek hat natürlich recht«, ergriff Alana Ruíz das Wort. »Bei dem ASMPA handelt es sich um ein US-Gesetz, das naturgemäß international umstritten ist. Nicht umsonst nennen es manche ›Den-Haag-Invasionsgesetz‹. Wie der Namensteil »American Service-Members'« schon sagt, ist es formuliert für Angehörige der US-Streitkräfte, Angehörige der Administration oder sonst wie in Kampfhandlungen involvierte Personen.«

»Douglas Turner war Präsident«, warf Trevor ein. »Und ist angeklagt wegen angeblicher Delikte, die er in dieser Funktion begangen haben soll. Der ASMPA ist also auf ihn anwendbar.«

»Ja«, sagte Derek, an ihn gewandt. »Aber zuerst müssen wir alle gewaltfreien Möglichkeiten ausschöpfen, allen voran juristische, weil es sich um ein Gerichtsverfahren handelt. Deshalb seid ihr hier. Selbst wenn uns allen bewusst ist, dass die anderen Handlungsoptionen, von politischem und wirtschaftlichem

Druck über Kommunikation bis hin zum hoffentlich vermeidbaren Einsatz von Waffen, womöglich wirksamer sein werden, müssen wir es a) zumindest versuchen und b) nach außen hin die Form wahren. Jetzt einfach mit Gewalt reinzugehen ... Na ja, wie gesagt, das funktioniert nur im Film.« Er wechselte zu einem Lächeln. »Wobei ... das Korydallos-Gefängnis ist nicht das sicherste. 2006 und 2009 gelang demselben Verbrecher jeweils eine Flucht per Helikopter!«

»Da werden sie inzwischen etwas geändert haben«, meinte Ronald.

»Kaum. Sparmaßnahmen wegen des Faststaatsbankrotts nach der Finanzkrise 2008/9 und neuerlich nach den Corona-Lockdowns.«

»Warum haben sie ihn dann nicht woandershin gebracht?«

»Weil sie nichts haben, wie es scheint. Zumindest nicht so kurzfristig, wie die Sache gelaufen sein dürfte. Wie auch immer. Schauen wir uns noch einmal die Fakten an: Was gibt der ICC als Haftgrund an? Kriegsverbrechen. Angriffe auf die Zivilbevölkerung, Verschwindenlassen, Mord. Mit den Folterungen nach 9/11 hat er definitiv und nachweislich nichts zu tun. Es müssen also vor allem die gezielten Tötungen sein.«

»Alle Indiziensammlungen und Zeugenaussagen, die der ICC und diverse NGOs zusammengetragen haben könnten, würden dem ICC sicher nicht genügen«, zeigte sich William Cheaver überzeugt. »Die müssen eine Smoking Gun haben. Sonst wagen sie so etwas nicht.«

»Was wäre eine Smoking Gun?«

»Zum Beispiel, dass Turner einen Befehl gegeben hat.«

»Zivilisten zu töten?«

William zuckte mit den Schultern.

»In den Executive Orders haben wir bei der Amtsübergabe nichts gefunden.«

»Vielleicht wurde er vorher vernichtet.«

»Dann müsste er aber noch davor an den ICC gegangen sein. Ein Whistleblower?«, fragte Ronald Voight.

»Du meinst einen Verräter«, spie Trevor Strindsand das Wort fast aus. »Falls es welche gibt, finden wir sie. Ist bereits in Arbeit.«

»Gibt es denn solches Material?«, fragte Ronald.

»Es gab da was«, merkte Alana zögerlich an. »Eine Geschichte mit Turner. Ich habe sie nur am Rande mitbekommen. Aber sie könnte hier natürlich eine Rolle spielen.«

»Welche Geschichte?«, fragte Derek.

»Ein Video. In dem er sehr explizit wurde.«

»Wie explizit?«

»Smoking Gun. Zumindest für den ICC.«

Warum rückte sie erst jetzt damit heraus? Derek fixierte sie, spürte die Falte zwischen seinen Brauen, lockerte sie sofort wieder.

»Habe noch nie davon gehört. Warum kennt man das nicht?«

17

»Wir bringen es nicht«, sagte die Frau. Rückte die schwarze Architektenbrille in ihrem schmalen Gesicht zurecht. Straffte den ganzen Körper im Designerkostümchen vor Verlegenheit.

»Wie bitte?«

Ann Fillson war fassungslos. Vor ihr saß eine der renommiertesten Enthüllungsjournalistinnen des Landes. Karen Adlej hatte den Pulitzerpreis erhalten. Zwei Mal. Zahllose andere Auszeichnungen. Leitete die Nachrichtenredaktion eines der wichtigsten Blätter des Landes.

Wir bringen es nicht? Durch das Fenster hinter Karen folgte ihr Blick kurz ein paar Schneeflocken, die durch den tiefwinterlichen New Yorker Himmel wirbelten. So fühlte sie sich gerade auch.

»Warum?«, wollte Ann wissen.

»Kein echter Neuigkeitswert«, erwiderte die Reporterin nüchtern.

»Du verarschst mich.«

»Sieh doch her«, sagte sie und legte ein paar Ausdrucke auf den Tisch. »George W. Bush: gibt zu, von Folterungen nach 9/11 gewusst zu haben. Behauptet rotzfrech, dass Waterboarding, Schlafentzug, quälerische Haltung über Stunden, stundenlange Beschallung mit ohrenbetäubender Musik und andere Praktiken gar keine Folter seien, sondern ›erweiterte Befragungsmethoden‹. Wie der gegen alle Widerstände trotzdem veröffentlichte CIA-Folterbericht von 2014 zeigte, brachten diese keinerlei verwertbare Ergebnisse. Kurz: im Wesentlichen ein Spielfeld für ahnungslose Bürokraten, Duckmäuser, brutale Psychopathen und Sadisten. Bush sorgte außerdem dafür, dass Untersuchungen und Ermittlungen behindert oder unterdrückt wurden, wo es nur ging. Passiert ist ihm: nichts.«

Karen legte weitere Ausdrucke vor.

»Barack Obama. Eskalierte das Programm der gezielten Tötungen, das die Bush-Regierung nach 9/11 begonnen hatte. Hunderte zivile Opfer. Mindestens. Das Büro für Investigativen Journalismus, eine britische Non-Profit-Orga…«

»Herrgott, ich weiß, was das BIJ ist«, unterbrach Ann sie unwirsch.

»Das BIJ und andere Organisationen schätzen die Zahl der zivilen Opfer durch sogenannte gezielte Tötungen um ein Vielfaches höher als die offiziellen US-Angaben. Konsequenzen? Keine. Außer dem Obama-Playbook – einige halbherzige, intransparente Regeln und Kriterienkataloge für das Vorgehen, damit sich die staatlichen Killer nicht schuldig fühlen müssen.«

Sie redete mit dem ganzen Körper. Ihre Arme und Hände flogen nur so durch die Luft vor Ann.

»Ist alles öffentlich. Im Internet zu finden.«

»Weiß ich doch.«

»Und so ging das immer weiter. Schau dir Turner an. Der Mann war ein Witz. Schon im Wahlkampf verkündete er ungeniert, dass er Waterboarding wieder zulassen würde, sollte er gewählt werden. Weil es nur eine ›schwache Folter‹ wäre. Spricht das Wort Folter sogar aus! Und erklärt als Nächstes, dass er viel Schlimmeres als Waterboarding erlauben würde!«

Sie klatschte ein weiteres Blatt Papier vor Anne hin.

»Hier. ›Unsere Feinde halten sich nicht an Gesetze‹, erklärt er, ›die lachen uns aus, wenn wir es tun. Wir brauchen strengere Gesetze, damit wir sie besser bekämpfen können.‹ Damit meint er Gesetze, die Folter erlauben. Und dann wurde der Typ tatsächlich gewählt!«

Ann konnte ihre Argumentation nachvollziehen. Doch sie hatte das Gefühl, dass Karen aus einem anderen Grund nicht wollte. War die Chefredaktion dagegen? Wurden sie von jemandem unter Druck gesetzt?

»Und du kennst sicher die Anekdote von dem Pentagonbesuch bei den Drohnenpiloten?«

»Hilf mir weiter…«

»Turner bekommt bei einem Pentagonbesuch das Video eines Drohnenschlags gezeigt. Der Pilot, wenn man die Fernsteuerer denn so nennen mag, erfasst die Zielperson. Beobachtet sie über die Bordkamera. Das Ziel ist umgeben von Zivilisten. Geht in ein Haus. In dem sich noch zahlreiche andere Zivilisten aufhalten. Es dauert zwanzig Minuten, bis die Person das Haus wieder verlässt. Dann geht sie fort. Irgendwann ist sie so weit allein, dass der Pilot zuschlagen kann, ohne Zivilisten zu gefährden. Und tut es. Turners Reaktion war laut mehreren übereinstimmenden Zeugen: ›Warum haben Sie gewartet?‹ Verstehst du, was ich sagen will?«

»Klar. Turner ist es egal, ob auf einem Video, das Zehntausende Kilometer entfernt spielt, ein paar Unschuldige in Stücke zerfetzt werden.«

»Der Drohnenpilot hielt sich wenigstens an die Minimalanweisungen. Sein Präsident sagte dazu: ›Scheiß drauf!‹«

Karen warf die Arme in die Höhe, dann lehnte sie sich zurück.

»Nichts Neues unter der Sonne also, dein Video hier.«

»Entschuldige bitte, aber sehr wohl! Hier habt ihr nicht nur kolportierte Zeugenaussagen. Das hier ist schwarz auf weiß. Beziehungsweise Pixel für Pixel.«

»Wer weiß das heute schon. Ich sage nur Deep Fake…«

Natürlich hatte Ann auch daran gedacht. Doch die Technik war noch ganz neu. Nach allem, was sie wusste. Nicht ausgereift genug für eine solche Fälschung. »Ich garantiere die Echtheit. Du hast die Gutachten gesehen.«

»Vergiss es. Die Staatsanwaltschaft hat es nicht genommen.«

»Aus denselben Gründen, aus denen auch in all den anderen Fällen nicht ermittelt wurde! Sie werden unter Druck gesetzt!«

»Einen Präsidenten bekommst du heute nicht mehr dran. Seit Nixon ist das vorbei.«

»Nur wenn du es nicht versuchst!«

»Warum veröffentlicht es deine Quelle nicht einfach online?«

»Weil es dann in dem Meer von Desinformation da draußen untergehen würde. Da kommst du doch mit echter Information nicht mehr durch. Und selbst wenn, wird sie sofort zerpflückt, umgedeutet, zerteilt, verfälscht...«

»Du weißt, ich schätze dich sehr. Aber sorry, wir bringen es nicht. Niemand wird es bringen.«

»Jemand war bei dem Gespräch zwischen der Anwältin und der Journalistin dabei?«, fragte Derek. Wie hatten sie das gemacht?

»Quasi.«

»Das ist illegal.«

Trevor grinste mitleidig.

Alana zuckte mit den Achseln.

»Die wollten wissen, wie sich die Sache entwickelt. Du kannst dir vorstellen: Seit das Video bei der Staatsanwaltschaft aufgeschlagen war, war Feuer unterm Dach.«

»Bei wem?«

»Zuerst bei dem jungen Distriktstaatsanwalt, der das große Los gezogen hatte. Er informierte natürlich seine Vorgesetzten. Turner-Fans. Wollten Ermittlungen. Ob die Aufnahmen echt seien.«

»Und damit landete die Geschichte beim FBI«, begriff Derek. »Die natürlich zuerst einmal etwas ganz anderes wissen wollten.«

»Von wem stammt dieses Band?«, fragte Max Cuffer. Alter FBI-Haudegen wie aus dem Fernsehen. Kurz geschorenes Haar, das oben wie Stacheln hochstand. Kantiges Kinn. Das abgetragene Sakko immer offen, weil es über dem Bauch nicht mehr richtig schloss. Gar nicht mehr schloss. Die Krawatte aus demselben Grund ebenso lose um den geöffneten Hemdkragen.

Sie saßen in seinem Büro. Ein abgewetzter Schreibtisch, dahinter und davor zwei abgewetzte Stühle. Eine kleine Sitzgruppe aus vier abgewetzten Freischwingern um einen Glastisch im Achtzigerjahrestil. Ein Fenster mit Blick auf ein paar Häuser und Bäume, die ihre verfärbten Blätter schon fast verloren hatten.

»Das wollen wir von Ihnen wissen«, sagte der Mann. Er kam nicht von der Staatsanwaltschaft, sondern aus dem Weißen Haus. Der stellvertretende Stabschef Carl Sanders persönlich.

»Wie kommt das Weiße Haus zu dem Band?«

»Ein Staatsanwalt hat es bekommen. Und vernünftigerweise ausgetestet, wie weit er gehen kann.«

»Er hat Ihnen das Video gezeigt?« Max' Blick wanderte hin und her zwischen Sanders und dem Laptop, auf dem ihm der stellvertretende Stabschef das Video vorgespielt hatte. Und ein Standbild hatte stehen lassen.

»Nicht er. Ein Vorgesetzter. Schließlich hätte er im Ernstfall den Präsidenten befragen müssen. Zuerst einmal, ob die Aufnahme überhaupt echt ist.«

»Was vernünftigerweise jemand an seiner statt übernommen hat. Ganz informell, natürlich.«

»Nicht notwendig«, sagte Sanders.

»Verstehe«, sagte Max.

Es ging hier nicht um die Echtheit. Max hatte ihn zwar nicht erkannt, aber wahrscheinlich war Sanders persönlich dabei gewesen. Oder der Stabschef. Auf dem Filmchen waren hauptsächlich Rücken, Bäuche und Schultern zu sehen. Nur ganz selten Gesichtsteile. Unscharf, düster.

»Welche Schwachköpfe waren denn da zum Schutz des Präsidenten dabei?«, fragte Max. »Ich meine, kein Abhörschutz, nicht mal ein Jammer?«

Sanders zuckte nur mit den Schultern.

»Es war hektisch, wie man sieht.«

»Das ist doch keine Entschuldigung! Das kann den Präsidenten in echte Schwierigkeiten bringen.«

»Die Leute wurden bereits abgelöst.«

»Sie können mir also sagen, wo das Video entstanden ist«, sagte Max.

Das Sommersemester hatte gerade begonnen, in der Mensaküche klapperte das Geschirr, schrien Stimmen durcheinander, liefen hektische Menschen hin und her. Die Küche war nur durch einen Tresen von dem weitläufigen Speisesaal getrennt. Vor der Ausgabe staute sich eine Schlange von Studenten. An den Tischen fanden sich kaum mehr freie Plätze. Kurz nach halb zwölf war hier Stoßzeit. Der Student stellte eine weitere Portion Salat von einem Servierwagen auf das Büfett. Spaß machte diese Arbeit nicht. Aber sie zahlte die Miete. Vier Stunden pro Tag, fünf Tage die Woche. Wenigstens würde er nicht sein Leben lang Studienkredite zurückzahlen müssen. Sondern nur sein halbes. Wenn alles gut ging.

»Gib mir gleich einen«, sagte einer seiner Kommilitonen in der Warteschlange.

»Hey, Alter«, begrüßte er den Gast und reichte ihm den Salat. »Wir sehen uns später in Englischer Literatur.«

»Ja, bis später.«

Er füllte weiter Salat nach.

»Tempo, Mann!«, brüllte sein Vorgesetzter quer durch die Küche. »Quatschen kannst du später!«

Leck mich doch. Im Speisesaal wurde es immer gedrängter. Bei einem der Eingänge bildete sich schon eine Traube.

Die Studenten dort wurden immer lauter. Aufgeregte Rufe. Hektischer. Wirklich aufgeregt.

Etwas geschah da. Jetzt war der Student alarmiert. Das war man an einer US-Uni nun mal, sobald Menschenmassen anfingen, sich auffällig und laut zu benehmen.

Am Ende war gerade wieder einmal ein Irrer mit ein paar halbautomatischen Waffen unterwegs, um ein paar amerikanische Träume in einem Blutbad zu ertränken. Immer mehr Studenten strömten nun zu dem Ausgang.

Nervös unterbrach er seine Arbeit.

»Was ist da los?«, fragte Sybil neben ihm.

»Keine Ahnung.«

Der ganze Speisesaal erschien nach und nach wie eine schiefe Ebene, auf der alle Studenten langsam aber unausweichlich zum Ausgang getrieben wurden. Und immer mehr aufgeregte Rufe ertönten. Manche klangen zornig. Oder nach Buhrufen. Jetzt entdeckte er auch die hochgesteckten Hände mit den Telefonen. Die filmten. Alle. Hunderte Arme, die wie lange Gräser aus einer Wiese ragten.

»Da passiert definitiv etwas«, sagte Sybil.

Aber keine Schießerei. Da würden die Studierenden rennen. In alle Richtungen. Sich ducken. Verstecken.

»Was geht da vor?«, wollte jetzt auch ihr Vorgesetzter wissen, anstatt den Chef raushängen zu lassen. Inzwischen standen alle zwanzig Küchenangestellten vor oder hinter dem Tresen. Ein paar von ihnen lösten sich und drängten nach vorn.

Bis ihnen einer winkte und rief: »Der Präsident! Der Präsident ist da!«

Welcher Präsident? Der Uni-Präsident? Deshalb machte doch niemand so einen Aufstand.

»Turner!«, brüllte der Kollege. Längst hatte sich sein Arm mit dem Telefon zu den unzähligen anderen gesellt. »Präsident Turner ist da!«

Ernsthaft? Der amtierende US-Präsident Turner? Jener Turner, den höchstens drei Prozent der Studierenden in Berkeley gewählt hatten? Den das Gros der Anwesenden in Diskussionen bestenfalls als Idiot, Dreckskerl oder mit anderen Verbalinjurien bedachte? Scharten sich plötzlich um ihn, als wäre er irgendein YouTube-Star?

Immerhin, die Buhrufe waren auch deutlich vernehmbar.

Einer seiner beliebten Überraschungsbesuche an Orten aller Art. Firmen, Krankenhäuser, Schulen, Truppen, Bäckereien, Steakhäuser, Tornadoopfer. Der Überraschungsbesuch bei »ganz gewöhnlichen Leuten« gehörte seit jeher zum Repertoire von US-Präsidenten. Turner bildete da keine Ausnahme. Überraschung natürlich nur für die Beglückten. Und selbst für die nicht immer. Hier und heute aber doch. Zumindest für die Studierenden. Der Student mochte ihn so wenig wie die meisten hier. Sollte er trotzdem hin? Immerhin war er der Präsident. Trotz allem. Das Telefon zog er schon mal aus der Hosentasche. Sicherheitshalber. Die Traube verschob sich in die Mitte des Raums, auf die Küche zu. Vielleicht musste er also gar nicht zum Präsidenten.

Im Gegenteil. Das gehörte zum Ritual. Besuchte ein Präsident »spontan« einen Ort zum Essen, dann aß oder trank er demonstrativ.

In der Mensa gab es Essen nur am Büfett. Er würde nicht zum Präsidenten drängen müssen. Der Präsident kam ganz von allein zu ihm.

Das hatte im selben Moment auch sein Vorgesetzter begriffen.

»Der kommt hierher!«, rief er und klatschte mehrmals in die Hände. »Los, los!« Hektisch blickte er über die angebotenen Mahlzeiten. »Dort, beim Dessert sind Lücken! Nachfüllen, sofort! Alle anderen an ihre Plätze!«

Nun schob sich die Menschentraube sichtbar auf sie zu. Der Student beeilte sich, die letzten Salate aufzustellen. Dann schob er den leeren Wagen zurück in die Küche.

Sein Chef hatte sich inzwischen an die neutrale Stelle hinter dem Tresen postiert. Alle anderen mussten hinter ihm in einer Reihe Aufstellung nehmen. Einige von ihnen filmten jetzt, wenn auch nur auf Brust- oder Schulterhöhe. Der Student konnte ebenso wenig widerstehen. Den Arm hochzustrecken war nicht nötig. Der Präsident würde direkt vor ihnen erscheinen. Die Wogen der Massen teilten sich. Zuerst erschienen ein paar schwarz gekleidete Leibwächter, die routinierte Blicke in alle Richtungen warfen. Alles nur Show. Wahrscheinlich hatten sich einige ihrer Kollegen seit dem Morgen über den Saal verstreut, ihn beobachtet und wussten, dass alles sicher war.

Hinter ihnen war bereits Turners charakteristischer Scheitel zu sehen. Passte besser in eine Ostküsten-Ivy-League-Uni als nach Berkeley.

»Rate mal, wer zum Essen kommt«, kommentierte der Student spöttisch seine Aufnahme. »POTUS persönlich.«

Dann stand er direkt vor ihnen. Hinter ihm ein Anhang von wenigstens einem Dutzend Personen in Anzügen und Kostümen. Ganz zu schweigen von den Studierenden. Alles sehr dicht.

Der Küchenchef ganz fahrig vor Aufregung.

»Hey, wie geht es Ihnen?«, fragte Turner ihn jovial und streckte ihm die Hand entgegen. »Ich bin Douglas.«

»Benito«, brachte der Küchenchef heraus.

Fieberhaft überlegte der Student währenddessen, was er tun

würde, wollte der Präsident jetzt allen Staff-Mitgliedern die Hand geben. Erst einmal aber filmte er nur weiter.

Vorerst entließ Turner ihn aus dem Konflikt. Mit einer jovialen Geste begrüßte er die übrigen Küchenmitarbeiter kollektiv.

»Hi, Guys!«

Dann widmete er sich dem Büfett. Die üblichen Floskeln. Ah, das sieht aber lecker aus. Fingerzeig. Was ist das? Klingt gut. Und das? Sehr gut, gesund! Umwenden zu seinen Begleitern. Sieht köstlich aus, nicht? Vielköpfiges Nicken. »Ja. Ausgezeichnet.«

»So, was werde ich denn nehmen?«

Showinteresse.

Währenddessen zischte Benito ihnen zu: »Zurück an die Arbeit! Los! Ihr werdet nicht fürs Rumstehen bezahlt!«

Der Student wendete das Telefon rasch in Selfieperspektive: vorn er, dahinter der Präsident. Dann eilten er und fünf andere in den Lagerraum hinter der Küche. Der Student filmte weiter. Mensaessen für den Präsidenten und seine Entourage. Auch wenn er ihn nicht mochte, dokumentieren konnte er ja.

Hinter sich hörte er das Staatsoberhaupt.

»Nun, ich denke, ich nehme das Steak hier. Nicht? Geht doch nichts über ein ehrliches amerikanisches Steak.«

»Steak, natürlich«, kommentierte der Student bissig. »Klimawandel gibt's ja nicht.«

Sein Chef hatte sich noch immer kaum gefasst, stellte der Student mit einem Schulterblick fest. Mit zittriger Hand lud er den Präsidententeller voll mit einem Fleischlappen, Pommes frites und zweierlei Saucen. Die paar Krakeeler im Hintergrund schien er nicht zu hören. Wenigstens ein Viertel seiner Begleiterinnen und Begleiter telefonierte laufend.

Widerwillig zog der Student sich zurück, weiter filmend.

Der Präsident nahm den Teller entgegen, als ihm einer seiner

Adlaten etwas ins Ohr flüsterte. Gleichzeitig kam hektisches Leben in die Bodyguards rund um ihn.

»Okay«, wandte sich einer von ihnen harsch an den erschrockenen Benito, während er bereits den Durchgang zur Küche hochklappte, »dahinten ist ein Extraraum. Da müssen wir hin. Schnell, dringend. Wo ist der genau?«

Was war jetzt los?

Bevor Benito antworten konnte, hatten sie Turner durch die Klappe in die Küche geschoben. Der ganze Pulk kam auf den Studenten und die anderen zu, die bereits am Eingang zum Hinterraum standen, um Nachschub zu bringen. Verwirrt versuchte der Student, die Gefahr auszumachen. Er hatte nichts gehört außer den paar Buhrufen. Bevor sie zur Seite springen konnten, wurden sie in den Raum geschoben wie Muschelschalen von einer Welle. Erst als Turner samt Anhang und Bodyguards sich in den engen Raum zwischen Regalen voller vorbereiteter Speisen drängte, entdeckten die Securityleute die Mitarbeiter.

»Raus!«, schrien sie. »Raus! Sofort!«

Rüde schubsten sie seine Kollegen. Packten den Studenten am Arm, schoben ihn aus dem Raum.

Max spielte Sanders weitere Videofetzen vor. Verschiedenste Perspektiven aus der Kantine, bevor der Trupp sich in den Raum hinter der Küche zurückzog. Verwackelt. Unscharf. Unterbelichtet. Überbelichtet.

»Wir haben Dutzende Studentenvideos analysiert, die Präsident Turners Besuch in Berkeley dokumentieren und offen im Netz stehen. So konnten wir vorerst Folgendes herausfinden: Die Aufnahme muss von einem der Anwesenden im Raum stammen.«

»Ausgeschlossen!«

»Bin noch nicht fertig. Oder von einem der sechs Mensamitarbeiter, die sich davor in dem Raum befanden.«

»Sie wurden natürlich alle hinausgeschickt.«

»Natürlich.«

Auf dem in Kacheln aufgeteilten Monitor des Laptops rief Max verschiedene Videostandbilder auf. Unscharfe, körnige Aufnahmen von sechs jungen Leuten. Drei Frauen. Drei Männer.

»Diese sechs.«

»Wer hat nun das Video gemacht? Und wie, wenn sie nicht drin waren?«

»Das Telefon dringelassen? Oder verloren?«

»Wir haben die Bewegungsdaten der sechs gecheckt«, erklärte Max. Neue Bilder erschienen auf dem Monitor. Hunderte Punkte im Grundriss eines Gebäudes. Vier davon rot markiert. Oder waren es sogar sechs? Kaum erkennbar, so sehr überlappten sie sich.

»Das ist die Cafeteria mit den zugehörigen Räumen«, sagte er. »Und das sind unsere sechs.«

Er zeigte auf die roten Punkte.

Er tippte auf eine Taste. Hunderte von Punkten starteten ein hektisches Gewusel. Auch die roten. Schoben sich aus dem Extraraum. Schossen im Küchenbereich hin und her. Hunderte andere in der restlichen Cafeteria waberten meistenteils vor dem Tresen. Warteten wohl, ob der Präsident noch einmal herauskam.

»Und so geht das weiter«, erklärte Max zu dem Gewimmel. »Wir haben sie verfolgt bis heute.«

»Und?«

»Keine Kontakte mit Ann Fillson oder anderen, die infrage kämen.«

»Wer so weit geht, dieses Video Anwälten zu übergeben, ist natürlich vorsichtig«, sagte Sanders.

»Die oder der hier war auf jeden Fall vorsichtig genug.«

»Haben Sie sich die Handys angesehen?«

»Das wäre illegal.«

Sanders blickte Max kommentarlos an.

»Die Kiddies heute sind gewieft«, sagte Max mit einem Schulterzucken. »Auf simple Trojaner in Mailanhängen fallen die nicht mehr herein. Weiter konnten wir vorerst nicht gehen. Aber wir bleiben dran.«

»Und?«, fragte Derek, »wer war es?«

»Die Staatsanwaltschaft verfolgte die Geschichte nicht weiter. Die Medien brachten sie nicht. Und online tauchte sie tatsächlich nie auf. Irgendwann sind die Ermittlungen wohl eingeschlafen. Zumal sie ohnehin grenzwertig waren.«

»Jenseits«, stellte Derek fest. »Na ja, wären ja nicht die Ersten. Und Sie meinen, die Videobesitzer und diese Menschenrechtsanwältin haben sich nach den Ablehnungen nicht damit begnügt, sondern könnten die Aufnahme an den ICC weitergegeben haben?«

»Zumindest der einzige Fall, der mir bekannt ist, der so heikel wäre.«

»Nicht ausgeschlossen«, meinte Trevor bissig. »Wenn man schon einmal bereit war, den Verräter zu machen, warum auf halbem Weg aufhören?«

»Weil ihnen bewusst ist, was Whistleblowern droht?«

»Orden, Statuten, Straßennamen, Präsidentendinner…«, feixte Trevor mit einem schmutzigen Grinsen.

»Dann wird man das FBI in dieser Sache wohl wieder aufwecken müssen«, sagte Derek. Fuhr sich mit der Hand durchs Haar. Ein Zeichen, dass er angespannt war. Lass das. »Nächstes Thema: Wie weit sind wir mit Intelligence über die Schlüsselpersonen des ICC, allen voran Maria Cruz, Jasper Brunt und Dana Marin?«

»Maria Cruz«, sagte Trevor und rief das Bild einer Frau in den späten Vierzigern auf. Dunkles Haar, strenger Blick. »Neunundvierzig, Argentinierin. Ihre Eltern starben während der Militärdiktatur nach 1976.«

»Starben?«, fragte Derek. Er kannte Maria Cruz' Hintergrund. Und mochte Trevors nonchalante Formulierung nicht.

»Wurden von der Junta ermordet«, erklärte Trevor widerwillig. »Seit vier Jahren Chefanklägerin des ICC. Davor sechs Jahre im Büro des damaligen Chefanklägers. Studium in Argentinien und den USA. Machte sich in Argentinien einen Namen, als sie als junge Staatsanwältin die Juntagenerale der Diktatur aus den Siebzigerjahren anklagte. Später jüngste Justizministerin des Landes. Überlebte zwei Anschläge während der Prozesse gegen die Generäle. *Super-tough cookie.*«

Als Nächstes das Bild eines hageren Mannes mit kurzen dunklen Locken, Mittfünfziger.

»Jasper Brunt, ein führender Mitarbeiter von Cruz. Sollte heute Abend nach Athen kommen, um als ICC-Vertreter morgen dem Prozess beizuwohnen. Falls es Fragen vonseiten des Gerichts gibt. Wird er aber nicht, das wissen die bloß noch nicht. Liegt mit Blinddarmdurchbruch in einem Krankenhaus in Den Haag. Also wird das morgen wohl an ihr hängen bleiben«, sagte Trevor und rief das Bild der Frau auf, das dank des Videos inzwischen die ganze Welt kannte. »Dana Marin. Geboren 1988. Ihre Mutter floh 1994 mit ihr aus dem jugoslawischen Bürgerkrieg nach Deutschland. Jurastudium. Währenddessen bereits Praktika beim Internationalen Strafgerichtshof für das ehemalige Jugoslawien und Amnesty International. Auslandssemester an der Universität Leiden in den Niederlanden und der Columbia in New York. Anschließend LL. M. an der Georgetown University in Washington, D.C. Spricht fließend Bosnisch, Deutsch, Englisch und Französisch. Zwei Jahre als Anwältin im Bereich Konfliktlösung bei der Londoner Societät Brown-Sallinger-Pistoe, die als eine der führenden im Bereich des internationalen Strafrechts gilt. Seit drei Jahren im Büro der Chefanklage des ICC. Gut, aber noch etwas grün hinter den Ohren, wenn ihr mich fragt.«

»Das sah mir heute ganz anders aus«, bemerkte Lilian bissig. Sie war gerade ein Jahr älter als Marin, und die Bemerkung hatte sie offensichtlich geärgert. Wie oft sie als Frau, als schwarze noch dazu, Derartiges von älteren weißen Männern schon zu hören bekommen hatte? »Wir sollten sie nicht unterschätzen.«

18

Dana tauchte in das Getümmel der schmalen Straßen und ließ sich treiben. Sie hatte die Richtung zur Akropolis eingeschlagen, aber keine Eile, auf dem kürzesten Weg dorthin zu gelangen. Die Eindrücke und Reize der fremden Stadt halfen ihr, die Aufregungen des Tages ein wenig in den Hintergrund zu drängen. Sie spazierte an Souvenir- und Modeläden vorbei, die ihre Waren auch um diese Zeit noch den flanierenden Touristen anboten, inspizierte hier ein Tuch, dort eine Sommertunika, probierte Sonnenbrillen. Ihre Handtasche mit Telefon, Geld und Schönheit hielt sie unter die Achsel gepresst. An einer besonders belebten Ecke bog sie ab. Vor ihr öffnete sich eine Art Platz. Dahinter erstreckten sich Ruinen und parkartiges Gelände, aus dem sich in einiger Entfernung ein mächtiger Felsen erhob. Ihn krönten die beleuchteten Tempel der Akropolis. Staunend und bewundernd hatten auch andere Spaziergänger angehalten. Dana ließ das Panorama auf sich wirken. Hier stand sie also am Geburtsort der Demokratie. Sie hatte sich mit dieser Erzählung nie anfreunden können, gestanden die antiken Politikmacher das Recht zur Mitbestimmung im Staat doch nur freien Männern zu, die nicht für ihren Lebensunterhalt arbeiten mussten. Handwerker und Bauern, Frauen, Sklaven, Fremde und alle anderen blieben ausgenommen. Mitbestimmen durften also nur etwa zehn Prozent der Bevölkerung. Selbst sogenannte Väter der demokratischen Idee wie Aristoteles vertraten diese Ansicht und zogen dieser geringen Beteiligung eine Mischung aus Oligarchie, also eine Herrschaft von noch weniger Personen, und Demokratie vor. Warum dieses Konzept als Ursprung der Demokratie galt, hatte sich Dana bis heute nicht erschlossen.

Aber der pittoreske Felsen war schön anzusehen. Auf dem Platz boten mehrere Restaurants Tische im Freien an, die gut besetzt waren. Sicher Touristenfallen, aber was soll's? Nach einigem Suchen fand sie einen freien Platz mit Blick auf die leuchtenden Ruinen. Ein Kellner mit Menükarten tauchte auf.

»Deutsch? Englisch? Französisch?«

So offensichtlich? In ein Restaurant an diesem Ort gingen wohl nur Touristen.

»Irgendeine«, sagte sie auf Englisch.

»Sind Sie allein?«, fragte er einigermaßen flüssig und griff zu einer zweiten Karte.

Sie winkte ab. »Ja danke.«

»Was für eine Schande!«, erklärte er mit gespielter Empörung. Um seine Augen bildeten sich sympathische Lachfalten. »Darf ich schon einmal etwas zum Trinken bringen?«

»Haben Sie ein Glas Sekt?«

»Fabelhaft«, sagte er und reichte ihr eine Karte. »Kommt sofort.«

Dana entschloss sich schnell für das sommerliche Grillgemüse.

Der Kellner kam mit einem Tablett zurück, auf dem zwei Sektflöten standen, eine weniger gefüllt. Und ein Schnapsglas.

Das volle Glas und den Schnaps stellte er vor Dana auf den Tisch.

»Feiern soll man nicht allein«, rief er gut gelaunt. »Was immer Sie zu feiern haben, jamas!«

Er hob sein halb volles Glas.

Überrascht hob sie das ihre, und er stieß mit ihr an. Ja, warum denn nicht? Sie tranken beide.

»Sehr gut«, sagte er und wies auf das kleine Gläschen. »Ouzo«, erklärte er. »Geht aufs Haus.«

»Danke.«

»Was darf ich Ihnen zum Essen bringen?«

Er nahm ihre Bestellung auf und verschwand mit seinem Glas. Dana nippte am Ouzo. Für den bitteren Anisgeschmack hatte sie sich nie erwärmen können. Doch heute Abend schmeckte er ihr. Trotzdem nahm sie lieber noch einen langen Schluck aus ihrem Sektglas, versunken in den Anblick der antiken Steine.

Was für ein Tag! Noch immer war die Anspannung nicht von ihr abgefallen. Ein weiterer Schluck Sekt. Aus einem in Schwedisch geführten Gespräch an einem Nachbartisch hörte sie die Worte »Turner«, »Amerika«, »ICC«. Dezent warf sie einen Blick auf die Runde. Touristen im Rentenalter. Nun fiel ihr auf, dass »Turner« und dazu passende Begriffe von mehreren Tischen durch das vielsprachige Geplapper drangen. Auch unter den Touristen beherrschten die Ereignisse des Tages die Unterhaltungen. Auf Dana achtete niemand. Zu anders sah sie aus als auf den Bildern in den Medien.

Sie griff zum Telefon. Dutzende neue Nachrichten. Egal. Sie schoss ein paar Bilder von der Akropolis, dem Treiben um sie herum. Warf einen Blick in die sozialen Medien und ihre bevorzugten Nachrichtenportale.

Turners Verhaftung dominierte alles. Immer noch viele Bilder mit Dana. Und ein neues war dazugekommen. Es zeigte eine Frau Ende fünfzig, die schwarzen Haare von einer silbernen Strähne durchzogen, mit streng entschiedenem Blick. Dana erkannte sie sofort: Kalomira Stakis, die griechische Justizministerin. Jene Frau, die Turners Verhaftung ermöglicht oder zumindest nicht verhindert hatte.

Griechischer Ministerpräsident Nikólaos Laskaris entlässt Justizministerin Kalomira Stakis.

Die Hitze schoss in ihr Gesicht, und nicht vom Sekt. Fieberhaft scannte Dana andere Newsoutlets. Die Meldung war erst wenige Minuten alt. Ein Nachfolger stand noch nicht fest, wie es schien. Keiner der Artikel äußerte sich darüber, ob Laskaris zugunsten Turners intervenieren wollte. Oder ihn gar freilassen würde. Die Entlassung von Stakis machte natürlich deutlich, dass er ihr Vorgehen nicht billigte. Oder dies zumindest in der Öffentlichkeit kommunizieren wollte.

Nun überflog Dana doch die Liste der Nachrichtenabsender und eingegangenen Anrufe auf ihrem Telefon. Maria Cruz hatte vor sieben Minuten versucht, sie zu erreichen. Keine Nachricht in der Mailbox hinterlassen.

Dana wählte ihre Nummer. Besetzt.

Sie legte das Telefon neben sich auf den Tisch, damit sie den nächsten Anruf von Cruz nicht versäumte. Der Kellner kam mit einem Teller und seinem strahlenden Lächeln. Mit einem Blick auf die halb leeren Gläser fragte er: »Noch eins?«, während er ihre Bestellung servierte. Dana zögerte nur kurz. Sie wollte endlich ein wenig entspannen! Die Nachricht von Stakis' Kündigung hatte genau das Gegenteil bewirkt.

»Bitte«, sagte sie.

Der Grill hatte schwarze Streifen in das ölige Gemüse gebrannt. Als läge es hinter Gitter. Unwillkürlich musste Dana an Turner denken. Wie es ihm wohl im Korydallos-Gefängnis ging? Sie wollte gerade zu essen beginnen, als ihr Telefon brummend einen Anruf von Maria Cruz ankündigte.

»Dana Marin.«

»Ein bisschen übereifrig gewesen heute, was?«, sagte Maria ohne Begrüßung. Dana schoss erneut die Hitze ins Gesicht, doch bevor sie antworten konnte, meinte Maria: »Kann ich verstehen. Jetzt kennt halt jeder dein Gesicht. Schon Drohungen bekommen?« Sie klang besorgt.

»Zu viele Nachrichten«, sagte Dana. »Selbst wenn, ich komme nicht dazu, sie zu lesen.«

»Ist wahrscheinlich besser so. Nachricht über Stakis schon gesehen?«

»Ja. Werden die Griechen Turner jetzt gleich wieder freilassen?«

»So einfach können sie es sich wohl nicht machen. Aber wer weiß. Gehört habe ich noch nichts. Weder so noch so.«

»Jasper hat sich bei mir noch nicht gemeldet. Ist er schon da?«

Jasper Brunt sollte den ICC in den kommenden Tagen in Athen vertreten. Der dreiundfünfzigjährige Däne war seit zwei Jahren einer der führenden Juristen im OTP, dem Office of the Prosecutor beim ICC. Er hatte den Haftbefehl mit vorbereitet und sollte mit seiner Erfahrung das Internationale Gericht in den kommenden Tagen bei Bedarf in Athen vertreten. Dana war nur die Vorhut gewesen. Wäre die Verhaftung gescheitert, hätte sie sich ohne großes Aufsehen nach Den Haag zurückgezogen. Ihre Aufgabe war erfüllt.

»Ich habe noch nichts von ihm gehört. Er wird schon Bescheid sagen, sobald er angekommen ist. Oder du hast seine Nachricht in der Masse der anderen übersehen? Ich muss weitermachen. Schönen Abend noch! Ach, und – gut gemacht.«

»Danke«, erwiderte Dana verdutzt, doch da hatte Maria die Verbindung bereits unterbrochen. Erleichtert starrte Dana ihr Telefon an. Dann auf die Akropolis.

Gut gemacht.

Ohne es zu bemerken, hatte sie während des Gesprächs beide Gläser geleert.

Ihrem Kellner hingegen war es nicht entgangen.

»Nachschub?«

»Bitte.«

Mit Appetit machte sie sich über ihr Abendessen her. Nach Jaspers eventuell übersehener Nachricht würde sie später suchen.

19

Sean Delmario wartete im Café Dennos auf dem Agentensitz. Rücken zur Wand, das ganze Lokal und den Eingang im Blick. Drinnen saß um die Jahreszeit niemand. Der Kellner und Besitzer, ein alter Mann mit grauem Schnurrbart und schwarzem Jäckchen, machte zwei Kaffee und brachte sie hinaus zu Gästen an einem der Tische auf der Straße. Zwei weitere alte Männer mit Schnurrbärten und verwitterten Gesichtern saßen dort im Licht der Straßenlampen. Er blieb bei ihnen stehen und unterhielt sich mit ihnen. Stammgäste. Touristen verirrten sich so gut wie nie in das kleine Café am Rand von Limassol. Sean scrollte durch die neuesten Nachrichten zu Douglas Turners Verhaftung. Diese Geschichte war ein Dammbruch. Anders konnte man es nicht bezeichnen. Wie konnten die es wagen? Er sah wieder hoch. Vor ihm hatte sich nichts verändert.

Sean hatte den Libanesen per Telefon hierherbestellt, nachdem er ihn über ein paar andere Stationen geschickt hatte. An jeder beobachtete einer von Seans Leuten, ob der Libanese allein unterwegs war und ihm niemand folgte. Was natürlich nicht gegen Sender und Drohnen half. Gegen Sender half die erste Station, an der einer von Seans Männern den Libanesen gecheckt hatte. Gegen Drohnen half der Umweg durch zwei Tiefgaragen, die ganze Häuserblöcke verbanden und in denen der Libanese Wagen wechseln musste. Wagen, die kein eingebautes Navigationssystem besaßen.

Und kein GPS-Ortungssystem zur Diebstahlsicherung. Elektronisch weder zu orten noch zu verfolgen. Die letzten zweihundert Meter ließ er den Libanesen trotzdem zu Fuß gehen, durch einen Häuserblock, dessen Gebäude im Inneren verbunden waren. Um ins Café zu gelangen, musste sein Gesprächspartner nur mehr aus dem Nebenhaus treten und nah genug an der Hauswand bleiben, um von den vorspringenden Dächern vor Beobachtern von oben geschützt zu sein. Sean sah seine Silhouette an dem Fenster neben der Tür vorbeihuschen, durch die er gleich darauf trat. Er musste sich nicht umschauen, nur seine Augen an das Zwielicht gewöhnen, doch Sean war nicht zu übersehen.

Der Libanese trug einen hellen Sommeranzug über dem weißen Hemd. Das früh schütter gewordene Haar kämmte er mit viel Gel nach hinten. Er breitete die Arme aus und legte ein schleimiges Grinsen auf.

»Mein Freund!«, sagte er und kam an Seans Tischchen.

»Mahir«, sagte Sean nur.

Mahir setzte sich auf den Stuhl links von Sean, von dem aus er einen fast ebenso guten Überblick hatte.

Der Besitzer des Ladens hatte die Ankunft des neuen Gastes bemerkt, tat aber so, als ginge sie ihn nichts an. Er plauderte weiter mit seinen Kumpels auf der Straße.

Sean musterte ihn. Eigentlich sah Mahir nicht schlecht aus. Was ihn so unattraktiv machte, waren der untertänige Zug um den Mund und der seelenlose Blick. Sean kannte ihn seit zwölf Jahren und wusste, dass der Mann keine Seele hatte. Ebenso fehlten ihm jegliches Gefühl, Gewissen, Moral oder Skrupel. Der ideale Geschäftspartner. Jeder wusste, woran er war. Es ging um Geld. Viel Geld. Viel mehr als sonst. Mehr hatte Mahir ihm nicht gesagt. Nicht sagen wollen. Unüblich. Sean hatte gute Lust gehabt, ihn abblitzen zu lassen. Doch dann war er doch neugierig gewesen.

Er wartete, dass der andere zu reden begann.

»Du wunderst dich über meine Geheimnistuerei«, eröffnete Mahir. »Aber du wirst gleich verstehen, dass ich gute Gründe habe.«

Jetzt bequemte sich der Wirt doch heran. Mahir bestellte eiskalte Zitronenlimonade. Ohne eine Regung schlurfte der Alte hinter den Tresen. Sean und Mahir beobachteten ihn, wie er mit einem Glas und einer kleinen Flasche aus dem Kühlschrank zu ihnen zurückkehrte, beides wortlos vor Mahir abstellte und wieder zu seinen Freunden auf der Straße verschwand.

Mahir schenkte sich ein, nahm einen ordentlichen Schluck und seufzte demonstrativ erleichtert.

»Ich habe nicht die ganze Nacht Zeit«, sagte Sean. »Worum geht es?«

»Immer so sachlich«, klagte Mahir. »Man könnte meinen, du bist Deutscher, nicht Amerikaner.«

»Ich hatte eine deutsche Urgroßmutter.«

»Aber einen italienischen Vater. Von dem könntest du doch etwas Dolce Vita…« Er winkte ab. »Also gut. Zur Sache. Ich brauche jemanden, der einen Gefangenen befreit.«

»Wo? Aus welcher Situation?«

»Vielleicht sollte ich zuerst an deinen Patriotismus appellieren.«

»Patriotismus ist eine Sache. Das Geschäft eine andere. Also?«

»Die Zielperson ist US-Bürger. Derzeit in Athen. Da bleibt sie aber nicht.«

Sean beschlich ein eigenartiges Gefühl. Mahir konnte unmöglich von dem sprechen, der ihm zu Athen sofort in den Sinn kam.

»Wohin wird sie gebracht? Wann? Wie? Von wem?«

»In den kommenden Tagen wird sie nach Den Haag gebracht. Wann, weiß ich noch nicht genau.«

Wollte ihn der Typ verarschen?

»Erfährst du rechtzeitig. Wie, ist auch noch unklar. Die Intel dazu kommt hoffentlich bald. Durchführen werden den Transport wohl...«

»Moment!«, unterbrach ihn Sean. »Von Athen nach Den Haag? Kurzfristig? Und du weißt noch nichts Genaues? Wahrscheinlich weil die Sache so geheim und heiß ist, dass sogar du und deine Auftraggeber Schwierigkeiten habt, an die Informationen zu kommen?«

Er lehnte sich zurück und atmete einmal durch, während er Mahirs Gesicht scannte. »Und dann bringst du gleich zu Beginn auch noch Patriotismus ins Spiel. Wenn mein Verdacht stimmt, hast du den Verstand verloren.«

Mahir blickte emotionslos zurück.

»Was nimmst du dafür?«, fragte Mahir schließlich.

Sean konnte ein ungläubiges Lächeln nicht unterdrücken.

»Das ist unbezahlbar«, antwortete er.

Mahir sah ihn mit einem schiefen Blick an. Komm schon. Alles hat seinen Preis.

Sean konnte es noch immer nicht fassen.

»Wie stellt ihr euch das vor? Wie soll das gehen? Wenn wir vorab so gut wie nichts wissen? Nicht wissen, wo, wann, welchen Plan wir einsetzen könnten? Welches Material wir brauchen? Wie viele Leute? Das ist ja kein Banküberfall im Wilden Westen, bei dem man ein wenig mit der Waffe herumwedelt und seine Beute mitnimmt!«

»Die Planung müsste kurzfristig sein, das stimmt«, sagte Mahir. »Material ist kein Problem. Ihr bekommt alles, was ihr braucht, innerhalb von zwölf Stunden überallhin.«

Sean konnte es noch immer nicht glauben. War das die Falle, auf die er schon so lange wartete? Oder sein Ticket zu einer eigenen Insel?

»Die US-Regierung kann es nicht selbst machen«, dachte er laut. »Wenn etwas schiefgeht und ein paar Seals oder sonstige zurückbleiben, wäre das ein Desaster. In vielerlei Hinsicht. Deshalb schicken sie dich. Um jemanden zu rekrutieren. Mit wem redest du noch? Harry? Zak?«

Mahir antwortete nicht.

»Selbst wenn es Private machen wie wir – wer sonst würde eine solche Aktion in Auftrag geben? Der Öffentlichkeit gegenüber.«

»Die Familie?«, schlug Mahir vor. »Reiche Patrioten? Oder empörte Patrioten, die das Know-how haben?«

Sean musste wieder lächeln.

»Das wäre im Ernstfall meine Legende? Empörter Ex-US-Elitesoldat und seine Kumpels befreien ihren Ex-Präsidenten auf eigene Faust?«

Zugegeben: Turner war sein Präsident gewesen. Sein Oberbefehlshaber. Sean hatte unter ihm gedient. Und war unter ihm ausgeschieden.

»Eventuell. Aber daran arbeiten wir noch.«

»Wir.«

Mahir hob die Schultern, lächelte entschuldigend. Das kann ich dir nicht sagen.

»Ist das überhaupt notwendig?«, fragte Sean. »Bekommt Jones ihn nicht so heraus? Diplomatie?« Er spuckte das Wort fast aus. »Wirtschaftlicher Druck?«

»Das versuchen sie natürlich«, sagte er. »Ihr wärt sozusagen die letzte Rettungsstufe, wenn nichts anderes funktioniert.«

»Wann wissen wir, ob nichts anderes funktioniert?«

»Das entscheidet letztlich Washington. Zuerst einmal muss ein griechisches Gericht entscheiden, ob Turner überhaupt in Haft bleibt und überstellt wird. Inklusive Einsprüche vom Staatsanwalt und von Turners Anwälten kann sich das über mehrere Wochen hinziehen.«

»So lange wird Jones nicht warten wollen«, sagte Sean. »Er ist im Wahlkampf.«

»Wahrscheinlich nicht.«

Mahir trank sein Glas leer.

»Ihr müsstet schnellstens euren Plan ausarbeiten und auf Abruf bereitstehen. Ich tippe auf maximal fünf bis sechs Tage. Länger wird Jones dem innenpolitischen Druck nicht standhalten. Kann aber natürlich auch schneller gehen.«

Die Idee erschien Sean nach wie vor verrückt. Turner saß laut Medien zwar im Korydallos-Gefängnis, aus dem schon diverse Gefangene geflohen oder befreit worden waren. Unter anderem per Hubschrauber, erinnerte sich Sean. Ein Spaziergang war solch eine Aktion trotzdem nicht. Er überschlug die Zahlen. Wen würde er brauchen? Wie lange? Was würden sie verlangen, wenn sie erfuhren, worum es ging?

Vergiss es! Es ist Wahnsinn!

Er wusste, wie er die Geschichte vom Hals bekam.

»Zweihundert Millionen Dollar«, sagte Sean. »Material und Spesen exklusive, versteht sich.« Damit würde er Mahir los.

Im Gesicht des Libanesen zuckte kein Muskel.

»Zehn Mann à zwanzig Millionen«, sagte Mahir abwägend. »Das scheint mir angemessen.« Sein Kopf wackelte.

Angemessen? Zwei? Hundert? Millionen? Dollar? Hatte er zu wenig verlangt? Sean gefiel das nicht.

»Fünfzig Millionen vorab«, fügte er hinzu, »unabhängig davon, ob es zum Einsatz kommt.« So ein Prozentsatz vorab war nicht ungewöhnlich. Die Summe war es schon. Besonders angesichts des Umstandes, dass sie selbst bei Nichteinsatz zu zahlen war. Dazu konnte Mahir nicht Ja sagen. So eine Budgethoheit würde ihm die CIA, oder wer immer dahintersteckte, nicht gegeben haben. Nicht diesem windigen Schieber. Nicht für die Befreiung einer einzelnen Person. Bei solchen Beträgen würde er wenigstens rückfragen müssen.

Andererseits: Es handelte sich um den ehemaligen Präsidenten.

»Hast du für solche Summen Kanäle?«, fragte ihn Mahir stattdessen. Durfte das wahr sein?! Jetzt musste Sean erst mal mitspielen.

»Müsste ich einrichten.«

»Müsste schnell gehen. Ich kann dir ein paar Tipps geben«, sagte Mahir.

»Was, wenn er vorher freigelassen wird?«, versicherte sich Sean. Checkte Mahir ihn jetzt ab? Oder was wurde das hier? »Und der Einsatz ausfällt?«

»Habt ihr eure fünfzig Millionen«, sagte der Libanese. »Leicht verdientes Geld.«

Meinte der das noch immer ernst?

Ein letzter Versuch.

»Was genau werfen sie Turner vor? Ich habe etwas von Kriegsverbrechen gelesen.«

Mahir lächelte maliziös.

»Du meinst wegen deiner Vergangenheit beim Militär?«

Sean antwortete nicht. Natürlich meinte er das.

»Weiß man noch nicht genau«, sagte Mahir. »Der ICC untersucht seit Jahren das Verhalten von US-Verantwortlichen in Afghanistan und europäischen Ländern. Zuerst wegen der Folter unter Dabbelju. Später auch wegen anderer Dinge. Bei Turner können es eigentlich nur die gezielten Tötungen sein, bei denen es viele zivile Opfer gab. Wahrscheinlich werfen sie ihm mangelnde Sorgfalt bei der Vermeidung ziviler Opfer vor. Mit den Folterungen hatte er nichts zu tun.«

»Das wäre dünn«, sagte Sean. »Bei solchen Einsätzen kommt es nun mal zu Opfern. Das sieht sogar das Kriegsrecht ein.«

Mahir zuckte mit den Schultern.

»Sonst weiß ich nichts.«

Sean dachte nach. War so eine Aktion möglich? Wahrscheinlich schon. Nicht einfach, aber möglich. Trotz des American Service-Members' Protection Act würde niemand ernsthaft mit einer gewalttätigen Befreiung Turners aus den Händen eines eigentlich befreundeten Staates rechnen. Wo würden sie am besten zuschlagen? Noch im Gefängnis in Athen? Auf dem Transfer nach Den Haag? Kaum. Dazu müsste das griechische Gericht sehr schnell urteilen, und Turners Anwälte dürften keinen Einspruch erheben. Oder erst dort? Letzteres schien ihm die unwahrscheinlichste Option. Andererseits hätten sie dafür am meisten Vorbereitungszeit. Mit Medienpräsenz mussten sie überall rechnen. Macht die Sache nicht unkomplizierter. Obwohl, vielleicht versuchten sie, den Transport in aller Heimlichkeit durchzuziehen. Ohne Ankündigung. Oder mit Ablenkungsmanövern.

Nicht ganz wohl war Sean bei dem Gedanken an die Intel. Wer mochte die Quelle sein? CIA, NSA? Wie konnte er sichergehen, dass er alle notwendigen Informationen bekam? Und dass es die richtigen waren? Auf jeden Fall würde er sich um seine eigene Informationsbeschaffung kümmern müssen.

In seiner aktiven Zeit hatte er Hochrisikooperationen durchgeführt und dafür kaum etwas bezahlt bekommen. Seit er als privater Unternehmer unterwegs war, meinte er das Risiko immer ganz gut abschätzen zu können. Erschien es ihm zu hoch, lehnte er ab.

Dieses Risiko konnte er nicht abschätzen. Es war zu einzigartig. So wie die Bezahlung.

»Haben wir einen Deal?«, fragte Mahir.

Wie bitte?!

»Das muss jemandem wichtig sein«, sagte Sean, um Zeit zu gewinnen.

»Natürlich.«

»Du darfst freihändig zweihundert Millionen vergeben?«

»Du hast es auf den Punkt gebracht, mein Freund«, sagte Mahir mit einem schleimigen Grinsen. »Mehr hätte ich dir nicht geben können.«

Verdammt! Wahrscheinlich hätte Sean das Doppelte herausschlagen können.

Hatten sie einen Deal? Bei so einer Geschichte musste er sein Team fragen. Würde auch nur einer bei mehreren Millionen pro Mann Nein sagen? Egal, worum es ging? Nicht anzunehmen. Und wenn, hatte Sean Ersatz in der Hinterhand.

»Bleibt noch eine ganz wichtige Frage«, sagte er. »Wohin bringen wir Turner, wenn wir ihn haben? Angenommen, die Aktion steigt in Athen: in die US-Botschaft? Souda Bay? Woandershin?«

»Die US-Botschaft bringt nur neue Schwierigkeiten«, sagte Mahir. »Ist zwar unantastbares Areal, liegt aber trotzdem mitten in der Stadt. Nein. Souda Bay ist auch problematisch. Die Navy hat dort zwar ein paar Hundert Personen stationiert, aber es ist kein US-Stützpunkt, sondern einer der NATO. Da das Ganze NATO-intern zu heftigen Konflikten führen wird, ist das politisch zu heikel. Ihr fliegt am besten direkt in die Staaten.«

Sean überlegte kurz, was das bedeutete.

»Das heißt, wir müssten Turner zu einem nahen Flughafen bringen, wo ein Privatjet mit entsprechender Reichweite wartet. Das heißt auch, wir müssen während der Flucht verdammt schnell zu diesem Flughafen kommen und mögliche Startverbote ignorieren oder die Transportmittel wechseln, um unsere Spuren zu verwischen, und quasi anonym oder mit falschen Identitäten in den Flieger kommen.«

»Kein solches Problem an Privatjetterminals.«

»In so einer Situation vielleicht schon.«

»Die griechischen Behörden werden mit beiden Augen wegschauen, da gehe ich jede Wette ein«, sagte Mahir. »Die sind froh, wenn sie den Fall los sind.«

»Ganz schöner Aufwand, ganz schönes Risiko.«

»So viel Geld bekommt man nicht umsonst, mein Freund.«

20

Dana hatte ihr Essen beendet und den letzten Schluck ihres dritten Glases Sekt ausgetrunken. Den angebotenen zweiten Ouzo hatte sie stehen lassen. Sie spürte die Wirkung des Alkohols inzwischen auch so als angenehme Leichtigkeit hinter ihrer Stirn und in ihrem Nacken. Der Abend war lau, das Geplapper der anderen Gäste um sie herum verbreitete gute Laune, selbst wenn sie weiterhin ab und zu die bekannten Stichwörter hörte. Der Kellner musste ihr leeres Glas gesehen haben.

»Noch eines?«

Die Akropolis hatte Dana inzwischen lange genug angesehen. Sie überlegte, morgen auf den Felsen zu steigen und sie zu besichtigen, falls ihr die Zeit blieb.

»Danke«, sagte sie kopfschüttelnd. »Zahlen bitte.«

Der Mann kam aus dem Nichts. Bevor Dana reagieren konnte, hatte er ihre Handtasche geschnappt, die die ganze Zeit über in ihrem Schoß gelegen hatte, den Schulterriemen einmal um ein Stuhlbein gewickelt. Er zerrte so heftig daran, dass der dünne Riemen abriss. Dann war er auch schon davon.

Dana sprang auf, lief hinter ihm her, rief. Die Menschen auf dem Platz sahen sich nach ihr und dem Mann um. Er war viel zu schnell. Dana versuchte es trotzdem. Da rammte ein anderer Mann den Dieb. Der Gauner stürzte, schlitterte über den Boden. Verlor Danas Tasche. Der andere Mann schnappte sie sich. Der

Dieb rappelte sich derweil auf. Der Helfer versuchte, ihn festzuhalten, doch der Dieb hieb ihm heftig ins Gesicht. Der andere taumelte. Der Dieb rannte davon und verschwand in den Menschenmassen. Dana eilte zu dem Helfer, der sich Backe und Kinn hielt, in der anderen Hand Danas Tasche.

»Danke«, sagte sie auf Englisch.

»Ist das ihre?«, erwiderte er, ebenfalls auf Englisch.

»Ja.«

Er war etwa in ihrem Alter. Nicht viel größer, athletisch, aber ohne die aufgepumpten Muskeln vieler junger Männer heute. Das dunkelblonde gewellte Haar changierte ins Dunkelbraune, die Sommersonne hatte seine Haut in einem tiefen Bronzebraun getönt, sodass die weißen Zähne noch heller leuchteten, als er Dana aus seinen blauen Augen anstrahlte.

»Tut es sehr weh?«

»Geht so«, sagte er. Dana konnte den Akzent nicht einordnen.

»Nochmals vielen Dank«, sagte sie. »Sie haben mich gerettet. Da habe ich alles drin.«

Er lächelte sie an.

»Gern.«

Inzwischen hatten sich zwei Kellner des Restaurants zu ihnen gesellt.

»Alles in Ordnung?«, fragten sie. Redeten mit dem Mann auf Griechisch. Er nickte, antwortete.

»Kann ich mich irgendwie erkenntlich zeigen?«, fragte Dana. Nestelte in ihrer Tasche herum. Sie hatte nicht viel Bargeld dabei. Der Mann wehrte mit einer Handbewegung ab.

»Keinesfalls«, sagte er.

Einer der Kellner zog wieder ab. Zurück zur Arbeit. Der andere blieb. Hatte er Angst, dass Dana, ohne zu zahlen, abhaute?

»Darf ich Sie zum Dank wenigstens auf ein Glas einladen?«

Der Mann warf einen kurzen Blick auf seine Armbanduhr.

»Ein Glas«, sagte er. »Danke.« Reichte ihr die Hand. »Alexandros.«

Dana zögerte einen Augenblick.

»Dana«, sagte sie.

Alexandros entpuppte sich als Athener, der drei Jahre in Berlin und zwei in Los Angeles gelebt hatte. Deutsch sprach er radebrechend, doch sein Englisch war ausgezeichnet. Er hatte Dana nicht erkannt, und sie hatte ihm nicht erzählt, wer sie war und was sie nach Athen gebracht hatte. Sie beließ es bei »beruflich«.

Als das Telefon diesmal brummte, sah sie Maria Cruz' Namen auf dem Display.

»Das muss ich annehmen«, sagte sie zu Alexandros, sprang auf und lief ein paar Schritte auf den Platz hinaus. Sie holte tief Luft, um ihre Stimmung und ihre Stimme nüchtern zu bekommen.

»Dana, bist du noch wach?«, fragte Maria.

»Ja.«

»Gut. Folgendes: Ich habe vor ein paar Minuten erfahren, dass morgen um zehn der erste Termin vor dem Gericht in Athen stattfindet.«

»Jasper hat sich noch nicht bei mir gemeldet«, sagte Dana. Sie ging auf dem Platz auf und ab. Mal den Blick zu Boden, mal auf die Akropolis, mal auf Alexandros gerichtet.

»Das ist der zweite Grund, weshalb ich anrufe«, sagte Maria. »Jasper liegt mit Blinddarmdurchbruch im Krankenhaus. Seit heute Nachmittag, hier in Den Haag. Deshalb musst du zu dem Termin morgen gehen.«

Mit einem Schlag war Dana nüchtern.

»Muss ich? Wir haben dort keine offizielle Rolle.«

»Sicherheitshalber. Ich möchte jemanden von uns dabeihaben.«

»Ich habe das noch nie gemacht. Kannst du keinen Ersatz schicken?«

»Heute ging kein Flieger mehr. Und morgen früh nicht rechtzeitig.«

Ihr Blick suchte Alexandros, der sie vom Tisch aus mit fragender Miene beobachtete. Sie bedeutete ihm, dass es noch kurz dauern würde.

»Deshalb habe ich dir Unterstützung besorgt«, erklärte Maria. »Vassilios Zanakis ist ein alter Bekannter von mir. Pensionierter Menschenrechtsanwalt, der auch schon mit dem ICC gearbeitet hat.«

»Pensioniert? Ist er up to date? Darf er überhaupt?«

»Ja, er hat nach wie vor seine Lizenz. Außerdem wollte ich ohnehin einen griechischen Juristen mit dabeihaben. Ich habe dir seine Nummer gerade geschickt. Dann könnt ihr alles Weitere besprechen. Du triffst ihn spätestens morgen früh um neun Uhr vor dem Gericht.«

Verwirrt fuhr sich Dana durchs Haar, dachte nach.

»Was muss ich vorbereiten?«

»Dana, du kennst den Fall in- und auswendig, du kennst die Gesetze. Die Bestätigung der Haft sollte reine Routinesache sein, wobei Turners juristisches Team sicher alle Register ziehen wird, um das Gericht zu verunsichern. Aber du bist gut vorbereitet. Und für das griechische Recht hast du Vassilios.«

»Danke für das Vertrauen.«

»Ich hatte übrigens schon ein aufschlussreiches Gespräch mit dem US-Außenminister. Er kündigt diverse Sanktionen an, speziell gegen Mitarbeiter des ICC. Sei also nicht überrascht, wenn da was kommt.«

»Was für Sanktionen?«

»Einfrieren von Vermögenswerten in den US...«

»Habe ich keine.«

»Geschäftsverbot mit Leuten wie uns für Unternehmen et cetera. Hoffen wir, dass die Griechen nicht mitmachen. Ist aber nicht auszuschließen. Falls du noch Fragen haben solltest, ich bin jederzeit erreichbar. Gute Nacht«, sagte Maria und beendete die Verbindung. Das Freizeichen im Ohr, stand Dana da und starrte auf den Burghügel.

Langsam wandte sie sich um und ging zu Alexandros.

»Ich muss zurück ins Hotel«, erklärte sie ihm.

»Was ist geschehen?«, fragte er.

»Beruflich«, sagte sie abwesend. »Dringend.«

»Ich bringe dich hin«, bot er an, während er sich erhob.

»Danke«, sagte sie, »aber ich gehe gern allein.«

»Das kann ich nicht zulass…«

»Das ist nett«, beharrte Dana. Ihr war nicht mehr nach Gesellschaft. Was so nicht ganz stimmte. Alexandros war ein anziehender Kerl. »Ich muss nachdenken«, sagte sie.

»Falls du morgen noch da bist, könnte ich dir die Akropolis zeigen.«

»Kann ich jetzt noch nicht sagen«, meinte sie. »Mal sehen.«

»Ich gebe dir meine Nummer«, schlug er vor, »und wenn du Lust hast, rufst du einfach an.«

Dana musterte ihn. Ein forscher Typ, verlor keine Zeit. Aber warum nicht. Solange er nicht ihre Nummer wollte.

Sie hielt ihr Telefon bereit. Er zögerte kurz, dann diktierte er die Ziffernfolge. Dana tippte sie ein.

»Danke für die Tasche«, sagte sie, »und für die nette Gesellschaft.«

Sie drehte sich um und marschierte los. Versuchte zu hören, ob er ihr folgte. An der Abzweigung in eine der belebten Gassen, die Richtung Hotel führten, wandte sie sich so unauffällig wie möglich um. Alexandros war nicht zu sehen. Sie beschleunigte ihre Schritte und konsultierte die Straßenkarte auf ihrem Telefon, um den schnellsten Weg ins Hotel zu finden.

Gleichzeitig suchte sie Vassilios Zanakis' Namen online. Jede

Menge Einträge. Und mindestens so viele Bilder. Sie zeigten einen Mann mit weißgrauem Bart und kinnlangen weißgrauen Locken, die er nach hinten zu bändigen versuchte. Auf den meisten trug er weite helle Sommeranzüge über einem weißen Hemd und dazu passende Hüte. In einigen thronte auf der markanten Nase eine mächtige Sonnenbrille. Auf manchen hielt er sich dabei noch eine halb gerauchte Zigarre vors Gesicht. Der Typ sollte ihr helfen? Dana hätte ihn für die Rolle eines alternden Dandys besetzt.

Lesen war im Gehen schwierig. Das würde sie in Ruhe auf dem Hotelzimmer machen. Sie suchte Marias Nachricht mit der Telefonnummer. Fand sie. Wählte.

Nach dem zweiten Freizeichen meldete sich eine raue Stimme.

»Zanakis.«

»Dana Marin. Ich habe Ihre Nummer von ...«

»Dana!«, rief er. »Meine Heldin des Tages! Wie wunderbar, Ihre Stimme zu hören! Maria hat mir alles erzählt. Lassen Sie uns den Laden morgen rocken!« Er räusperte sich. Etwas beherrschter fuhr er fort: »Jetzt im Ernst. Haben Sie Fragen?«

Tausend, dachte Dana. Aber keine wichtige, wenn sie recht überlegte. Maria hatte recht. Fachlich war sie gut aufgestellt.

»Kennen Sie die Richter?«, fragte sie. Das Menschliche war in einem Prozess mindestens so wichtig wie das Gesetz.

»Ja«, sagte Vassilios. Es klang, als setze er etwas vom Mund ab, ein Glas oder eine Zigarre. »Ordentliche Juristen, keine Fähnchen im Wind. Der Vorsitzende ist vielleicht etwas eigenwillig, aber das kann uns sogar helfen.«

Oder schaden.

»Was muss ich vorbereiten?«

»Ich wette, ihr seid das in Den Haag Hunderte Male durchgegangen: die vier Punkte, die das Gericht morgen bestätigen muss, damit Turner nach Den Haag überstellt wird; alle Argumente dafür und dagegen, so absurd sie auch sein mögen.«

Das waren sie allerdings.

»Für die Feinheiten des griechischen Rechts bin ich ja da. Aber wir hoffen, dass das gar nicht notwendig sein wird, sondern wir eine rasche Bestätigung der Haft bekommen. Je schneller das Gericht die Sache los ist, desto besser für Griechenland. Wobei ich nicht erwarte, dass Turner morgen mit einem armen Pflichtverteidiger auftauchen wird. Vermutlich ist bereits ein Jet voll mit US-Spezialisten irgendwo über dem Atlantik unterwegs. Sehen Sie sich also alles sicherheitshalber noch einmal an. Und ansonsten versuchen Sie zu schlafen. Wir brauchen Sie morgen frisch und munter!«

Nach einem Martini und gemeinsam vier Flaschen Wein war die Welt leichter. Steve wusste nicht genau, wie spät es war. Sogar Turner war irgendwann aus Amelies, Catherines und Pauls Diskussion verschwunden.

»Was schenken wir denn nun Karin und Tobias zu Felicitas' Geburt?«, fragte Amelie.

»Ein Lätzchen oder Handtuch mit Felicitas' Namen drauf«, sagte Cath. »Ich weiß da einen süßen Laden, wie heißt der ...?«

Sie holte ihr Telefon hervor. Zum ersten Mal während des Abendessens.

»Wie ist das denn mit euch beiden und Kindern?«, fragte Paul jovial. Ganz nüchtern war er nicht mehr.

»Ja, wie ist das?«, fragte Cath, hob den Blick und lächelte Steve an.

Ja, wie war das?

»Und bei euch?«, fragte Steve zurück.

»Wir arbeiten daran«, sagte Paul mit einem Grinsen. »Was, Schatz?«

»Paul, bitte«, sagte Amelie.

»Ich hab's«, rief Cath. »Hier.«

Sie zeigte Musterbeispiele individualisierter Babyartikel.

»Süß!«, stimmte Amelie zu.

»Dann bestelle ich eines.«

»Was Neues von Turner?«, frage Paul.

Cath wischte ein paarmal über ihr Display.

»Mal sehen...«

»Endgültig das Ende des US-amerikanischen Jahrhunderts«, konstatierte Paul, die Sprache nicht mehr ganz flüssig.

»Allein der Umstand, dass die das getan haben.«

Jetzt holte auch Steve sein Telefon hervor. Nix von Ann oder Frank. Mistkerle!

»Noch immer nicht wieder draußen«, stellte Cath fest. »Die werden den doch nicht im Ernst über Nacht drinbehalten?«

Wenn sie ihn schon mal drinhatten.

»Darum geht es doch ab jetzt in der Sache«, sagte Steve.

»Die einen wollen ihn drinbehalten.« Ein Schluck Wein. »Die anderen wollen ihn rausbekommen.«

»Was sollen die Griechen auch anderes machen?«, sagte Paul. »Die haben gerade gar keine andere Wahl. Irgendein durchgeknallter Staatsanwalt oder Minister hat die Sache durchgewinkt. Und jetzt müssen seine Landsleute und Mitpolitiker und Mitjuristen ihr Gesicht wahren. Während ihnen die USA Daumenschrauben anlegen. Und in den Hintern treten. Und vermutlich die versammelten EU-Staatschefs ihnen erste Messer in den Rücken stechen.«

»Dein Tipp?«, fragte Amelie Steve. »Wie brutal wird das?«

»Brutaler«, sagte Steve.

Sein Telefon leuchtete.

Ann.

Das Brennen in seinem Magen kam nicht vom Alkohol.

Sorry, dass ich mich so spät melde! Kein Durchkommen in DH.
Was Wunder! A sagt auch sorry! Aber: Bleib ruhig! Du bist
sicher! Für den Fall der Fälle hast du dein Telefon.

Du bist sicher!

Für den Fall der Fälle.

Was denn nun?!!!

Paul und Amelie merkten es nicht. Cath schon. Wie er den
Wein mit einem Nackenknick wegkippte.

»Alles in Ordnung, Steve?«

In gewisser Weise, ja. Bloß dass er dabei draufgehen konnte.

»Wie sieht es aus?«, rief er mit betonter Fröhlichkeit. »Noch
einen Grappa als Absacker? Und dann lassen wir euch weiter an
einem Kind arbeiten.«

21

Du bist eine Schande für uns alle!

Dana sollte sich noch einmal in den Fall vertiefen. Die Details der griechischen Gerichtsbarkeit und Zuständigkeiten in der Sache studieren. Und schlafen, damit sie morgen fit war.

Stattdessen konnte sie nur auf die Nachricht ihres Vaters starren.

Sie sah ihn vor sich. Der Tag, an dem sie ihr Abizeugnis bekommen hatte. Ganz hinten hatte er gesessen, in seinem besten Anzug. Der schäbiger war als die einfachsten, oft schlampigen und stillosen Freizeitklamotten, die manche Eltern ihrer Mitschülerinnen und Mitschüler zu dem Anlass getragen hatten. Geschämt hatte er sich dafür. Dafür, nach zehn Jahren in diesem Land immer noch abgelehnt zu werden. Trotz aller Anstrengungen. Allen Bemühens. All die Jobs weit unter seiner Qualifikation als Lehrer. All das Anpassen, Buckeln, Dienern, Lächeln. Das Gefühl, nicht hineinzupassen. Nur ganz dünn hatte durch diese dicke Schicht der Trauer und der Demütigungen etwas geschimmert wie ... ja was? Am ehesten Staunen. Dana hatte alles wettgemacht, was ihm hier versagt geblieben war. Irgendwann hatte er doch ein wenig gelächelt, später, beim Essen. Ihr auf die Schulter geklopft, sie umarmt und ihr ein teures Halstuch geschenkt. Um bald darauf wieder in seiner Schwermut zu versinken.

Neben ihm Danas Mutter. Sie hatte sich nicht geschämt. Sie

hatte vor Stolz und Freude geglüht! Ihre Tochter! Einser-Abi! Jetzt schon Zusagen der Unis ihrer Wahl, Stipendien. Dana hatte Glück im Unglück gehabt. Einzelkind. Die meisten ihrer bosnischen Freundinnen in Deutschland hatten nach dem Pflichtschulende zu arbeiten begonnen, um ihre Eltern und jüngeren Geschwister finanziell zu unterstützen.

Dana wechselte zu der Nachricht ihrer Mutter. Musste lächeln beim Anblick der Emojis. Wow! Und Staunen. Das war Mama: immer erstaunt, immer neugierig. Immer ein wenig besorgt, aber noch mutiger, jede Sache anzupacken.

Dana konnte nicht anders. Es zog sie zurück zu dem anderen Text. Der ihr Herz zerschnitt und zerriss und zerdrückte.

Du bist eine Schande!

So konnte sie nicht schlafen gehen.

Sie begann zu tippen.

Lieber Papa, es tut mir leid, dass du das so siehst. Ich weiß, was die Amerikaner und andere damals für uns getan haben. Es war eine andere Zeit. Ein anderer Präsident. Erinnerst du dich, als du nach dem Krieg immer wieder beklagt hast, dass es keine Gerechtigkeit gebe? Vielleicht gab es für dich tatsächlich keine. Womöglich wird es für andere eine geben. Sei tausendmal umarmt!

22

Sean schwitzte wie Sau in seiner vollen Kampfmontur. Der Saft rann ihm ins Genick, über das Gesicht. Vermischte sich mit dem Staub zu Schlammrinnsalen. Das M4 im Anschlag glühte noch von den Schüssen in seinen Händen, die Hitze strahlte bis zu seiner Backe, dem Ohr. Oder war es die Sonne? Sinjar-Berge, Irak, Sommer, früher Nachmittag. Ein Dutzend Stimmen brüllte von allen Seiten durcheinander. Auf die Männer vor ihnen ein.

Die vier knieten vor Sean und dem Rest der Gruppe. Hände hinter den Köpfen. Ihre Gesichter waren verschmiert mit Dreck und Blut. Das lange wirre Haar und die Bärte verklebt. Einer konnte sich kaum aufrecht halten. Auf der rechten Seite seiner schmutzigen Jacke breitete sich in Hüfthöhe ein roter Fleck aus.

In ihrem Rücken der Abgrund, an den Sean und die anderen sie getrieben hatten.

Mehr Stimmen hinter ihnen. Sean warf einen kurzen Kontrollblick über die Schulter. Drei Sanitäter kümmerten sich. Pressten Billy Kompressen auf den offenen Bauch. Der Junge hechelte nur mehr flach. Hielten Desmond am Boden, der aufstehen wollte, obwohl er bloß noch ein Bein hatte. Beatmeten Ron. In einem Umkreis von zwanzig Metern um sie verstreut lag ein Dutzend Leichen der Angreifer.

Vor ihnen die vier Überlebenden.

Wie Anfänger waren Sean und sein Trupp in den Hinterhalt

gelaufen. Hatten sich mit größter Mühe behauptet. Lautstark forderte der Funker hinter ihm Verstärkung. Neben ihm brüllten die anderen die Gefangenen an. Traten sie. Hieben mit den Gewehren auf sie ein. Sean spürte die Wut. Im eigenen Bauch. Atmete schwer, um sie zu kontrollieren.

»Aufhören!«, rief er. Aber er hatte hier nicht das Kommando, war nur Stellvertreter des Captains.

Die tobenden Beschimpfungen seiner Kameraden wurden immer lauter. Hinter ihnen Desmonds Schreie. Verdammt, wann spritzten die Sanis dem endlich was? Oder hatten sie ihm nicht genug gegeben? Zwei Schüsse neben ihm ließen Seans Kopf zurückschnellen. Neben den Knien eines Angreifers standen noch Staubwölkchen in der Luft, die die Projektile aufgewirbelt hatten. In den schwarzen Augen der Männer überwog die Panik ihre Hoffnung, als Märtyrer zu sterben.

»Verdammt, lasst das!«, brüllte Sean. Er wusste nicht, wer geschossen hatte.

»Klappe, Officer!«, brüllte Captain Jason Waters ihn an.

Austin traf den Gefangenen ganz rechts mit dem Griff seiner Waffe so heftig am Kopf, dass dieser umkippte.

»Hände hinter den Kopf!«, brüllte Austin.

Neben ihm Wilford: »Hände hinter den Kopf! Verdammt, du hast die Hände nicht hinter dem Kopf!«

Der Mann vor ihnen versuchte, sich aufzurappeln. Wilfords Feuerstöße trafen seinen Körper wie Faustschläge. Zerfetzten die Kleidung und das Fleisch darunter in roten Dampf. Schleuderten den Körper rittlings an die Kante des Abgrunds. Und darüber.

Das entsetzte, empörte, panische Geschrei der übrigen drei vermischte sich mit der Wut der Soldaten.

»Aufhören, Private!«

Sean stieß Wilford mit Wucht zu Boden. Sah aus den Augenwinkeln wieder Billy, Des, Ron. Sie waren völlig außer Kontrolle.

Verdammt, sie waren doch nicht zum ersten Mal in so einer Situation! Vielleicht deshalb. Austin trat auf den Nächsten ein, zwei weitere Soldaten auf den Angeschossenen. Sean ging dazwischen. Wurde abgedrängt.

»Das ist nicht mehr deine Sache, Sean!«, brüllte Jason. Trat selbst den letzten noch Knienden so heftig, dass er hintüberkippte. Auf die Schräge an der Felskante, wo er sich verzweifelt im Staub festkrallte. Irgendjemand schoss in den Grund, traf auch die Hände, Unterarme des Mannes. Sean sah ein letztes Mal in dessen Augen, bevor er abrutschte und mit einem unmenschlichen Schrei in die Tiefe stürzte. Bevor Sean es verhindern konnte, hatten die anderen auch die verbliebenen zwei über die Klippe geschoben.

Er wagte nicht, in den Abgrund zu sehen. Zu gefährlich. Zu tief. Wenigstens zweihundert Meter. Senkrecht. Die Männer da unten waren mit Sicherheit tot.

Mit einer knackenden Kopfdrehung richtete Jason sein Genick.

»Ich schreibe den Bericht«, sagte er und bohrte seinen Blick in Seans Augen. »Es ist alles nach Vorschrift gelaufen.«

Dann hörte Sean nur mehr Keuchen und den Wind.

23

Henk schrie Dana an. Arthur Jones brüllte. Douglas Turner raste. Auch im Schlaf fand Dana keine Ruhe. Die Stimmen in ihrem Kopf wurden immer lauter. Sie fuhr hoch.

Saß verwirrt in ihrem Bett. Das Haar verschwitzt. Das T-Shirt feucht am Körper klebend. Die dünne Decke zum Fußende gestrampelt. Den Vorhang hatte sie am Vorabend so weit geschlossen, dass kaum Licht in das Zimmer drang.

Das Brüllen ging weiter. Es kam von draußen. Dana verstand nichts. Verschlafen suchte ihr Blick den Wecker auf dem Nachttischchen. 7:09. Wer brüllte da auf der Straße?

Sie tappte ans Fenster. Schob den Vorhang ein Stück zurück. Hell blendete sie das Morgenlicht.

Unten auf der Straße hatten sich etwa dreißig Menschen versammelt. Einige trugen selbst gemachte Plakate und Transparente.

Drei schwenkten US-Flaggen.

Free Douglas Turner!
Greece-USA-Side-by-side

Danas Blick suchte die schmale Straße ab. Die Demonstranten zogen nicht hindurch. Sie standen vor dem Hotel. Nicht wenige von ihnen schauten die Fassade hoch. Als richtete sich ihr Protest gegen einen Hotelgast.

Gegen sie.

Wen sonst?

Dana zog den Vorhang noch etwas weiter auf, um mehr Licht ins Zimmer zu lassen. Sie befand sich in der siebten Etage. Keine Gefahr, dass jemand von da unten sie hier erreichte. Trotzdem hielt sie sich von der Glasscheibe so fern wie möglich. Schielte nur über die Fensterkante noch einmal auf die Demonstranten. Wenn man sie denn so nennen wollte.

Woher wussten sie, dass Dana hier abgestiegen war?

Hatte jemand aus dem Hotel sie erkannt und an die Medien verraten oder gar etwas online gepostet? Oder stand sie unter Beobachtung? Griechischer Geheimdienst? US-amerikanischer? Beide? Anzunehmen. Vielleicht hatte einer von denen ihren Aufenthaltsort preisgegeben. Absichtlich. Und ein paar Claqueure losgeschickt.

Sie hastete zurück zum Bett. Checkte auf dem Tablet in den Onlinesuchmaschinen ihren Namen.

Meldungen gab es genug. Die allermeisten jedoch zu gestern. Zum ICC generell. Erste internationale Reaktionen. Vor allem aber wegen der Wirtschaftsnachrichten. Die asiatischen Börsen hatten drei bis vier Prozent niedriger eröffnet, für die europäischen wurde Ähnliches erwartet. Die Börse in Athen erwog angeblich, den Handel auszusetzen, aus Angst vor zu hohen Verlusten.

Dann fand sie zwei Bilder in den sozialen Medien, die das Hotel von außen zeigten. Dazu Bildbeschreibungen auf Griechisch. Sie ließ sich die Übersetzung anzeigen.

Demonstrationen vor dem Hotel von Dana Marin, die Frau, die den Ex-US-Präsidenten verhaften ließ. Lasst Douglas Turner frei!

Die Postings waren erst wenige Minuten alt. Trotzdem fanden sich darunter schon Dutzende Kommentare. Manche auf Griechisch. Andere auf Englisch und in weiteren Sprachen. Einige schlossen sich der Aufforderung nach Turners Freilassung an. Andere waren weniger friedlich.

Schlampe!
Geh heim! Lass Griechenland in Frieden!
Fuck the ICC!
Hure!
Greeks for Turner!

Dieses verdammte Video! Im Vorfeld hatten sie beim ICC mit Widerstand gerechnet. Mit Demonstrationen. Mit Kommunikationsoffensiven der Amerikaner. Nicht jedoch mit Danas Gesicht über oder unter all diesen Meldungen. Sie hatten angenommen, dass die ICC-Vertreter vor Ort anonym bleiben konnten. Oder wenig Aufmerksamkeit bekommen würden. Sie war schließlich weder führende Ermittlerin noch Chefanklägerin. Diese würden die volle Breitseite abbekommen. So hatten sie gedacht. Dass es sogar gegen kleine Lichter wie Dana gehen würde …

Wie naiv konnte man sein? Statt der Institution konnten nun Personen vor Ort sie angreifen. Einzuschüchtern versuchen.

Was ihnen gelang, musste sich Dana eingestehen.

Die Stimmung, die von der Straße bis zu ihr hinaufdrang, vermittelte ihr kein gutes Gefühl. Schon gar nicht eines von Sicherheit. Ganz zu schweigen von den Gedanken an die möglichen Hintermänner der Aktion. Sollte sie Maria informieren? Musste sie wohl. Sollte sie sich um Polizeischutz kümmern? Vielleicht Vassilios fragen. Andererseits: Es waren bloß Demonstrationen. Von einer Handvoll Menschen. Womöglich sogar bezahlt. Sie sollte vorsichtig sein. Aber sich nicht verrückt machen lassen.

Auf das Frühstück im Hotelrestaurant freute sie sich trotzdem nicht. Wahrscheinlich wusste inzwischen jeder Hotelgast, wer sie war und wem sie die morgendliche Unruhe zu verdanken hatten. Sie sollte den Zimmerservice bemühen.

Sie packte ihr Telefon und ging ans Fenster. Aus einer möglichst versteckten Position schoss sie ein paar Bilder und ein kurzes Video der Straßenszene. Dann lud sie alles in eine Nachricht an Maria und Vassilios. Dazu textete sie:

Das ging schnell.

Vor dem Fenster des Jets stand die Sonne schon ein Stück oberhalb des Horizonts, als die Maschine über Athen zur Landung ansetzte. Kurz darauf setzten die Reifen mit scharfem Pfeifen auf der Startbahn auf. Zehn Minuten später stand der Learjet an seiner Parkposition. Sean erhob sich. Auf der anderen Seite des Gangs stand Harry auf. Hinter ihm Bull.

Harry: das rotblonde Haar kurz geschoren wie Sean, nur oben ein wenig stachelig länger. Nach wie vor komplett durchtrainierte neunzig Kilogramm Kampfgewicht, bei einer Größe von 1,82 Meter. Weite knielange Shorts, Flip-Flops, kurzärmeliges Hemd. Mit der rot gebrannten Haut ging er prächtig als europäischer oder US-Tourist durch. Bull: zwölf Zentimeter größer und fünfundzwanzig Kilogramm schwerer als Harry. Fünf davon an den Hüften zu viel. Der Gute hatte sich ein wenig gehen lassen. Auch die Frisur: die dunkelbraunen Locken fast schulterlang. Rasiert hatte er sich wohl seit einer Woche nicht. Combathose zu ausgetretenen Sneakers, Größe 48. T-Shirt.

Wortlos packten sie auf dem Weg nach draußen ihre Seesäcke und Reisetaschen. Gleichzeitig schoben sie die Sonnenbrillen ins Gesicht für den Moment, wenn sie in das Ausgangsoval und die grelle Morgensonne traten. Am Fuß der Treppe wartete ein schwarzer Jaguar-SUV mit dunkel getönten Scheiben. Das Elektromodell. Früher hätte da ein Range Rover oder Mercedes gestanden. Sean hatte das Elektroauto bestellt. Fast lautlos. Schnell. Tadelloses Handling.

Als er die Beifahrertür öffnete, blitzte über die Scheiben sein verzerrtes Spiegelbild. Weißes Hemd über den mittelblauen Chinos. Dahinter blendete die Sonne im wolkenlosen Himmel. Sean fand den Schlüssel auf dem Fahrersitz. Sie warfen ihre Taschen in den Kofferraum. Harry setzte sich auf den Beifahrersitz. Bull schob sich auf die Rückbank.

Seans Blick überflog die Mittelkonsole und das Handschuhfach, das Harry wie selbstverständlich geöffnet hatte und jetzt wieder schloss, während Sean den Startknopf drückte. Der Wagen war lautlos einsatzbereit. Sean startete das Navigationssystem. Tippte auf »Gespeicherte Ziele«. So hatte seine Anweisung an Mahir gelautet: Ein Wagen steht am Flughafen bereit, das Quartier bereits in den Fahrtzielen eingegeben. Die Straßenkarte leuchtete auf und zeigte ihr Ziel südwestlich des Stadtzentrums mit einem roten Fähnchen an.

Die Straßen rund um das Korydallos-Gefängnis waren abgeriegelt. Den südlichen Abschnitt der Solomou-Straße hatten die Behörden dem auf über hundert Teams angewachsenen Pulk internationaler Medien zugewiesen, und beständig kamen neue hinzu.

Derek sah die Massen nur im Vorbeifahren durch die verdunkelten Scheiben des SUV. Drei Wagen der US-Botschaft samt Botschafter McIntyre und General Nestor Booth hatten ihr Team vom Flughafen abgeholt. Mit dabei war auch ein braun gebrannter Mittfünfziger mit vollem schwarzem Haar in dunklem Anzug, der ihnen als Ioannis Ephramidis vorgestellt worden war. Laut McIntyre war er einer der führenden und am besten vernetzten Juristen Griechenlands.

Nach langen Besprechungen während des Fluges hatten die

meisten von ihnen während der letzten Stunden geschlafen. Sie alle waren durchwachte Nächte gewohnt. Keinem von ihnen sah man die Strapazen an.

Über sein Headset sprach Derek leise mit Sandra und Kim, die eben angerufen hatten. In Washington war es mitten in der Nacht.

»Die ersten Zahlen sind natürlich ein Desaster«, erklärte Sandra. »Arts Popularitätswerte sind um elf Prozent runter. Wobei, bei Anhängern bloß vier, bei Wechselwählern aber immerhin acht. Momentan würde er die Wahl verlieren. Die kompletten Statistiken findest du im Wahlkampfboard.«

»War zu erwarten«, meinte Derek.

»Interessant sind die Zahlen zu Turner«, sagte Kim. »Er war ja nie besonders beliebt. Das hat sich seit seinem Ausscheiden aus dem Amt noch verschlechtert. Wir haben da eine überraschend hohe Zahl bei jenen, die es okay fänden, wenn er hinter Gitter landen würde. Sowohl bei Arts Wählern als auch bei Wechselwählern. Aber die Umfragen zeigen auch, dass die Leute noch zwiegespalten sind. Die Themen Patriotismus, Amerikaner schützen und so weiter wiegen natürlich schwer und werden von Wrights Team bereits lang und breit ausgeschlachtet.«

»In Ordnung. Seht euch einmal an, wie man Turners Unbeliebtheit spinnen kann. Und womöglich zu einem Asset für Art drehen.«

»Machen wir. Trotzdem wäre es gut, ihr bekommt Turner möglichst schnell raus.«

»Klar. Haben wir schon etwas über mögliche Unterstützer des ICC auf US-Seite?«

»Bis jetzt nicht. Wir sind dran.«

Derek beendete das Gespräch.

Ein unmarkierter Polizeiwagen geleitete sie auf die andere Seite der Haftanstalt. Das Korydallos-Gefängnis war berüchtigt für seinen schlechten Zustand, die Überbelegung, miserable hygienische Bedingungen, Häftlingsaufstände. In diesen Laden hatten sie den ehemaligen US-Präsidenten gesperrt.

Auf dem Parkplatz innerhalb der Mauern empfing sie der Anstaltsleiter.

Nach einer kurzen, förmlichen Begrüßung wurden sie an einer Sicherheitssperre kontrolliert. Als Nächstes mussten sie einzeln durch ein stählernes Gittertor mit Drehkreuz. Für jeden von ihnen musste der Anstaltsleiter erneut einen Code eingeben und seine Karte durch einen Schlitz an der Anlage ziehen.

Dann führte er sie persönlich durch einen verwinkelten Flur und zwei mit Codes verriegelte Gittertüren. Das Gebäude wirkte heruntergekommen. Er brachte sie in einen Besprechungsraum. Der war noch schäbiger als das, was sie bis jetzt gesehen hatten. Ein Tisch und zehn Stühle. Ein paar Flaschen Mineralwasser und Gläser.

»Hier können Sie mit Douglas Turner sprechen«, erklärte er.

Niemand setzte sich.

Gleich darauf geleiteten vier Uniformierte den Ex-Präsidenten in den Raum.

Er bemühte sich um Haltung. Er hatte die Möglichkeit zu einer Rasur und Dusche gehabt. Auch seine Kleidung hatten sie ihm gelassen. Über einem hellblauen Hemd mit roter Krawatte trug er einen dunkelblauen Anzug. Nur die Wellen seines Haars, brünett mit starker Graunote, hatte er nicht ganz so bändigen können wie üblich. Seine Augen changierten zwischen Müdigkeit und Zorn.

»Wir lassen Sie jetzt allein«, sagte der Anstaltsleiter rasch und verließ mit seinen Männern das Zimmer.

»Wie geht es Ihnen, Mister President?«, fragte Jeremy untertänig.

»Dieser Ort ist ein Drecksloch«, schimpfte Turner. »Unfassbar! In den anderen Zellen sitzen angeblich bis zu zehn Personen!«

»Sie hatten doch eine Zelle allein«, rief Jeremy.

»Die Präsidentensuite«, knurrte Turner. Er blickte in die Runde. »Sie sind da, um mich rauszuhauen?«

Der Botschafter stellte Derek und das Team vor. Und Ioannis Ephramidis.

»Vor einem griechischen Gericht brauchen Sie einen griechischen Rechtsbeistand«, erklärte Jeremy.

Nachdem sich Turner selbstverständlich an den zentralen Platz gesetzt hatte, verteilten sie sich um den Tisch. Nur Trevor ging den Raum ab. Suchte nach Mikrofonen und Kameras.

»Auf den ersten Blick nichts zu sehen«, sagte er. »Aber das heißt natürlich nichts.«

»Ich verlange, dass dieses absurde Theater ganz schnell beendet wird«, polterte Turner los. »An Arts Stelle hätte ich das Problem längst gelöst!«

»Wir freuen uns über Ihren Input, Mister President«, sagte Derek.

»Sie kennen die Optionen so gut wie ich«, erwiderte Turner unwirsch. Eine vage Geste in den Raum sollte an mögliche Zuhörer und -seher erinnern, was verbot, heikle Dinge zu deutlich auszusprechen.

»Deshalb sind wir hier«, erklärte Derek. »In einer Viertelstunde werden Sie zu Gericht gefahren. Wir folgen und werden bei dem Termin anwesend sein.«

»Diesen Termin darf es gar nicht geben!«, rief Turner.

Derek ging nicht darauf ein. Er warf Ioannis Ephramidis einen Blick zu.

»Wir haben erreicht«, erklärte der in perfektem Englisch, »dass der Termin nicht öffentlich stattfindet.«

»Das wäre ja noch schöner!«, polterte Turner.

»War aber vorgesehen«, erwiderte Ephramidis ruhig. »Das Gericht besteht aus einer Richterin und zwei Richtern. Ich kenne sie alle drei gut. Um das Prozedere noch einmal zu erklären: Dieses Gericht ist nicht dazu da, über die Anklage oder die Vorwürfe des ICC gegen Sie zu urteilen. Es klärt lediglich die Rechtmäßigkeit der Verhaftung.«

Er schenkte sich ein Glas Wasser ein und nahm einen Schluck, bevor er fortfuhr.

»Punkt eins brauchen wir nicht zu diskutieren. Sie sind Douglas Turner. Auf eine vorläufige Freilassung bis zur Überstellung steigen die Griechen nicht ein, da sie keinen anderen Ort sichern können. Bei Punkt zwei haben sich nach unseren Informationen die griechischen Behörden an die gesetzlichen Vorgaben gehalten. Trotzdem haben wir hier vielleicht einen Punkt. Bei Punkt drei gibt es auf den ersten Blick keinen Hebel. Auf den zweiten allerdings schon. Wir werden das auf jeden Fall versuchen. Ebenso bei Nummer vier.«

»Versuchen? Das kann doch nicht so schwer sein, mich hier rauszubekommen!«, rief Turner großspurig.

»Wir werden dem Gericht klarmachen, auf welch wackeligen Beinen das angebliche internationale Recht steht, auf das sich der Strafgerichtshof in Den Haag stützt. Es wird erkennen, was für ein Skandal Ihre Verhaftung ist. Ich kann Ihnen die Punkte im Detail erklären, aber die Zeit ...«, erwiderte Ephramidis mit einem Blick auf seine Rolex.

»Egal wie Sie es anstellen, ich will so schnell wie möglich hier heraus.«

»Ich habe das bereits mit Mrs. Ruíz und Mister Cheaver besprochen«, sagte Ephramidis. »Die Angaben im vorläufigen Haftbefehl sind so dünn, dass wir davon ausgehen, dass das Gericht Sie freilässt.«

»Stellen Sie einen Flieger bereit«, forderte Turner von Jeremy, als wäre er immer noch Präsident. »Sobald ich heute Vormittag draußen bin, hält mich hier nichts mehr.«

»Ich werde mich darum kümmern«, sagte der Botschafter.

»Nicht so schnell«, erwiderte Ephramidis. »Das Gericht darf, falls es das wünscht, zusätzliche Informationen anfordern – in diesem Fall wohl in erster Linie vom ICC. Wenn es das tut, haben wir die Gelegenheit, die Anklage schon im Vorfeld zu vernichten. Eine endgültige Entscheidung muss das Gericht nach spätestens fünfzehn Tagen treffen.«

»Über zwei Wochen?!«, rief Turner. »Haben Sie den Verstand verloren?!«

»Es wird nicht so lange dauern«, versuchte Jeremy, ihn zu beschwichtigen.

Ephramidis wiegte den Kopf, sagte aber nichts.

»Das ist unakzeptabel«, sagte Turner trotzig. »Ich will mit Art sprechen. Sofort.«

Derek verkniff sich den Hinweis, dass es in Washington etwa ein Uhr nachts war. Und dass er nicht ohne Weiteres aus einem griechischen Gefängnis telefonieren durfte.

»Wichtig ist«, ergriff Ephramidis das Wort, »dass bei diesem Termin alles ruhig und souverän abläuft. Europäische Gerichte funktionieren anders als US-amerikanische. Und erst recht anders als jene, die man in Film und Fernsehen sieht. Emotionale Ausbrüche eines Angeklagten helfen da niemandem, ebenso wenig wie Zynismus, Beleidigungen oder Drohungen.«

Derek hoffte, dass Turner verstanden hatte, dass diese Bemerkung in erster Linie ihm und seinem Charakter galt.

»Zumal«, fügte der Anwalt hinzu, »die Sitzung auf Griechisch mit Übersetzung geführt wird. Soll heißen, zwischen allen Äußerungen steht immer der Filter der Übersetzung. Das Übersetzungsteam ist sehr professionell. Es wird die Inhalte dolmetschen, aber kaum etwaige Emotionen. Am besten spreche während des gesamten Vorgangs nur ich, außer Sie werden etwas gefragt. In diesem Fall beraten Sie sich mit uns. Wenn möglich, werde ich antworten. Falls das Gericht Sie anhören will, antworten Sie so kurz, knapp und sachlich wie möglich.«

Wenn ihm das gelingt, dachte Derek.

Sean steuerte den Wagen in die Einfahrt mit dem schmiedeeisernen Tor zwischen zwei mächtigen Natursteinpfeilern. Links und rechts davon standen hohe weiße Mauern, auf denen Sean Stacheldraht und Kameras entdeckte. Darüber flirrte bereits die Luft. Dahinter ragten hohe Bäume empor, die auf dem zugehörigen Anwesen ausreichend Schatten für einen Sommer in den Athener Hügeln versprachen. Die nächsten Villen lagen mehrere Hundert Meter entfernt in den waldigen Hügeln verstreut. Hier konnten sie sich ungestört vorbereiten.

Die Fernsteuerung für das Tor hatte Sean beim Einsteigen in der Mittelkonsole des Wagens entdeckt. Ein Knopfdruck, und das Tor öffnete sich langsam.

Die Auffahrt führte auf die Spitze eines Hügels zu einer großzügigen Villa vom Ende des neunzehnten Jahrhunderts, über deren Dächer sich die flachen Kronen alter Bäume ausbreiteten.

Auf halbem Weg rechts lag ein leerer Helipad.

Sean kannte solche Anwesen. Kaum bis nicht verwendete Landhäuser von Erben, Reedern, Waffenhändlern oder Oligarchen, die man für viel Geld mieten konnte. Auch manche von denen brauchten gelegentlich ein kleines Nebeneinkommen. Vor allem die Erben. Diskretion inklusive.

Auf dem großen Vorplatz parkte ein weiterer Jaguar in Silber, ein grauer Range Rover, drei Mittelklasselimousinen in Schwarz, Silber und Weiß sowie drei mittelschwere Motorräder.

»Wir werden womöglich einen Heli brauchen«, bemerkte Harry, als sie ausstiegen. Der leere Landeplatz war ihm natürlich nicht entgangen.

»Bekommen wir alles«, sagte Sean. »Sobald unsere Pläne fertig sind. Je nachdem, was wir benötigen: private Modelle, Polizeihubschrauber oder Militärmodelle.«

Sie nahmen ihre Taschen aus dem Kofferraum und stiegen die Freitreppe hoch. Die schwere Holztür war nicht abgesperrt. Sean drückte sie auf.

Drinnen erwarteten sie moderne Möbel im alten Interieur. Alte und neue Kunst. Gute Mischung. Auf einem Tisch in der Eingangshalle lag ein kleines Manual mit einem Plan des Hauses und den wichtigsten Informationen. Sean warf einen Blick darauf. Sein Finger zeigte auf zwei Zimmer in dem Plan.

»Deines«, sagte er zu Harry, »und deines«, zu Bull. »Wir treffen uns hinten auf der Terrasse«, auf die sein Finger im Plan nun tippte, »um Elf-Hundert Uhr.«

24

Der Mann am Check-in-Counter des Hotels sah aus wie ein Tourist. Oder ein Geschäftsreisender, der noch zu keinem Termin eilen musste und entsprechend leger reiste. Vielleicht ein bisschen zu cool. Selbst im Hotel trug er Baseballkappe und Sonnenbrille. Seine Reisetasche hatte er auf dem Polstersessel hinter sich abgestellt, der zu einer größeren Sitzgruppe in der Lobby gehörte.

Der Rezeptionist suchte den Namen des Gasts im Computer.

»Ich habe erst letzte Nacht online gebucht«, erklärte er. »Wollen Sie die Bestätigung sehen?«

»Nicht notwendig«, sagte der Mann hinter dem Tresen. »Da sind Sie ja. Ihr Zimmer ist auch schon frei.«

»Wunderbar!«

Der Mann schob ihm einen Zettel über den Empfangstisch.

»Füllen Sie das bitte aus. Und ich bräuchte noch Ihren Ausweis und eine Kreditkarte, bitte.«

Der Gast trug Namen und Adresse in das Formular ein. Sie waren ebenso wenig seine echten wie jene auf dem Ausweis und der Kreditkarte.

»Wenn ich bitte zwei Zimmerkarten bekommen könnte«, bat er. »Ich lasse gern eine auf dem Zimmer, um elektronische Geräte aufzuladen.«

»Selbstverständlich.«

Sobald der Rezeptionist die Daten in seinen Computer einge-
tippt hatte, reichte er dem neuen Gast einen kleinen Kartonschu-
ber mit den Zimmerkarten darin.

»Ich wünsche Ihnen einen schönen Aufenthalt«, sagte er.

Der Gast nahm seine Tasche und den Fahrstuhl in die dritte
Etage. Er legte eine Karte an den Türöffner, und mit einem fast
lautlosen Klack sprang die Tür auf.

Er warf seine Tasche auf die kleine Bank unter dem Spiegel
hinter der Tür.

Dann wählte er auf seinem Telefon eine Nummer.

Vier Justizbeamte holten Turner ab. Der Anstaltsleiter folgte
ihnen unmittelbar mit Derek, dem Botschafter und dem Rest
des Teams. Sie gingen denselben Flur zurück, den sie gekommen
waren. Durch vergitterte Fenster auf der rechten Seite drang Licht
aus einem großen leeren Hof. Ob das jener gewesen war, aus dem
der notorische Kriminelle gleich zwei Mal per Hubschrauber
hatte fliehen können?

Vor ihnen gab an einer Stahltür einer von Turners Aufpassern
hinter der Hand verborgen einen Code in ein Tastenfeld. Danach
sperrte er die Tür zusätzlich auf.

Der folgende Flur war auf der linken Seite von Stahltüren gesäumt, auf der rechten von vergitterten Fenstern in einen weiteren
Hof. Dort parkten ein paar Autos.

Noch eine Stahltür, dasselbe Prozedere.

Der letzte Abschnitt war freundlicher, der Flur breiter. Um das
Gefängnis zu verlassen, mussten sie dasselbe Gittertor passieren,
durch das sie gekommen waren.

Turner wurde sechs schwer bewaffneten Polizisten einer Spezialeinheit übergeben, die sich mit ihm in den hinteren Teil eines
dunklen Kleinbusses setzten. Derek und die anderen eilten zu
ihren bereitstehenden SUVs.

»Hättest du je gedacht, dass so etwas passieren könnte?«, fragte Lilian Pellago Derek leise. »Und dass wir Zeugen sind?«

»Ich habe nicht gedacht, dass es nicht passieren könnte«, sagte Derek.

»Du erwartest immer das Schlimmste?«

»Und das Beste. Alles ist möglich.«

»Also keine Überraschungen in deinem Leben.«

»Hält mich flexibel.«

Mit den Demonstranten vor dem Gericht hatte anscheinend niemand gerechnet.

Aus der Ferne beobachtete Dana die Lage. Über Nacht hatten gefühlt sämtliche Medienoutlets der Welt zwei Teams nach Athen geschickt, je eines zum Korydallos-Gefängnis und eines zum Gericht. Die Polizei kämpfte schon damit, diese unter Kontrolle zu halten. Die zwei Fahrtrichtungen mit je zwei Fahrstreifen des Leofors-Alexandras-Boulevards vor dem Gericht trennte ein Grünstreifen. Die Fahrbahnen auf Gerichtsseite hatte die Polizei für die Medien gesperrt. Dort reihte sich ein Sendewagen neben dem nächsten vor dem riesigen Bau. Eine moderne vorgesetzte Fassade aus weißen Pfeilern und Querstreben, dahinter gigantische Glasfronten.

Die Fahrbahnen diesseits des Grünstreifens waren voller Menschen.

Mindestens tausend, schätzte Dana, hatten sich auf den äußeren Fahrbahnen versammelt. Verzweifelt versuchten zu wenige Uniformierte, zwei etwa gleich große gegnerische Gruppen auf Abstand zu halten. Sie riefen Parolen, die Dana nicht verstand. Mit ihren Plakaten und Transparenten zeigten sie, dass sie sich der internationalen Aufmerksamkeit bewusst waren. Social-Media-Zeitalter. Sie verkündeten ihre Botschaft nicht auf Griechisch, sondern auf Englisch.

Dana war von Westen gekommen. Falsche Seite.

Free Douglas Turner!
We stand with USA!
USA!!! USA!!! USA!!!

Ein Meer von Flaggen und Wimpeln mit blauem Sternenfeld und dreizehn rot-weißen Streifen.

Über den Köpfen der Demonstranten jenseits der Polizisten war die andere Seite zu sehen:

Justice for Aisha!
Catch the big fish!
Justice for Muhamad!
Justice is international!

Die Masse überragte eine amateurhafte, offensichtlich über Nacht gebastelte überlebensgroße Puppe – Turner in gestreifter Häftlingsuniform, die schlaffen Arme mit Handschellen gefesselt. Erleichtert registrierte Dana, dass die Puppe keinen Strick um den Hals trug.

Erst jetzt bemerkte sie, dass die Mehrzahl der Plakate Gesichter zeigte, darunter viele Kinder, und den gleichen Slogan trug: »Justice for …« sowie einen Namen.

Sie zeigten die Gesichter von Opfern. Unschuldige Opfer von Drohnenschlägen und Night Raids.

Kinder.

Frauen.

Alte.

Ihr Herz machte einen kleinen Sprung. Wie klug! Personalisiere die Botschaft!

Menschen. Leben.

Zeig der Welt, wer sterben musste. In diesem Schlachten. Vorzeitig. Gewaltsam. Brutal.

So etwas entstand nicht von allein. Wer hatte das organisiert?

Vielleicht sollte sie einen Häuserblock umrunden und von der anderen Seite kommen. Wie gestern trug sie ein Kostüm und Brille. Das Haar nach hinten gebunden. War leichter als die Frau von dem Video zu erkennen als gestern Abend brillenlos in Sommerkleid und mit offenem Haar.

Sie lief durch eine schmale Straße voller Wohnklötze der vergangenen Jahrzehnte, und nach zweimal Abbiegen war sie um den Block, auf der anderen Seite der Demonstration. Sie drängte sich durch die Menschen zur Polizeiabsperrung. Hier war kein Durchkommen. Sie konsultierte die Karte auf ihrem Display, als auf ihrem Telefon eine Textnachricht aufleuchtete.

Wo sind Sie?
Vassilios Zanakis.

Dana zögerte einen Moment. War das eine Falle? Hacker? Social Engineering von Unbekannten? Sie musste vorsichtig sein.

Mitten in der Demo.

Kaum hatte sie die Nachricht versandt, vibrierte das Gerät in ihrer Hand. Als Dana sich meldete, antwortete eine Männerstimme: »Vassilios Zanakis. Ich hoffe, Sie sind auf der richtigen Seite der Demo! Kommen Sie auf die rechte Seite des Gebäudes, von vorn gesehen. Dort gibt es einen weniger populären Nebeneingang. Da erwarte ich Sie.«

Eilig schob sich Dana in die angegebene Richtung, gegen den Strom der Demonstranten. Sobald sie die Seitenstraße erreicht hatte, wurden die Menschenmassen lockerer. Zwei Minuten später erblickte sie hinter der Polizeiabsperrung den Mann, den sie schon aus ihren Recherchen vom Vorabend kannte.

Er sah aus wie auf den Bildern im Internet. Kaum größer als Dana, ein Wohlstandsbäuchlein, das er unter dem weiten weißen Leinenhemd und dem locker geschnittenen weißen Leinenanzug gut verbergen konnte. Den obersten Hemdknopf trug er offen, den beigen Schlips lose. Auf dem Kopf ein weißer Panamahut mit schwarzem Hutband. Sogar die dicke schwarze Ledertasche, die er an einem breiten Band über der rechten Schulter trug, passte dazu. Als er sie erblickte, winkte er ihr und watschelte, anders konnte man es nicht nennen, auf die Polizisten zu. Eine kurze Erklärung seinerseits, sie kontrollierten Danas Ausweis und ließen sie passieren.

Er nahm die Sonnenbrille ab und musterte sie mit in unzählige Lachfalten eingebetteten listigen Augen von oben bis unten.

»Du liebe Güte, so sind Sie unbehelligt durch die Demonstranten und an den Medien vorbeigekommen?!«, rief er in perfektem britischem Englisch. »Sie sehen aus wie die Frau neben Douglas Turner in dem Video gestern!«

Sie reichte ihm die Hand.

»Dana Marin. Danke, dass Sie da sind.«

»Oh mein Gott!«, rief er theatralisch. »Danke *Ihnen*, dass ich dabei sein darf! Es ist so grandios! Kommen Sie«, forderte er mit einem aufgeregten Handwedeln, »wir müssen hinein!«

Das Innere des Gebäudes war so modernistisch-kühl wie sein Äußeres. Als Erstes mussten sie durch eine Sicherheitsschleuse mit Ausweis- und Taschenkontrolle.

»Wir müssen hier besonders vorsichtig sein«, erklärte Vassilios. »Gegen das Gericht gibt es immer wieder Bombendrohungen. 2017 explodierte sogar eine vor dem Gebäude und richtete gehörigen Schaden an. Zum Glück wurde niemand verletzt.«

Vassilios kannte seine Wege. Zielstrebig lief er auf einen breiten Treppenaufgang zu.

»Haben Sie überhaupt ein Auge zugetan heute Nacht?«, fragte

er. »Ich kaum. Nachdem Maria mich gestern angerufen hatte ... meine Güte, Maria!«

»Sie haben früher für den ICC gearbeitet?«, fragte Dana.

»Maria und ich kennen uns seit Ewigkeiten«, erklärte er, als müsste Dana das wissen. »ICC, natürlich«, fügte er hinzu, als wäre es nicht weiter wichtig, »Beratungen, Konsultationen. Lange vor Ihrer Zeit.«

Vassilios lief schnaufend durch einen breiten Flur entlang einer Glasfront. In knappen Worten fragte er Dana, ob sie ihre Hausaufgaben wiederholt hatte, bis sie eine weitere Sicherheitssperre erreichten. Zwei Securitymänner kontrollierten erneut ihre Ausweise und Taschen, trugen ihre Namen in eine Liste ein und ließen sie passieren.

Der Sitzungssaal war nicht besonders groß. Und bis auf eine Person leer.

»Ein Gerichtsdiener«, flüsterte Vassilios ihr zu.

An der Raumfront erhob sich ein langes Pult für die Richter. Links und rechts davon die Tische und Bänke für Anklage und Verteidigung. Für das Publikum waren links und rechts eines Mittelgangs je zwölf Stuhlreihen vorgesehen.

»Das Gericht hat die Öffentlichkeit von diesem ersten Termin ausgeschlossen«, erklärte Vassilios. Er marschierte nach vorn bis in die erste Reihe. Auf einem der Stühle auf der rechten Seite stellte er seine Tasche ab. Auf den daneben warf er seinen Hut.

»Auf dieser Seite sitzt der Staatsanwalt«, erklärte er. »Ihn kennen Sie ja schon.«

»Da drüben wird Turner Platz nehmen«, sagte er und zeigte auf den langen Tisch an der gegenüberliegenden Seite. »Er wird übrigens von Ioannis Ephramidis vertreten.« Er verdrehte die Augen. »Ein Wichtigtuer vor dem Herrn! Bestens vernetzt, seine Kanzlei ist mit den Abscheulichkeiten der Athener Oberschicht befasst, von Rosenkriegen, bei denen es um Milliarden geht, bis hin zu Steuerverfahren, bei denen noch viel mehr Milliarden nach Möglichkeit dem Staat und der griechischen Bevölkerung gestohlen werden. Aber leider ist er auch einer der brillantesten Strafverteidiger des Landes. Ministerpräsident Nikólaos Laskaris ist der Patenonkel eines seiner Enkel.« Missmutig winkte er ab. »Na, Sie können sich vorstellen, dass das nicht einfach wird ...«

Er wandte sich dem Richtertisch zu, zog dabei ein Papier aus seiner Tasche. Darauf drei Gesichter. Eine Frau, zwei Männer. Darunter Namen.

»Chloe Petridis.«

Dana schätzte die Frau auf Anfang fünfzig. Auf dem Bild hatte sie weiche Gesichtszüge und freundliche Augen.

»Costas Katsaros.«

Der Mittvierziger hätte rein optisch ein Sohn von Vassilios sein können mit dem Unterschied, dass er Haar und Bart deutlich getrimmter trug.

»Gregorios Michelakis. Er ist der Vorsitzende.«

Letzterer war eine lange, hagere Gestalt Anfang sechzig mit kurz geschorenem grauem Haarkranz.

Von der Tür her hörte Dana Stimmen. Ein paar Wortfetzen. Englisch. Amerikanisches Englisch. Schritte. Im nächsten Moment marschierte eine Truppe ein, die aus einem Film hätte stammen können. An ihrer Spitze ein attraktiver Mittdreißiger, das dunkle Haar im akkuraten Collegeschnitt, dunkler Anzug. Ihm folgten mehrere Frauen und Männer, alle in dunklen Anzügen oder Kostümen. Ein Legal-Business-Einsatzteam. Ein massiger Riese stach besonders hervor. Insgesamt zählte Dana einundzwanzig Personen, keine älter als Mitte fünfzig, die meisten deutlich jünger. Einige der zuletzt Eingetretenen meinte sie wiederzuerkennen als Mitglieder von Turners gestriger Entourage. Noch einer stach hervor, weil er fast neben dem Anführer ging, doch älter und deutlich braun gebrannter war als die anderen.

Sein ganzes Gehabe war lässiger als das der anderen. Alles klar machte seine schwarze Robe: Er hatte in diesem Raum nichts zu beweisen. Er war hier zu Hause. Während die anderen Dana und Vassilios kaum Aufmerksamkeit schenkten, nickte ihnen der Ältere mit einem mitleidigen Lächeln zu. Aus den Augenwinkeln registrierte Dana, dass Vassilios den Gruß kaum merkbar erwiderte. Das musste der griechische Anwalt sein, von dem er gesprochen hatte.

Und die anderen?

Derek erkannte die Frau sofort, als er den Gerichtssaal betrat. Die Frisur war dieselbe wie gestern, das Kostüm dunkler. Dana Marin. Neben ihr blickte ihnen ein alter Kerl entgegen, der aussah, als käme er direkt von seinem Haus auf einer Insel und hätte noch nicht einmal Zeit gehabt, sich dem Anlass gemäß zu kleiden.

»Das glaube ich nicht«, murmelte ihm Ioannis Ephramidis ins Ohr, und Derek konnte das Grinsen des Anwalts förmlich hören. »Vassilios Zanakis. Pensionierter Anwalt, irgendwann mal Hochschulprofessor, gefeuert wegen einer Affäre mit einer Studentin, interessiert sich mehr für Frauen, französische Weine und kubanische Zigarren als für das Gesetz. Wenn das alles ist, was der ICC aufbieten kann ...«

Ephramidis und seine beiden Mitarbeiter platzierten sich hinter dem Tisch für die Verteidigung. Derek legte seine Tasche auf den dritten Stuhl daneben. Die zwei dazwischen besetzten William Cheaver und Lilian Pellago. Die übrige Truppe verteilte sich auf die restlichen Plätze der zwei vorderen Reihen auf der linken Seite.

Während die anderen sich noch auf ihren Plätzen einrichteten, wandte sich Derek der Frau im Kostüm und dem Mann im weißen Anzug auf der gegenüberliegenden Seite zu. Aufrecht und reglos stand er da und musterte Dana Marin unverhohlen.

Die zwei hatten ihren Auftritt beobachtet. Als die Frau ihn so stehen sah, straffte sie ihre Haltung und wandte sich ihm frontal zu. Sie strich ihren Rock glatt und erwiderte über den Raum hinweg seinen Blick.

Der alte Mann neben ihr hatte die Situation bemerkt. Er versenkte die Hände in den Hosentaschen und sah amüsiert zwischen Derek und Dana Marin hin und her. Dann schüttelte er sacht den Kopf, wandte sich um und begann in seiner Tasche zu kramen.

Die Mundwinkel der Frau zuckten leicht. Lächelte sie? Grinste? Mit einem Mal marschierte sie los. Auf Derek zu. Fixierte ihn dabei ohne Unterbrechung mit ihrem Blick. Einige aus seinem Team bemerkten sie nun auch, da stand sie schon vor ihm und streckte ihm die Hand entgegen.

»Dana Marin«, sagte sie. »Sie kennen mich sicher.«

Ihre Augen immer noch direkt auf seine gerichtet.

Ihre Forschheit gefiel ihm.

»Derek Endvor«, sagte er und gab ihr die Hand. »Ich hole heute Douglas Turner hier heraus.«

»Das werden wir sehen«, erwiderte sie.

»Der ICC sollte den Haftbefehl zurückziehen«, sagte Derek. »Sie würden sich und uns allen damit eine Menge Umstände ersparen. Und Unannehmlichkeiten.«

»Ist das eine Drohung?«

»Eine Feststellung.«

Sie ließ seine Hand los. Drehte sich wortlos um und ging zurück, woher sie gekommen war. Aufrecht, unerschrocken. Er konnte sich ein kurzes Lächeln nicht verkneifen. Achtete darauf, dass es niemand sah. Schade, dass sie zur Gegenseite gehörte. Solche Leute hatte er lieber in seinem eigenen Team.

Aus einer Tür hinter dem Richtertisch auf Danas Seite betrat der Staatsanwalt Michalis Stouvratos den Raum. Ihm folgte jene Frau, die gestern auch dabei gewesen war. Beide trugen Roben. Mit dabei war der Übersetzer in einem dunklen Anzug. Sie musterten die Anwesenden, deuteten mit einem Nicken einen Gruß in alle Richtungen an. Dann legten sie dicke Ordner auf die Tische vor ihnen, setzten sich und begannen, in ihren Unterlagen zu blättern. Dana beobachtete sie unauffällig. Fehlten noch die Richter.

Gleich darauf kamen durch eine Tür hinter Turners griechischem Anwalt zwei Polizisten, dahinter der Ex-Präsident und zwei weitere Polizisten. Turner nahm neben seinem Anwalt Platz. Die Polizisten verschwanden durch die Tür. Sofort begannen Turner, Derek Endvor, der Anwalt sowie eine Frau und ein Mann, die zwischen ihnen saßen, miteinander zu flüstern. Der Gerichtsdiener reichte Turner Kopfhörer, von der großen, die Ohren komplett abdeckenden Art. Flüsternd wurde er von Ephramidis wohl über Verwendung und Funktion aufgeklärt. Als Nächstes verteilte der Mann aus einem dunklen Stoffsack einfachere Modelle an alle anderen auf der amerikanischen Seite.

Auf ihrer Seite reichte die Mitarbeiterin des Staatsanwalts Dana gleichfalls Kopfhörer, die an einer kleinen Box hingen.

Dann öffnete sich erneut die Tür, durch die der Staatsanwalt, seine Mitarbeiterin und der Übersetzer gekommen waren.

Diesmal waren es eine Frau und zwei Männer in Roben. Richterin und Richter. Jene drei, die Vassilios Dana auf dem Ausdruck gezeigt hatte. Die Frau, Chloe Petridis, stellte sich ganz links von ihnen hinter den Tisch, am nächsten zu Douglas Turner. In der Mitte platzierte sich der hagere Gregorios Michelakis, rechts daneben Costas Katsaros.

Sie sagten etwas auf Griechisch, der Staatsanwalt und die griechischen Anwälte auf beiden Seiten sprangen auf und antworteten. Auch Dana erhob sich rasch. Die Amerikaner auf der gegenüberliegenden Seite schossen förmlich von ihren Stühlen.

Das Gericht setzte sich.

Während alle anderen wieder Platz nahmen, beugte sich Vassilios zum Staatsanwalt und flüsterte ihm etwas zu. Stouvratos sah ihn befremdet an. Und nickte. Er richtete sich wieder auf. Alle Blicke wandten sich ihm zu.

»Euer Ehren«, übersetzte eine Frauenstimme seine Worte in Danas Kopfhörern, »die Vertretung des Verhafteten hat für die Verhandlung den Ausschluss der Öffentlichkeit gefordert, und dieser wurde ohne Einspruch der Staatsanwaltschaft bewilligt. Das heißt, vor dem Gericht zugelassen sind die Staatsanwaltschaft, die Vertretung des International Criminal Court, der Verhaftete und seine Rechtsvertreter.«

Er zeigte auf die zwei vollen Reihen auf der anderen Seite.

»Sind das alles Rechtsvertreter des Verhafteten?«

Dana sah Vassilios mit großen Augen an. Der grinste nur und zuckte mit den Schultern.

»Haben Sie ihm das eingeflüstert?«, zischte sie.

»Die marschieren hier ein, als gehörte ihnen der Gerichtssaal«, erwiderte Vassilios. »Da müssen wir doch ein Zeichen setzen. Und ein bisschen Waffengleichheit herstellen – wenigstens optisch.«

Die Richter musterten die besetzten Stuhlreihen. Berieten kurz.

»Sind Sie alle Rechtsvertreter des Verhafteten?«, fragte der vorsitzende Richter Michelakis.

Verwirrte Blicke auf der anderen Seite, als sie die Übersetzung in ihren Kopfhörern verstanden. Getuschel.

»Euer Ehren«, erklärte Ioannis Ephramidis und sprang auf, »ich bin offizieller griechischer Vertreter des Verhafteten vor diesem Gericht. Diese Herrschaften hier«, dabei zeigte er auf die Frau und den Mann sowie Derek Endvor in der ersten Reihe direkt neben sich, »gehören zu seinen US-amerikanischen juristischen Beratern, zudem sind der US-Botschafter in Griechenland und eine seiner Mitarbeiterinnen anwesend und ...«

Richter Michelakis unterbrach ihn.

»Und die anderen?«, fragte er.

»Die anderen gehören zum Team von Douglas Turner, zu …«

Wieder unterbrach ihn der Richter.

»Also keine Mitglieder der Rechtsvertretung? Und als solche angemeldet?«

»Nun …«, setzte Ephramidis an.

»Alle Anwesenden, die nicht zur rechtlichen Vertretung des Verhafteten gehören, verlassen den Raum. Je eher dies geschieht, desto schneller können wir fortsetzen. Oder wir vertagen auf morgen.«

Vassilios verkniff sich kaum ein Kichern. Die Amerikaner blickten sich verdutzt bis verärgert an. Auf ein Nicken von Derek Endvor hin erhob sich der Großteil der Anwesenden. Nur die zwei neben der Anklagebank sowie Endvor und der Botschafter blieben sitzen. Unter Rascheln und Wispern legten die anderen ihre Kopfhörer ab und drängten sich durch die Stuhlreihen in den Mittelgang. Endvor verfolgte ihren Abgang, bis der Letzte durch die Tür verschwunden war. Sein Blick traf Danas. Mit einem Funken Respekt, ein wenig amüsiert und ein bisschen sauer.

»Nachdem das geklärt ist«, sagte der Vorsitzende, »kommen wir zur eigentlichen Sache. Wir haben vier Punkte zu klären: Überprüfung der Identität des Angeklagten. Wurde das Prozedere eingehalten? Wurden seine Rechte gewahrt? Befugen die Verbrechen, derer Douglas Turner beschuldigt wird, auch zu einer Verhaftung und, was für die griechischen Gerichte wichtig ist, letztlich zu einer Überstellung?«

Während er und der Richter redeten und Dana zuhörte, beobachtete sie die gegnerische Seite. Der Mann neben Turner flüsterte in sein Headset. Alle außer Ioannis Ephramidis und seine Mitarbeiter lauschten aufmerksam der Stimme in ihren Kopfhörern.

Obwohl sie noch nicht einmal in einem Saal des ICC in Den Haag saßen, fand Dana das Bild bemerkenswert. Es erinnerte sie an die Kriegsverbrecherprozesse in Den Haag, denen sie bereits beigewohnt hatte. Auch wenn das hier noch keiner war. Ein einst mächtiger älterer Mann saß auf einer Anklagebank, um Haltung bemüht, das Gesicht reglos, mit den Kopfhörern über den Ohren gezwungen, den Ausführungen eines ihm völlig Unbekannten zu folgen. Um ihn emsige Verteidiger und eilfertige Berater, denen die Bedeutung des Moments für ihre eigenen Karrieren allzu klar war.

Turners Anwalt hatte schon gewusst, warum er die Öffentlichkeit von dem Termin hatte ausschließen lassen. Allein ein solches Bild des Ex-Präsidenten hätte enormen Symbolwert. Kurz überlegte Dana, ob sie versuchen sollte, heimlich eines mit ihrem Telefon zu machen. Doch das würde der Sache mehr schaden als nützen. Geduld.

»Erster Punkt«, unterbrach der Vorsitzende Michelakis ihre Gedanken. »Die Identität des Verhafteten.«

»Sind wir eigentlich sicher, dass er es ist?«, gluckste Vassilios neben ihr vergnügt. »Oder sollen wir beim Staatsanwalt anregen, dass er auf einer Überprüfung besteht?«

Befremdet sah Dana ihn an. Zugegeben, auf die Idee war sie nicht gekommen. Durch ihren Kopf raste ein alternatives Szenario: Die Amerikaner hatten die Situation bewusst eskaliert, um sie alle auflaufen zu lassen. Obwohl hinter dem Tisch auf der gegenüberliegenden Seite nur ein Doppelgänger saß, handelten sie, als wäre er das Original. Inklusive politischen Drucks, der bereits zu Drohanrufen bei Maria Cruz und der Entlassung einer Innenministerin geführt hatte, einer kleinen Armada an Beratern, die über Nacht aus den USA eingeflogen waren, bis hin zu Wusste-der-Teufel-was-ihnen-noch-einfiel. Eine monströse Übung, einfach um zu testen, was wäre, wenn … Dana selbst kannte Turner nur aus den Medien. Wie sollte sie da sicher sein?

Höchst unwahrscheinlich schien es ihr trotzdem.

»Nur ein Scherz«, kicherte Vassilios, »aber ich habe Sie drangekriegt, nicht?«

Nicht Danas Art von Humor. Sie verwehrte ihm jegliche Reaktion.

Der Richter fragte Douglas Turner, ob er Douglas Turner sei.

Der Präsident horchte in seine Kopfhörer, verzog das Gesicht.

»Ja, bin ich«, sagte er.

»Dann glauben wir ihm das mal«, flüsterte Vassilios. »Der Staatsanwalt ist auch zufrieden. Damit wäre Punkt eins geklärt. Sie haben den Richtigen.«

Der Staatsanwalt und die Richter legten einen Teil ihrer Unterlagen zur Seite. Griffen zum nächsten Stapel.

»Zweiter Punkt«, sagte der Richter. »Wurde das gesetzliche Verfahren eingehalten, das in Griechenland für solch einen Fall vorgesehen ist?«

Der Richter blickte den Staatsanwalt an, dann Turners Anwalt.

Stouvratos erhob sich: »Ja, Euer Ehren. Herr Turner wurde aufgrund eines rechtmäßig ausgestellten griechischen Haftbefehls von der zuständigen Polizei gemäß den griechischen Verfahrensvorschriften verhaftet.«

»Das stimmt nicht!«, rief Ephramidis. »Bei der Verhaftung war eine nicht befugte Person zugegen!«

»Uh-oh«, meinte Vassilios leise, »er versucht es also.«

»Und diese hat die Verhaftung zudem gestört«, fügte Ephramidis hinzu.

Dana wurde schlecht.

»Meint der mich?«, flüsterte sie zurück.

»Wen sonst? Natürlich.«

Ephramidis zeigte auf Dana.

Nun musterten sie alle drei Richter. Der in der Mitte fragte:

»Wer sind Sie?«

»Das weiß er doch ganz genau«, wisperte Dana zu Vassilios, antwortete aber gleich darauf mit fester Stimme: »Dana Marin, für den International Criminal Court.«

»Können Sie das bestätigen?«, fragte die Richterin den Staatsanwalt.

Der Angesprochene nickte. »Ja. Die Dokumente liegen in den Akten.«

»Hat Frau Marin das vorgeschriebene Verfahren in irgendeiner Weise beeinträchtigt oder beeinflusst?«

»Nein«, sagte der Staatsanwalt. »Als Vertreterin des ICC wurde ihre Anwesenheit von der Justizministerin zu Zwecken der Beobachtung genehmigt. Laut Aussagen der verhaftenden Polizisten hat sie die Amtshandlung lediglich kommentiert, aber weder beeinträchtigt noch beeinflusst.« Der Staatsanwalt hatte noch etwas auf Griechisch hinzugefügt, was Vassilios grinsen ließ. »Wie übrigens seit gestern Abend die ganze Welt dank eines gewissen Videos weiß«, lieferte die Übersetzerin nach.

Auf der anderen Seite des Raums räusperte sich Turners Anwalt, dachte offensichtlich kurz nach, ob er noch einmal nachhaken sollte, legte dann aber ein paar Blätter mit einer Bemerkung zur Seite.

»Gibt es sonst Vorbringen zu den Umständen der Verhaftung?«

Ephramidis schwieg.

»Der Punkt wird abgewiesen«, stellte der Vorsitzende fest.

Danas Magen entknotete sich nur langsam.

»Ich muss gestehen«, sagte Vassilios leise, »dass ich auch nicht ganz sicher war, als ich das Video zum ersten Mal sah. Gut gegangen.«

Die Richter widmeten sich erneut ihren Unterlagen.

»Dritter Punkt«, sagte Michelakis. »Wurden die Verfahrensrechte des Verhafteten gewahrt? Vor allem jene auf einen Übersetzer und einen Rechtsbeistand?«

Stouvratos erhob sich erneut: »Ja, Euer Ehren. Der Verhaftete wurde von mir persönlich über seine Rechte informiert. Sein Verteidigungsteam hat eine Kopie des vorläufigen Haftbefehls erhalten. Die kurze Frist zur Anberaumung dieser Verhandlung und der Ausschluss der Öffentlichkeit von der Verhandlung beruhen auf dem Antrag der Verteidigung. Die Staatsanwaltschaft hat keinen Einwand. Die Frage, die das Gericht zu beantworten hat, ist im Grunde sehr einfach ...«

»So einfach ist die Sache nicht«, unterbrach ihn Ephramidis. »Euer Ehren«, fuhr er fort, »wir möchten an dieser Stelle auf einen weiteren entscheidenden Punkt aufmerksam machen. Der International Criminal Court ist in der Sache gar nicht zuständig, weil die USA kein Vertragsstaat des ICC sind.«

»Das war zu erwarten«, flüsterte Dana Vassilios zu. »Aber unhaltbar.«

»Douglas Turner besitzt die Nationalität eines Nichtvertragsstaats«, fuhr Ephramidis fort. »Auch deshalb darf er nicht angeklagt werden.«

»Ebenfalls erwartbar«, meinte Dana. »Hält er uns wirklich für so schwach?«

»Er macht nur seinen Job«, flüsterte Vassilios und bedeutete ihr, sie möge schweigen und ihn zuhören lassen.

»Zudem besitzt Douglas Turner als ehemaliger Regierungschef Immunität für Handlungen, die er in offizieller Ausübung seines Amtes getätigt hat«, fügte Ephramidis hinzu.

»Das ist ebenfalls nicht richtig«, erklärte Dana, »vor dem Internationalen Strafgerichtshof sind ehemalige Regierungschefs nicht immun.« So laut, dass der jüngere Richter kurz zu ihr sah. Das waren alles Gegenargumente, die Dana in der Nacht noch einmal angesehen und zu denen der ICC Stouvratos extra gebrieft hatte.

Die Richter blickten fragend zu Stouvratos. Dieser blätterte in seinen Unterlagen. Flüsterte seiner Mitarbeiterin zu. Die Richter wechselten fragende Blicke untereinander. Der Vorsitzende ließ sich gar zu einem ungläubigen Kopfwackeln hinreißen. Dana hielt es kaum auf ihrem Stuhl. Sag doch etwas!

25

Der Morgen roch nach Vanille.

Catherine.

Steve sog noch einen Zug ihres Dufts ein.

Wie weich kann Haut sein?

Wie warm?

Dann war alles wieder da.

Er öffnete die Augen. Die weiße Zimmerdecke. Rollläden. Staub tanzte in Sonnenstrahlen. Wenn du in die Wirklichkeit schaust, verschwinden Träume. Aber auch Albträume. Manchmal.

Cath' Schulter hob und senkte sich regelmäßig neben seinem Gesicht. Er stützte den Kopf auf und sah ihr dabei zu.

Gedanken an Douglas Turner hinter Gittern, Politiker in aller Welt in aufgeregten Konferenzen glitten über Cath' Haut. Verschmutzen sie. Er wollte sie wegwischen.

Er wusste nicht, wie lange er so gelegen hatte.

»Was ist?«

Sie blinzelte. Ihre Lider unbeschwerte Schmetterlinge auf dem Weg in den neuen Tag.

Er küsste sie vor das Ohr, auf die Stelle, wo sie ganz feine Härchen hatte. Sie räkelte sich, drückte sich gegen ihn. Griff hinter sich, bekam ihn zu fassen. Er spürte sich wachsen.

»Wie ist das denn nun mit uns und Kindern?«, flüsterte sie neckisch.

»Ich wüsste auf jeden Fall schon einmal, wie es geht«, sagte er und ließ eine Hand unter ihr T-Shirt gleiten.

»Na denn…«

Sein Arm wanderte wieder unter dem T-Shirt hervor und tastete hinter ihm nach dem Nachtkästchen. Schublade. Kondome.

»Was tust du?«, fragte Cath.

»Ich suche…«

»Kondome?«

»Cath…«

Sie rieb sich heftiger an ihm.

»So wird das aber nichts«, sagte sie verführerisch.

Das wusste er auch. Deshalb ja.

»Ich… ich kann das heute nicht«, sagte Steve.

»Das fühlt sich aber gar nicht so an.«

Nein. Tat es nicht.

Immer diese Diskussion. Wie sollte er es ihr erklären? Und jetzt erst recht?

Sein Mund wanderte ihren Arm hinab, hinüber zur Hüfte. Der Po. Langsam auf die Innenseite ihrer Beine. Cath ließ es zu. Vielleicht kam er heute so davon.

Richterin und Richter beobachteten den blätternden und flüsternden Staatsanwalt zunehmend genervt. Der Hauptrichter wollte etwas sagen, als Stouvratos den Blick hob und zu sprechen begann.

Endlich!

»Zum ersten Punkt«, sagte er, »dass die Vereinigten Staaten kein Vertragsstaat des ICC sind: Das stimmt, spielt aber keine Rolle. Nach den Statuten des ICC können Taten, die in Vertragsstaaten begangen wurden, verfolgt werden. Die Taten, die dem Haftbefehl zugrunde liegen, wurden in Afghanistan begangen. Afghanistan ist Vertragsstaat. Der ICC ist berechtigt, bestimmte Taten, die in Vertragsstaaten – unabhängig, von wem – begangen wurden, zu verfolgen, wenn der Staat selbst oder der Staat, aus dem der Täter stammt, nicht in der Lage oder nicht willens ist, die Tat zu verfolgen.«

»Eben«, zischelte Dana.

»Die dem Verhafteten vorgeworfenen Taten wurden also weder von Afghanistan noch von den USA ausreichend untersucht?«, stellte der jüngere Richter, Katsaros, seine erste Frage.

»Selbstverständlich wurden sie das«, widersprach Ephramidis. »Wir verweisen auf die entsprechenden Unterlagen.«

Er hievte einen Karton voller Ordner auf den Tisch.

»Und das ist nur ein ganz kleiner Bruchteil davon.«

Vassilios blickte Dana fragend an.

Sie schüttelte den Kopf.

»Nicht dass ich wüsste«, sagte sie.

»Sowohl afghanische als auch US-Behörden haben diverse inkriminierte Vorfälle untersucht. In beiden Ländern kam es sogar zu Verurteilungen.«

Erneut fragende Blicke der Richter zu Stouvratos. Der Staatsanwalt blätterte wieder hektisch in den Unterlagen. Er würde dort nichts finden, wusste Dana.

»Der ICC übermittelte uns lediglich einen vorläufigen Haftbefehl«, erklärte er schließlich. »Darin sind derlei detaillierte Angaben nicht enthalten.«

»Dann hätte sie der ICC wohl besser beigefügt«, höhnte Ephramidis auf der anderen Seite.

»Darf ich etwas sagen?«, fragte sie Vassilios leise. »Oder dem Staatsanwalt etwas erklären?«

»Das Gericht darf den ICC konsultieren«, flüsterte Vassilios zurück. »Wenn es das möchte.«

Er richtete sich straff in seinem Stuhl auf und räusperte sich beiläufig. Und erreichte sein Ziel. Der Vorsitzende richtete das Wort an ihn.

»Möchte die Vertretung des ICC etwas dazu sagen?«, übersetzte Vassilios.

»Sie möchte«, erwiderte Vassilios.

»Was wollen Sie sagen?«, fragte er Dana.

»Er soll den Anwalt fragen, ob bei diesen Verfahren auch gegen Douglas Turner persönlich ermittelt wurde.«

Vassilios übersetzte die Frage. Der Richter gab sie an Ephramidis weiter.

Der zögerte. Schnaufte. Wechselte Blicke mit Turner. Den beiden Amerikanern, die ihm am nächsten saßen. Und Derek Endvor. Um schließlich zu gestehen: »Nein.«

Danas Blick traf Derek Endvors. Sie vermied Gesten des Triumphs. Dafür war es zu früh. Viel zu früh.

Die Richter nickten.

Michelakis setzte fort: »Zweiter Einwand: Der Angeklagte besitzt nicht die Nationalität eines Vertragsstaats des ICC.«

Blick zum Staatsanwalt.

Diesmal hat Stouvratos eine Antwort parat. Wenn auch mit fragendem Seitenblick zu Dana und Vassilios.

»Wie beim vorigen Punkt. Entscheidend ist, ob der Staat, in dem die Taten begangen wurden, Vertragsstaat des ICC ist. Und dass die USA kein Strafverfahren gegen den Verhafteten führen.«

Wieder Blicke zwischen den Richtern. Dana war nicht sicher, ob es hieß, dass sie die Antwort verstanden hatten. Oder dass sie der Argumentation auch folgten.

»Letzter Einwand: Als ehemaliges Staatsoberhaupt genießt der Verhaftete Immunität vor Strafverfolgung im Ausland für die in seiner Amtszeit getätigten Handlungen.«

»Das ist nicht richtig«, erklärte Stouvratos. »Ich verweise auf die entsprechende Konsultation des ICC im Akt. Nur ein *amtierendes* Staatsoberhaupt würde eine solche Immunität vor dem Strafgerichtshof genießen, und auch *nur dann*, wenn es sich *nicht* um einen Vertragsstaat handelt oder es *keine UN-Sicherheitsratsre-solution* gibt. Als *ehemaliges* Staatsoberhaupt ist Herr Turner daher vor dem ICC nicht immun. Allerdings gilt das nur für den ICC. Das zeigt, wie wichtig dieses Verfahren ist: Die USA *wollen* gegen den Verhafteten nicht ermitteln, andere Staaten *dürfen* es nach internationalem Recht nicht.«

Die Richterin schüttelte sacht den Kopf und flüsterte ihrem älteren Kollegen etwas zu. Dana jauchzte innerlich. Auch der jüngere Richter schloss sich der Konsultation an.

»Einwände gehört und erwogen«, erklärte der Vorsitzende Michelakis. »Kommen wir zum vierten Punkt.«

Irritiert verlor Dana den Faden der Übersetzung. Hieß das nun, dass sie die Einwände ablehnten? Oder bloß, dass sie darüber beraten würden?

Warum nur hatte sie in der Schule nicht Griechisch als Fremd-sprache gewählt? Andererseits: Altgriechisch. Hatte wenig mit der Sprache zu tun, in der hier gerade verhandelt wurde.

»Stehen die dem Verhafteten« – Dana fand es immer wieder interessant, wie Menschen vor Gericht depersonalisiert wurden; statt »Douglas Turner« hieß es »der Verhaftete« – »vorgeworfe-nen Verbrechen auf der Liste jener Verbrechen, derentwegen er vom ICC angeklagt beziehungsweise in dessen Auftrag verhaftet werden darf?«

Der Richter blätterte demonstrativ in seinen Unterlagen. Na-türlich hatte er sie zuvor gelesen, dachte Dana.

»Der Haftbefehl erwähnt Kriegsverbrechen, also vorsätzlichen Angriff auf die Zivilbevölkerung und Mord«, las der Richter. »Die stehen auf der Liste, für die der ICC zuständig ist. Das scheint mir trotzdem eher dürftig als Information«, sagte er.

Nun mischte sich Stouvratos ein. »Der vorläufige Haftbefehl wurde ausgestellt, weil die Vorverfahrenskammer des ICC einen begründeten Verdacht sah, dass Douglas Turner als Oberbefehlshaber der US-Streitkräfte in Afghanistan, unter anderem in den Provinzen Khost, Kandahar, Nangarhar und Paktia, zwischen Januar 2017 und Januar 2019 für vorsätzliche Angriffe auf die Zivilbevölkerung sowie Mord verantwortlich ist. Das sind Kriegsverbrechen, die in die Zuständigkeit des ICC fallen. Das Büro der Chefanklage hat sich vorbehalten, weitere Tatbestände der Anklageschrift beizufügen. Die eigentlichen Anklagepunkte werden erst von der Vorverfahrenskammer bestätigt, wenn Douglas Turner an den Internationalen Strafgerichtshof überstellt wurde, da der Verdächtige dafür in Den Haag anwesend sein muss.«

Auf der anderen Seite erhob sich Ephramidis noch einmal.

»Oh, oh, jetzt kommt es ...«, flüsterte Vassilios.

»Euer Ehren«, erklärte der Anwalt, »die Darstellung der Vorwürfe im Haftbefehl ist viel zu ungenau! Wir können so nicht einmal feststellen, ob die Vorwürfe tatsächlich in die Zuständigkeit des ICC fallen. Auch müssen wir noch einmal über Punkt drei reden!«, forderte er.

»Bitte schön«, sagte der Vorsitzende.

»Douglas Turners Rechte können nicht gewahrt werden. Er bekommt keine Chance auf ein faires Verfahren vor dem International Criminal Court. Aus mehreren Gründen: Erstens dürfte Douglas Turner vor dem Gericht keine Informationen preisgeben, die die Sicherheit der Vereinigten Staaten gefährden würden. Dazu gehört unter Umständen hochsensibles Detailwissen über Aktivitäten im Rahmen des Krieges gegen den Terror. Zum Beispiel Informationen über die Art und Weise, wie die US-Streitkräfte mit verbündeten Streitkräften zusammenarbeiten. Dieser Umstand verhindert demnach eine angemessene Verteidigung. Zweitens arbeiten die Vereinigten Staaten grundsätzlich nicht mit dem ICC zusammen, wenn dieser gegen einen US-Bürger ermittelt oder ihn gar anklagt. Und drittens verbieten es US-Gesetze, Informationen, die einer Verfolgung von US-Bürgern dienen, zum Zweck von Verfahren gegen US-Bürger vor dem ICC weiterzugeben. Dadurch stünden Douglas Turner und seiner Rechtsvertretung weder belastendes noch entlastendes Material aus diesen Quellen zur Verfügung.«

Dana ahnte, was nun kam.

»Da der Angeklagte aber auf Unterlagen und Aussagen aus den USA angewiesen wäre, um eine angemessene Verteidigung aufzubauen, kann er das nicht. Da er keine angemessene Verteidigung aufbauen kann, werden seine Rechte als Angeklagter beschnitten. Deshalb kann kein faires Verfahren gegen ihn geführt werden …«

Richterin und Richter folgten den Ausführungen ebenso interessiert und irritiert wie der Staatsanwalt. Der unterbrach den Anwalt.

»Douglas Turner ist ehemaliger Präsident der USA. Wenn diese ihm nicht helfen, sich zu verteidigen, oder er selbst nicht aussagen will, ist das sein Problem.«

»Ah«, wandte Ephramidis mit einem süffisanten Grinsen ein, »der Angeklagte *war* – Betonung auf der Vergangenheit – Präsident der USA. Nun ist er eine Privatperson. Und als solche sitzt er hier. Als solche wurde er verhaftet. Als ehemaliger Präsident ist er aber immer noch an Geheimhaltungspflichten gebunden. Zudem fühlt er sich auch den afghanischen Bündnispartnern verpflichtet und müsste Informationen preisgeben, die deren Sicherheit schaden könnten. Wenn ihm als Privatperson eine angemessene Verteidigung nicht möglich ist – unabhängig vom Grund dafür –, sind seine Rechte nicht gewahrt!«

Er breitete die Arme aus, als erwartete er den Segen des Himmels und des Gerichts.

»Douglas Turner« – aha, plötzlich doch eine Person – »kann kein faires Verfahren erwarten. Das weiß der ICC auch! Deshalb hätte dieser Haftbefehl nie ausgestellt, geschweige denn exekutiert werden dürfen! Douglas Turner ist daher sofort freizulassen!«

Noch hallten die Worte des Anwalts nach, als die Richter ihre Köpfe zusammensteckten und berieten.

Staatsanwalt Stouvratos blätterte in seinen Unterlagen, bevor auch er sich mit seiner Mitarbeiterin austauschte.

»Das hat doch mit dem Haftverfahren in Griechenland nichts zu tun«, flüsterte Dana Vassilios zu. »Das muss in Den Haag verhandelt werden!«

Vassilios wisperte seine Antwort: »Die Verteidigung versucht offensichtlich, den Strafgerichtshof als Willkürgericht darzustellen. Die USA behaupten ja, der ICC würde die hochheiligen Verfassungsrechte von US-Amerikanern nicht einhalten.«

Entschiedenen Schrittes betrat der Mann die Lobby des Hotels. Er trug einen Strohhut, Sonnenbrille, ein blaues Hemd, eine helle Sommerhose und eine weiche Reisetasche.

Am Empfang waren zwei Hotelbedienstete mit auscheckenden Gästen beschäftigt. Ein Träger wuchtete schwere Koffer auf einen Trolley. Hinter einer Bar auf der gegenüberliegenden Seite der Lobby servierte ein junger Kellner zwei Gästen Kaffee.

Ohne sich umzusehen, als kannte er das Haus und wäre Gast darin, lief der Mann mit Strohhut geradewegs zu den Fahrstühlen. Er wartete, bis einer in der Lobby landete und fünf Gäste in typischer Touristenmontur ausspuckte. Männer in halblangen Hosen, Sandalen und mit Themen-T-Shirts, Frauen mit Stringshirts. Er fuhr in den dritten Stock. Dort ging er direkt in das Zimmer, das ihm sein Partner genannt hatte. Er klopfte im besprochenen Rhythmus, und die Tür wurde dem Mann im T-Shirt geöffnet. Wortlos trat er ein.

Erst als er die Tür hinter sich geschlossen hatte, sagte T-Shirt: »Hey.«

»Hi.«

Sommerhose stellte seine Tasche auf den Stuhl an dem Tischchen neben dem Bett. Auf dem Tisch stand ein aufgeklappter Computer. Auf dem Monitor waren ein Fenster mit Zahlenkolonnen und ein zweites mit Codezeilen geöffnet.

»Hast du alle Infos?«, fragte er T-Shirt.

»Yep. Zimmernummer. Code für die Ersatzkarte. In das IT-System des Hotels käme ein Dreijähriger.«

»Gut.«

Er öffnete seine Tasche. Hob zwei T-Shirts an und legte die kleine Kartonbox, die er darunter hervorfischte, auf den Tisch.

»Da sind sie«, sagte er.

Zunehmend nervös beobachtete Dana die beratschlagenden Richter und Staatsanwälte. Zum Glück saßen in diesem Raum lauter Juristen. Laien hätten womöglich nicht verstanden, wie man Turner mit dem Argument herausholen konnte, dass er keine ausreichende Verteidigung aufbauen konnte, weil die USA keine Unterlagen herausrücken würden. Dem ehemaligen Präsidenten der Vereinigten Staaten würden ebendiese den Aufbau einer angemessenen Verteidigung verwehren? Würden sie. Aus genau diesem Grund. Weil er ohne angemessene Verteidigung ... und so weiter.

Könnte er die Vereinigten Staaten anklagen, würden diese sich nicht darauf berufen können, keine angemessene Verteidigung aufbauen zu können. Dann wäre es ihre eigene Schuld, wenn sie entsprechende Unterlagen nicht herausgäben. So aber war es nicht die Schuld der Privatperson Douglas Turner, wenn sein ehemaliger »Arbeitgeber« ihn hängen ließ. Im Gegenteil, die USA taten ihm gemäß dieser Argumentationslinie einen Gefallen.

Absurd, aber so schien das Gesetz.

Das die Juristen im Raum so auslegen konnten.

Doch das war nicht die ganze Wahrheit, wenn man die Gesetze genau studierte. Die Frage war, ob der Staatsanwalt und das

Gericht das getan hatten. Dana beobachtete jede Bewegung auf der Richterbank. Nachdenkliches Köpfewiegen. Zustimmendes Nicken bei zweien. Folgten sie am Ende Ephramidis' Argumentation?

»Laut dem American Service-Members' Protection Act dürfen US-Stellen zwar nicht mit dem ICC zusammenarbeiten«, wisperte Dana Vassilios zu, »wenn es um Ermittlungen gegen oder gar die Anklage von US-Bürgern geht. Sie können allerdings sehr wohl eine Ausnahme machen, wenn der amtierende Präsident beziehungsweise der Kongress dem zustimmt. Die USA können Turner also eine angemessene Verteidigung verwehren, müssen aber nicht. Außerdem erlaubt der American Service-Members' Protection Act explizit eine Unterstützung von US-Personen bei ihrer Verteidigung, wenn diese sich vor dem ICC verantworten müssen.«

Vassilios folgte ihren Ausführungen aufmerksam. »Im Übrigen überschreitet Ephramidis hier bei Weitem seine Kompetenzen beziehungsweise die des Gerichts«, fuhr Dana fort. »Die Beurteilung einer missbräuchlichen Anklage obliegt nicht diesem Gericht, sondern der Vorverfahrenskammer des ICC. Vor ihr kann Turners Vertretung das Argument der mangelnden Verteidigungsfähigkeit vorbringen. Was die sensiblen Informationen betrifft: Dafür gibt es Sicherheitsvorkehrungen am ICC.«

In Momenten wie diesen fragte sie sich, warum sie Juristin geworden war. Und verstand, dass viele Menschen die Gesetze nicht durchschauten und ihnen deshalb misstrauten. Gesetzen und Juristen. Internationales Recht setzte da noch einen drauf, weil es um hochsensible Bereiche ging, in die Staaten sich ungern hineinreden ließen. Dementsprechend erbittert stritten sich die Juristen um Auslegungen.

»Müssen wir eingreifen?«, fragte Dana Vassilios nervös.

Später duschten sie und aßen gemeinsam Frühstück.

»Hast du etwas gegen Kinder?«, fragte Cath über ihrem Brot. Die Diskussion. »Oder bloß gegen Kinder mit mir?«

»Weder noch«, sagte Steve. »Ich liebe dich.«

»Ja.« Klang nicht sehr überzeugt. Ihr Blick wechselte zu dem Telefon neben ihrem Teller.

»Turner ist immer noch drin«, stellte sie fest. Steve schielte hinüber. Sie drehte es so, dass er auch sehen konnte.

»Warum schickt Arthur Jones kein Einsatzteam, dass Turner raushaut?«, fragten konservative TV-Hetzer. Wahlkampf eben.

Ein paar republikanische Kongressabgeordnete drehten völlig durch.

We should go to war with Greece!

Die USA sollten Griechenland den Krieg erklären. Oder gleich ganz Europa.

»Die haben ja ein Rad ab«, murmelte Cath. Blickte wieder hoch.

»Irgendwann wirst du dich entscheiden müssen«, sagte sie.

Sie waren seit über zwei Jahren ein Paar. Seit ein paar Monaten redete Cath immer öfter über Kinder. Sie war fast dreißig, wie er. Mit irgendwann meinte sie nicht irgendwann.

Vassilios suchte den Blick des Staatsanwalts. Die Richter hinter ihren Tischen diskutierten noch immer untereinander. Dana bemerkte, dass sie mit den Zähnen knirschte! Sie deutete ihre Mienen zunehmend zugunsten Turner. Unauffällig versuchte sie, ihren Kiefer zu lockern. Den ganzen Körper ein wenig zu entspannen.

Jetzt sah Stouvratos zu Vassilios. Gab ihm einen Wink. Vassilios beugte sich vor und flüsterte ihm etwas zu. Der Staatsanwalt lauschte aufmerksam. Nickte ein paarmal. Richterin und Richter registrierten die Unterhaltung. Auch schienen sie die ihre beendet zu haben. Vassilios lehnte sich in seinem Stuhl zurück.

Der Staatsanwalt ergriff das Wort.

Er brachte die Argumente vor, die Dana eben mit Vassilios diskutiert hatte. Dass Turner sehr wohl eine angemessene Verteidigung aufbauen könne – so die USA dies zuließen. Dass die Bewertung dieser Frage jedoch dem ICC obliege, nicht dem griechischen Gericht.

Richterin und Richter hörten zu.

Dana fragte sich, ob das Argument, dass sie gar nicht zuständig für eine solche Entscheidung seien, die Richter erleichterte, weil sie damit die Verantwortung abschieben konnten. Oder ob sie sich gekränkt fühlten, weil man auf diese Weise ihre Macht beschneiden würde. Zumal sie nicht wusste, ob sie schon entschieden hatten – und wie. Wenn sie Turner freilassen wollten, könnte ihnen Ephramidis mit seinem Trick den Vorwand dazu geliefert haben. Falls sie noch unentschieden waren … Dana ließ das Spekulieren.

Stouvratos hatte seinen Vortrag beendet.

Wieder berieten die Frau und die zwei Männer auf den Richterstühlen.

Eine Minute.

Mehr Kopfschütteln als Nicken. Für Dana sah es nach Ablehnung der staatsanwaltlichen Argumente aus. Ihr Puls beschleunigte sich.

Zwei Minuten.

Das hieß, dass sie noch nicht ganz entschieden hatten.

Zu dem Schluss kam wohl auch Ephramidis.

»Ich bitte noch einmal um das Wort.«

Mit einem Nicken willigte der Vorsitzende ein.

»Euer Ehren! Der ICC weiß, dass Turner sich in dem Verfahren in Den Haag nicht angemessen verteidigen könnte.«

»Es sei denn, US-Präsident und Kongress lassen es zu«, unterbrach ihn Michelakis.

»Was sie nicht tun werden«, entgegnete Ephramidis sofort, »wofür der Angeklagte nichts kann. Weshalb dieses Verfahren also völlig aussichtslos wäre, weil der ICC den Angeklagten – wie schon ausgeführt – wegen mangelnder Verteidigungsmöglichkeit freisprechen müsste. Mit der Perspektive eines von vornherein aussichtslosen Verfahrens dürfte der ICC Douglas Turner also gar nicht anklagen! Die Nichtzusammenarbeit der US-Behörden mit dem ICC hat aber noch ganz andere Folgen: Da der ICC nicht auf alle Beweismittel zugreifen kann, kann der ICC selbst gar nicht genug Beweise haben für eine ordentliche Anklage! Also noch ein Grund, dass das geplante Verfahren völlig aussichtslos wäre! Da er Douglas Turner trotz dieser Aussichtslosigkeit anklagt und verhaften ließ, muss das andere Gründe haben als die im Haftbefehl angegebenen Kriegsverbrechen! Der ICC klagt Turner gar nicht aus juristischen Gründen an, sondern aus politischen oder anderen! Er missbraucht das Verfahren für andere Zwecke als vorgesehen!«

Dana beobachtete die hochgezogenen Augenbrauen und in Falten geworfenen Stirnen der Richter. Der jüngste spitzte nachdenklich die Lippen, als müsste er das Argument kosten und abschmecken. Dann nickte er langsam.

Bitte nicht!

Vassilios wackelte mit dem Kopf.

»Das ist ein juristischer Stunt, wenn Sie mich fragen«, zischte er Dana zornig zu. »Missbräuchliches Verfahren! Der zieht wirklich alle Register!«

»Das ist sogar eine ungeheuerliche Unterstellung«, antwortete ihm Dana. »Und die Beweise des ICC kann der gute Mann getrost unsere Sorge sein lassen. Wir haben wasserfeste Beweise. Außerdem, noch einmal – auch darüber zu entscheiden ist nicht Aufgabe dieses Gerichts.«

Unaufgefordert lehnte sich Vassilios zum Tisch des Staatsanwalts und erläuterte ihm etwas. Dana fand diese Umwege ja etwas unpraktisch, aber Vassilios und sie waren in diesem griechischen Gericht nun einmal nicht Partei, sondern nur Beobachter und bei Bedarf Konsultanten.

Auf die fragenden Blicke der Richter erläuterte Staatsanwalt Stouvratos seine Sicht der Dinge. Im Wesentlichen wiederholte er, was Dana gerade gesagt hatte.

Wieder verzogen sich die Gesichter zweifelnd. Sie wollten Stouvratos' Ausführungen nicht folgen. Der Hauptrichter schüttelte sogar fast unmerklich den Kopf. Noch einmal berieten sich die drei. Sehr kurz. Mehr Blicke zu Turner, wenn sie nickten, mehr Kopfschütteln, wenn sie auf ihre Seite sahen.

»Die wollen ihn doch nicht etwa freilassen?«, fragte Dana ungläubig.

»Sieht nicht gut aus, wenn Sie mich fragen«, meinte Vassilios. »Das griechische Recht sieht bei Auslieferungen eine Prüfung der Verbrechen und zugrunde liegenden Beweise vor. Dass die Richter das hier nicht tun können, bereitet ihnen Unbehagen. Aber das bringt mich auf eine Idee…«

Die Richter beendeten ihre Beratung. Blickten zuerst zu Stouvratos, versteinert. Dann zu Turner. Von dem Gesicht der Richterin Petridis und des Vorsitzenden Michelakis konnte Dana nichts ablesen. Der jüngere Richter, Katsaros, saß ihnen am nächsten. Als er zu Turner blickte, meinte sie unter seinem Bart ein – wenn auch nur ganz leichtes – freundliches Lächeln zu entdecken.

Vassilios räusperte sich laut.

Der Richter hörte ihn.

»Haben die Vertreter des ICC noch etwas zu sagen?«

»Euer Ehren«, begann Vassilios, während er sich erhob. »Den Vorwurf des missbräuchlichen Verfahrens für politische Zwecke weist der ICC entschieden zurück. Ein Punkt dazu: Wenn der Kollege Ephramidis erklärt, dass der ICC die relevanten Beweise für eine Anklage gar nicht haben könne, da die US-Behörden nicht mit ihm zusammenarbeiten würden – dann heißt das also, dass es diese Beweise gibt?«

Der Genannte sprang auf und rief empört: »Das heißt es selbstverständlich nicht!« Er ruderte wild mit den Armen, um seine Worte zu unterstreichen. »Das ist eine ungeheuerliche Unterstellung!«

Da redete der Richtige, dachte Dana. Jetzt bekam er seine eigene Medizin zu schmecken. Bitter.

»Es heißt lediglich«, erläuterte Ephramidis, »dass der ICC nicht ausreichend Beweise für einen begründeten Verdacht gegen meinen Mandanten zur Verfügung haben konnte – geschweige denn für eine Anklage!«

Neben Dana gluckste Vassilios vor Vergnügen. Er freute sich über seine Idee. Tatsächlich brachte sie den gegnerischen Anwalt außer Tritt.

»Von Beweisen kann natürlich keine Rede sein!«, rief Ephramidis. »Das hat niemand behauptet! Ich fordere das Gericht auf, diese unverschämte Behauptung zu ignorieren!«

Vassilios' Gesicht wurde nach Ephramidis' Ausbruch wieder ernst.

»Es war nur eine Frage, Euer Ehren, keine Behauptung.«
Er setzte sich.

Schnaubend hob Ephramidis zu einer weiteren Tirade an. Doch Blicke aus den Reihen der Amerikaner stoppten ihn. Brummelnd ließ er sich nieder.

Richterin und Richter wisperten wieder miteinander. Ihre Gesichter wirkten verändert, fand Dana.

»Was sagen sie?«, fragte sie Vassilios. »Können Sie Lippen lesen?«

»Keine Ahnung. Aber sie scheinen sich nicht mehr so einig wie gerade noch.«

»Raffinierter Schachzug«, sagte sie.

»Danke.«

Die Frau und die beiden Männer hinter der Richterbank strafften sich. Wieder diese Blicke zu Stouvratos, unlesbar. Zu Turner.

Aufseiten der Amerikaner wurde vereinzelt nervöses Scharren laut. Es verstummte, als der Vorsitzende Michelakis zu sprechen anhob.

»Das Gericht kommt zu folgendem Urteil.«

26

Vor dem Haus trennten sie sich.

»Wir sehen uns.«

»Ja.«

Cath lief zur nächsten U-Bahn-Station. Steves altes Rennrad hing an dem Ständer, an dem er es vergangene Nacht gesichert hatte. Er schloss es auf.

Die dunkle Limousine fiel ihm auf, als er sich aufrichtete und Cath nachblickte. Sie lief gerade an dem Wagen vorbei. Er stand vier Häuser weiter. Der Wagen passte nicht hierher. Blitzblank. Getönte Scheiben. Saßen da hinter dem Steuer und auf dem Beifahrersitz zwei Gestalten?

Ganz ruhig bleiben jetzt.

Steve schwang sich aufs Rad und strampelte los. Auf dem Rennrad konnte er leichter unauffällig über die Schulter nach hinten schauen. Das Fahrzeug blieb stehen. Steve beschleunigte. Entspannte sich. Bisher hatten sie ihn nicht gefunden. Wie hätten sie es jetzt so schnell schaffen sollen? Er kreuzte die nächste Straße, konnte Tempo machen.

Rückblick?

An der nächsten Kreuzung stoppte ihn eine rote Ampel. Blick links, Blick rechts. Noch mal links, weiter nach hinten.

Stand da in der Schlange wartender Autos die dunkle Limousine?

Steve wandte sich wieder nach vorn.

Grün.

Kurzerhand bog er nach rechts ab. Dorthin musste er nicht. Aber.

Radelte. Schulterblick.

Die Limousine war ebenfalls abgebogen. War es derselbe Wagen wie zuvor? Das Kennzeichen war verdeckt gewesen. Der Fahrzeugtyp schien derselbe. An der nächsten Kreuzung bog Steve links ab. Nicht zu auffällig werden. Falls er tatsächlich verfolgt wurde, wussten die Typen wohl mehr. Wo er wohnte. Wo er arbeitete. Wohin er jetzt also wahrscheinlich wollte. Er fuhr etwas langsamer. Hier herrschte kaum Verkehr. Er konnte etwas länger über die Schulter schauen. Sah die Limousine gerade über die Kreuzung weiterfahren. Kein einziger Wagen bog links ab und folgte Steve.

Er durfte sich nicht täuschen lassen. Abwarten, was die nächsten Straßen brachten. Er folgte seiner Route über vier weitere Kreuzungen. Hinter ihm war niemand. War es das gewesen? Die Strecke war ohne Fahrradweg etwas langsamer und mühsamer. Dafür überschaubarer.

Zwanzig Minuten später war er im Büro.

Die Limousine war nicht wieder aufgetaucht.

Auch kein anderes verdächtiges Fahrzeug.

Niemand hatte ihn verfolgt.

Doch alles hatte ihn wieder eingeholt.

27

Vor dem Gericht drängten sich die Journalisten. Alle wollten ein Bild mit dem Gebäude im Hintergrund. Für den Augenblick, in dem die Vertreter des Ex-US-Präsidenten im Ausgang auftauchen würden. Oder jene des Gerichts oder der Staatsanwaltschaft. Oder des Internationalen Gerichtshofs. Bislang gab es nur eine dürre Pressemeldung des Gerichts.

»Nicht einmal die Mitglieder des Gerichts sind bekannt«, berichtete eine Reporterin empört. Sie musste anschreien gegen das Tosen der Demonstrierenden, das man im Hintergrund vernahm.

»Gerüchteweise hat die US-amerikanische Regierung einen ganzen Beratertross nach Athen entsandt, der die Geschichte so schnell wie möglich einem Ende zuführen soll«, ein anderer.

»Wer diesem Team angehört, so es tatsächlich existiert, wurde nicht mitgeteilt.«

»Unbestätigten Meldungen zufolge soll jene Frau, die gestern bei der Verhaftung von Douglas Turner als Vertreterin des International Criminal Court anwesend war, sich für allfällige Konsultationen weiterhin in Athen aufhalten.«

»Währenddessen protestieren über fünfhundert Menschen vor dem Gericht. Die einen für eine Freilassung von Douglas Turner, die anderen dagegen. Die Polizeikräfte wurden im Lauf des Vormittags so weit aufgestockt, dass sie die Parteien voneinander getrennt halten können.«

Ein Schwenk über die Menschenmassen mit ihren Transparenten, Postern und Flaggen. Auf der einen Seite viel Rot-Weiß-Blau. Die andere Seite bunt. Dazwischen eine zehn Meter breite Freifläche, zu beiden Seiten flankiert von mobilen Metallabsperrungen und Dutzenden Polizisten mit Visierhelmen, Schildern und Knüppeln.

Einer der Demonstrantinnen wurde ein Mikrofon unter die Nase gehalten. Die Kamera so nah, dass Sean nicht erkennen konnte, zu welcher Seite sie gehörte. Sie saßen in einer großzügigen Lounge der Villa vor einem kinogroßen Fernseher.

»Was halten Sie von der Entscheidung des Gerichts?«

»Ich bin froh, dass es so geurteilt hat. Alles andere wäre Wahnsinn gewesen!«

Schnitt zu einem Mann. Auch bei ihm war unklar, von welcher Fraktion. Sein Kopf wirkte gerötet, ob vom Vormittag in der Sonne, vor Aufregung oder von ungünstigen Lichtverhältnissen.

»Eine Frechheit! Ist dieses Gericht verrückt geworden? Man kann nur hoffen, dass gegen diese Entscheidung so schnell wie möglich Berufung eingelegt wird!«

»So weit erste Stimmen aus der Bevölkerung«, erklärte eine Journalistin der Kamera. »Vom Gericht hat sich niemand persönlich in der Öffentlichkeit geäußert. Die Entscheidung wurde vor wenigen Minuten durch eine Pressemeldung bekannt gegeben.« Sie wedelte mit einem Papier vor der Linse. »Details sollen folgen. Wir warten auf das Erscheinen oder Stellungnahmen der jeweiligen Parteien in dem Verfahren. Noch gibt es weder eine Reaktion von amerikanischer Seite oder dem griechischen Staatsanwalt, der in der Causa zuständig ist. Auch der ICC hat sich nicht geäußert.«

»Das Gericht hat entschieden«, erklärte der vorsitzende Richter. »Punkt eins: Der Verhaftete ist die im Haftbefehl bezeichnete

Person. Punkt zwei: Das gesetzlich vorgesehene Prozedere für die Verhaftung wurde eingehalten. Diese Punkte sind erfüllt. Punkt vier.«

Warum Punkt vier? Was war mit Punkt drei? Dana stöhnte innerlich auf. Äußerlich ließ sie sich nichts anmerken. Aus den Augenwinkeln schielte sie zur amerikanischen Seite. Versteinerte Mienen. Nein, da und dort verzogen sich nun Augenbrauen oder Mundwinkel.

»Vorsätzliche Angriffe auf die Zivilbevölkerung und Mord stehen auf der Liste von Kriegsverbrechen im Rom-Statut. Aber die Verteidigung hat schwere Bedenken angebracht, die das Gericht nicht ignorieren kann. Es ist in aller Interesse, dass diese Angelegenheit so rasch wie möglich entschieden wird. Daher ersucht das Gericht den Internationalen Strafgerichtshof um Übermittlung zusätzlicher Informationen, worum es bei den dem Verhafteten vorgeworfenen Verbrechen genau geht, und Beweise, die diese untermauern.«

Dana benötigte einen Wimpernschlag, um zu begreifen, was das bedeuten konnte: Wenn sie Informationen liefern sollten, musste Turner doch noch so lange in Haft bleiben? Oder verstand sie da etwas falsch?

Michelakis sah auf. Zuerst zu Stouvratos, dann zu Turner.

»Punkt drei.«

Die Ziffer betonte er besonders.

»Wurden die Rechte des Verhafteten gewahrt? Was die Punkte ›Übersetzer‹ und ›Rechtsvertretung‹ angeht, wurden sie das. Für das Gericht besteht jedoch keine Klarheit über die Verhaftungsgrundlagen. Der Verhaftete erhielt daher nicht ausreichend Informationen, um vor diesem Gericht die Zuständigkeit des ICC anfechten zu können. Das Gericht nimmt hier die im Gesetz vorgesehene Möglichkeit von weiteren Konsultationen in Anspruch. Es erwartet von der Vertretung des Verhafteten Unterlagen, welche die vorgebrachten Argumente stützen. Der ICC wird eine Gelegenheit bekommen, diese zu kommentieren. Für den ersten Schritt durch die Vertretung des Verhafteten gewährt das Gericht maximal drei Tage. Für den zweiten Schritt durch den ICC einen Kalendertag. Sollte die Vertretung des Angeklagten früher liefern, wird der ICC verständigt und muss im angegebenen Zeitraum reagieren. Das Gericht wird anschließend entscheiden. Dafür hat es maximal fünfzehn Tage Zeit. Ab heute.«

Noch einmal blickte er zu Turner.

»Bis zur endgültigen Entscheidung des Gerichts bleibt Herr Turner in Häft.«

Am liebsten wäre Dana aufgesprungen und hätte gejubelt. Hätte den alten Vassilios neben sich umarmt, wäre mit ihm auf und ab gehüpft. Hätte die Fäuste triumphierend hochgereckt, den Kopf in den Nacken gelegt und laut »Jaaa-haaa!« gerufen.

Im selben Moment war ihr klar, dass die Richter eine ohnehin schon dramatische Situation um gleich ein paar Stufen weiter eskaliert hatten. Diese Entscheidung würden sich die Amerikaner nicht gefallen lassen. Durften sie sich nicht gefallen lassen. Sie mussten reagieren. Und sie würden es mit Härte tun, davon war Dana überzeugt.

Nicht hier und jetzt in diesem Gerichtssaal. Doch bei allem, was noch folgen würde.

Vassilios neben ihr stieß sie sacht mit dem Ellenbogen an. Dana blieb reglos. Beobachtete die Richter hinter ihrem Tischpult.

So eine Entscheidung machst du dir nicht einfach. Sie fragte sich, ob die drei ihren Entschluss einstimmig gefällt hatten. Ob eine oder zwei Zweifel geäußert hatten.

Die Amerikaner waren im ersten Augenblick so ruhig geblieben wie während der vorigen Erklärungen. War es fassungslose Ungläubigkeit? Dass es tatsächlich jemand wagte? Überraschung? Oder gar Schock? Nicht einmal ein Lidschlag bei Douglas Turner.

Dana hatte aber auch keine der gern für solche Situationen beschriebenen Reaktionen beobachtet – weder wich ihm alles Blut aus dem Gesicht, noch sackte er zusammen oder Ähnliches. Fast war es, als hätte der Richter gar nichts gesagt, und die Zeit wäre einfach nur eingefroren. Niemand da drüben bewegte sich für ein paar sehr lange Sekunden.

Dann beugte sich Ephramidis zu den Amerikanern in der ersten Bank und flüsterte mit ihnen. Keine Minute später stand er auf und wandte sich an das Gericht.

»Euer Ehren«, sagte er. »Die geforderten Unterlagen werden dem Gericht noch heute übermittelt. Wir beantragen einen Termin gleich morgen früh, um die Sache zu beenden.«

»Das ist knapp«, flüsterte Dana Vassilios zu, während die Richter leise miteinander beratschlagten.

»Auch das Gericht will die Sache möglichst schnell vom Tisch haben«, erwiderte Vassilios ebenso leise. »Müssen sich nur alle freischaufeln, sollten sie andere Termine haben. Wie sieht es bei euch aus?«

Der Vorsitzende winkte den Staatsanwalt zu sich. Tauschte sich auch mit ihm kurz aus, während Dana Vassilios antwortete: »Das muss ich mit Maria klären.«

»Mein dringender Rat: Schafft es auch bis morgen!«, flüsterte Vassilios. »Schon wegen des politischen Drucks. Jeder Tag Verzögerung verschafft den Amerikanern mehr Möglichkeiten, Turner auf anderem Weg herauszubekommen.«

Der Staatsanwalt war zu ihnen getreten. Fragte: »Bekommen wir diese Unterlagen auch bis morgen?«

Dana wechselte einen Blick mit Vassilios. Sie konnte das nicht entscheiden.

»Dazu muss ich erst mit Den Haag sprechen«, sagte sie.

Der Staatsanwalt kehrte zurück an den Richtertisch. Schließlich wandte sich Michelakis an alle im Raum.

»Der Zeitpunkt des nächsten Termins wird bekannt gegeben, sobald das Gericht erfährt, wann es die Unterlagen des ICC erhält.«

Auf amerikanischer Seite blickte Dana in empörte Gesichter. Nur Derek Endvor schien die mögliche Verzögerung nicht zu berühren. Der Richter sagte etwas in ein Interkom auf seinem Tisch, das Dana bis dahin nicht aufgefallen war. Gleich darauf erschienen in der Tür hinter der Anklagebank die Polizisten. Und forderten Turner auf, mit ihnen zu kommen.

Dana erwartete Proteste, gar Widerstand.

Nichts.

Turner folgte den Männern aus dem Saal. Die Tür schloss sich.

Als wäre nichts geschehen, sammelten Ephramidis und die Amerikaner ihre Unterlagen zusammen.

Richterin und Richter standen auf und schickten sich an, den Raum zu verlassen. Sofort erhoben sich die übrigen Anwesenden.

Und dann war der Termin vorbei.

»Selbstverständlich gehen wir vorn raus«, sagte Ronald Voight.

Für den Moment hatte Derek ihm die Regie überlassen. Er war der Kommunikationsexperte. Und sie hatten etwas mitzuteilen.

»Soll heißen, Inoffizielle wie wir halten sich von Kameras und Mikrofonen fern. Herr Ephramidis stellt sich den Kameras. Er ist Douglas Turners Vertreter vor Gericht in Griechenland. Und Jeremy als offizieller Vertreter der USA.«

Ephramidis warf sich in die Brust. »Ich werde ...«

»... das sagen, was wir jetzt besprechen«, unterbrach ihn Ronald. »Die ganze Welt hört uns zu. Und sie wird sehr genau zuhören. Das Gericht mit seiner Blitzpressemeldung hat überraschend professionell agiert. Es hat damit den Rahmen gesetzt für jede Botschaft, die wir, die Staatsanwaltschaft oder der ICC aussenden.«

»Die haben uns die Message Control aus der Hand genommen«, brummte Trevor.

»Deshalb werden wir uns einen Teil davon zurückholen«, erwiderte Ronald gelassen. »Vor allem aber müssen wir ein paar Punkte klar und deutlich rüberbringen. Wir haben da draußen einen Haufen verschiedener Ohren, die wir erreichen müssen: Politiker in Griechenland und Europa. Die Richterin und die Richter.«

»Nennen wir ihre Namen?«, fragte Ephramidis. »Sie haben es ja noch nicht öffentlich gemacht.«

»Vorläufig nicht«, sagte Ronald, »und schon gar nicht auf diesem direkten Weg und bei dieser Gelegenheit. Dann wären da noch die Zuständigen beim ICC. Und natürlich die üblichen Zeugen, Whistleblower und andere. Für alle gibt es verschiedene Botschaften. Die teilen wir folgendermaßen zwischen ihnen beiden auf.«

»Sagen wir da draußen etwas?«, fragte Vassilios.

Durch die riesigen Glasfenster der Gerichtsfassade hatte Dana einen fantastischen Überblick. Im Vordergrund wuselten zwischen den Übertragungswagen Journalisten, Kameraleute, Techniker herum. Hinter den Absperrungen füllten Demonstrierende und Schaulustige den Boulevard mittlerweile so weit, wie Dana sehen konnte. Sie ließ das Telefon sinken, mit dem sie Maria über die aktuelle Entwicklung informiert hatte.

»Den Haag verschickt etwas«, sagte sie. Vassilios wirkte enttäuscht. Sie konnte sich vorstellen, dass er ganz gern vor Kameras auftauchte. Das zeigten schon die zahlreichen Bilder, die sie online von ihm gefunden hatte. Ob die Nachrichten, die er zu verkünden hatte, gut oder schlecht waren, spielte dabei eine zweitrangige Rolle. »Kommen wir so hinaus, wie wir hereingekommen sind?«

28

Der Mann im T-Shirt nahm das Telefon vom Ohr und steckte es ein.

»Einsatz«, sagte er. Er setzte seine Baseballkappe und die Sonnenbrille auf und warf sich die kleine Messengerbag über die Schulter. Der andere entschied sich statt des Strohhuts nun auch für eine Basecap. Sonnenbrille. Messengerbag.

So verließen sie das Zimmer im dritten Stock des Hotels. Statt des Fahrstuhls nahmen sie die Treppen. Anstatt hinunterzugehen, liefen sie aufwärts.

Bis sie auf der siebten Etage angelangt waren. Dabei zogen sie transparente Chirurgenhandschuhe an.

Ohne Zögern marschierten sie zu dem Zimmer, das der eine im Buchungssystem des Hotels identifiziert hatte. Unterwegs zog er die umcodierte Zimmerkarte aus der Hosentasche. Legte sie an das elektronische Türschloss.

Klack.

Der Zweite blickte sich noch einmal kurz in beide Richtungen um, entdeckte niemanden und schlüpfte auch in das Zimmer, dessen Tür er hinter sich schloss.

Das Zimmer war von derselben Kategorie wie ihres. Hinter der Eingangstür die Tür zum Bad. Gegenüber eine kleine Garderobe und ein Schrank. Im Zimmer ein Doppelbett, kleiner Schreibtisch mit Stuhl, Polstersessel mit Leselampe.

T-Shirt inspizierte das Zimmertelefon. Dann schraubte er die Kappe von dem Hörer. Aus der Messengerbag holte er ein Mikrofon, so klein wie ein Ameisenkopf, mit einer Antenne, so fein wie ein Haar. Er klebte sie neben das Mikrofon des Telefons und schraubte die Kappe wieder auf.

Währenddessen hatte Sommerhose ein baugleiches Teil in einer Falte des textilen Bettkopfs montiert. T-Shirt fixierte ein weiteres auf der anderen Seite des Betts. Noch eines montierte er über dem Schreibtisch. Eines neben dem Spiegel. Und eines zwischen Badezimmerspiegel und den Waschbecken.

Währenddessen war Sommerhose auf den Schreibtisch gestiegen. Von dort montierte er eine zentimeterlange Kamera vom Durchmesser eines Zahnstochers an der Vorhangschiene.

Eine zweite brachte er im Bad an.

T-Shirt hatte mittlerweile seinen Laptop aus der Messengerbag gezogen und aufgeklappt.

»Test, Test, Test«, sagte er.

Auf dem Monitor schlugen in mehreren Fenstern mit Tonkurven die Linien heftig aus.

Zwei weitere Fenster zeigten das Zimmer und das Bad in Weitwinkelansicht. In der Zimmeransicht erkannten sich die beiden Männer. Sie winkten in die Kamera.

»Passt«, sagte T-Shirt und klappte den Laptop zu.

Sommerhose ging zur Tür, öffnete sie. Warf einen kurzen Blick hinaus.

»Niemand da«, sagte er. »Gehen wir.«

»Hat der Richter den Verstand verloren?!«, wütete Arthur Jones auf Dereks Handydisplay. In Washington war es frühmorgens. Jones kam wahrscheinlich eben vom Joggen. Oder wollte gleich los.

Mit Derek im Range Rover drängten sich Botschafter Jeremy,

der General und Trevor. Der Fahrer hielt sich dicht hinter dem Kleinbus, der Turner zurück ins Gefängnis brachte.

Derek verzog keine Miene. Jones' Ausbruch galt natürlich auch ihm. Der Präsident hatte Derek nach Athen geschickt, um Douglas Turner aus dem Gefängnis zu holen. Um diese Demütigung der Vereinigten Staaten zu beenden. Stattdessen wurde sie verlängert.

»Ist denen nicht klar, worauf sie sich da einlassen?! Mit wem sie es zu tun haben?!«

»Wie es scheint, ist es noch nicht allen klar«, sagte Derek. »Wir hier können juristisch und kommunikativ aus allen Rohren feuern. Das haben wir, weil das Gericht unsere Argumente nicht einfach ignorieren kann. Daher der Aufschub der Entscheidung. Politisch aber kann nur das Weiße Haus den Druck erhöhen. Und das sollte es. Mächtig!«

»Was schlägst du vor?«, fragte Arthur.

»Griechenland hatte sich noch nicht vom Verarmungsdiktat der Europäischen Union infolge der Finanzkrise 2008/9 erholt, da prügelte 2020 die Coronapandemie das Land erneut in den Keller«, erklärte Derek.

»Na ja, das traf nicht nur Griechenland ...«

»Wirtschaftlich ist das Land auf jeden Fall schwer angegriffen.«

»Wer nicht ...?«, meinte Arthur.

»Neue Unannehmlichkeiten kann es nicht brauchen. Wir könnten Zölle auf bestimmte Produkte einführen. Oder gleich Importverbote. Derartiges.«

»Was noch?«, wollte Arthur wissen.

»Der Dauerkonflikt mit der Türkei ist gerade wieder einmal aufgeflammt. Vor wenigen Tagen gab es sogar einen bewaffneten Zwischenfall auf See.«

»Mannomann, sind die nicht beide in der NATO?«

»Ja, man fragt sich.«

»Dieser türkische Despot macht doch auch nur Scherereien.«

»Eine Gelegenheit für eine Goodwill-Aktion. Wurde da nicht wegen des Syrienkonflikts eine größere Waffenlieferung an die Türkei gestoppt?«

»Ja, irgendwas war da.«

»Eine aufgerüstete Türkei gefällt den Griechen nie.«

»Harvey würde sich auch freuen.«

Arthur meinte den CEO des Rüstungskonzerns, der von dem Deal in Milliardenhöhe profitieren würde.

»Andererseits könnte man auch den Griechen Goodies in Aussicht stellen, sollten sie sich einsichtig zeigen.«

»Zuckerbrot und Peitsche«, begriff Jones.

»Je länger der ICC braucht, um die genauen Anklagepunkte und Beweise zu liefern, desto besser stehen unsere Chancen, dass die Griechen unter dem politischen Druck einknicken.«

»Mister President«, mischte sich General Nestor Booth ein, »warum schicken wir nicht einfach ein paar von unsern Jungs rein und holen ihn heraus? Wollen wir uns von diesem Gericht auf der Nase herumtanzen lassen?«

»Art«, sagte Derek, bewusst den Vornamen einsetzend, »wir sollten den Griechen eine Chance geben.«

»Ihre Chance hatten sie«, wandte der General ein. »Und haben sie vergeben. Mister President, jede Stunde länger, die wir dieser Scharade tatenlos zusehen, schädigt unser Ansehen und unsere Position in der Welt weiter.«

Derek konterte ruhig: »Das Gericht ist unseren Argumenten heute gefolgt, mit einer recht kreativen Begründung, obwohl es die Haft relativ einfach endgültig hätte bestätigen können. Es läuft alles in unserem Sinn.«

»Wie schnell könnten wir unsere Männer schicken?«, fragte der Präsident.

»Binnen vier Stunden«, sagte Nestor Booth. »Wobei ich einen Nachteinsatz deutlich vorziehen würde.«

»Also erst in über zwölf Stunden«, sagte Derek. »Die Welt erführe erst morgen davon. Dann können wir es ebenso gut so lange anders versuchen.«

Der General warf ihm einen grimmigen Blick zu.

»Eine zivilisierte Variante würde ich vorziehen«, sagte der Präsident. »Geben wir den Griechen die Chance. Und ein paar Hinweise, dass wir uns nicht alles gefallen lassen. Stellt mir eine Liste der Optionen zusammen.«

Vassilios bugsierte Dana in eine kleine Limousine, die er bestellt hatte. Eine Glaswand trennte die Vordersitze von der Rückbank. Während Vassilios der Fahrerin noch Anweisungen gab, wählte Dana auf ihrem Telefon bereits Maria Cruz' Nummer.

Nach dem ersten Freizeichen nahm sie ab. Cruz, die in diesem Moment wahrscheinlich Hunderte Anrufe gleichzeitig bekam, hatte auf jenen von Dana gewartet.

»Er bleibt vorerst drin«, erklärte sie grußlos.

»Habe ich schon gelesen. Großartig gemacht!«

Beide wussten einen Augenblick lang nichts zu sagen, obwohl es so viel zu fragen und zu erzählen gegeben hätte.

Andererseits war alles gesagt worden.

Vorerst.

»Das heißt, das Gericht wird den ICC noch konsultieren«, sagte Maria schließlich.

»Ja.«

Dana schilderte ihr in kurzen Worten, was das Gericht von ihnen forderte, was Turners griechischer Anwalt vorgebracht hatte und was sie erwartete.

»Missbräuchlich«, zischte Maria, »dieser Mistkerl! In Ordnung. Ich weiß Bescheid. Und was die Anklage und Beweise angeht: Wie du dir vorstellen kannst, arbeiten wir hier wie die Verrückten an der Ausarbeitung des Antrags für die Überstellung Turners an den ICC.«

»Vassilios meint, wir sollten schnell machen, weil…«

»…die Amerikaner die Zeit für den Aufbau von politischem Druck und Sanktionen nützen können«, vollendete Maria den Gedanken. »Schon klar. Wir beeilen uns. Außerdem soll das Gericht sehen, dass wir kooperieren. Wir müssen es auf unsere Seite ziehen. Sagt dem Gericht, dass es morgen früh bekommt, was es braucht.«

»Alles?«, fragte Dana.

»Es bekommt, was es braucht«, sagte Maria. »Beweise können wir nicht übermitteln, das sieht das Rom-Statut nicht vor, und auch aus Sicherheitsgründen ist das nicht angeraten. Aber wir schicken mehr Details zu dem Vorfall in Nangarhar, damit das Gericht sieht, dass es sich um ernst zu nehmende Vorwürfe handelt. Ich versuche, die nächste Maschine nach Athen zu bekommen. Ist Vassilios in der Nähe?«

Für einen Augenblick fühlte Dana so etwas wie Enttäuschung. Traute Maria ihr nicht zu, die Sache allein zu bewältigen? Andererseits war sie froh darüber. Maria war weltweit eine der Besten auf ihrem Gebiet. Bei allem Vertrauen konnte sie die deutlich jüngere und unerfahrenere Dana in dieser Sache nicht allein lassen.

Dana reichte Vassilios den Apparat.

Fröhliche Begrüßung, gegenseitige Glückwünsche. Dana ließ den Blick durch das Fenster hinter Vassilios wandern. Sie fuhren durch schmale Straßen, ein seltsamer Mix aus modernen und älteren Häusern. Irgendwo hatte Dana gelesen, dass Athen besonders im neunzehnten und zwanzigsten Jahrhundert gewachsen war. Entsprechend die Bauten. Die Mittagssonne warf scharfe Schatten.

»Kann ich gern«, antwortete Vassilios auf eine Frage Marias.

Dann gab er Dana das Telefon zurück. Die Verbindung war beendet.

Schweigend begannen sie beide das Internet nach ersten Reaktionen abzusuchen.

Für den Anfang brachten die Nachrichten nicht mehr als die Fakten.

Douglas Turner bleibt in Haft!
Sensationsurteil des griechischen Gerichts!

Dazu konnten sie bislang lediglich Archivbilder präsentieren. Keinem der Medienleute war es gelungen, ein Bild von Turner oder auch nur dem Fahrzeug, das ihn weggebracht hatte, vorzulegen.

Nach etwa einer Viertelstunde Fahrt setzte sie der Fahrer vor einem kleinen Straßencafé in einer unauffälligen, ruhigen Straße ab. Keine Touristen hier. Oder Journalisten.

Dafür ein grandioser Blick auf die Akropolis.

Sie setzten sich an einen der kleinen Tische auf dem Bürgersteig.

»Das war mehr, als wir erwarten durften«, sagte Vassilios. Seine Augen funkelten vergnügt. Er zog eine Zigarre aus seinem Jackett.

»Darf ich?«

Auf Danas Nicken hin schnitt er die Spitze ab und zündete die Zigarre an.

»Sagen Sie ehrlich«, forderte er, »haben Sie das erwartet?«

Dana wusste nicht, was sie erwartet hatte. Manche Menschen lebten nach dem, was sie erwarteten. Andere nach dem, was sie befürchteten oder erhofften. Die meisten wurden permanent dazwischen zerrissen.

Der Kellner kam. Dana bestellte Wasser und einen Kaffee. Vassilios orderte auf Griechisch.

»Den Amis Beweise zu unterstellen und damit das Gericht zu verunsichern war gewagt, aber schön«, sagte Dana.

»Ich musste es probieren«, erwiderte Vassilios. »Sie schienen mir zu einer Ablehnung des Haftbefehls und für eine Freilassung Turners zu tendieren.«

»Mir auch. Aber jetzt haben wir das Problem, dass das Gericht Beweise sehen will. Die können wir ihm nicht geben.«

Der Kellner brachte Danas Kaffee, Wasser und zwei volle Sektgläser.

»Ein Schritt nach dem anderen«, sagte Vassilios. »So einen Prozess gab es noch nie, da müssen wir auf Überraschungen gefasst sein und unkonventionell vorgehen, wenn es die Umstände erfordern. Sie sehen ja, die Gegenseite schenkt uns auch nichts. Ich denke, wir haben dennoch einen Grund zu feiern.«

»Es ist kaum Mittag!«

»Zum Feiern ist es nie zu früh. Jamas!«

»Jamas.«

Vassilios leerte sein Glas mit dem ersten Schluck zur Hälfte.

»Die Frage ist«, meinte er, »was die Amerikaner als Nächstes tun werden.«

»Und was wir tun müssen.«

»Exakt.«

»Maria kommt persönlich«, sagte Dana. »Mit einem der nächsten Flieger.«

»Hat sie erzählt«, sagte Vassilios. Nickte nachdenklich. »Ich wüsste zu gern, wer die Typen sind, die da ganze Stuhlreihen besetzen.«

Er tippte auf seinem Telefon herum. Auf dem Monitor erschien ein Foto.

Douglas Turner, Ephramidis, Derek Endvor und ein paar der

anderen im Gerichtssaal. Vassilios wischte nach links. Auf weiteren drei Bildern hatte er auch den Rest der Truppe abgelichtet.

»Wann haben Sie die gemacht?«, fragte Dana. Ganz wohl war ihr bei dem Gedanken nicht. Da war es, das Bild, an das sie während der Verhandlung gedacht hatte: Turner, der ehemalige Präsident der Vereinigten Staaten von Amerika, auf der Anklagebank. Fehlten nur die Handschellen.

»Gleich zu Beginn, nachdem die Richter sich gesetzt hatten und alle Aufmerksamkeit Turner galt. Die drei hatten Turner noch nicht leibhaftig gesehen, geschweige denn aus solcher Nähe. Also würden sie sich erst einmal ihm widmen. Der Staatsanwalt ebenfalls, beziehungsweise den Richtern. Genauso wie die Amis. Und diese kleinen Dinger heute sind ja wirklich handlich«, sagte er, während er das Gerät auf dem Tisch so drehte, dass Dana mitschauen konnte.

»Die werden wir dann wohl einmal durch die Bildersuche im Internet laufen lassen«, sagte er und trank seinen Sekt aus.

»Es geht mich ja nichts an, aber die Indizien und Beweise des ICC müssen schon sehr, sehr gut sein, wenn die Pre-Trial Chamber bei der ganzen Geschichte mitgespielt hat.«

Er gab dem Kellner ein Zeichen.

Dana wusste nicht, wie viel Maria ihm erzählt hatte. Oder ob er womöglich in eine der Ermittlungen involviert gewesen war.

»Sie sind sehr gut«, sagte sie.

»Und werden sie im Verfahren halten?«

»Sonst würde das Office of the Prosecutor« – sie blieb mit Absicht sachlich, auch wenn Vassilios natürlich wusste, dass sie Maria Cruz meinte – »es nicht darauf ankommen lassen.«

Der Kellner brachte eine kleine Karaffe mit Weißwein und zwei Gläsern.

Dana winkte ab.

»Danke, für mich nicht mehr!«

»Kosten müssen Sie zumindest«, beharrte Vassilios. »Das ist Retsina. Haben Sie den schon einmal probiert?«

»Harzwein? Als Jugendliche. Nicht meins.«

»Das war der falsche. Der hier ist gut. Wenn er Ihnen nicht schmeckt, lassen Sie es einfach.«

»Ich will mich nicht schon zu Mittag betrinken. Eigentlich will ich mich gar nicht betrinken.«

Vassilios lachte.

»Natürlich wollen Sie! Und wann, wenn nicht heute!«

Er hatte eingeschenkt und prostete ihr zu.

Dana lenkte ein, nippte aber nur. War tatsächlich besser als das Gesöff, das man ihr als Studentin angedreht hatte.

»Ich kann mir ohnehin vorstellen, was das OTP hat. Einen Haufen Zeugenbefragungen vor Ort, wahrscheinlich auch den einen oder anderen Beweis. Vor ein paar Jahren gab es doch einmal ein Video von einem Night Raid, wenn ich mich recht erinnere, auf dem ein CIA-Mann als Täter identifiziert wurde. Aber das genügt doch noch immer nicht, um einen ehemaligen Präsidenten anzuklagen. Auch wenn es das sollte. Wenn man daran denkt, dass George W. Bush offen zugegeben hat, nach 9/11 Folterungen erlaubt zu haben, und es keinerlei Konsequenzen hatte. Weder für ihn noch für andere Involvierte wie Cheney, Rumsfeld oder die ausführenden Agenten und Militärs. Nur ein paar Untergeordnete, wie nach den Vorfällen im Abu-Ghuraib-Gefängnis, wurden zur Rechenschaft gezogen.« Er leerte sein Glas und nahm einen ordentlichen Zug von seiner Zigarre, der seinen Kopf in eine dicke Wolke hüllte.

»Ihr habt mehr«, sagte er. »Ich hoffe, es hält. Und ich hoffe, wer immer dieses ›mehr‹ geliefert hat, ist sicher.«

Dana war nicht wohl zumute, als sie Vassilios zuhörte. Denn sie war sich mit einem Mal gar nicht mehr sicher, ob dem Gericht genügen würde, was Maria schicken wollte.

29

Derek hasste den Umstand, dass sie mit Turner nur in dem Raum im Korydallos-Gefängnis sprechen konnten, von dem sie nicht wussten, ob er abhörsicher war.

Der Anstaltsleiter und die Vollzugsbeamten hatten sie allein gelassen.

Um den Tisch versammelt hatten sich Turner, Derek und das Team, das mit ihm aus Washington gekommen war. Plus Nestor Booth. Der Army-Mann aus Kreta. Und der griechische Anwalt, Ioannis Ephramidis.

Derek fand Turner überraschend gefasst. Er hatte mit einem Wutausbruch gerechnet. Nichts dergleichen. Der Ex-Präsident hatte offenbar begriffen, dass er hier damit nicht weit kommen würde. Die Wut musste jemand anders demonstrieren. Auf ganz anderem Niveau.

»Wir haben mehrere Optionen, wie wir weiter vorgehen«, eröffnete Derek. Er redete leise, flüsterte fast. »Fangen wir mit der wahrscheinlich einfachsten an, die aber nicht jedem gefallen wird. Will, Alana?«

»Das Rom-Statut des International Criminal Court erlaubt diesem, bestimmte Verbrechen, wie etwa Kriegsverbrechen, zu verfolgen, wenn jener Staat, in dem sie begangen wurden beziehungsweise aus dem der mutmaßliche Täter stammt, nicht in der Lage oder willens ist, die Vorwürfe zu untersuchen beziehungsweise Verfahren einzuleiten und vor Gericht zu bringen«, erklärte Alana. »Soll heißen: Falls es in der Causa bereits Untersuchungen gegen Douglas Turner in den USA gab oder gibt, darf der ICC nichts tun.«

Sie blickte in die Runde, um allen die Zeit zu geben, zu verstehen. Überflüssig.

»Weder gab noch gibt es Ermittlungen, Untersuchungen oder ein Verfahren gegen Douglas Turner in irgendeiner auch nur verwandten Sache in den USA«, stellte Lilian Pellago fest. Die Frau, die kaum Schlaf brauchte, hatte natürlich ihre Hausaufgaben gemacht. Derek musste an das Video aus Afghanistan denken. Wäre die Untersuchung damals nicht niedergeschlagen worden, hätten sie jetzt ein Instrument in der Hand.

»Also sollten wir schleunigst eines einleiten«, sagte Alana Ruíz. »Dann müsste der ICC seinen Haftbefehl zurückziehen und das griechische Gericht ihn freilassen.«

»Vorausgesetzt«, sagte William Cheaver, »der ICC und die Griechen glauben uns, dass wir es ernst meinen.«

»Was nicht ganz einfach wird«, meinte Ronald Voight. »Bislang wurde so etwas noch nie ernsthaft durchgezogen.«

»Kommt nicht infrage!«, empörte sich Turner. »Ich lasse mich nicht zum Kriminellen machen! Ein Verfahren gegen mich wäre eine Unverschämtheit!«

»Es gibt eine weitere Möglichkeit«, meldete sich Ioannis Ephramidis zu Wort. »Douglas Turner könnte beim ICC direkt Einspruch erheben statt beim griechischen Gericht. Beziehungsweise dies parallel tun.«

»Kommt auch nicht infrage«, erwiderte William Cheaver. »Damit würden wir mehr oder minder die Zuständigkeiten des ICC anerkennen. Nein, mit dem ICC direkt sollte Douglas Turner vorerst nicht interagieren.«

»Außer er muss irgendwann«, gab Ephramidis zu bedenken.

»Undenkbar«, sagte Turner. »Dazu wird Arthur Jones es nicht kommen lassen. Nicht kommen lassen dürfen, wenn er eine Chance auf seine Wiederwahl wahren will.«

»Wir hatten das Gericht mit dem Argument der Missbräuchlichkeit fast überzeugt«, sagte Trevor. »Ich denke, da ginge noch mehr.«

»Wir haben es doch schon versucht«, wandte Ephramidis ein. »Was soll da noch gehen?«

»Abwarten«, meinte Trevor.

»Das ist alles lächerlich«, sagte Turner. »Hier geht es doch nicht um Rechtliches. Das ist eine Machtfrage! Die entscheiden nicht Richter oder Staatsanwälte. Sondern Politiker. Dort müssen Sie ansetzen!«

Als ob sie das nicht wüssten.

»Das tun wir«, sagte Derek.

»Abgesehen davon«, ereiferte sich Turner nun doch, »könnte ich längst frei sein! Wäre ich Arthur Jones, ich hätte längst ein paar Soldaten geschickt, um mich hier rauszuholen!«

»Ich habe dem Präsidenten genau das angeboten«, sagte General Booth.

Der schon wieder!

»Und er hat es für den Augenblick aus guten Gründen verworfen«, sagte Derek.

»Schwächling«, schnaubte Turner. »Typisch.«

»Auch in Ihrem Interesse«, erklärte Derek. »Ein paar Soldaten in fremdes Gebiet zu schicken, um Terroristen zu töten, ist eine Sache. Einen Gefangenen lebend und unverletzt zu befreien, eine ganz andere. Das kann Ihnen sicher auch General Booth bestätigen«, sagte er mit einem Blick auf den Militär. »Oder wollen Sie in ein Feuergefecht zwischen griechischen Wachbeamten und US-Soldaten geraten? Mal abgesehen von den politischen Implikationen?«

Turner antwortete nicht.

Als Sean die Terrasse hinter dem Haus betrat, saßen Harry und Bull bereits in der weitläufigen Loungelandschaft und unterhielten sich, während sie auf ihren Telefonen herumfingerten. Großes Hallo, nachdem sie Seans Begleiter erkannten.

»Dino, Hernan, Sal, ihr kennt die beiden ja«, sagte Sean zu dreien der Männer hinter sich. Mittelgroße, mehr oder minder durchtrainierte Kämpfer Anfang bis Ende dreißig wie er selbst. Dean »Dino« Trullio war aus London eingeflogen, Hernan Cortez aus Südfrankreich und Sal Potter aus Sizilien. Die zwei anderen passten dazu. »Hopper«, erklärte Sean und wies auf den etwas festeren Typen mit braunem Haar unter dem Strohhut, der aus Berlin gekommen war, »und Biff.« Er blieb inmitten der Sofas und Stühle stehen, während die Männer sich setzten. »Hopper war Marine und ist Spitzenpilot, falls wir einen benötigen.«

Sean legte Wert auf »war«. Andere in seinem Geschäft hätten Hopper als Marine vorgestellt. Und auch die übrigen Teammitglieder anhand ihrer früheren Ausbildungen, Positionen oder Titel. Sean war bewusst, dass Sprache einen Unterschied machte. Jeder der Anwesenden sollte wissen, als was er hier war. Die meisten wohl auch als US-amerikanische Patrioten. Aber im Gegensatz zu ihrem früheren bescheidenen Sold und der angeblichen Ehre, dem Vaterland zu dienen, ging es jetzt um viel Geld. Keine Illusionen.

»Biff hackt dir jeden Computer, jedes Netzwerk, jedes Handy, alles.« Biff hatte er in Warschau aufgetrieben. Kein Kinderspiel, binnen Stunden ein Spitzenteam zusammenzubekommen. Sean kannte die Leute, deshalb hatte sich Mahir an ihn gewandt. Sean stellte den beiden Neulingen den Rest der Truppe vor.

»Harry, Ex-Ranger, ebenfalls Pilot. Bull – *Explosives*. Dino, Hernan kommen überall rein. Ob Gefängnis, Gericht oder Terroristenhochburgen in irgendeinem ...stan. Sal, *Intelligence*. Welche Infos wir auch brauchen, Sal besorgt sie oder weiß, von wem wir sie bekommen.«

Knappes Kopfnicken. Jeder wusste, er konnte sich auf die anderen verlassen, wenn Sean die Gruppe zusammengestellt hatte.

Die Zikaden schienen von der Mittagshitze angespornt. Sean musste seine Stimme erheben, damit die anderen ihn über dem tausendfachen Gezeter verstanden.

»Ihr wisst alle, worum es geht.«

Die Männer in den Sofas nickten. Die meisten hatten sich nicht zurückgelehnt. Sie saßen aufrecht, die Ellbogen auf die Knie gestützt, die Hände locker dazwischen oder konzentriert unter dem Kinn verschränkt. Außer Bull und Biff militärisch kurze Haarschnitte, manche mit ein paar Zentimetern mehr obendrauf. Das war ihr einziger Nachteil. Für geübte Augen wären sie sofort identifizierbar, wenn sie sich durch die Stadt bewegen würden.

»Wie schon beschrieben, erhalten wir alle nötige Intelligence. Darauf möchte ich mich aber nicht verlassen«, sagte er mit einem Blick Richtung Sal. »Wir brauchen unsere eigene.«

Sal nickte.

»Nicht einfacher macht es die Sache, dass wir sehr flexibel agieren müssen. Wir werden einen Einsatzbefehl bekommen. Wir wissen nicht, wann. Das bedeutet, wir müssen uns auf mehrere Optionen vorbereiten. Es gibt aber ohnehin nur zwei.«

Er warf eine Karte von Athen auf den Glastisch in der Mitte. Altmodisch. Dafür keine elektronische Spur. Als ob sie davon nicht schon genug gelegt hätten. Bei allen Versuchen, sie zu vermeiden.

Sean zeigte auf das Gefängnis.

»Der Klassiker: direkt aus dem Gefängnis holen – Nachteinsatz.« Er fuhr mit dem Finger über die Straßen auf dem Plan. »Alternative zwei: während des Transports vom Gefängnis zum Gericht oder zurück. Bis hin zu den Gefängnishöfen.«

»Da wurde schon zwei Mal jemand per Heli rausgeholt«, warf Sal ein.

»Ist eine Weile her«, sagte Sean, »aber – ja. Und seitdem haben sich die Verhältnisse nicht wirklich gebessert.«

»Wovon hängt es ab, wie wir vorgehen?«

»Die Situation ist volatil«, sagte Sean, »das entscheiden am Ende ein paar Politiker irgendwo, wahrscheinlich abhängig davon, wie gut sie am Morgen geschissen haben.«

»Also alles wie gehabt«, sagte Hernan. »Wann frühestens?«

»Sobald ich sage, dass unsere Einsatzpläne stehen und wir das notwendige Material haben.«

»Also frühestens ...«

»Morgen Nacht«, sagte Sean.

30

Die Botschaft der Vereinigten Staaten nahm einen ganzen Häuserblock an der Vasilissis-Sofias-Allee ein, einer der großen Straßen Athens, gesäumt von einem Potpourri gesichtsloser Neubauten aus den vergangenen Jahrzehnten sowie einigen älteren Prunkbauten und Villen. Museen fanden sich hier ebenso wie exklusive Firmensitze und diverse Botschaften.

Die Range Rover passierten die Sicherheitssperre und fuhren in die Garage.

Jeremy McIntyre führte sie zu einem Fahrstuhl, an dessen Tür er einen Code eingeben musste. Der Fahrstuhl brachte sie in die oberste Etage des Gebäudes.

»Hier ist die CIA-Station zu Hause«, erklärte er, als sie ausstiegen.

Über einen schmalen Flur ging es an verschlossenen Türen vorbei zu einer offenen. Der zentrale Monitoringraum. An zehn Arbeitsplätzen mit jeweils mehreren Bildschirmen saßen sieben Männer und drei Frauen. Über zwei Wände erstreckten sich flächendeckend zahlreiche Bildschirme. Auf manchen erkannte Derek verschiedene Medien. Auf anderen Stadtbilder. Athen, nahm er an, Überwachungskameras. Ihre eigenen. Und fremde, gehackte.

Mittendrin erwartete sie ein großer Kerl in dunklem Anzug und weißem Hemd.

»Walter Vatanen«, stellte er sich vor.

»Unser CIA-Stationsleiter«, erklärte der Botschafter. Stellte Dereks Truppe vor.

»Nebenan ist ein Besprechungsraum«, erklärte Walter und zeigte auf die offene Doppeltür. Dahinter war ein Konferenztisch mit zwölf Stühlen zu sehen sowie weitere Bildschirme an den Wänden. »Ich schlage vor, das wird Ihr Lagezentrum.«

»Danke«, sagte Derek. »Eine der dringendsten Aufgaben wird sein, Turner aus diesem Drecksloch von Gefängnis herauszubekommen. Ideen?«

»Das wird schwierig«, sagte McIntyre. »Habe ich schon versucht. In Athen gibt es keine echte Alternative. Und die Griechen trauen keiner Lösung, in der wir eine Örtlichkeit mieten und die griechischen Behörden die Bewachung übernehmen. Aber ich bleibe dran.«

»Die rechtlichen Aspekte haben wir bereits geklärt«, sagte Derek. »Was machen wir politisch und kommunikativ?«

Er warf einen Blick zu Lilian.

»Wir bearbeiten sämtliche relevante Regierungsmitglieder und einflussreiche Abgeordnete«, erklärte sie. »Die fatale Justizministerin sind wir ja schon los. Außerdem stehen wir in Kontakt mit diversen einflussreichen griechischen Unternehmern, die bestens in der Politik vernetzt sind. Die wissen, was auf dem Spiel steht.«

»Sie sollen sich beeilen«, sagte Derek. »Trevor?«

»Wir haben Verbindungen zu diversen politischen Gruppen außerhalb des klassischen Spektrums«, erklärte der Geheimdienstmann, »vor allem im konservativen Milieu. Diese werden aktiv für eine Freilassung Turners agitieren. Auch kommunikativ, wenn ich das richtig verstehe«, sagte er mit einem Blick zu Ronald.

»Auch, aber nicht nur«, meinte der. »Natürlich müssen alle Amerikafreunde in Griechenland und Europa aktiviert werden.

Das geschieht bereits in den sozialen Medien. Außerdem bin ich dabei, noch eine andere Richtung auszuloten. Griechenland läuft über vor Flüchtlingen«, erklärte er, »weil seine europäischen Freunde« – mit den Fingern malte er Anführungszeichen in der Luft – »es in der Sache mehr oder minder alleinließen. Viele dieser Flüchtlinge stammen aus Afghanistan, Syrien, Iran oder Eritrea. Sie fliehen vor islamistischem Terror, repressiven Regimen, Bürgerkriegen, Dürre und anderen Katastrophen in ihren Ländern. Katastrophen, die Douglas Turner mit dem Krieg gegen den Terror, Wirtschaftsabkommen und Entwicklungshilfe bekämpft hat.«

»Gut«, sagte Trevor mit einem schiefen Grinsen.

Der kaufte Ronalds Pitch ernsthaft, ohne den deutlich mitgelieferten Zynismus des Kommunikationsmannes zu hören.

»Da finden wir einige, die das auch in eine Kamera erklären«, fuhr Ronald fort. »Zwei Fliegen mit einer Klappe: Botschaft eins – dieser Mann verdient einen Orden, nicht das Gefängnis. Botschaft zwei – gäbe es mehr Staatsmänner wie ihn, wären unsere Heimatländer sicherer und die Flüchtlinge gar nicht hier.«

»Den Spin mag ich«, lachte Trevor. »Ausländerfeindlichkeit, getarnt als Mitleid. Verfängt bei einem nicht unbeträchtlichen Teil der Bevölkerung.«

»Bei uns ja auch«, sagte Alana kühl, »nicht einmal nur bei Ausländern.« Sondern auch bei Inländern wie Hispanics oder Afroamerikanern, ließ sie unausgesprochen im Raum hängen. Derek gefielen die zunehmenden Spannungen im Team nicht.

»Wie weit sind Sie mit Dana Marin?«, wechselte Derek das Thema, an Walter gewandt.

»An Marin sind wir mit einem ganzen Team dran. Auf verschiedene Weise. Peter?«

Er ging zu einem der Arbeitsplätze. Der Mann an dem Tisch rief Bilder von Überwachungskameras auf.

Ein Zimmer und ein Bad.

»Ihr Hotelzimmer ist verwanzt«, sagte Peter. In anderen Fenstern waren eine Straße in einer Wohngegend, schicke Einfamilienhäuser und Villen zu sehen. »Ihren kauzigen Kompagnon haben wir vorerst von außen im Blick. Dort sind die beiden jetzt.«

»Sind wir in ihren Geräten?«

»Das war einfacher als erwartet«, stellte Vassilios fest.

Dana hatte ihre Vorurteile über Bord werfen müssen. Der alte Knacker besaß superschnelles Internet. Einen topmodernen Laptop. Diverse Sicherheitsvorkehrungen. Und er konnte alles bedienen.

Sie saßen im Garten seines Häuschens im Westen der Stadt. Zuerst hatte Dana die Einladung nicht annehmen wollen. Dann hatte sie an die Demonstranten vor ihrem Hotel gedacht.

Eine weinbewachsene Laube spendete Schatten. Zikaden lärmten in den großen alten Bäumen, deren Äste sich über Vassilios' Haus und die Grundstücke der Nachbarn streckten. Zwischen ihren dicken Stämmen sah Dana ganz weit entfernt das Meer glitzern. Auf dem verwitterten Holztisch standen ein Krug mit Wasser, einer mit Wein und viele Tellerchen. Auf ihnen hatte Vassilios Leckereien serviert. Sein Kühlschrank war so gut ausgestattet wie seine Technikabteilung. Alles nur vom Feinsten. Ein Lufthauch sorgte für Kühlung. Nicht einmal lästige Wespen um die Speisereste störten die Idylle.

Auf dem Monitor seines Computers reihten sich die Porträts des US-Teams aus dem Gerichtssaal. Einen nach dem anderen hatten sie durch die Bildsuche geschickt.

Für die meisten hatten sie sofort Treffer gefunden.

Der Anführer war ein gewisser Derek Endvor. Ex-Militär, Jurist, aber nicht als solcher tätig. Schien ein Typ für besondere Fälle zu sein. Derzeit im Wahlkampfteam des US-Präsidenten.

William Cheaver hatte Vassilios sogar ohne Internetsuche erkannt. Eine Koryphäe in internationalem Recht.

Alana Ruíz, eine lang gediente Expertin im Justizministerium.

Lilian Pellago arbeitete im Außenministerium, wenigstens vorläufig. Nach Stationen an Universitäten und in der Privatwirtschaft hatte Arthur Jones sie in ihre aktuelle Position geholt.

Auch kein Unbekannter war Ronald Voight. Ein Kommunikationsprofi.

Trevor Strindsand war ein Mitarbeiter des National Security Advisors im Kabinett Jones.

Überrascht hatte sie der fettlose, trainierte Glatzkopf: Nestor Booth, General, derzeit auf dem Stützpunkt Souda Bay, Kreta.

»Die setzen sogar einen Militär in diesen Gerichtssaal«, sagte Vassilios. »Das könnte man als offene Drohung verstehen.«

»Immerhin wissen wir jetzt, mit wem wir es zu tun haben«, erwiderte Dana.

»Das ist nur der Kopf des Kraken«, sagte Vassilios. »Dessen müssen wir uns bewusst sein. Die haben gewaltige Teams im Hintergrund – die besten Geheimdienste der Welt, die besten Informationsbeschaffer, mit die besten Desinformationsverbreiter, das stärkste Militär der Welt.«

»Das sie nicht einsetzen werden.«

»Darauf würde ich nicht wetten. Ehrlich nicht.«

»So weit werden sie nicht gehen.«

»Wir werden sehen. Wie auch immer. Ihnen gegenüber stehen – wir zwei.«

»Und der ICC.«

Vassilios wackelte mit dem Kopf, als testete er, ob er noch hielt.

»Von dort würde ich nicht zu viel Hilfe erwarten. Sie kennen die Kapazitäten selbst. Ihr seid doch froh, wenn ihr einen winzigen Teil eurer Fälle überhaupt bearbeitet bekommt. Ihr habt keinen Geheimdienst. Ihr habt kein Militär, nicht mal eine eigene Polizei. Ihr habt keine Kommunikationsabteilung, die es auch nur annähernd mit einem einzigen Ronald Voight aufnehmen könnte. Eure politischen Verbindungen und vor allem euer politischer Einfluss sind im Vergleich mit jenem von Lilian Pellago, mit Arthur Jones und dem versammelten US-Außenministerium im Rücken, quasi null.«

»Das wussten wir von vornherein.«

Vassilios nickte nachdenklich.

Trank Wein.

»Wir sollten es ihnen trotzdem nicht zu leicht machen«, sagte er. »Zumindest ein paar Nadelstiche sollten wir setzen, was meinen Sie?«

»Woran denken Sie?«

»Was glauben Sie, woher die Demonstranten, die Sie heute Morgen aus dem Schlaf gerissen haben, wohl wussten, wo Sie sind? Diese Damen und Herren hingegen können bislang im Verborgenen wirken. Das könnten wir ändern. Ich könnte das Konvolut an ein paar Freundinnen und Freunde bei der Presse schicken.«

»Und was machen die damit?«

Vassilios zuckte mit den Schultern, grinste und nahm noch einen Schluck Wein.

»Ich fühle mich nicht wohl dabei«, sagte Dana.

Wieder zuckte Vassilios mit den Schultern.

»Dann können wir nur warten.«

»Irgendetwas müssen wir doch tun können! Uns auf die nächste Verhandlung vorbereiten!«

»Juristisch sind Sie vorbereitet«, meinte Vassilios. »Kommunikation muss von Den Haag kommen, Politisches auch.«

»Ich hasse es, zur Untätigkeit verdammt zu sein.«

»Sie sind in Athen! Besuchen Sie die Akropolis! Oder die Museen, dort ist es kühler. Langweilig wird Ihnen hier doch nicht!«

»Klappt nicht«, sagte Maria Cruz' Assistent, den Kopf durch ihre Bürotür gestreckt. »Nirgends.«

»Was heißt das, klappt nicht?«

»Ich bekomme keinen Flug für Sie nach Athen.«

»Alles ausgebucht? Kann doch nicht sein. Probieren Sie es weiter!«

»Sieht nicht aus wie alles ausgebucht«, wandte der Assistent ein.

»Kann nicht sein«, sagte Maria. »Dana ist gut, aber unerfahren. Vassilios ist gut, aber nicht richtig drin in dem Fall. Ich muss dahin, nachdem Jasper ausgefallen ist.«

»Ich versuche schon alles«, sagte der Assistent.

»Zur Not chartern wir einen Privatjet!«

»Ein paar habe ich schon angefragt«, sagte er und schüttelte den Kopf.

»Auch nicht?! Das können die doch nicht machen! Kontaktieren Sie die niederländische Regierung! Die EU! Stellen Sie mich bei Bedarf persönlich durch! Wissen die davon? Das können die sich doch nicht gefallen lassen!«

Wo waren die Politiker, wenn man sie brauchte?

31

Die Demonstrantenmassen rund um das Korydallos-Gefängnis vereinfachten die Besichtigung. Und verkomplizierten sie. Unter normalen Umständen würden in leeren Gassen rund um das Gefängnis ein paar Typen herumlaufen, die geübte Augen schnell als Militär beziehungsweise Ex erkannten. Zwischen den Menschenmassen fielen sie weniger auf. Doch wo viele Menschen waren, fanden sich ebenso viele Telefone mit Kameras. Plus die Kameras der Polizei. Gesichts- und Personenidentifikationsprogramme wurden immer genauer. Wer wusste das besser als Sean, Sal und die anderen. Immerhin kannten sie auch die Möglichkeiten, sie auszutricksen. Hüte, Kappen, Brillen – Klassiker. In toten Winkeln und unbeobachteten Ecken Kleidung wechseln. Kappen und Hüte mit Spezialbeschichtungen. Spezielles Make-up und andere Gesichtsbemalungen fielen unter lauter Verrückten nicht auf. Ein Stein im Schuh oder Gummibänder, die unter der Kleidung um verschiedene Körperteile geschlungen waren, veränderten die unbewussten Bewegungsmuster, die solche Softwares längst zu entschlüsseln in der Lage waren und Personen ohne Gesichtserkennung allein anhand ihrer Bewegungen identifizierten.

Sean fragte sich, ob die griechischen Behörden und Geheimdienste ernsthaft mit einem Befreiungsschlag nach dem American Service-Members' Protection Act rechneten.

In den vergangenen Jahren hatte sich die Welt verändert.

Europa und die USA Verbündete? In der NATO immer noch. Wenn auch nur mehr aus Gewohnheit, konnte man oft meinen. Die beharrende – und manchmal sichernde – Kraft von Institutionen.

»Sind die auch über Nacht da?«, hörte Sean Bulls Stimme in seinen Plug-ins. »Ich meine die Demonstranten.«

Sie hatten sich in vier Gruppen aufgeteilt, um nicht sofort aus der Menge herauszustechen.

»Ja«, sagte Sal.

»Heißt, wir haben immer Publikum«, überlegte Hopper. »Auch bei einem Nachteinsatz.«

»Yep«, sagte Sal. »Aber sie können wenig tun. Außer filmen. Und da sehen die Kameras in der Nacht wenig.«

»Tagsüber ist das was anderes«, meinte Dino. Er musste sich an der Rückseite des Gefängnisses befinden. Auch wenn die Straße direkt entlang der Gefängnismauer gesperrt war.

So oder so, sie würden auf dem Präsentierteller landen und starten müssen. So viel war klar: Wenn überhaupt, kamen sie hier nur mit dem Heli rein. Und raus. Auto konnten sie vergessen. Dann direkt zu einem Flughafen, wo ein Jet wartete. Wenn sie schnell genug waren, würden sich die entsprechenden Behörden nicht rasch genug informieren und ihre Schlüsse ziehen.

Aber vielleicht hatten sie hier auch ein paar gute Typen, die alle Szenarien durchgeplant hatten. Und entsprechende Alarmierungsmechanismen etabliert. Alternativen: Heli, an einem unbeobachteten Ort außerhalb der Stadt ein rascher Wechsel in ein Auto und dann – mal sehen. Trotzdem Flughafen, auf Umwegen. Oder Hafen. Oder über die Straße.

»Okay«, sagte Sean, »schick sie hoch.«

Auf dem Screen seines Telefons verfolgte er die Bilder. Selbstverständlich waren Drohnenflüge über dem Gefängnis verboten. Ebenso selbstverständlich hielt sich kaum jemand daran.

Ein paar Private hatten damit begonnen. Und ihre Aufnahmen an die Medien verkauft. Das Gefängnis hatte keine Störsender oder Instrumente, um die Drohnenpiloten aufzuspüren. Bis jetzt. Vielleicht änderte sich das in den kommenden Tagen. Dann war es zu spät. Bis dahin hatten Sean und sein Team ihre Videos.

»Kurze Übersicht«, sagte Hopper, der die Drohne steuerte. Das Ding war nicht größer als eine Faust. Groß genug, um es zu sehen. Klein genug, um es zu einem schwierigen Ziel für ungeübte Schützen zu machen. Keiner der Wachleute im Korydallos war Scharfschütze. So viel wusste Sean. Dafür hatte er bezahlt. Unter anderem.

Das Fluggerät hatte Kameras in alle Richtungen außer nach oben, zeigte die Bilder der Anlage, wie sie die ganze Welt über Onlinekarten betrachten konnte.

»Der Hof in der Mitte, links«, sagte Sal, »ist der nächste zu Turners Zelle. Wenn wir wo reingehen, dann da«.

Natürlich benutzten sie keine handelsübliche Hobbydrohne. In diesem Moment ließ Sal das Gerät gut zweihundert Meter über der Haftanstalt schweben. Die Kamera hatte eine fantastische Auflösung. Eine Stabilisierungssoftware lieferte ruhige Bilder, obwohl die Drohne mittels Zufallsgenerator durch die Luft wackelte, wie von einem Betrunkenen gesteuert. So bot sie eventuellen Schützen ein schwierigeres Ziel.

Dann wurden die Bilder unscharf und verwackelt. Wenige Sekunden später schwirrte das Ding mitten durch den Hof, den es eben noch von oben gefilmt hatte. Auf Augenhöhe. Entlang der Mauer, der vergitterten Fenster. Bei jedem ein kurzer Stopp. Blick hinein. Schlechtes Licht. Details würden Sal und Biff später auf dem Computer herausarbeiten.

Seans Screen war zweigeteilt. Kamerabilder eine Richtung. Andere Richtung. Um diese Zeit war der Hof leer. Trotz früherer Drohnenbesuche. Zu wenig Personal. Nächstes Fenster. Dahinter nur Schemen. Sal flog die Fassade systematisch ab. Die Zelle, in die sie den Ex-Präsidenten gesetzt hatten, kam fast zuletzt. Turner musste wissen, dass er beobachtet wurde. Wenigstens drei Drohnen hatten ihn bereits erwischt. Desaströse Bilder gegen ihn. Der einstmals mächtigste Mann der Welt hinter Gittern. Körnig, unscharf. Halb gesenkter Kopf. War er das überhaupt? In gewisser Weise fühlte Sean mit ihm. Und dann doch nicht. Als ehemaliger Soldat in Extremsituationen hatte er längst Schlimmeres hinter sich. Die Niederlagen. Demütigungen. Aussichtslosigkeit. Den Tod – beinahe. Aber auch die Auferstehung. Ein Gefühl, das niemand verstand, der es nicht erlebt hatte. Die Freiheit danach. Der Triumph. Und die Verzweiflung. Der Überlebende zu sein.

Im linken Fenster entdeckte Sean eine Gestalt. Hektisch zeigte sie in ihre Richtung. Stürmte in den Hof. Griff an die Hüfte. Legte an. Ein Glückstreffer konnte ihre Drohne erledigen. Und wenn schon. Sie hatten genügend davon. Nicht rückverfolgbar. Die Bilder wurden direkt auf ihre Server gestreamt. Unbeirrt zog Sal seine Bahn. Aus dem Lauf der Waffe des Beamten blitzte es. Mehrmals. Keine Scharfschützen. Hektisch winkte er. Zeigte in die Richtung ihrer Drohne. Kollegen tauchten auf. Stellten sich neben ihm auf. Breitbeinig, die Waffen vor dem Gesicht. So würden sie das Gerät nicht erwischen. Das sah Sean selbst auf dem kleinen Monitor seines Telefons. Wo hatten die schießen gelernt?

Sal hatte alles, was sie brauchten. Unscharfe, verwackelte Bilder, erneut. Über die Dächer und in den nächsten Hof. Dort würde es nun schneller gehen, bis jemand auftauchte. Nicht schnell genug.

Derek hatte längst Jackett und Krawatte abgelegt. Auch Trevor hatte sich gelockert. Ronald lief ohnehin in seinem Poloshirt herum. Die anderen waren noch in voller Montur.

»Wie weit sind wir mit den möglichen Whistleblowern?«, fragte Derek.

Trevor nickte Walter zu.

Auf einem der Großmonitore im Lagezentrum rief Walter sechs Gesichter junger Leute auf.

»Wir erinnern uns: In dem von Alana angesprochenen Fall gab es sechs mögliche Personen. Wir haben sie uns in den vergangenen Stunden angesehen, soweit wir sie finden konnten.«

Das erste Bild – eine junge Frau mit schulterlangem brünettem Haar und kindlichem Blick – morphte zu einer aktuellen Version. Härtere Gesichtskonturen, das Haar ein Hausfrauenschnitt der Fünfzigerjahre.

»Da wäre einmal Jennifer Coalman«, sagte Trevor. »Sie arbeitet seit Studienabschluss an der UCB als Buchhalterin. Zuerst in Ohio, mittlerweile in Arkansas.«

»Von Berkeley nach Arkansas, auch interessant«, bemerkte William Cheaver.

»Kein ungewöhnliches Verhalten, keine auffälligen Kontakte, soweit wir das feststellen konnten. Verheiratet, Mutter von zwei Kindern.«

»Macht sie als Whistleblowerin schon mal weniger wahrscheinlich«, sagte William.

»Trotzdem haben wir vorläufig wen dran«, sagte Trevor.

Er verwandelte das nächste Bild, eine junge Latina, in ihr gegenwärtiges Selbst.

»Lorena Santiago. Nach dem Studium ging sie für eine NGO zwei Jahre nach Afrika. Seit ihrer Rückkehr arbeitet sie für eine Umweltschutzvereinigung mit Sitz in D. C. und San Francisco. Lebt in SF.«

»Von der Weltanschauung her eine mögliche Kandidatin«, sagte Nestor Booth.

»Absolut«, bestätigte Trevor. »Und nicht nur das.« Er zeigte

Bilder eines Flugtickets und einer Großstadt. Derek erkannte Bangkok. »Vor einer Woche reiste sie nach Thailand. Gebucht hatte sie die Reise erst vier Wochen davor.«

»Sie reiste also, kurz bevor Turner verhaftet wurde«, stellte William fest. »Und buchte zu einem Zeitpunkt, an dem der ICC seine Planung wohl abgeschlossen hatte.«

»Ihr meint, sie ist sicherheitshalber ausgereist, um sich im Ernstfall dem Zugriff der US-Behörden zu entziehen?«

»Wo ist sie jetzt?«, fragte Nestor.

»Die Buchungs- und Meldedaten eines thailändischen Resorts sagen, dass sie sich auf einer Insel nahe Phuket befindet. Wir überprüfen das gerade.«

»Thailand«, bemerkte Catherine, »würde sie ausliefern, wenn wir darauf bestehen. Darüber würde sich eine Whistleblowerin doch vorab informieren.«

»Wir behalten sie auf jeden Fall im Auge«, sagte Trevor.

Die dritte Frau – entschiedener Blick, breiter Kiefer.

»Cécile Brown«, erklärte Trevor. »Wirtschaftsanwältin in Seattle. Absoluter Karrieretyp. Wir haben wen dran, aber ich glaube nicht, dass sie sich ihre Ambitionen mit einer solchen Aktion ruinieren würde. Kommen wir zu den Jungs.«

Ein junger Mann mit dunklen Locken und gemütlicher Miene verwandelte sich zu seiner älteren Version. Das Gesicht runder, die Haare kürzer.

»Justin Meyer. Er arbeitet seit seinem Studienabschluss als Lehrer in Kalifornien. Kein auffälliges Verhalten. Aber natürlich bleiben wir dran.«

»Lehrer«, sagte Nestor, »könnte schon so 'ne Type sein.«

Ein schlanker dunkelhaariger Typ mit freundlichem Grinsen.

»Die letzten zwei sind die Interessantesten, finde ich«, sagte Trevor. »Steve Donner ging nach seinem Psychologie- und Philosophiestudium nach Berlin und weiter nach München.«

»In Deutschland?«, fragte Ronald.

»Ja. Er begann ein Soziologiestudium, das er aber wohl abbrach. Mittlerweile arbeitet er in einem Tech-Start-up als Customer-Experience-Experte.«

»Zog also nach Europa. Näher ran an den ICC«, überlegte William.

»Aber ganz offiziell in Deutschland gemeldet, keine Anstalten, seine Spuren zu verwischen.«

»Warum Europa, warum Deutschland? Ist ja nicht gerade der Ort für eine Hightech-Start-up-Karriere.«

»Vielleicht familiäre Verbindungen«, sagte Trevor. »Donner ist ein deutscher Name. Das checken wir gerade. Und schicken ebenfalls jemanden hin. Bleibt Anthony Slimane.«

Das letzte Gesicht in der Reihe. Ein dunkelhaariger, düster blickender Asketentyp.

»Ihn haben wir noch nicht gefunden. Nach dem Studium jobbte er eine Weile in Kalifornien. Engagierte sich bei verschiedenen Bürgerprotesten. Danach verliert sich seine Spur.«

»Findet ihn!«

»Mama?«

Danas Taxifahrer sprach so gut wie kein Englisch. Eine Unterhaltung war unmöglich. Dana hatte die Gelegenheit genutzt.

»Dana! Wie geht es dir?«, rief ihre Mutter aufgeregt durch den Hörer.

»Danke, es ist natürlich alles sehr intensiv, wie du dir vorstellen kannst. Aber es geht mir großartig!«

Was für den Augenblick sogar stimmte. Sie hatte beschlossen, den ganzen Stress für ein paar Stunden hinter sich zu lassen. Im Augenblick konnte sie wenig tun. Keine Akten wälzen, keine neuen juristischen Kniffe ausdenken. Das hatten sie jahrelang in der Vorbereitung getan. Unzählige Szenarien durchgespielt. Dana fühlte sich auch für morgen gut vorbereitet. Zumindest juristisch. Auch wenn sie immer wieder überlegte, womit die Amerikaner noch daherkommen könnten. Doch Herumsitzen und auf morgen warten konnte sie jetzt nicht.

»Du bist überall zu sehen.« Da waren sie wieder, der Stolz und die Sorge. »Alle Nachbarn haben mich schon angesprochen.«

Dana konnte sich denken, wer und wie.

»Es ist große Aufregung, auch in der Familie.«

Die Familie. Schwestern und Brüder ihrer Eltern, deren Kinder. Danas Tanten, Onkel, Cousinen und Cousins, verteilt über Kroatien, Bosnien, Österreich, Deutschland, Schweden. Die meisten kannte Dana so gut wie gar nicht. Nur aus Erzählungen. Manche hatte sie als Kinder oder Jugendliche ein paarmal getroffen. Als sie nach langen Jahren zum ersten Mal wieder in die ehemalige Heimat gefahren waren. Ihr Vater in der Hoffnung, dorthin zurückzukehren.

»Wie geht es dir?«, fragte Dana.

»Wie soll es mir schon gehen? Meine Tochter ist berühmt. Oder berüchtigt.« Sie lachte. »Je nachdem, wem man zuhört.«

Das Lachen ihrer Mutter machte Danas Herz leicht. Hatte es immer getan.

»Du hast dir seit jeher die höchsten Ziele gesteckt«, sagte ihre Mutter. »Das habe ich immer an dir bewundert.«

Dana stellte sie sich vor. In ihrer Dreizimmerwohnung im neunten Stock des zweiten Turms der Wohnsiedlung am Rand von Essen. Wahrscheinlich stand sie jetzt am Fenster, blickte auf die benachbarten Wohnblocks. Den abgerockten Spielplatz dazwischen.

»Danke, Mama.«

Dass du immer an mich geglaubt hast.

Der Taxifahrer wurde langsamer, wandte sich um und sagte etwas zu ihr, das wohl »Wir sind da« heißen sollte.

»Ich muss Schluss machen«, sagte Dana.

»Pass auf dich auf«, bat ihre Mutter.

»Ich gehe jetzt die Akropolis besichtigen«, sagte Dana.

»Wie toll! Viel Spaß!«

Ende der Verbindung. Kein Wort über Papa und seine Laune.

Am Rand des Platzes, zu dem der Taxifahrer sie gebracht hatte, wartete im Schatten eines Baumes Alex auf sie und winkte, als er den Wagen sah.

Die Demonstranten drängten sich in der schmalen Chozoviotissis-Straße und den kurzen Abschnitten von Nikiforidi, Psaron und Solomou bis zur Grigoriou Lampraki. Die restlichen Straßenabschnitte rund um das Korydallos-Gefängnis hatte die Polizei abgesperrt. Zwischen den beiden Parteien von Gegnern und Befürwortern der Verhaftung hatte sie bei der Einmündung der Psaron-Gasse einen Abschnitt in Gassenbreite gesperrt. Zwei Dutzend Uniformierte mit Helmen, Schilden und Schlagstöcken sollten die Streithähne auseinanderhalten.

Sean ging zurück auf die Grigoriou Lampraki. Er umrundete den Häuserblock und schob sich durch die Ansammlung in die Nähe der Polizeisperre, durch die Besucher des Gefängnisses und das Personal passieren durften. Auf dieser Seite kampierten die Verhaftungsgegner. Es war heiß und schwül. Die Luft roch nach Staub und Schweiß und einem Hauch Fäkalien.

Kurz nach achtzehn-hundert verließen ein paar Männer in Zivilkleidung das Areal. Einige plauderten miteinander, bevor sie sich zerstreuten. Einer von ihnen kam direkt auf Sean zu. Als er an ihm vorbeilief, nickte er Sean kaum merklich zu.

Sean folgte ihm mit einigem Abstand.

Der Mann überquerte schnellen Schrittes die Grigoriou Lampraki und bog in eine der Seitengassen ab.

Er erwartete Sean in einem Café ein paar Straßen weiter. Sein

Rucksack stand auf dem Stuhl neben ihm. Nur schlampig hineingestopft erkannte Sean das Uniformhemd der Wachmänner. Seit Douglas Turners Verhaftung und der Belagerung durch die Demonstranten betraten und verließen die Angehörigen des Wachpersonals das Gefängnis lieber in Zivil.

Sie nickten sich zu. Sean setzte sich. Sie benötigten nicht viele Worte. Mahir hatte Turner sämtliche Intel versprochen. Vertrauen ist gut. Kontrolle ist besser. Sean hatte ein paar Kontakte spielen lassen. Zu viel stand auf dem Spiel. Er wollte sich nicht auf fremde Informationen verlassen müssen. Zumal diese günstig zu bekommen waren. Griechische Sicherheitsleute waren nicht überbezahlt. Die Wirtschaftskrisen nach 2008 und der Coronapandemie hatten den Staat mit leeren Taschen zurückgelassen. Griechenland hatte es in Europa besonders hart erwischt. Auch ein Justizbeamter musste zusehen, wo er in diesen Zeiten blieb. Erst recht, wenn er drei Kinder hatte.

Der Mann zog einen Zettel aus einer Seitentasche des Rucksacks und faltete in auf der Tischplatte auseinander. Ein Grundriss des Korydallos-Gefängnisses. Erwartungsvoll blickte er Sean an. Der reichte ihm einen Umschlag. Fingerdick. Unter der Tischplattenkante öffnete der Mann das Kuvert. Zählte nach. Schien zufrieden. Schob den Umschlag in den Rucksack. Holte stattdessen einen Stift hervor. Zeichnete damit ein Kreuz in einen kleinen Raum mitten in dem Grundriss.

»Hier ist Douglas Turner untergebracht«, sagte er. »Einzelzelle natürlich.«

Sean nickte. Das wussten sie bereits. Nun kannten sie auch den Weg im Inneren des Baus. Sollten sie ihn benötigen. Sean reichte ihm einen weiteren Umschlag. Kleiner, dafür dicker.

Der andere nahm auch den entgegen. Schaute kurz hinein. Ein Telefon. Altmodisch, aber klein und handlich. Klassischer Burner. Nickte. Steckte es in seinen Rucksack.

32

Ein drittes Auge. Wünschte sich Steve. Im Hinterkopf.

Ein Chamäleon müsste man sein. Das seine Augen in alle Richtungen drehen konnte. Und sich der Umwelt so sehr anpassen, dass man es nicht mehr sah.

Aber als Mensch… Als er das Gebäude verließ, in dem die Agentur die dritte Etage einnahm, blickte er nach links und dann nach rechts. Wie man das so tut, wenn man aus einem Haus geht.

Wüsste er wenigstens, wonach er Ausschau hielt. Männer in schwarzen Anzügen mit dunklen Sonnenbrillen in finsteren Limousinen oder SUVs verfolgten einen sicher nur in Filmen. Er versuchte, sich alle Autos zu merken, die in Sichtweite geparkt standen. Alle Menschen, die sich da bewegten. Oder standen. Oder vielleicht hinter einem Hauseingang hervorlugten? In dem Straßengarten des Restaurants dort vorn saßen?

Langsam schloss er sein Fahrrad von dem Verkehrsschild los. Scannte dabei die Umgebung weiter aus den Augenwinkeln.

Dann fuhr er los.

Schulterblick.

Am Himmel hingen graue Wolken. Vielleicht würde es regnen. Der Wetterbericht war nicht eindeutig. Vor ihm radelte eine Frau auf einem Citybike. In einigem Abstand hinter ihm waren ebenfalls mehrere Radfahrer. Er zweigte nach rechts ab.

Schulterblick. Noch jemand? Drei Autos. Keine schwarzen Limousinen oder SUVs. Hieß nichts. Dazwischen ein Motorradfahrer. Grauer Helm. Zwei Radfahrer.

Gestern hätte er fast einen Fußgänger gerammt, der überraschend zwischen zwei Autos auf die Straße getreten war.

Vielleicht sollte er sich einen Rückspiegel für seinen Lenker anschaffen. Lächerlich. Und zu auffällig.

Er ärgerte sich vor allem über sich selbst. Dieses permanente Gefühl der Bedrohung. Einer möglichen Bedrohung. Eigentlich war sein größter Feind gerade seine eigene Angst.

Angst war vielleicht übertrieben. Sorge. Er wusste nicht einmal genau, wovor.

Dass sie ihn identifiziert hatten? Und fanden? Und was würden sie dann tun? Ihn den Medien zum Fraß vorwerfen? Ihn verhaften wollen? Entführen? Alles schon vorgekommen. Ihn verschwinden lassen?

Er bog nach links ab. Wenn ihm jemand folgte, musste er sich fragen, wohin Steve wollte.

Schulterblick. Die Autos von vorhin waren verschwunden. Musste nichts bedeuten. Falls es mehrere gab, konnten sie sich abwechseln. Damit sie nicht so auffielen. Nur eine der Radfahrerinnen war noch da. Er erkannte nicht mehr als ein normales Citybike, auf dem eine Frau undefinierbaren Alters – zu weit weg – sehr aufrecht saß. Ein schwarzer Drahtkorb hing vor dem Lenker. Ein grünblauer Fahrradhelm, wenn er das in der Schnelligkeit richtig erkannt hatte. Immerhin hielt sie Steves Tempo. Vielleicht ein E-Bike.

Steve nahm die nächste Gasse rechts. Trat in die Pedale.

Schulterblick.

Die Frau radelte geradeaus.

Auch sonst folgte niemand.

Wieder falscher Alarm.

Sollte er jetzt mit einem permanenten Schulterblick leben?

Er nahm die nächste links, zurück auf seine ursprüngliche Route.

Reflexartig wieder ein Schulterblick. Er sollte das einfach lassen.

War so ein Wagentyp nicht in der vorletzten Straße hinter ihm gewesen?

Also an der nächsten Kreuzung noch einmal links. Und gleich die nächste rechts.

Das Auto war weg.

Er durfte sich echt nicht verrückt machen!

Etwas lockerer radelte er weiter. Zwang sich, nicht zurückzublicken.

Tat es dann doch.

Da war ein Motorradfahrer mit grauem Helm.

So einen hatte er doch vor ein paar Minuten schon einmal gesehen! Da war er zwischen den Autos gefahren. Das Motorrad hatte Steve dabei nicht erkannt. Noch ein Schulterblick. So leise, das Ding. Elektro?

Abbiegen.

Der graue Helm folgte ihm.

Noch einmal abbiegen.

Der graue Helm blieb hinter Steve.

Steve spürte die Hitze in seinen Kopf steigen.

Er bog wieder ab. Falls das tatsächlich Verfolger waren, musste ihnen Steves absurde Route zeigen, dass er Verdacht schöpfte.

Dann konnten sie ihr Spiel mit verschiedenen Verfolgern fortsetzen – wenn es die denn gab.

Oder die Karten auf den Tisch legen.

Falls es tatsächlich Verfolger waren.

Also. Karten auf den Tisch. Steve bog ab und strampelte los.

Auf halber Strecke zur nächsten Kreuzung blickte er über die Schulter.

Der graue Helm war verschwunden.

Nur eine einsame Fahrradfahrerin auf einem Citybike folgte ihm. Sehr aufrecht. Mit einem schwarzen Drahtkorb vor dem Lenker. Einem blaugrünen Fahrradhelm auf dem Kopf. Ungewöhnlich schnell für ein Citybike. Vielleicht ein E-Bike.

Fuck!

Steve richtete den Blick auf die Straße. Er drosselte das Tempo. Hier konnte er niemanden abschütteln. Mit einem Mal nahm er die Welt um sich herum viel klarer wahr. Bis er verstand, dass sie nicht schärfer geworden war. Er hatte sie während der vergangenen Minuten, vielleicht während der vergangenen Stunden bloß wie durch einen Nebel wahrgenommen. Seit der Nachricht von Douglas Turners Verhaftung.

Auch seine Gedanken wurden klarer. Immerhin wusste er jetzt, woran er war. In moderater Geschwindigkeit fuhr er weiter. Überlegte. Den Schulterblick brauchte er nicht mehr.

Da vorn war eine Kneipe. Steve hielt, band sein Rad an ein nahes Verkehrsschild. Betrat die Kneipe. Der Laden war schon gut besucht. Hauptsächlich Leute seines Alters. Bier, Softdrinks, erste Cocktails auf den Tischen. Helle Holzmöbel, stylisches Zeug. Trotzdem fand er einen Platz am Fenster.

Setzte sich. Inspizierte die Straße.

Entdeckte schließlich den grauen Motorradhelm. Weit hinten, zwischen zwei geparkten Fahrzeugen auf der gegenüberliegenden Straßenseite.

Er bestellte einen Wodka. Den brauchte er jetzt. Nur einen. Er musste einen einigermaßen klaren Kopf behalten.

Wie hatten sie ihn gefunden?

Für US-Geheimdienste war das wahrscheinlich kein Kunststück. Steve besaß zwei Kreditkarten. Eine Bankkarte. Ein Mobiltelefon. Lebte und arbeitete unter seinem offiziellen Namen. Das deutsche Meldegesetz verpflichtete jeden Bewohner, sich an seinem Wohnort zu registrieren. Nicht unwahrscheinlich, dass die Geheimdienste sich das ebenfalls ansahen.

Glühend heiß fiel Steve sein Telefon ein.

Mit spitzen Fingern holte er es hervor.

Hatten sie ihn etwa schon gehackt und konnten damit all seine Bewegungen verfolgen?

Aber warum sollten sie dann gleich mehrere Menschen persönlich hinter ihm herschicken?

Doch wenn sie es noch nicht infiltriert hatten, war es nur eine Frage der Zeit, bis es so weit war.

Er öffnete Franks Nachricht.

Sorry, dass ich mich so spät melde! Kein Durchkommen in DH. Was Wunder! A sagt auch sorry! Aber: Bleib ruhig! Du bist sicher! Für den Fall der Fälle hast du das Telefon.

Das altmodische Telefon. Wie lange hatte er nicht daran gedacht. Seit er mit Catherine zusammengezogen war? Eineinhalb Jahre?

Keiner der Verfolger war in das Lokal gekommen.

Jemand war also hinter ihm her. Verdächtigten sie ihn nur? Oder wussten sie, was er getan hatte? Aber warum sollten sie dann warten? Und ihn bloß beschatten statt verhaften? Vielleicht hatte Frank recht. Erst einmal unauffällig verhalten.

In diesem Moment wurde ihm klar, dass er bei seinen seinerzeitigen Vorkehrungen einen großen Fehler begangen hatte. Oder nachlässig geworden war. Wohl in der insgeheimen Hoffnung, sie nie in Anspruch nehmen zu müssen.

Er konnte gar nicht sofort untertauchen.

Er zahlte und verließ das Lokal.

33

President Arthur Jones @POTUS

Ich werde eine Ansprache halten um 20.00 Uhr griechischer Zeit, 19.00 MEZ, 18.00 GMT, 13.00 ET.

34

»Jetzt noch den Niketempel, dann haben wir's«, sagte Alex gut gelaunt. »Komm!«, rief er und streckte Dana die Hand entgegen. Sie spürte die Hitze und die Müdigkeit nach dem Stress der vergangenen vierundzwanzig Stunden. Sie griff zu und ließ sich von ihm über ein großes Ruinenstück helfen. Er zog sie weiter, und sie ließ es zu. Seine Energie verlieh ihr ein wenig Schwung. Er hatte einen festen und doch angenehmen Griff, trotz der Temperaturen war seine Hand trocken, und auf seinem T-Shirt zeichneten sich kaum Schweißflecken ab.

Seit mehr als einer Stunde spazierten sie über den Festungsberg. Alex erwies sich als ausgezeichneter Fremdenführer.

»Ich habe das früher öfter für einen Freund meiner Eltern gemacht«, erklärte er. »Außerdem hat mich das antike Athen immer fasziniert.«

Er erzählte kurze, unterhaltsame Anekdoten zu den verschiedenen Tempeln und Bauten, zu ihrer Geschichte unter den Osmanen; als der Parthenon zur Moschee mit Minarett umgebaut oder das mittlerweile zur Kirche gewordene Erechtheion zum Harem umfunktioniert worden war. Dazwischen genoss sie die Blicke über die Stadt, die sie von dem Felsen aus hatten. Bis zum Meer. In der diesigen Luft ging sein Blau horizontlos direkt in den Himmel über.

Der Niketempel stand am Rand des weitläufigen Geländes,

weshalb sie ihn zuletzt besuchten. Den kleinen Tempel konnten sie nur aus einigem Abstand sehen. Sie blieben stehen, und Alex ließ ihre Hand wieder los. Ein bisschen atemlos und erhitzt betrachtete Dana das kleine Gebäude mit den hübschen Proportionen.

»Ich mag den fast am liebsten«, sagte Alex.

Auch Dana gefiel er am besten von all den eindrucksvollen Bauten, die sie hier oben gesehen hatte.

Alex erzählte knapp von der wechselvollen Geschichte des Kleinods, dann rief er: »Jetzt haben wir eine Abkühlung verdient!«

Wieder fasste er ihre Hand und zog sie mit sich. Seine Berührung hatte etwas Selbstverständliches, deshalb ließ sie ihn gewähren. Am Ausgang wandten sie sich um und bewunderten ein letztes Mal das Panorama.

Rasch spazierten sie den Burgberg hinab. Nach etwa zwei Drittel des Weges bog Alex vom Hauptweg ab. Diesen Pfad nahm kaum jemand.

»Wohin gehen wir?«

»Weg von den Touristentrampelpfaden.«

In einer Taverne unterhalb der Mauern fanden sie ein schattiges Plätzchen im Garten. Eine Schilfmatte auf einem Metallgerüst spendete notdürftig Schatten. Darunter standen sechs grobe Holztische mit je vier Stühlen. Vier davon waren besetzt. Die meisten Gäste sahen wie Einheimische aus, die sich nach der Arbeit ein Glas Wein am Spätnachmittag gönnten. Alex bestellte für sie beide.

Erst als Dana in einem Gespräch am Nachbartisch das Wort Turner hörte, wurde ihr bewusst, dass sie fast zwei Stunden lang nicht an den Grund ihres Aufenthalts in der Stadt gedacht hatte.

Dankbar lächelte sie Alex an.

»Was?«

»Nichts.«

Die Kellnerin brachte ihre Getränke. Einen großen Krug Wasser, zwei kleine Gläser mit Wein.

»Danke«, sagte Dana zu Alex, als er Wasser einschenkte. »Das war ein sehr netter Nachmittag.«

»Gern geschehen.«

Sie schnappte ihr Telefon und schoss ein paar Bilder. Sonnenstrahlen, dünn wie Fäden, die durch die Schilfmatte stachen. Trinkende Griechen an den Nachbartischen. Einen lachenden Alex.

Kurz flippte sie durch die Fotos der vergangenen Stunden. Von der Akropolis hatte sie auf jeden Fall genug Bilder.

Noch immer wurde ihr Telefon auf allen Kanälen von Nachrichten geflutet.

»Entschuldige kurz«, sagte sie zu Alex. Sie hielt nur nach den wichtigsten Absendern Ausschau. Eine der jüngsten Nachrichten kam von Vassilios.

Schon gelesen? Freundschaft!

Dazu ein Smiley und ein Dutzend Links. Dana sah Alex um Verzeihung bittend an, nahm das Weinglas. Prostete ihm zu.

»Ich muss das nur kurz lesen, dann bin ich wieder bei dir.«

Dana tippte den ersten Link an.

Ein Blog, den Dana nicht kannte, präsentierte eine fette Überschrift:

Das kommunistische Gericht!

Darunter war das Bild einer Demonstration zu sehen. Es musste ein paar Jahre alt sein. Ein wenig unscharf, die Farben etwas verblasst. Plakate und Transparente. Viele junge Menschen. Solche Klamotten hatte man vor zehn Jahren getragen.

Hoch die internationale Solidarität!
Nieder mit dem Kapitalismus!
Stopp US-Imperialismus!
ANTIFA!
Peace!
Stop Racism!
Unser Klima ist unsere Zukunft!

Himmel, wofür oder wogegen hatten denn die demonstriert? Alles auf einmal? Gleichzeitig kam ihr die Szene verdammt vertraut vor.

Ein roter Kreis um ein Gesicht in der Menge. Direkt neben »Stopp US-Imperialismus!«. Der Kreis zeigte eine junge Frau mit langen braunen Haaren, die von einem breiten Band zurückgehalten wurden. Sonst sah man nicht viel, ein bisschen was von einer grünen Schulter.

Ein Parka. Die Erinnerungen kamen wieder hoch. Über dem T-Shirt hatte Dana einen Parka getragen. Ein grauer Herbsttag in Berlin. Elf Jahre war das her. Millionen waren weltweit auf die Straßen gegangen. Vorwiegend Schülerinnen, Schüler, Studierende, aber nicht nur. In erster Linie war es um die Folgen der Wirtschaftskrise von 2008/9 und das Klima gegangen. Weniger Brutalität gegen Staaten wie Griechenland. Ironie der Geschichte, dass sie nun hier saß. Drei Stunden waren sie durch die Stadt gezogen. Zwei weitere hatten sie vor dem Brandenburger Tor ausgeharrt, bei Reden und Musik. Danach Party.

»Dana Marin, heute jene inzwischen weltbekannte ICC-Mitarbeiterin, die Ex-US-Präsident Douglas Turner verhaften ließ, als Studentin auf einer antiamerikanischen Demonstration in Berlin«, erklärte die Bildunterschrift.

»Diese Saukerle«, zischte Dana. »Das war eine Klimademo!«
»Was?«, fragte Alex.
Erschrocken blickte Dana hoch.

»Nichts.«

Den Artikel dazu wollte sie gar nicht lesen. Konnte dann aber doch nicht widerstehen.

Schon in jungen Jahren war Dana Marin offensichtlich eine An-hängerin extremistischer Ansichten. Wie diese Aufnahme zeigt, engagierte sie sich als Studentin in Agitationen für kommunisti-sche und antiamerikanische Ideen. Bekannte von damals bezeich-nen sie als »sehr engagiert, sehr emotional, kompromisslos«.

»Dana war Hardcore-Antiamerika«, erklärt ihre Studienkol-legin M. B. (Name dem Verfasser bekannt), »wir nannten sie die Rote Bery.«

Wie bitte?! Was für ein Müll war denn das? Niemals hatte Dana sich auch nur in die Nähe des kommunistischen Engagements be-wegt. Noch war sie grundsätzlich gegen die Vereinigten Staaten eingestellt. Sie hatte sogar zwei Jahre dort studiert und gelebt. Und war mindestens ein Dutzend Mal dorthin gereist. Davon stand in dem Artikel jedoch kein Wort, stellte sie beim Wei-terlesen fest. Bloß ein paar weitere erfundene Zitate angeblicher ehemaliger Weggefährten und sogar Liebhaber!

Nichts davon war wahr.

Ohne aufzusehen, kippte sie einen weiteren Schluck von dem Wein hinunter.

Mit heißem Kopf öffnete sie die übrigen Links aus Vassi-lios' Nachricht. Einige führten zu weiteren Blogs. Andere zu Postings auf Facebook und Twitter. Die schon zehntausendfach geteilt, gelikt und kommentiert worden waren. Immer dasselbe Bild. Ähnliche Schlagzeilen. In sieben verschiedenen Sprachen. Wahrscheinlich gab es noch mehr. Vergleichbare Drecksartikel darunter.

Am liebsten hätte Dana das Telefon auf den Boden geschmettert. Aber davon ging die Schmutzkampagne da draußen auch nicht weg.

Mit zittrigen Fingern tippte sie eine Antwort an Vassilios.

Dreckskerle! Lauter Lügen! Davon lasse ich mich nicht einschüchtern!

Sie legte das Telefon in ihren Schoß, sah zu Alex und versuchte ein Lächeln.

»Was ist los?«, fragte er. Wirkte besorgt. »Du siehst plötzlich gar nicht mehr so fröhlich aus wie eben.«

Noch bevor sie antworten konnte, brummte das Gerät in ihrer Hand.

Ist mir klar. Ich könnte immer noch etwas an Freunde schicken.
Vass ☺

Er meinte natürlich ihre Informationen über das US-Team von Derek Endvor, wollte das bloß nicht zu deutlich schwarz auf weiß schreiben. Vassilios hatte recht. Sie kämpften hier gegen einen übermächtigen Gegner. Der keine Skrupel kannte.

Dana tippte.

Könntest du …

Dann steckte sie das Telefon weg. Lächelte Alex an.

»Erzählst du mir jetzt einmal, was du hier machst und was so wichtig ist?«, fragte er.

Dana legte ihre Hand kurz auf seine.

»Ist nichts«, sagte sie und griff wieder nach ihrem Weinglas. »Jamas!«

35

Steve steckte den Schlüssel in das Schloss und drehte ihn um. Die Wohnungstür war nicht abgeschlossen. Steve öffnete und rief: »'n Abend! Ich bin zu Hause!«

Cath antwortete nicht.

Steve hängte sein Zeug in der Garderobe auf. Sie bewohnten eine Achtzig-Quadratmeter-Wohnung. Vorraum, WC, geräumiges Wohn-Esszimmer mit offener Küche, Schlafzimmer, Bad.

Weder im Wohnraum noch im Schlafzimmer traf er Cath an. Aus dem Bad hörte er ein Rauschen. Cath stand unter der Dusche.

Unter anderen Umständen hätte er angeboten, sich dazuzustellen. Oder es einfach getan.

Heute schlich er wieder hinaus.

Im Abstellraum hinter der Küche hatten sie in einem großen Schrank allerhand Kram verstaut, den sie nie benötigten. Erinnerungen, Weggelegtes, Vergessenes. Seit Monaten, wenn nicht Jahren unberührt.

Steve beeilte sich. Die Kartonbox stand ganz unten, ganz hinten. Steve musste zwei andere Schachteln, einen verstaubten Entsafter, zwei nie aufgehängte Bilder und ein paar alte Bücher wegräumen, bevor er die gesuchte Box fand.

Er setzte sich im Schneidersitz hin und stellte sie auf seine Beine. Dann öffnete er den Deckel.

Der Mann Steve gegenüber schloss seinen Koffer, in dessen Schaum-gummipolsterung das Aufnahmegerät und das Mikrofon gebettet waren. Der Laptop stand geöffnet daneben.

In dem fensterlosen Raum saßen sechs Personen: der Mann, der Steves Stimme aufgenommen und mit jener von dem Videoband verglichen hatte. Ann, die Menschenrechtsanwältin. Frank, Steves Anwaltsfreund. Ein Mittvierziger vom International Criminal Court, der sich als Ted vorgestellt hatte. Eine junge Frau vom ICC namens Dana.

»In Ordnung«, sagte der Gutachter. Er drehte den Laptop, sodass die anderen an dem Tisch den Monitor sehen konnten. In einem Fenster waren die Auf-und-ab-Balkendiagramme einer Tonaufnahme zu sehen. In einem Fenster darunter ein weiteres Diagramm, das dem ersten sehr ähnlich sah.

Mit einem Fingerstrich über das Trackboard des Laptops legte er die beiden übereinander.

Deckungsgleich.

»Das ist Ihre Stimme«, sagte der Mann.

Steve nickte.

»Ich weiß.«

Die ICC-Leute sahen sich an.

Nickten.

»Das ist ein großer Schritt«, sagte Ted. »Danke, dass Sie uns diese Aufnahmen zur Verfügung stellen.«

Der Tontechniker klappte seinen Laptop zu.

»Das komplette schriftliche Gutachten erhalten Sie in spätes-tens vier Wochen«, sagte er zu Ted und Dana.

Der Mann verließ den Raum.

»Drei unabhängige Gutachten«, sagte Ted. »Das muss genü-gen. Danke noch einmal, dass Sie sich dazu bereit erklärt haben. Ihre Anonymität bleibt weiterhin gewahrt. Wir erreichen Sie jederzeit über Ann und Frank.«

Er legte die Hände auf den Tisch, als ob alles erledigt wäre und er sich erheben wollte.

»Eine Sache habe ich noch«, sagte Ted. »Wie gesagt, wir tun alles für Ihre Anonymität. Trotzdem kann man gewisse Entwicklungen nie ausschließen.« Er senkte den Blick in Steves. »Sie wussten, welche Konsequenzen diese Geschichte für Sie haben kann. Nicht muss. Aber kann.«

Er legte ein einfaches Mobiltelefon auf den Tisch.

»Sollten Sie jemals das Bedürfnis haben oder sollte die Notwendigkeit bestehen, direkt Kontakt mit uns aufzunehmen, verwenden Sie dieses Telefon. Es ist ein anonymer Burner. Darin ist eine einzige Nummer gespeichert. Und eine verschlüsselte E-Mail-Adresse. Damit erreichen Sie jederzeit die Zeugenschutzabteilung des ICC. Mich. Oder wer immer dann für den Fall zuständig ist. Wenn überhaupt, wird das erst in ein paar Jahren sein. Heben Sie das Telefon gut auf. Testen Sie von Zeit zu Zeit, ob es noch funktioniert. Sollte es das irgendwann nicht mehr tun, sagen Sie Frank Bescheid. Dann lassen wir Ihnen über ihn ein neues zukommen.«

Steve starrte auf das Gerät.

Es jetzt zu nehmen, bedeutete einen weiteren Schritt auf dem Weg. Dabei war er sich nach wie vor nicht sicher, ob er nicht völlig verrückt war.

»Du kannst immer noch zurück«, sagte Frank.

Die Mienen der anderen im Raum waren regungslos.

Ted legte ein Ladekabel neben das Gerät.

»Das brauchen Sie auch.«

Steves Blick hatte sich nicht verändert.

Steve wischte sich mit der Hand über das Gesicht und starrte in die Kartonbox.

Darin lagen zwei alte Fotobüchlein, verwickelte Kabel, ein Reisesteckdosenadapter, ein paar Prospekte.

Ein altmodisches Mobiltelefon. Mit Tasten.

Ein dazu passendes Ladekabel.

Er hatte gehofft, es nie zu brauchen.

Er hatte ein Leben. Catherine, die er liebte, die Kinder mit ihm wollte.

Die nichts ahnte.

Die er nicht gefährden wollte, indem er sie einweihte.

Würde sie ihn verstehen? Würde sie ihm irgendwann verzeihen?

Er legte Telefon und Ladegerät neben sich und schloss die Schachtel wieder.

Dann räumte er sie zurück an den Platz ganz unten, ganz hinten.

In eine freie Steckdose in dem Abstellraum stöpselte er das Ladegerät.

Catherine hatte fertig geduscht.

Steve überraschte sie im Bad.

»Guten Abend!«

»Du bist schon da!«

»Lass dir ruhig Zeit. Was wollen wir zu Abend essen?«

»Wir haben Aufschnitt, Brot, Salat und Gemüse, Käse.«

»In Ordnung.«

Steve lief zurück in den Abstellraum. Das Telefon war inzwischen einsatzbereit.

Erhalten hatte er es vor drei Jahren. Ob die Nummern und Adressen wirklich noch funktionierten?

Steve tippte eine Nachricht an die gespeicherte Adresse.

Jemand folgt mir. Was tun? Nach Den Haag kommen?

Er rechnete nicht sofort mit einer Antwort und schob das Telefon hinter ein Regal. Dann ging er in die Küche. Im Kühlschrank fand er eine angebrochene Flasche Rotwein. Er schenkte sich ein Glas ein. Nahm einen Schluck.

Dachte nach.

Zog sein normales Telefon hervor.

Wischte und tippte sich durch die neuesten Nachrichten. Immer mit dem Hintergedanken, dass womöglich jemand sämtliche seiner Aktivitäten auf dem Handy verfolgte. Aber er war in diesem Augenblick sicher nicht der Einzige, der sich über die Entwicklungen rund um den Ex-US-Präsidenten informierte. Turner war noch immer in Haft.

»Krieg ich auch eines?« Catherine, in T-Shirt und leichter Hose, das Haar nass zurückgekämmt.

Steve schenkte ihr Wein in ein Glas.

»Wie war dein Tag?«, fragte sie gut gelaunt.

36

Von der Kneipe aus konnte Sean den Schiffen im Hafen zusehen. Ein Containerkran reihte sich an den nächsten. Beluden Riesenschiffe. Entluden Riesenschiffe. Nach der Finanzkrise 2008/9 hatten die Chinesen den Hafen nach und nach übernommen. Und nach und nach zu einem der größten Häfen Europas ausgebaut.

Mahir trug einen typischen Sommeranzug, heute in fast farblosem Elfenbein. Dazu einen Krokoleder-Aktenkoffer. Wie ein Börsenbroker aus den Achtzigerjahren. Lackaffe.

Er setzte sich zu Sean.

»Und? Schöne Unterkunft?«

»Geht so.«

»Geld ist angekommen?«

Sean nickte.

»Bestens. Was braucht ihr?«

»Zwei Eurocopter 135«, sagte Sean.

»Ein Modell der griechischen Polizei.«

»Am besten gleich in Polizeidesign.«

»Am besten gleich original Polizeihubschrauber?«

»Sehr witzig. Wann können wir sie bekommen?«

»Wie versprochen: innerhalb von zwölf Stunden.«

»Die Villa hat einen Helipad.«

»Ich dachte mir schon so etwas ... Wird morgen direkt geliefert. Oder wollt ihr sie abholen?«

»Abholen. Wo?«

Mahir nannte ihm eine Adresse.

»In Ordnung. Zwei von uns werden morgen da sein. Null-neunhundert?«

»Passt. Was noch?«

»10 Beretta M9. 10 SCAR-H, CQC. Munition.«

»Schusssichere Westen?«

»Haben wir.«

»Eine für Turner?«

»Haben wir auch. Was denkst du?«

»Just checkin'.«

Mahir reichte ihm einen USB-Stick.

»Intel«, sagte er.

»Ernsthaft?«, fragte Sean.

Mahir verdrehte die Augen. Öffnete den Koffer. Übergab Sean einen ziegeldicken Stapel Papiere.

»Besser«, sagte Sean. Verstaute das Material in der mitgebrachten Messengerbag.

»Gibt es schon einen Zeitplan?«, fragte er.

»Nein. Die Situation bleibt fluide.«

Sean nickte.

»Bekomme ich unseren Auftraggeber mal zu sehen? Oder zu sprechen?«

Mahir grinste.

»Ich dachte schon, dass du das gern hättest.«

Er zückte sein Telefon.

»Hier. Er schickt dir eine Videobotschaft.«

Auf dem Monitor erschien ein Typ in Seans Alter. Smart. Gut aussehend.

»Hallo, Sean, ich bin Derek Endvor. Ich bin mit einem Spezialistenteam im Auftrag von Präsident Arthur Jones in Athen. Wir holen Douglas Turner raus. Schön, Sie an Bord zu haben! Ehrlich gestanden: Ich hoffe, wir brauchen Sie nicht. Aber für den Fall der Fälle: alles Gute! Wir geben Bescheid.« Er hob einen Burner ins Bild, wie Sean ihn von Mahir bekommen hatte.

Sean nickte.

»Kenne ich nicht, den Typ«, sagte er und zückte sein eigenes Telefon. Suchte den Namen im Internet. Bekam rasch Abertausende Ergebnisse. Dieser Endvor war also kein Unbekannter. Sonderberater von Präsident Arthur Jones im Wahlkampf. Die Fotoergebnisse zeigten eindeutig die Person, die Sean gerade auf dem Video gesehen hatte.

»Zeig es mir noch einmal.«

Mahir spielte das Filmchen ein zweites Mal ab.

Ja, das war der Typ. Kam direkt vom Präsidenten.

Na dann. Sean nickte Mahir zu.

Mahir steckte das Telefon weg.

Sean packte seine Tasche und ging.

37

»Mister President, es ist alles vorbereitet«, erklärte Kim, während sie durch die Flure des Westflügels hasteten. Abseits der üblichen Pressebriefings und Ansprachen zu Feiertagen sowie anderen klassischen Anlässen hatte Arthur Jones während seiner Präsidentschaft bislang nur wenige kurzfristig anberaumte Reden gehalten, die live gesendet wurden. Bei dieser würde die halbe Welt zusehen.

Jones betrat das Oval Office, nickte dem Kamerateam kurz zu und ließ sich an seinem Tisch nieder. Kim blieb beim Kameramann. Fixierte den Screen. Eine Assistentin bürstete die letzten Flusen von Jones' Jackett, zog eine letzte Falte im Stoff glatt, tippte noch einmal mit einem Kamm an sein Haar. Huschte aus dem Bild.

Blick auf den Teleprompter.

»Wir können«, sagte er und straffte sich noch ein Stück.

Der Regisseur hob die Hand, zählte: »In drei, zwei, eins.«

»Guten Tag, liebe Landsleute!«, sagte der US-Präsident auf Danas Telefondisplay. Sie und Alex schauten gemeinsam an ihrem Tisch. In Washington war früher Nachmittag. Jones und seine Leute hatten diese Ansprache zeitlich nicht für die Amerikaner angesetzt, sondern für die Griechen. Beste Primetime. Wenigstens ein Drittel der übrigen Restaurantgäste hing gleichfalls über ihren Telefonen. Aus allen drang leiser oder lauter Arthur Jones' Ansprache.

»Gestern wurde mein Vorgänger im Amt des Präsidenten der Vereinigten Staaten, Douglas Turner, im Auftrag des International Criminal Court in Athen verhaftet. Wir betrachten dieses Vorgehen als unzulässigen und unerträglichen Eingriff in die Unabhängigkeit und die Freiheit unseres großartigen Landes. Die Vereinigten Staaten können einen derartigen Angriff auf ihre Souveränität nicht zulassen. Daher werden wir uns mit allen uns zur Verfügung stehenden Mitteln dagegen wehren.«

Immer mehr Menschen im Lokal griffen neugierig zu ihren Telefonen oder stellten sich an andere Tische, um zuzusehen.

»Wir fordern den International Criminal Court auf, den ungerechtfertigten und unfairen Haftbefehl gegen den Ex-Präsidenten sofort aufzuheben. Ebenso verlangen wir von den griechischen Behörden die sofortige Freilassung Douglas Turners.«

»Das sind unabhängige Gerichte«, zischte Alex. »Was bildet der sich ein?«

»Die Vereinigten Staaten stehen fest an der Seite ihrer westlichen Verbündeten.«

Aufmerksam verfolgte der deutsche Kanzler die Worte im großen Zentralfenster der Videokonferenz. In den zweiundzwanzig kleinen Fenstern daneben und darunter waren ihm die Hälfte der europäischen Staatschefs und diverse führende EU-Funktionäre zugeschaltet. Alle starrten gebannt auf die Bildschirme vor ihnen.

»Diese Loyalität erwarten wir auch von unseren Freunden in Griechenland«, erklärte Arthur Jones, »und in Europa.«

Die Botschaft war klar. Jones wusste, dass ihm gerade alle zuhörten.

»Umso mehr schmerzt es mich, dass uns die Entwicklungen nun zu unkonventionellen Maßnahmen zwingen. Sanktionen gegen Mitarbeiter und ihre Angehörigen des ICC sind schon seit Längerem in Kraft. Diese werden ab sofort ausgeweitet auf die Mitarbeiter aller jetzigen zuständigen griechischen Gerichte und deren Angehörige sowie zukünftige Mitarbeiter.«

»Das ist ungeheuerlich«, hörte der Kanzler den EU-Ratspräsidenten schimpfen. Auch andere äußerten ihren Unmut.

»Sollte Douglas Turner nicht bis vierundzwanzig Uhr griechischer Zeit ein freier Mann sein, werden weitere Schritte ergriffen. Ab dann gelten hundert Prozent Zoll für bestimmte Exportprodukte aus Griechenland in die Vereinigten Staaten, darunter Käse, Wein und Olivenöl. Schiffen unter griechischer Flagge oder von griechischen Reedereien oder mit griechischen Produkten an Bord wird das Einlaufen in US-Häfen ebenso verboten wie die Landung griechischer Flugzeuge auf US-Airports.«

»Dieser Mistkerl, das ist glatte Erpressung«, fluchte der französische Präsident. Andere schlossen sich an.

Von einigen hörte der Kanzler Stöhnen, jemand sagte: »Wie im Kindergarten, man glaubt es nicht.«

»Auf den nächstliegenden NATO-Stützpunkten wurden inzwischen US-amerikanische Einsatzkräfte in Alarmbereitschaft versetzt«, sagte Arthur Jones.

Mit seiner Truppe hing Sean vor dem Riesenfernseher in einer der Lounges ihres luxuriösen Hauses.

»Meint der uns?«, fragte Sal. »Wir sind schon vor Ort.«

»Einsatzkräfte, Alarmbereitschaft. Nicht Spezialteams, die sich vorbereiten«, sagte Sean. »Säbelrasseln.«

»Nicht gut«, sagte Dino, »die Griechen werden die Sicherheitsmaßnahmen erhöhen.«

»Scht.« Sean machte ein Zeichen, dass er weiter zuhören wollte.

»An dieser Stelle möchte – ja muss – ich noch ein Wort an jene US-Bürger richten, die womöglich meinen, in dieser Sache mit dem International Criminal Court zusammenarbeiten zu wollen.«

Über Steves Rücken lief eine Gänsehaut. Breitete sich über den ganzen Körper aus. Hoffentlich sah Catherine die aufgestellten Haare an seinen Unterarmen nicht. »Die Weitergabe von Informationen an den ICC durch US-Bürger steht unter Strafe und wird schwer geahndet. Sollte tatsächlich jemand unser großartiges Land verraten wollen, dann ist jetzt der Moment, innezuhalten und gut nachzudenken.«

Steve hielt sich an seinem Weinglas fest, um sein Zittern zu verbergen.

»Wir werden keine Gnade walten lassen und Verräter mit der vollen Härte des Gesetzes und allen Mitteln verfolgen und zur Rechenschaft ziehen.«

»Da muss es wen geben«, meinte Cath, ohne den Blick vom Bildschirm zu nehmen. »Sonst würde er das nicht extra bei dieser Gelegenheit erwähnen.« Sie nahm einen Schluck von ihrem Wein. »Das muss ein Irrer sein.«

Steve leerte sein Glas in einem Zug. Griff nach der Flasche, um sich nachzuschenken. Sie zitterte in seiner Hand, als hätte er eine Nervenkrankheit. Ganz schnell stellte er sie wieder ab, bevor Cath es bemerkte.

»Mit unseren Freunden in Griechenland und Europa bedauere ich sehr, auf diese Weise kommunizieren zu müssen«, fuhr Jones fort. Inzwischen schauten fast alle Restaurantgäste rund um Dana und Alex und mit ihnen das Personal. Die vereinzelten Passanten auf der Straße. An ihren Telefonen. Auf dem Fernseher über dem Tresen. »Aber ich bin ebenso davon überzeugt, dass die überwiegende Mehrheit der Verantwortlichen in Griechenland ebenso wie die griechische Bevölkerung unsere gemeinsamen westlichen

Werte von Freiheit und Unabhängigkeit teilt und verteidigen möchte und deshalb genau weiß, was zu tun ist. Auf Wiedersehen.«

Dana ließ den Livestream laufen. Wechselte einen Blick mit Alex.

»So ein Arsch«, sagte der. Langsam hoben sich rings um sie die Köpfe. Das Getuschel wurde lauter. An manchen Tischen brachen Diskussionen los. Andere kehrten zu ihren Mahlzeiten zurück. Die Kellner nahmen ihre Arbeit wieder auf, eilten hurtig zwischen den Tischen umher. Auf der Straße bildeten sich Grüppchen. Die meisten jedoch zogen weiter ihres Weges. Dana spürte erst jetzt, dass während der Rede Schweiß ihren ganzen Körper überzogen hatte. Auffallen würde es niemandem, der Abend war immer noch warm. Was jedoch, wenn sie jemand hier erkannte? Und ihr die Schuld an der Misere gab? Aus dem Telefon schallten leise und blechern erste aufgeregte Kommentare von TV-Köpfen.

»Wie werden die Griechen reagieren?«, fragte sie Alex.

»Kann ich dir echt nicht sagen.« Er zuckte mit den Achseln. »Der redet von Freiheit und Unabhängigkeit. Zum Teufel!«, rief er und zeigte auf die beleuchtete Akropolis über ihnen. »Wir haben die Freiheit erfunden, die Demokratie. Vor zweitausend Jahren! Und die Amis? Haben das gerade mal vor zweihundert Jahren geschafft. Der soll uns nichts von Freiheit und Unabhängigkeit erzählen. Jamas!«

Nicht alle werden deiner Meinung sein, dachte Dana. Erst recht nicht morgen früh, sobald die Sanktionen gelten. Sie zwang sich zu einem Lächeln.

38

Die dunklen Locken hingen dem Mann in die Augen. Sein Fünf-
tagebart bedeckte seine Wangen fast bis zu den Backenknochen.
Er war etwa eins fünfundachtzig groß, schlank, athletisch, sehnig. Über der braun gebrannten Haut trug er ein verwaschenes
T-Shirt, zerschlissene Jeans und Sneakers. Er lehnte an einer
Hauswand, die Hände in den hinteren Hosentaschen, einen Fuß
an der Mauer. An ihm vorbei schoben sich die Touristenmassen
durch die schmale Gasse Richtung Akropolis oder zu den Restaurants in den umliegenden Straßen. Sie waren hungrig. Betrachteten die billigen Souvenirs in den Läden entlang ihres Weges.
Studierten Speisekarten, versuchten, den Bauernfängern vor den
Lokalen auszuweichen. Oder hörten ihnen interessiert zu. Sein
Blick wanderte über die Köpfe. Die meisten sahen aus wie Pau-
schalreisende. Nicht viel zu holen. Hängen blieb er schließlich
an einem Pärchen. Sie eine hochgeschossene Blondine, Typ ehemalige Miss Provinz-Irgendwo. Er wenigstens so groß wie sein
Beobachter, breiter, mehr Muskeln, aber aus dem Fitnessstudio.
Teure Kleidung. Die selbstsicheren Bewegungen erfolgreicher,
schöner Menschen. Die in diesem Umfeld fast in Ungeduld aus-
arteten angesichts der Tatsache, dass man ihre Besonderheit nicht
erkannte oder ignorierte.

Er löste sich von der Mauer und folgte ihnen mit einigem Abstand. Er war groß genug, sie bequem im Auge zu behalten. Sie

wandten sich nicht um. Bemerkten ihn nicht. Warum sollten sie auch? Bis zur übernächsten Kreuzung hatte er sie fast erreicht. Der Trubel war nicht weniger geworden. Im Gegenteil. In dem Getümmel würden sie seine Hände in ihren Taschen nicht bemerken. Üblicherweise. An dieser Stelle würden sie nicht einmal damit rechnen. Wenige Meter weiter patrouillierten zwei Polizisten. Hier fühlten sich alle sicher.

Er war jetzt direkt hinter ihnen. Körperkontakt fiel in dem Gedränge nicht auf. Er selbst wurde beständig von der einen oder anderen Seite angerempelt. Die Frau trug ihre Handtasche unter den Arm geklemmt, der Mann nur ein legeres Hemd. Geld, Kreditkarten, Telefon musste er in den Hosentaschen verstaut haben.

Er griff zu. Mit der linken nach der Handtasche. Mit der rechten in die linke Gesäßtasche des Mannes. Dann in die rechte. Papier.

Die Frau schrie auf. Er zerrte an der Handtasche. Steckte seine andere Hand in die vordere Hosentasche des Mannes. Der wirbelte herum. Blitzte ihn an. Schrie ihn an. Auf Schwedisch, meinte er zu erkennen. Die Frau klammerte sich an ihre Handtasche. Der Mann schlug zuerst auf seine Arme. Dann in sein Gesicht. Er wich nur halb aus. Bekam die Faust gegen den rechten Backenknochen. Harmlos. Jetzt hatte er die Handtasche. Der Mann brüllte noch lauter. Prügelte jetzt auf ihn ein.

Er wandte sich um, setzte zum Davonlaufen an. Doch hier war es viel zu eng. Viel zu viele Menschen. Schon zerrten andere Hände an seinen Armen, seinem T-Shirt. Klammerten sich um seine Handgelenke, zogen an seinem Hosenbund, zerrissen sein T-Shirt. Stimmen in verschiedenen Sprachen riefen durcheinander. Jetzt hörte er auch die Polizei. Immer mehr Hände rissen an ihm, Füße traten ihn, drückten ihn zu Boden.

Dann waren die Polizisten über ihm. Ein Schlagstock traf ihn hart gegen die Schulter. Schützend hob er den Arm vor das Gesicht. Jemand entriss ihm die Handtasche. Zwei weitere Schläge trafen seine Unterarme. Zwei die Rippen. Jemand verdrehte seine Handgelenke so schmerzhaft, dass er sich auf den Bauch drehte. Ein Knie schwer und spitz in seinem Rücken. Sein Gesicht im Staub der Gasse. Dann spürte er die Handschellen.

39

»Seht«, sagte Trevor und zeigte ihnen auf den Monitoren im Lagezentrum die Bilder der Überwachungskameras. Straßenansichten einer mitteleuropäischen Stadt, dachte Derek. Wackelige Bilder auf Kopfhöhe folgten mit einigem Abstand einem Radfahrer. Wechselnde Ansichten. Dann waren die Aufnahmen wieder stabiler. Sie mussten von verschiedenen Personen in verschiedenen Fahrzeugen stammen. Ein Team von Beobachtern, vermutete Derek, Radfahrer, Motorrad, Pkw.

»Das kam eben aus München«, erklärte Trevor. »Dort haben wir ein Team auf Steve Donner angesetzt. Und jetzt schaut her.«

Der verfolgte Radfahrer hielt an einer Kreuzung. Warf einen Blick über die Schulter. Bog nach rechts ab. Strampelte los. Bog an der nächsten Kreuzung nach links ab.

»So geht das jetzt ein paar Minuten lang«, erklärte Trevor, während wechselnde Fahrzeuge dem Radfahrer folgten, der öfter über seine Schulter blickte und ziemlich häufig nach links oder rechts abbog. Auch wenn er eine generelle Richtung hielt, wie Derek auffiel. Weder fuhr er im Kreis, noch kehrte er um.

»Komplizierte Route«, sagte er.

»Wir glauben, dass er unsere Leute entdeckt hat und testet, ob sie ihn tatsächlich verfolgen.«

Nach einer Weile schloss der Mann sein Rad an ein Verkehrsschild an und verschwand in einer Kneipe.

»Dort sitzt er eine Weile«, erklärte Trevor und stellte auf Zeitraffer. Bis Steve Donner das Lokal wieder verließ, sein Rad losschloss und weiterfuhr. Weiterhin in Zeitraffer. Mit deutlich weniger Abzweigungen und ohne Schulterblicke.

»Wohin fährt er?«, fragte Derek.

»Nach Hause«, sagte Trevor.

»Hier wirkt er aber wesentlich entspannter«, stellte Derek fest.

»Zwei Möglichkeiten«, sagte Trevor. »Entweder kam er zu dem Schluss, dass da doch niemand ist. Oder – und das ist mein Tipp – er hat unsere Leute gesehen. Und musste nachdenken, was er nun macht. Deshalb hielt er bei der Kneipe. Entschied, dass unauffälliges Verhalten vorläufig am besten ist.«

»Dafür war er davor aber schon recht auffällig.«

»Nun ja, aber nicht eindeutig«, wandte Trevor ein.

»Wie finden wir das heraus?«

»In seinem Internetanschluss sind wir bereits. An seinem Computer sind wir dran. Offensichtlich wohnt er mit einer Frau zusammen, Catherine Melhor. Bei der schauen wir natürlich auch rein. Die Agentur, in der er arbeitet, ist ziemlich gut gesichert. Aber das kriegen wir auch noch hin.«

»Können wir ihn zu einem Fehler provozieren? Um mehr Klarheit zu gewinnen?«

»Daran arbeiten wir auch bereits«, sagte Ronald.

»Tut mir leid«, sagte der Kellner und gab Dana ihre Kreditkarte zurück. »Wurde nicht akzeptiert.«

»Das muss ein Irrtum sein«, sagte Dana. »Versuchen Sie es noch einmal.«

Verlegen blickte sie zu Alex, während der Kellner die Karte durch das Gerät zog.

Sie saßen im Gastgarten eines besseren Restaurants auf einem Platz, zu dem Alex einen Taxifahrer dirigiert hatte. Dana hatte

darauf bestanden, ihn als Dank für den netten Nachmittagsaus-
flug auf die Akropolis zum Abendessen einzuladen.

Der Kellner schüttelte den Kopf.

»Haben Sie eine andere Karte?«

Hatte sie. Dana kramte sie hervor und reichte sie dem Mann.

Er zog sie durch das Gerät. Wartete.

»Auch nicht«, sagte er schließlich.

»Das kann ja nicht sein«, erwiderte Dana verärgert.

Der Kellner probierte es erneut.

»Nein.«

Gab Dana auch diese Karte zurück.

»Geht auch mit EC-Karte?«, fragte sie.

»Natürlich.«

Erneutes Kramen.

Erster Versuch.

Der Kellner runzelte die Stirn. Versuchte es noch einmal.

»Will auch nicht.«

»Das kann doch nicht ...«, stöhnte Dana.

»Sorry«, sagte sie zu Alex, »das ist mir jetzt wahnsinnig peinlich. Wir kriegen das irgendwie gelöst.«

Hilflos kramte sie erneut in ihrer Handtasche.

»Kein Problem«, sagte Alex, während er ihre Hand beschwichtigend antippte und aus der Gesäßtasche seiner Hose ein paar
Scheine hervorzauberte. »Eigentlich muss ich mich ja für den
charmanten Tag bedanken.«

»Ich verstehe das trotzdem nicht«, murmelte Dana kopfschüttelnd. Auch wenn sie einen vagen Verdacht hatte. Der Kellner
verschwand mit seinem Geld.

Alex rieb seine verbliebenen Scheine zwischen den Fingern.

»Das reicht noch für ein paar Drinks«, sagte er. »Komm!«

»Ich muss morgen arbeiten«, wandte sie ein.

»Einen letzten«, sagte er und bot ihr seine Hand zum Aufstehen. Er machte das geschickt. Nutzte jede Gelegenheit für kurze Berührungen, die völlig natürlich erschienen, nicht aufdringlich. Dana merkte, dass es ihr gefiel. Und sei es nur, weil er außer Vassilios ihre einzige Gesellschaft in dieser fremden Stadt war.

Steve räumte die schmutzigen Teller und das Besteck in den Geschirrspüler. Cath packte die Überbleibsel ihres Abendessens in den Kühlschrank.

»Glaub nicht«, sagte Catherine, »dass ich unsere Diskussion von heute Morgen vergessen hätte.«

Hätte Steve nie geglaubt. Wenn auch gehofft. Seine Gedanken waren bei dem Telefon im Abstellraum. Ob er darauf eine Antwort des ICC finden würde?

»Lass uns bei einem Glas Wein darüber reden«, sagte er.

Mit der leeren Flasche verschwand Steve im Abstellraum. Dort sammelten sie Altglas, wie die Deutschen das so taten. Und hatten ein paar volle Flaschen liegen. Er stellte die leere Flasche in die dafür vorgesehene Tasche. Hörte Cath mit Gläsern und dem Kühlschrank klappern. Zog rasch das Telefon hinter dem Regal hervor.

Ein entgangener Anruf.

Eine neue Nachricht.

Zuerst las Steve die Nachricht.

Ruhig bleiben. Unauffällig verhalten. Keinesfalls nach Den Haag kommen! Falls tatsächlich US-Personal, beobachten sie. Falls sie Konkretes hätten, würden sie aktiv werden. Sind sie aber offensichtlich nicht. Also: Keinen Anlass für Verdacht geben.

Keine weitere Nachricht in der Voicemail. Die Anrufer hielten sich nach Möglichkeit bedeckt.

In diesem Moment war Steve nicht böse darüber. Er hätte sie ohnehin nicht unauffällig abhören können.

Sauer war er bloß über den Inhalt der Nachricht: ruhig bleiben. Leicht gesagt! Wahrscheinlich war der amerikanische Geheimdienst hinter ihm her! Und er sollte ruhig bleiben?

Der denkbar schlechteste Moment, mit Catherine zu diskutieren.

Vielleicht konnte er das Thema in eine andere Richtung biegen. Wahrscheinlich nicht.

Er schob das Telefon zurück hinter das Regal, packte eine Flasche Rotwein und kehrte in die Küche zurück.

Sie spazierten durch den lauen Abend. Die Straßen waren eng und meist ziemlich belebt. Unheimlich viele Kneipen gab es hier. Etliche Häuser waren heruntergekommen. Immer wieder standen echte Ruinen dazwischen, nur notdürftig gesichert. Graffiti überall. Auffällig viele Buchläden, fand Dana. Die Gassen schienen zu einem beliebten Ausgehviertel für junge Leute zu gehören.

Als sie sich einer der Bars näherten, vor denen sich eine Menschentraube mit Gläsern in den Händen versammelt hatte, winkte ihnen jemand zu und rief etwas. Alex winkte zurück.

Sie drängten sich zu einer Gruppe von fünf etwa Gleichaltrigen, drei Männer, zwei Frauen. Lautstarke Begrüßungen, Schulterklopfen. Einer der Typen musterte Dana währenddessen verstohlen. Dann auch eine der Frauen. Ihr wuchs ein Tattoo am linken Hals entlang, hinter dem Ohr bis unter die struppigen dunklen Haare. Auch ihre Arme trugen bunte Tätowierungen.

»Darf ich euch eine Bekannte vorstellen?«, sagte Alex zu ihnen auf Englisch. »Das sind Eleftheria, Tania, Stavros, Manolis, Dimitrios.«

Die Namen würde sich Dana nicht so schnell merken.

»Und das ist Dana. Sie ist ein paar Tage in Athen zu Besuch.«

Die anderen begrüßten sie fröhlich. Der, den Alex als Manolis vorgestellt hatte, sagte: »Ein paar Tage also«, und sah sie durchdringend an. »Dana, nicht?«

»Ja«, sagte sie.

»Alex«, wandte sich Manolis an ihren Begleiter. »Dir ist aber schon klar, wenn du hier anschleppst?«

Danas Gesicht begann zu glühen. Zum Glück konnte das in dem düsteren Licht niemand sehen.

»Was, weshalb?«, fragte Alex.

Manolis schüttelte den Kopf. Dann lachte er. Winkte einer Kellnerin zu, die gerade vorbeilief.

»Sieben Shots!«, bestellte er.

»Himmel, Alex! Du hast aber schon mitbekommen, dass Ex-US-Präsident Douglas Turner bei uns verhaftet wurde?«

»Wie hätte ich das verschlafen sollen.«

»Und auch, dass eine Vertreterin des International Criminal Court in der Stadt ist.«

»Ja natürlich.«

»Stell dir deine Freundin einmal mit zusammengebundenem Haar statt dieser Lockenmähne vor, mit Brille und in einem strengen Kostüm statt dieses Nichts von Sommerkleid.«

Alex' Blick schnellte Richtung Dana.

Sie erwiderte ihn verlegen.

»Du liebe …! Nicht wirklich«, stammelte er. »Das …«

Seine Überraschung wirkte echt.

»Die Kommunistin beim ICC!«, rief Manolis. »Freundschaft!«

Bitte, nicht! Hatte der bereits die Fotos gesehen und Berichte gelesen?

»Wo hatte ich meine Augen?«, rief Alex.

»Genau auf der richtigen Person«, lachte Manolis. »Kann ich verstehen!«

»Stimmt das?«, versicherte sich Alex bei Dana.

»Ja«, sagte sie.

»Warum hast du denn nichts gesagt?!«

»Es war so angenehm, ein paar Stunden Ruhe zu haben von der ganzen Sache«, gestand sie.

Alex nickte. »Das verstehe ich.«

Sie fühlte sich erleichtert, dass er nicht sauer auf sie war, weil sie ihm nichts gesagt hatte. Aber sie hatte ihm ja auch nichts verheimlicht. Sich bloß sehr anders hergerichtet. Er schien sie tatsächlich nicht erkannt zu haben.

Die Kellnerin kam mit einem Tablett voll kleiner Gläser. Als alle eines in der Hand hielten, rief Manolis: »Großartiger Job, Dana! Jamas!«

Das Trinken ersparte Dana einen Kommentar.

»Sie sieht so aber auch ganz anders aus«, bemerkte Tania. »Nicht so streng.«

»Weshalb Kommunistin?«, fragte Dimitrios.

»Die Artikel nicht gelesen?«, fragte Manolis. Er erzählte davon.

»Verleumdung«, sagte Dana. »Das war eine Klimademonstration, bei der auch Kapitalismuskritiker mitliefen. Ich war zufällig in deren Nähe, als das Foto geschossen wurde.«

»Wohl eine Schmutzkübelkampagne«, sagte Dimitrios. »Du hast dir mächtige Feinde gemacht.«

»Das kommt mit dem Job.«

»Da wird noch mehr kommen«, sagte Manolis. »Wenn du Hilfe brauchst, immer gern. Stavros hier ist ziemlich gut in allem, was Computer und das Internet angeht. Dimitrios auch, obwohl er eigentlich Architekt gelernt hat.«

»Stell dein Licht nicht unter den Scheffel«, sagte Tania. »Manolis hat Literatur und Politikwissenschaften studiert...«

»Aber am liebsten schwingt er große Reden«, lachte Alex.

»Ich führe bloß einen kleinen Buchladen«, sagte Manolis.

»Vor allem ist er aber gut in Kommunikation«, sagte Tania. »Mit Dimitrios und ein paar Freunden betreibt er einen politischen Blog. Unter anderem über politische Mis- und Desinformation im Zeitalter des Internets.«

»Zu den paar Freunden gehört auch Tania selbst, hat sie vergessen zu erwähnen«, ergänzte Manolis.

Lediglich Alex und Eleftheria schienen weniger politisch engagiert.

»Dann wollen wir dich auch nicht weiter mit deiner Berühmtheit langweilen«, sagte Dimitrios. »Und über den Prozess oder Turner darfst du sicher ohnehin nicht sprechen. Wo habt ihr euch überhaupt getroffen? Alex ist nicht gerade der Jurist.«

Dana erzählte von dem versuchten Handtaschenraub. Alex setzte die Geschichte fort. Die Runde entpuppte sich als ähnlich weit gereist und gebildet wie Alex. Die blonde Eleftheria hatte Englisch und Arabisch studiert und arbeitete als Übersetzerin, die schmale Tania mit ihren Tattoos schrieb für verschiedene Onlinemedien und arbeitete in der Veranstaltungsorganisation, der stämmige Stavros mit dem Vollbart war Programmierer. Alle hatten ein paar Jahre im Ausland gelebt. Meist wegen der schlechten Jobaussichten für junge Menschen nach der Finanzkrise 2008/2009.

Sie waren bei ihrer zweiten Runde Wein angelangt, als Dana über Alex' Schulter eine Gruppe junger Leute tuscheln und zu ihr herüberblicken sah. Dann schauten sie auf ihre Handys. Wieder in Danas Richtung. War da etwas Interessantes zu sehen? Sie wandte sich um. Nur mehr Menschen. Es war so laut, dass sie Alex kaum verstand. Geschweige denn die drei Jungs und zwei Frauen hinter ihm. Die starrten sie förmlich an.

»Sie sind die Frau, die den US-Präsidenten verhaftet hat!«, rief einer in holprigem Englisch. Drängte sich an Alex vorbei. Warf einen prüfenden Blick auf sein Telefon. Wahrscheinlich hatte er dort ein Bild von Dana. »Ja, das sind Sie!«

In Danas Gesicht schoss die Hitze. Sie wandte sich halb ab.

»Lass uns gehen«, sagte sie zu Alex und den anderen.

»Lasst sie in Ruhe«, sagte Alex zu dem Störenfried. Auch Manolis und Eleftheria stellten sich vor sie. Doch inzwischen musterten sie auch andere.

»Sieh doch her, wenn du es nicht glaubst«, drängte der Mann zu Alex und hielt ihm sein Telefon vor das Gesicht.

»Das ist sie wirklich«, sagte eine Frau auf der anderen Seite. Immer mehr Stimmen wisperten, zischelten oder diskutierten ganz offen, meist auf Griechisch. Aber es war ganz klar, worüber. Die Rufe rundum wurden lauter.

»Hey, great!«

Jemand klatschte sogar.

»Bravo!«

»Fuck off!«

»Dafür spendieren wir dir eine Runde!«, rief ihr jemand zu.

»Das Glas sollte sie fressen müssen!«, rief ein anderer.

Immer mehr Gäste drängten sich zu ihnen.

»Lass uns gehen«, sagte Dana zu Alex, »bitte.«

»Fuck USA!«, rief jemand.

»Superwoman!«

»Fuck ICC!«, brüllte ein anderer dagegen. »Verpisst euch von hier!«, ein Zweiter neben ihm. »Ihr bringt unser ganzes Land in Gefahr!« Er und seine drei Kumpels versuchten, sich zu Dana durchzudrängeln.

Die zwei Fuck-Typen gerieten aneinander. Es kam zu einem Gerangel. Andere mischten sich ein. Ein Glas flog in Richtung Lokal, verfehlte Danas Kopf um einen Meter und schlug klirrend gegen eine der Fensterscheiben. Alex hatte sie im letzten Moment zur Seite gezogen. Schützend legte er den Arm um ihre Schulter, packte sie mit der anderen an der Hand und zog sie durch das Getümmel, sich selbst als Rammbock einsetzend.

Danas Fans warfen sich jetzt mit ganzem Körpereinsatz den Angreifern entgegen. Die Gäste liefen durcheinander wie Hühner in einem Stall, in den der Fuchs eingebrochen war. Niemand achtete mehr auf Dana und Alex. Alle wollten sich selbst vor fliegenden Gläsern, Flaschen, Stühlen und Fäusten in Sicherheit bringen oder in die Schlacht werfen. Die drei überforderten Barkeeper versuchten zu beruhigen, doch niemand hörte sie. Dana vernahm nur ihr eigenes Keuchen, spürte vor allem ihre Haare im Gesicht und Alex' drängenden Arm auf ihrer Schulter. Nur aus den Augenwinkeln nahm sie geparkte Wagen wahr, an denen sie vorbeiliefen, Hauseingänge, Mopeds, erschrockene Spaziergänger.

Als sie schließlich anhielten, standen sie atemlos in einer ruhigen Gasse. Nur das Licht der Straßenlampen und aus einigen Fenstern erhellte den ansonsten ausgestorbenen Straßenzug. Aus der Entfernung hörte Dana verhalten die Schlägerei in der Bar. Sie waren nur um die nächste Ecke gelaufen. Von irgendwoher näherten sich Polizeisirenen.

»Wow!«, keuchte Alex. Er stellte sich vor sie, legte die Hände auf ihre Schultern, sah sie an.

»Alles in Ordnung?«

Dana strich sich die Haare aus dem Gesicht und atmete tief durch.

»Ja.«

Die Position war ihr in diesem Moment fast ein wenig unangenehm. Er schien es zu merken oder reagierte einfach intuitiv, ließ die Arme sinken und lehnte sich mit der Schulter neben ihr an die Wand.

Nun stießen auch Eleftheria und Stavros zu ihnen.

»Wo sind die anderen?«, fragte Alex.

»Keine Ahnung«, sagte Stavros.

»Vielleicht solltest du nicht einfach so hier durch die Straßen und Bars spazieren«, sagte Eleftheria. »Hast du keine Leibwächter?«

»Weshalb?«, fragte Dana.

»Deshalb?«, sagte Eleftheria mit einer Geste ihres Daumens über die Schulter.

Die Polizeisirenen waren jetzt sehr nah.

»Ich bin eine einfache Mitarbeiterin des Internationalen Gerichtshofs. Nichts Besonderes.«

»Du bist die Frau, die auf einem Video, das die ganze Welt gesehen hat, vor einem Ex-US-Präsidenten steht, als er gerade verhaftet wird.«

»Ich denke, ich sollte zurück in mein Hotel«, sagte Dana. »Es war ein langer, aufregender Tag.«

»Das kann man sagen«, meinte Alex.

Sie versuchte ein Lächeln.

»Und es war ein sehr netter Nachmittag. Danke, dass du mich für ein paar Stunden abgelenkt hast.«

»Jederzeit wieder.«

»Und mir deine Freunde vorgestellt hast.«

»War uns ein Vergnügen«, sagte Stavros mit einer angedeuteten Verbeugung.

Sie zog ihr Handy hervor. Tippte die Uber-App an.

»Ich bringe dich«, sagte Alex.

»Danke, nicht nötig.«

»Mit dem Taxi, nur bis zum Hotel. Dann fahre ich brav nach Hause, versprochen.«

»Das ist nett, aber ...«

Derzeit sind für dich keine Fahrten möglich, Dana.
Um mehr zu erfahren, tippe hier.

»Was soll das denn jetzt?«

Sie tippte auf den angegebenen Button.

Die von dir hinterlegte Zahlungsmethode ist nicht gültig. Bitte gib eine andere Zahlungsmethode an.

»Das ... das gibt's doch nicht.«

»Eine der Kreditkarten, mit denen du früher schon zahlen wolltest?«, fragte Alex.

»Ja«, sagte Dana besorgt.

Alex tippte bereits auf seiner App.

»Dann bringe ich dich also doch.«

»Danke«, murmelte sie. Zuerst die Karten, jetzt die App. In Danas Sorge mischte sich Wut.

40

»Und jetzt?«, fragte der Ratspräsident in die virtuelle Runde. Wieder einmal hatten sie sich alle vor Bildschirmen in ganz Europa versammelt. Der Ratspräsident hatte den Rahmen klein halten wollen. Aber über den Nachmittag hinweg hatten sich fast alle Regierungschefs von EU-Staaten hineinreklamiert. Diesmal war auch Nikólaos auf den Bildschirmen vor dem Ratspräsidenten dabei.

»Die Chefanklägerin des ICC will nach Athen, und niemand fliegt sie. Alle Unternehmen fürchten sich vor amerikanischen Sanktionen.«

»Pure Erpressung«, knurrte irgendjemand. Der Ratspräsident ging nicht darauf ein. Natürlich war es das. Aber das gehörte zur Politik dazu.

»Warum ist sie nicht mit dem Auto gefahren?«, fragte der Pole.

»Hätte zu lange gedauert«, erwiderte der Ratspräsident.

»In diesem Moment muss Europa Stärke zeigen!«, deklamierte eine andere Stimme. Der Italiener. Ausgerechnet. Wobei man ihm zugutehalten musste, dass Italien seinerzeit einer der wenigen Staaten gewesen war, die CIA-Agenten verhaftet hatten, weil sie auf italienischem Boden einen ägyptischen Imam entführt und nach Ägypten verbracht hatten, wo er gefoltert wurde. Lange her.

»Wir müssen die Situation kalmieren, nicht eskalieren.« Wer hatte diesen schlauen Spruch wieder losgelassen?

»Erweitern wir das Blocking Statute«, schlug der Deutsche vor. Immerhin einer machte einen konkreten Vorschlag.

Mehrfaches Aufstöhnen aus anderen Fenstern.

»Das Sperrgesetz nützt doch nichts.«

»Haben wir 2018 bei den Sanktionen gegen den Iran auch gemacht. Hat nichts geholfen.«

Das Blocking Statute der Europäischen Union ging auf das Jahr 1996 zurück. Es sollte dafür sorgen, dass Gesetze, die in anderen Ländern, etwa den Vereinigten Staaten, aufgestellt wurden, aber in der EU nicht galten, für Unternehmen aus der EU keine Gültigkeit hatten. Wenn also, wie 1996, die USA ein Embargo gegen Kuba verhängte und allen Unternehmen weltweit, die dagegen verstießen, mit Sanktionen drohte, sollte das Blocking Statute Unternehmen aus der EU trotzdem erlauben, nach Kuba zu liefern. 2018 wurde es nach Sanktionen der Amerikaner gegen den Iran erweitert. Zudem wurden wirtschaftliche Konstruktionen eingerichtet, die entsprechenden Unternehmen Handel mit dem Iran ermöglichen sollten.

Die allermeisten großen Unternehmen nutzten es natürlich nicht. Das Statut war ein zahnloses politisches Symbol.

»Wir müssen es zumindest öffentlich diskutieren«, stimmte der Niederländer dem Deutschen zu. Seltenheitswert. »Um zu signalisieren, dass wir unsere Verantwortung für den ICC ernst nehmen.«

»So bekommen wir die ICC-Frau aber noch nicht nach Athen«, bemerkte die Finnin.

»Wer will sie denn dort überhaupt haben?«, fragte der Österreicher. »Nikólaos, du?«

Kurze Stille. Alle warteten auf die ersten Worte des Hauptverantwortlichen für den Schlamassel. Hatte nicht einmal seine – inzwischen gefeuerte – Justizministerin im Griff.

»Ich brauche sie nicht«, sagte er. »Aber macht natürlich keinen schlanken Fuß, wenn wir uns von den Amerikanern so vorführen lassen. Wichtiger wäre, den Türken entschieden entgegenzutreten. Heute haben sie wieder eines unserer Schiffe gerammt!«

»Lenk nicht ab«, sagte der Niederländer. »Die Türken fühlen sich doch durch die Situation, die ihr zugelassen habt, erst ermutigt!«

Oh-oh.

»Heute ist es ohnehin zu spät«, schritt der Ratspräsident ein, bevor diese Diskussion eskalierte. »Geht kein Linienflug mehr. Und morgen haben eure Richter das hoffentlich erledigt.«

»Und wenn nicht?«, fragte der Niederländer.

»Kann man immer noch einen Privatjet schicken«, sagte Nikólaos.

»Hat der ICC schon versucht«, sagte der Niederländer. »Auch die trauen sich nicht. Irgendjemanden muss man doch finden!«

»Kannst ja einen Regierungsflieger stellen«, erwiderte der Grieche.

Die Nerven lagen allmählich blank. Bis jetzt hatten sich alle beherrscht.

»Ich gebe Nikólaos recht«, sagte der Franzose. »Vielleicht können wir zwei Fliegen mit einer Klappe schlagen. Den Türken müssen wir ein Signal geben, dass es so nicht geht. Da sie momentan von den Amerikanern unterstützt werden, wäre das indirekt auch ein Signal an Washington: So nicht! Wir könnten ein paar Kriegsschiffe im östlichen Mittelmeer in die umstrittene Region schicken. Wir haben einen Flugzeugträger in Südzypern vor Anker. Der könnte gleich los. Das wäre ein deutliches Zeichen.«

Mehrfaches Murren wurde laut.

»Kriegsschiffe? Völlig übertrieben! Eskaliert statt kalmiert.«

Andere nahmen die Anregung auf. Wenn auch nicht alle ganz begeistert.

»Vielleicht nicht gleich losschicken, aber androhen. Unsere

Schiffe können nicht so schnell los. Na ja, vielleicht als letzten Schritt.«

Erste Teilnehmer guckten demonstrativ auf die Uhr.

»In Ordnung«, sagte der Ratspräsident. »Wir bringen das Blocking Statute in die öffentliche Diskussion, wenn alle damit einverstanden sind.« Allgemein zustimmendes Gemurmel ertönte. »Und bemühen uns weiter um eine rasche Transportmöglichkeit für die ICC-Chefanklägerin nach Athen. In der Hoffnung, dass wir sie nicht mehr brauchen, weil eure Richter morgen die Sache erledigen, Nikólaos.«

41

Zuerst ließen sie ihn eine Stunde auf der Polizeistation in Handschellen sitzen. Das Blut auf seiner Stirn und unter der Nase
trocknete ein. Der Schweiß unter seinem T-Shirt trocknete nicht.
Die Station war schlecht klimatisiert. Sie war schlecht eingerichtet. Sie war schlecht besetzt.

Endlich holte ihn ein übergewichtiger Uniformierter in einen
Nebenraum. Dort schwitzen drei andere hinter ihren Schreibtischen.

Der Beamte tastete ihn noch einmal ab. Fand nichts. Drückte
ihn in einen abgewetzten Holzstuhl vor einem leeren Schreibtisch.

»Haben Sie keinen Ausweis?«, fragte ihn der Polizist.

»Leck mich«, antwortete der Mann.

»Vorsicht, Freundchen.«

Er spielte mit dem Griff des Schlagstocks an seinem Gürtel.

»Also: Name, Adresse.«

»Kannste dir ausdenken«, antwortete der Mann.

»In Ordnung«, sagte der Polizist mit einem Schulterzucken.
Er nickte den Kollegen zu. Sie standen auf und umringten den
Stuhl, auf dem der Mann saß.

»Keinen Unsinn jetzt«, sagte der Polizist hinter ihm. »Wir
nehmen Ihre Fingerabdrücke. Dafür öffnen wir die Handschellen
hinter Ihrem Rücken kurz. Dann fesseln wir Sie wieder vorn.«

Die Polizisten links und rechts von ihm zogen seine Arme hinten hoch und fixierten sie, sodass jede Bewegung in den Schultern schmerzte. Der Polizist in seinem Rücken sperrte die Metallfesseln auf. Die zwei links und rechts von ihm führten seine Arme nach vorn. Er leistete keinen Widerstand. Ließ sich die Hände vor seiner Brust wieder zusammenbinden.

»Hände auf den Tisch«, befahl der erste Beamte.

Der Mann gehorchte.

Der Polizist schob ein telefongroßes Kästchen mit einer Glasplatte obenauf vor ihn hin. Die anderen Polizisten blieben neben und hinter ihm stehen.

»Linke Finger auflegen«, befahl der Polizist.

Er gehorchte.

»Jetzt den Daumen.«

»Jetzt die rechten Finger.«

»Und den Daumen.«

»Jetzt die Arme wieder hinter den Rücken. Bleiben Sie so brav wie gerade eben.«

Er folgte.

Seine Arme waren wieder hinter dem Rücken fixiert. Das Ganze hatte nicht mehr als drei Minuten gedauert.

Der Polizist, der die Fingerabdrücke genommen hatte, starrte inzwischen auf seinen altmodischen Computer. Nach ein paar Minuten sagte er: »Nichts.«

Er sah ihn an.

»Da sind Sie nicht drin.«

»Ich weiß«, sagte der Mann.

»Wollen Sie mir nun Ihren Namen und Ihre Adresse verraten? Ich schicke Sie sonst direkt ins Gefängnis. Bleibt mir nichts anderes übrig.«

»Tun Sie, was Sie tun müssen.«

Der Polizist musterte ihn. Dann griff er zu dem Telefon neben dem Computer und wählte.

»Ich brauche eine Überstellung nach Korydallos. Ja, heute noch.«

»Das auch noch«, stöhnte Dana.

Das Hotel lag hundert Meter die Straße weiter. Dazwischen sammelten sich ein paar Dutzend Demonstranten und Polizei, die den Straßenabschnitt abgesperrt hatten. Der Fahrer kommentierte auf Griechisch. Alex übersetzte.

»Er kommt da nicht weiter. Wollen wir aussteigen? Oder sollen wir es hintenrum versuchen? Oder wollen wir woandershin?«

Dana zog die Schultern hoch. »Ich hatte die ganz vergessen.«

»Sind die schon länger da?«, fragte Alex.

»Seit heute Morgen. Ich dachte, die Polizei würde das auflösen.«

»Und jetzt?«

»Es gibt eine Einfahrt in eine Tiefgarage, hinten in einer Seitengasse. Dort soll er hineinfahren. Ich zahle das extra. Ich meine …«

Sie fuhren ja gar nicht auf ihre Rechnung!

»Ich zahle«, sagte Alex.

»Du bekommst das wieder. Versprochen.«

War das unangenehm!

»Kein Thema, wirklich.«

Alex erklärte dem Fahrer den Plan.

Dana wählte erneut die Servicenummer ihrer Kreditkartenfirma. Bislang war sie immer in Warteschleifen gelandet.

Wegen verkehrter Einbahnstraßen musste der Fahrer einen größeren Umweg einlegen.

Dana tippte sich inzwischen durch das automatisierte Menü der Hotline.

Wenn Sie dies wollen, tippen Sie die Eins. Wenn Sie das wollen, tippen Sie die Zwei. Bitte warten Sie. Es wird sich sofort jemand um Ihr Anliegen kümmern.

Das hörte sie, seit sie in den Wagen gestiegen waren.

Vor dem Fenster zogen nächtliche Athener Straßen vorbei.

Neben ihr saß Alex, der mal zu ihr schaute, mal auf die Straße. In ihrem Ohr das monotone Band. Seltsames Ende eines netten Nachmittags und Abends. Bis zu der Bar.

Dana erschrak, als sich eine echte Stimme meldete.

»Was kann ich für Sie tun?«

Dana schilderte das Problem.

Die Stimme gab an nachzusehen.

Der Fahrer bog in die Gasse mit der Tiefgarageneinfahrt. Keine Demonstranten zu sehen. Nur die nächste Kreuzung blockierte ein Polizeiwagen mit Blaulicht. Wenigstens etwas.

»Ihre Karte wurde gesperrt.«

Bestätigte sich also ihr Verdacht.

»Wie bitte?«, fragte sie trotzdem unschuldig. »Weshalb?«

Alex sah sie besorgt an.

»Darüber habe ich keine Informationen.«

»Und wie kann ich sie entsperren lassen?«

Sie musste es trotzdem versuchen, obwohl sie wenig Hoffnung hatte.

Rauschen.

»Gar nicht. Ihre aktuelle Karte ist dauerhaft gesperrt. Ich schau mal nach … Normalerweise gab es in so einem Fall verdächtige Kontobewegungen, und Sie bekommen eine neue zugeschickt.«

Wohl nicht.

Rauschen.

»Ich finde da nichts über verdächtige Kontobewegungen.«

Der Fahrer bog auf die Rampe zur Tiefgarage ein. Fragte Alex etwas. Der antwortete. Der Fahrer löste ein Ticket an der Schranke.

»Dann bekommen Sie in den nächsten Tagen eine neue zugeschickt«, erklärte die Servicestimme.

Eher nicht. Sie probierte es trotzdem.

»Ich brauche sie aber jetzt!«, sagte Dana. Die Verbindung wurde schlechter.

»Tut mir leid«, sagte die Stimme. »Kann ich sonst noch etwas für Sie tun?«

»Danke, nein«, sagte Dana, aber da war die Verbindung bereits abgebrochen.

Der Fahrer hielt vor einer Metalltür, über der die Wandbemalung »Hotel« verkündete. Fragte Alex wieder etwas. Der antwortete etwas.

»Vielen, vielen Dank«, sagte Dana.

»Ich begleite dich noch hinein«, sagte Alex.

»Danke, das ist wirklich nicht nötig.«

»Ich bestehe darauf. Ich möchte mich vergewissern, dass du sicher durch die Hotelhalle kommst. Erinnere dich an die Bar. Da drinnen gibt es vielleicht auch ein paar Gäste, die den Aufruhr vor ihrem Hotel nicht sonderlich schätzen.«

Er konnte recht haben. Aber da drin gab es auch Hotelpersonal.

»Wenn du darauf bestehst.«

Alex nickte.

Sie stiegen aus, Alex sagte noch etwas zu dem Fahrer und drückte ihm einen Geldschein in die Hand. Dana versank fast im Boden.

»Wow«, sagte Ronald, als er die Bilder sah. »Was ist da passiert?«

»Dana Marin wurde in einer Bar erkannt«, erklärte Walter Vatanen. »Und nicht alle Gäste waren Fans.«

»Was hat sie dort getrieben?«, fragte Derek.

»War mit einem Typen Abendessen und danach noch auf einen Drink mit seinen Freunden.«

»Was für ein Typ?«

Auf Dereks Handy leuchtete eine Nachricht auf. Und noch eine.

Meldungen in den sozialen Medien. Jemand hatte seinen Namen veröffentlicht. Er hatte dafür ein paar Alarmfunktionen eingestellt.

»Moment«, sagte er und öffnete sie.

Das ist Arthur Jones' Hit-Team in Athen. Der US-Präsident hat eine Spezialistentruppe zur Befreiung seines Vorgängers in die griechische Hauptstadt entsandt. Wir zeigen die Köpfe…

Es folgte ein Link. Es führte zur englischen Onlineausgabe einer griechischen Zeitung. Ein Artikel zeigte Bilder seiner gesamten Gruppe. Derek selbst. Alana, Lilian, William, Ronald, Trevor, Nestor. Alle da.

»Fuck«, flüsterte er.

»Was ist?«, fragte Ronald und beugte sich zu ihm.

Derek studierte die Fotos von ihm und den anderen. Sie stammten nicht aus dem Gerichtssaal, sondern von diversen offiziellen Seiten. Bei manchen wusste Derek sogar, woher. Ronald war das auch aufgefallen.

»Keine Bilder aus dem Gerichtssaal«, sagte er. »Das ist gut. Die hätten paparazzihafter gewirkt. Das brächte viel mehr Leser. Aber so wirken wir geradezu seriös.«

Die Macht der Bilder.

»Jemand hat die Information durchgestochen«, stellte Ronald fest, nachdem er den Bericht gescannt hatte. Auf einem seiner Geräte suchte er nach weiteren Artikeln.

»Das Gericht eher nicht«, meinte Derek.

»Die Staatsanwaltschaft«, sagte Trevor. »Oder diese ICC-Frau und ihr alter Knacker. Sonst weiß ja niemand von uns.«

»Die Botschaft«, gab Trevor zu bedenken, »und Washington. Aber warum sollten sie?«

»Es zeigt aber, dass der ICC bereit ist, auch mit anderen Mitteln zu arbeiten«, meinte Derek.

»Wenn es der denn war«, sagte Ronald. »Und nicht bloß seine komischen zwei Vertreter hier auf eigene Faust aktiv waren.«

»Egal, wer.«

»Zeigt aber auch, dass sie schlecht darin sind«, sagte Ronald. »Nur ein Medium. Sonst finde ich nichts. Noch dazu ein Printmedium mit Onlineanhang.«

»Können wir das klein halten?«, fragte Derek.

»Sieht alles sehr oldschool aus. Deren Social-Media-Arbeit funktioniert nicht. Wenn du mich fragst … Je länger ich mir das ansehe, desto mehr schaut mir das nach diesem Alten aus. Das sind seine Kontakte. Alte Seilschaften, Zeitung. Keine Verbindung in die moderne Kommunikationswelt.«

»Hoffentlich«, sagte Derek. Er widmete sich wieder den Bildern, die Walter ihnen gezeigt hatte.

»Wo ist die Marin da?«, fragte er.

»In einem Viertel, aus dem Ronald kommunikativ sicher etwas Schönes machen kann«, sagte Walter.

»Und ihr Begleiter? Wer ist das? Ist der von euch?«

In der Hotellobby hockten nur ein paar späte Gäste an der Bar. Unbeeindruckt von der Demonstration vor den Glaswänden, wie es schien.

»Hier könnten wir in Ruhe unseren Absacker trinken«, flachste Alex. Und bevor Dana ihm auch nur einen Blick zuwerfen konnte: »Scherz.«

Dana steuerte direkt die Fahrstühle an. Sie hatte diese fast erreicht, als sie vom Empfangstisch ihren Namen hörte.

»Miss Marin?«

Ein Mann im Anzug eilte auf sie zu. Er trug nicht die Uniform des Empfangspersonals. Wohl ein Manager.

Die hatten den ganzen Tag auf sie gewartet.

Er stellte sich als Martin vor.

»Ich muss mich entschuldigen wegen der Unannehmlichkeiten«, sagte er.

»Wir sind durch die Tiefgarage gekommen«, erwiderte sie. »Ich musste nicht da draußen durch.«

»Die Demonstranten«, sagte er und wirkte überrascht. »Ja natürlich. Eigentlich versprach die Polizei, die Straße zu räumen. Ich weiß auch nicht, warum das noch nicht geschehen ist.«

»Ich hoffe, sie belästigen die übrigen Gäste nicht zu sehr.«

»Ja, äh, es gab wohl schon Beschwerden. Unser General Manager kümmert sich darum. Aber ich, äh, meinte nicht die Demonstranten. Könnten Sie vielleicht kurz mit mir zum Desk kommen?«

Dana wechselte einen fragenden Blick mit Alex. Dann folgte sie Martin.

Alex hielt sich diskret im Hintergrund.

»Wir haben ein Problem«, erklärte Martin mit gedämpfter Stimme. »Die Kreditkarte, die Sie als Sicherheit hinterlegt ...«

Dana verdrehte nur noch die Augen.

»... wurde gesperrt«, vollendete sie den Satz.

Martin nickte.

Dana hatte heute keine Lust mehr auf diese Diskussionen.

»Sie wissen ja, wie das ist«, sagte sie. »Da gibt es irgendeinen Verdacht wegen Kartenmissbrauchs durch Fremde, und schon wird einem die Karte gesperrt. Ich bekomme in den nächsten Tagen eine neue zugeschickt.«

»Ach, sehr gut, Sie haben das schon geklärt.«

»Und Sie wissen ja offenbar, wer ich bin und dass sich das Hotel um die Bezahlung Ihrer Rechnung keine Sorgen machen muss.«

»Das ... äh«, er musste sich räuspern, »ist genau der Punkt.

Unseren Informationen nach könnte es da schon ein Problem geben.«

»Ich bin Mitarbeiterin des International Criminal Court. Der wird ...«

»Genau«, unterbrach er sie. »Der ICC wird wegen der Festnahme des Ex-Präsidenten von den Amerikanern sanktioniert, wie Sie wohl auch schon wissen. Dazu gehört anscheinend das Einfrieren von Vermögen, Bankverbindungen, Kreditkarten, deren Muttergesellschaften ihren Sitz in den USA haben, und ...«

»Wollen Sie mich jetzt auf die Straße setzen, oder was?! Für das Zimmer wird bezahlt!«

Dana hatte nicht bemerkt, dass sich während ihrer zunehmend erregten Unterhaltung Alex genähert hatte.

»Verzeih, ich habe das gehört. Ich kann ...«

»Nein, Alex, kannst du nicht!«

Er war reizend. Vielleicht zu süß. Er meinte es gut. Aber in diesem Augenblick hatte Dana genug von allem.

»Also?!«, fragte sie Martin und fixierte ihn herausfordernd.

»Wir ...«, stammelte er, »die Vorschriften fordern eine Sicherheit.«

Alex hielt ihm bereits seine Karte entgegen.

Dana schob sie zur Seite.

»Alex, bitte, das ist sehr gentlemanlike, aber diese Sache muss ich lösen. Ich will nicht, dass du meinetwegen in Schwierigkeiten kommst.« Zu Martin: »Ich möchte sofort mit dem obersten anwesenden Manager sprechen.«

»Das bin ich«, sagte Martin.

Ah. Gut.

»Der International Criminal Court bietet für Sie also keine ausreichende Sicherheit?«

Die Doppeldeutigkeit kapierte er wahrscheinlich nicht.

Er zuckte verlegen mit den Schultern.

»Sorry. Es geht nicht um Sicherheit. Es geht um das Verbot, Geschäfte zu machen.«

»Ich muss telefonieren«, erklärte sie ihm.

Sie wählte Vassilios' Nummer. Der pensionierte Anwalt war nach dem zweiten Freizeichen dran. In knappen Worten schilderte sie ihm ihre Situation.

»Die Saftsäcke!«, war seine Reaktion. »Geben Sie mir den Manager!«

Sie reichte Martin das Telefon. Hörte Vassilios' Stimme nur als leises Gequake. Der Manager nickte. Sagte ein paar griechische Worte. Nickte wieder. Griff schließlich zu einem Kugelschreiber auf dem Tresen. Notierte etwas auf einem Zettel. Gab Dana das Telefon zurück.

»Er hat jetzt erst mal eine meiner Karten«, erklärte Vassilios ihr. »Die funktioniert interessanterweise noch. Mal sehen, wie lange es dauert, bis die auch gesperrt wird. Aber für die kommende Nacht genügt es, weil er ja das Geschäft mit mir macht und nicht mit dem ICC. Und morgen kommen Sie zur Not zu mir. Sie haben das Haus heute gesehen. Es ist groß genug. Ich habe zwei Gästezimmer. Sonst alles in Ordnung?«

»Ja.« Sie erzählte lieber nichts von der Kneipenschlägerei.

»Dann, gute Nacht! Es wird ein harter Tag morgen. Schlafen Sie sich aus. Wir sehen uns bei Gericht.«

Weg war er.

Dana ließ das Telefon sinken.

»Alles klar?«, fragte sie Martin kühl.

»Tut mir leid wegen der Umstände«, erwiderte der Manager. »Ja, alles klar. Ich wünsche Ihnen eine gute Nacht.«

Dana warf einen Blick zu den Demonstranten vor der Fassade.

»Das hoffe ich.«

Sie wandte sich zu den Fahrstühlen.

»Vielen Dank noch einmal für das Angebot«, sagte sie zu Alex, »das war sehr ritterlich.«

»Dafür haben wir also deine Handtasche gerettet«, flachste er, »damit du den Inhalt dann nicht verwenden kannst.«

»Du bekommst dein Geld zurück, das verspreche ich.«

»Willst du mich beleidigen?«

»Du siehst, meine Gesellschaft ist keine angenehme.«

»Ich fand sie ausgesprochen anregend«, erwiderte er lächelnd. »Schon lange nicht mehr so einen interessanten Tag erlebt. Was machst du morgen Abend?«

»Möchtest du wieder eine Kneipenschlägerei auslösen?«

»Mir fällt schon was ein«, grinste er. Wie er da so stand mit den Grübchen in den Wangen und dem strahlenden Blick, hätte Dana fast Lust gehabt, im wenigstens einen kleinen Abschiedskuss auf die Backe zu drücken.

Aber das könnte er missverstehen. Oder sie.

»Ich weiß noch nicht, wie sich der Tag entwickelt. Falls was geht, ruf ich dich an.«

»Ja«, sagte er. Und klang nicht, als ob er ihr glaubte.

»Habe ich heute ja auch getan«, fügte sie hinzu. Nicht um ihn aufzuheitern, wie sie feststellte. Sondern weil sie sich gern daran erinnerte.

Das munterte ihn auf.

Sie stieg in den bereitstehenden Fahrstuhl. Warf ihm noch einen Blick zu.

»Danke für den wunderschönen Tag!«

Sie meinte es. Er spürte es, das sah sie an seinem Blick.

Dann schloss sich die Tür.

42

Der Polizeiwagen transportierte den Mann durch Athens nächtliche Straßen zum Gefängnis Korydallos. Das Auto musste eine Polizeisperre außerhalb der Haftanstalt passieren. Auf dem Gelände selbst fuhr es in eine große Garage mit schlechter Beleuchtung.

Seine Fahrer verabschiedeten ihn mit »Viel Vergnügen!«.

In Empfang nahm ihn ein einzelner Justizwachtmeister. Noch immer trug der Mann die Handschellen.

Der Beamte drückte ihm seinen Schlagstock in den Rücken. So dirigierte er ihn zu einer offen stehenden Metalltür.

Ein langer, düsterer Flur, von dessen Wänden die Farbe blätterte, führte sie zu einer Gittertür. Das perfekte Set für einen Horrorfilm, dachte der Mann. Aufsperren. Hinter ihnen zusperren. Weiter durch bröcklige Mauern. War das ein Gefängnis oder ein Abbruchhaus? Das Korydallos war berüchtigt.

Vor einer Metalltür blieb der Mann stehen. Sperrte auf.

Dann nahm er dem Mann die Handschellen ab und stieß ihn durch die Tür.

»Such dir ein Bett!«

Der Mann hörte die Tür hinter sich zufallen und den Schlüssel sich im Schloss drehen.

Vor ihm lag ein Vorraum im Zwielicht, von dem zwei Türen abgingen. Eigentlich waren es zwei Durchgänge in größere Räume. Im linken leuchtete noch eine funzelige Lichtquelle.

Im rechten erkannte er nur Schemen im Mondlicht, das durch Fenster drang, vor denen irgendwelche Fetzen hingen. Die Luft war eine Kloake. Wochenalter Schweiß, Pisse, Fäkalien, Kotze, Sperma, Eiter, Schimmel, Moder und Angst mischten sich zu einem Potpourri aus der Hölle. Hier drin hatte es mindestens dreißig Grad. Der Mann war viel gewohnt. Aber das ließ selbst ihn erst einmal stocken.

Die Räume waren je etwa vierzig Quadratmeter groß. In jedem standen kreuz und quer zehn Betten. Dazwischen war kaum Platz, um sich zu bewegen. Auf jedem Bett lag eine Gestalt, die meisten nicht zugedeckt. Einige schnarchten. Andere wälzten sich unruhig hin und her. Überall hing Kleidung und stapelten sich die Habseligkeiten der Insassen. Jede Notschlafstätte für Obdachlose war besser ausgerüstet.

Er atmete durch den Mund.

In dieses Drecksloch hatten sie den ehemaligen US-Präsidenten gesteckt? Sicher hatte er eine Einzelzelle.

Trotzdem.

Er steuerte den Raum mit der Lichtquelle an. Auch hier lagen alle in ihren Betten. Nur an der hinteren Wand saß einer mit einem Telefon, das sein Gesicht bläulich beleuchtete.

Als der Mann eintrat, sah er auf. Er war unrasiert. Auf dem Kopf ebenso kurze Stoppel. Harte Gesichtszüge mit tiefen Furchen. Als er den Mund aufmachte, offenbarte sich ein Gebiss mit mehreren Lücken. Gewohnheits- und Berufskrimineller. Von der unguten Sorte.

»Was willst du hier?«

Eine Stimme aus Aschenbechern und Schnapsflaschen.

»Ich soll mir ein Bett suchen.«

Der Telefonmann nickte in Richtung der Zimmerecke links.

»Dort ist eins frei.«

Direkt neben der offenen Toilette. Natürlich.

Niemand anders sagte etwas. Reagierte auf irgendeine Weise. Telefonmann war offensichtlich der Kapo des Raums.

»Da kannst du schlafen«, sagte der Mann zu dem Kapo. »Ich nehme deins.«

Jetzt hatte er die Aufmerksamkeit des anderen. Und des gesamten Raums. Einige stützten sich auf ihre Ellenbogen. Andere blieben liegen. Taten, als hätten sie nichts gehört. Die Gammas und Deltas. Bloß nicht auffallen.

Der Mann ging durch den Raum zu dem Bett, in dem der Kapo sitzen blieb, ohne sich mächtig zu bewegen. Als hätte er es nicht nötig, sich auf eine Konfrontation vorzubereiten.

»Wir können das friedlich regeln«, sagte der Mann ruhig zu dem Sitzenden.

»Das werden wir«, grinste ihn der andere aus seinem morschen Mund an.

Seine Angreifer gaben sich nicht einmal Mühe, wirklich leise zu sein. Einer kam zwischen zwei Betten von hinten auf ihn zu. Der andere stand auf einem Bett und stürzte sich aus dieser erhöhten Position auf ihn. In der Hand hielt er einen spitzen Gegenstand. Wahrscheinlich ein selbst gebasteltes Messer. Ein Dritter stand auf dem Bett daneben bereit.

Der Mann packte den Angreifer zwischen den Betten als Erstes. Bevor sein Gegner reagieren konnte, hatte er ihm einen Schlag gegen die Karotis an der Halsseite verpasst. Der Typ klappte ohne weitere Gegenwehr zusammen und blieb reglos vor den Betten liegen.

Schneller, als der Nächste schauen konnte, hatte er die Hand mit dem spitzen Gegenstand geschnappt, verdreht und ihm das Ding abgenommen. Gleichzeitig drückte er auch ihm den seitlichen Hals so zusammen, dass er wie ein Sack auf den Bauch fiel und quer über seinem Bett liegen blieb. Der Dritte hatte währenddessen einen Faustschlag in sein Gesicht versucht und noch einen. Laienhaft, primitiv. Straßenköter. Keine Chance gegen einen Profi. Er war seinen Versuchen locker ausgewichen. Den nächsten Schwinger des Kerls nutzte er, um ihn mit seinem eigenen Schwung auszuhebeln und ihn mit dem Kehlkopf gegen seinen anderen Arm laufen zu lassen. Röchelnd brach der zusammen. Das Ganze hatte vielleicht fünf Sekunden gedauert. Er steckte das provisorische Messer in seinen Hosenbund.

Der Typ mit dem Telefon hatte die Szene beobachtet, als wäre sie in einem Fernseher vor ihm abgelaufen. Seine Position war fast unverändert. Der Mann spürte jedoch, dass jetzt jede Sehne von Kapos Körper gespannt war. Seine Augen überflogen die Lage. Der Neuankömmling war kein normaler Häftling, so viel musste ihm jetzt klar sein. Er war nicht mal ein simpler, gut ausgebildeter Verbrecher.

Kapo musterte ihn. Die anderen im Raum musterten ihn.

»Die werden wieder«, sagte der Mann mit einem Blick auf seine drei Opfer. Zwei lagen noch immer bewusstlos da. Der Dritte rang weiterhin nach Luft, als würde er ersticken.

Dann nickte der Kapo dem Typen zu, der am nächsten zu dem freien Bett neben der Toilette lag. Wortlos packte der sein Bettzeug, warf es auf die leere Matratze und bezog seine neue Schlafstatt. Auf weitere Blicke des Zimmerkapos hin setzte sich das Bettwechselspiel fort wie eine Dominoreihe. Bis das Bett neben dem Kapo frei war.

Der Mann und der Kapo versenkten ihre Blicke ineinander.

Genug für heute. Lass den Kapo den Rest seines Gesichts wahren. Du brauchst Verbündete hier drin.

Er setzte sich auf das Bett. Ließ den Blick durch den Raum wandern. Die meisten hatten sich wieder hingelegt. Der Röchelnde war zu seinem Bett zurückgekrochen und hatte sich darauf zusammengerollt. Die zwei Besinnungslosen lagen, wie sie lagen. So würde es noch eine Weile bleiben.

»Ich suche jemanden für einen Job hier drin«, sagte der Mann zu Kapo. Nicht leise, aber auch nicht lauter als notwendig. »Sehr gut bezahlt. Mir scheint, du bist der Richtige dafür.«

Kapo tat, als hätte er nichts gehört.

Schließlich antwortete er, ohne dem Mann seinen Kopf zuzuwenden.

»Wie gut?«

»Sechsstellig. Dollar.«

»Wofür?«

»Nichts Ernstes. Richtig leicht verdientes Geld. Erkläre ich dir morgen.«

Er legte sich auf das Bett und verschränkte die Arme hinter dem Kopf. Heute Nacht würde er nicht viel schlafen. Obwohl er dem Kapo signalisiert hatte, an seinem Wohlergehen interessiert zu sein.

Er konnte damit umgehen.

Morgen würde er seine Arbeit beginnen.

43

Genervt und erschöpft hatte sich Dana nach einer langen Dusche auf das Bett geworfen und ihre Nachrichten überflogen. Wer sich da alles meldete! Maria! Und wer nicht. Henk, zum Beispiel. Oder ihr Vater. Keine Reaktion auf ihren Versuch einer Erklärung.

Maria hatte eine kurze Sprachnachricht hinterlassen: »Ruf mich an!«

Ups.

»Da bist du ja!«, rief Maria, nachdem Dana ihre Nummer gewählt hatte. »Folgendes«, schoss sie los, ohne nach Danas Befinden zu fragen, »ich bin immer noch in Den Haag. Niemand will mich nach Athen fliegen.«

»Die Sanktionen«, sagte Dana. »Habe ich auch schon gemerkt. Meine Kreditkarten funktionieren nicht mehr. Und aus dem Hotel hätten sie mich auch hinausgeworfen, hätte Vassilios nicht ausgeholfen.«

»Diese Säcke«, zischte Maria. »Dabei hatten wir derartige Möglichkeiten extra mit ihnen besprochen!«

»Haben wohl kalte Füße bekommen, als es ernst wurde.«

»Diese Luschen von der EU helfen bis jetzt auch nicht. Haben heute Abend überlegt, das Blocking Statute zu erweitern, aber noch nichts Konkretes beschlossen.«

»Ohnehin fraglich, ob das etwas bringen würde.«

»Bezweifle ich auch. Selbst die Niederländer konnten sich

noch zu keiner Unterstützung durchringen. Mein Tipp: Die spielen alle auf Zeit und hoffen, dass das Gericht Turner morgen ohnehin freilässt. Ihr müsst morgen also ohne mich auskommen.«

»Ein ungleicher Kampf ist das.«

»Das wussten wir vorher. Und bei dir?«

Dana erzählte kurz von ihrem Besuch der Akropolis, den nicht funktionierenden Karten, nichts von Alex und den Vorfällen in der Bar, dafür von Vassilios' Hilfe und Übernachtungsangebot.

»Kannst du annehmen«, sagte Maria. »Nun zur Arbeit. Wir haben die Unterlagen für morgen gerade dem griechischen Staatsanwalt geschickt. Du hast eine Kopie bekommen. Vassilios auch. Du kennst das Material. Schau es dir noch einmal an.«

»Natürlich. Aber ich ...«

»Du schaffst das. Ihr schafft das. Von solchen Kinkerlitzchen lassen wir uns nicht aufhalten. Bei Fragen: jederzeit. Gute Nacht!«

Nachdem Maria die Verbindung beendet hatte, starrte Dana noch minutenlang an die Wand.

Dann legte sie das Telefon zur Seite und beantwortete keine Nachricht. Stattdessen schaltete sie den Fernseher ein. Es war gegen Viertel vor zwölf. Auf dem Gerät konnte man auch im Internet surfen. Sie überflog die internationalen Nachrichten. Die europäische und die US-Börse hatten jeweils über sechs Prozent verloren. In Athen war zweimal sogar der Handel ausgesetzt worden, weil die Verluste noch deutlich größer waren. Überall war die entlassene griechische Justizministerin zu sehen. Bislang hatte sie sich zurückgehalten. »Griechische Ex-Ministerin erklärt sich«, schrieben die Ticker am unteren Bildschirmrand. Dana ließ das Interviewstück, das alle brachten, länger laufen.

»Vor ein paar Wochen erklärten mir meine Ärzte, dass ich höchstens noch ein halbes Jahr zu leben habe«, sagte sie in geschliffenem Englisch. »Ich überlegte, was ich in dieser Zeit noch Sinnvolles tun könnte. Bedeutendes. Etwas, das bleibt.« Sie sprach dabei sehr ruhig. »Dann kam die vorsichtige Anfrage von Maria Cruz. Wir kannten uns von früher. Ob ich mir eventuell vorstellen könnte... Sie wusste nichts von meiner Diagnose.« Sie verzog das Gesicht zu einem schiefen Grinsen. »*It was the chance of a life time.*« Die Chance ihres Lebens. Schwarzer Humor auf den letzten Metern. Zum Wundern? Bewundernswert? Auf jeden Fall erklärte das Statement ihren Alleingang. Manche Kommentatoren spekulierten nun, dass das Geständnis die Lage der griechischen Regierung erleichtern könnte. Die hatte nichts gewusst. Andere meinten, dass es keine Folgen haben würde. Schließlich hätte die Regierung Turner trotzdem längst freilassen können.

Die Sender brachten Bilder aus London, Paris, Rom und anderen europäischen Hauptstädten. Lange Reihen schwer bewaffneter Polizisten standen Hunderten, in manchen Städten Tausenden Demonstranten vor US-Botschaften gegenüber. In den meisten Städten verliefen die Proteste friedlich. Lediglich in Berlin und Madrid kam es zu vereinzelten Ausschreitungen. Molotowcocktails, Vermummte, brennende Autos und Barrikaden. Dana konnte nicht immer ausmachen, ob die Protestierenden für oder gegen die Verhaftung waren. Die meisten dafür, wie es schien. Ähnliche Bilder kamen aus den USA. In Washington demonstrierten einige Hundert Menschen vor der griechischen Gesandtschaft, die Mehrheit für eine Freilassung Turners. Eine Minderheit forderte auf Plakaten und Transparenten »Stoppt das Töten!«, »Frieden« und »Gerechtigkeit«. Ohne jedoch explizit Turners Verhaftung gutzuheißen.

Sie griff nach ihrem Telefon. Suchte Vassilios' Nummer. Zögerte. Fand auf dem Fernseher eine Liveschaltung vor dem spärlich beleuchteten Korydallos-Gefängnis. Eine atemlose Reporterin berichtete, dass in wenigen Minuten das Ultimatum der USA ablaufe, Douglas Turner freizulassen. Ein Kameraschwenk offenbarte Straßen voller Demonstranten. Zwischen ihren Plakaten und

Transparenten waberten zahllose leuchtende Punkte. Telefone, die über den Köpfen der Menge filmten. Wie auf einem Konzert!

Dana tippte Vassilios' Nummer an.

Nach dem zweiten Freizeichen hob er ab.

»Störe ich so spät?«, fragte sie.

»Haben Sie mit Maria gesprochen?«

»Ja. Sie ist noch immer nicht da.«

»Ich weiß. Wir haben telefoniert. Die Sanktionen. Ich habe ihr angeboten, einen Flug zu organisieren. Hobbyfliegerfreunde von mir, die das unter dem Radar machen würden. Buchstäblich.«

»Und?«

»Will sie nicht. ›Entweder aufrecht, offen und vor aller Augen oder gar nicht‹, hat sie gesagt. ›So können wir uns nicht behandeln lassen!‹ Womit sie recht hat.«

»Sie hat Unterlagen geschickt.«

»Habe ich bekommen.«

»Vielleicht ist ohnehin alles gleich vorbei«, sagte Dana.

»Auch vor dem Fernseher?«, erkundigte er sich.

»Ja.«

»Was werden sie tun?«, fragte sie.

»Die führen sich auf, als wäre Silvester«, bemerkte William Cheaver angesichts der Bilder vom Korydallos-Gefängnis auf den Großbildschirmen im Lagezentrum. Das gesamte Team hatte sich um den Besprechungstisch versammelt. Starrte gebannt auf die Monitore. Botschafter Jeremy McIntyre und Lilian Pellago hingen an ihren Telefonen. Alle Sender lieferten ähnliche Perspektiven. Reporter im Zentrum, dahinter das Gefängnis oder Demonstranten. Manche standen so günstig, dass sie beides erfassten. Über den Demonstranten kreisten zahlreiche filmende Telefone wie Glühwürmchen.

Ein Chor aus Hunderten Kehlen wurde laut.

»Elf!«

»Zehn!«

»Neun!«

Selbst manche Berichterstattende stimmten nun mit ein.

»Noch acht Sekunden bis Mitternacht! Sechs! Wird Douglas Turner freigelassen? Drei!«

Als ginge es um den Start einer Rakete. In gewisser Weise würde womöglich eine Bombe gezündet.

»Zwei!«

»Eins!!!«

Der Countdown löste sich auf in ein vielkehliges Gemisch aus Empörung, Entsetzen und Jubel.

»Bis jetzt haben wir keine Nachricht, dass Douglas Turner aus dem Gefängnis Korydallos in Athen entlassen wurde«, rief ein erhitzter Journalist in sein Mikrofon. Auf den Bildschirmen daneben andere. Bilder der Demonstranten. Ein paar Feuerwerksraketen stiegen auf. Aufnahmen von den Demonstrationen vor den US-Botschaften in europäischen Städten. Jubel. Vor der griechischen Botschaft in Washington gereckte Fäuste. US-Flaggen.

Derek wandte sich an Jeremy, an Lilian.

Der Botschafter verzog den Mund und schüttelte den Kopf.

Lilian hörte aufmerksam zu. Schüttelte dann auch den Kopf.

Derek griff zu seinem Telefon und wollte die Kurzwahlziffer drücken, da brummte es.

Arthur Jones war ihm zuvorgekommen.

»Verdammt, Derek, was ist da bei euch los?! Dafür habe ich euch nicht hingeschickt!«

»Nein, Art.«

»Damit treten die Sanktionen in Kraft.«

»Wir sollten mehr vorbereiten«, sagte Derek. »Morgen ist der nächste Prozesstag. Wahrscheinlich entscheidet das Gericht dann über eine Entlassung oder weitere Haft.«

»Wenn die Griechen nicht vorher zur Vernunft kommen. Und wenn das Gericht so verrückt ist, ihn in Haft zu behalten?«

»Hat Turner noch die Berufung. Das kann nochmals bis zu fünfzehn Tage dauern. Aber das ist es wert. Bedenk doch mal: Wenn ein Gericht Turner freilässt, ist die ganze Anklage des ICC lächerlich gemacht.«

»Sicher nicht!«

»Nein.«

»Mister President«, mischte sich Nestor Booth ein, »im östlichen Mittelmeer patrouillieren diverse unserer Schiffe im Rahmen von NATO-Missionen. Wir könnten ein oder zwei Fregatten oder sogar Kreuzer dezent Richtung Athen steuern. Nur so als Zeichen...«

»Und was für ein Zeichen sollte das sein?!«, fragte Derek. »Dass wir bereit sind, einem Verbündeten offen mit Waffengewalt zu drohen? Genügt Ihnen nicht, dass sich bereits zwei NATO-Partner wie kleine Kinder benehmen?« Er wurde lauter. »Wollen Sie zusätzlich Öl ins Feuer gießen?!«

»Andernfalls machen uns der ICC und die Griechen weiterhin lächerlich«, wandte der General ein. »Nicht nur uns, den ganzen Westen, das westliche Bündnis, all unsere Werte! Die Franzosen erwägen schon, ein Schiff zu schicken, um ihre Unterstützung der Griechen im Gasstreit zu signalisieren. Da geht es doch nicht nur ums Gas. Die Franzosen fallen uns in den Rücken!«

»Und wenn sich nun drei oder mit den Franzosen gar vier NATO-Mitglieder in der Ägäis gegenseitig beharken, ist das weniger lächerlich?«, erwiderte Derek.

»Noch haben die Franzosen niemanden geschickt«, sagte Arthur. »Aber wir müssen auf alle Eventualitäten vorbereitet sein. Für diesen Fall fahren wir noch stärkere Geschütze auf. Haltet Schiffe bereit, aber vorläufig bleiben sie bei ihrer bestehenden Mission. Herrschaften, kotzt mich das alles an«, hörte Derek ihn noch fluchen, bevor die Verbindung beendet wurde.

Sein Blick glitt über die Monitore mit den aufgeregten Berichten. Nur in einem kleinen Fenster links unten herrschte einigermaßen Ruhe. Die etwas verzerrten Bilder einer Überwachungskamera. Mit einem Fischauge beobachteten sie ein Hotelzimmer. Auf dem Bett lag Dana Marin in T-Shirt und Unterwäsche. Ein Telefon am Ohr, verfolgte sie die Berichterstattung auf dem Fernseher. Mit der anderen Hand tippte sie auf der Fernbedienung herum. Sie hatte ihre Beine übereinandergelegt. Ihre Zehen bewegten sich auf und ab. Nervös oder gedankenverloren. Sie legte die Fernbedienung ab und fuhr sich mit der Hand durch das nun offene, schulterlange Haar, das gelockt um ihren Kopf wirbelte. Eine andere Person, als er heute im Gerichtssaal kennengelernt hatte. Wie sie da so lag, sah sie noch fragiler aus, verletzlich. Sie legte das Telefon auf das Nachtkästchen. Schaltete das Licht aus. Das bläuliche Flackern des TV-Geräts betonte ihre Konturen noch stärker. Sie griff nach einem Tabletcomputer und begann konzentriert zu lesen. Wer von ihnen heute wohl eher einschlief?

44

An der langen Tischreihe vor Lieutenant Sean Delmario in der US-Militärbaracke im Iran hatten vier Männer und eine Frau in Uniform Platz genommen.

Sean saß ihnen in seiner Uniform an einem kleineren Tisch gegenüber. Der Raum war schmucklos. Ein paar Tische und Stühle waren an die Wände gerückt. Die Klimaanlage brummte in Seans Rücken.

»Sie bleiben also bei Ihrer Aussage, Lieutenant Delmario?«, fragte der Mann in der Mitte.

»Ja«, sagte Sean. »Für alle vier Fälle.«

»Sie beschuldigen einen der höchstdekorierten US-Soldaten mehrfacher Kriegsverbrechen. Niemand anders, der mit ihm gedient hat, tut das.«

»Die Leute haben Angst«, sagte Sean. »Oder kennen die Regeln nicht. Oder billigen das Verhalten.«

»Sie bezichtigen auch einige Ihrer Kameraden unmilitärischen Verhaltens.«

»So leid es mir tut, Sir. Aber die Verantwortung liegt bei ihrem Kommandanten.«

»Sie waren in zwei Fällen stellvertretender Officer.«

»Ja, Sir. Mein Einschreiten war offensichtlich nicht ausreichend.«

»Dann sind Sie also mitverantwortlich?«

»Wenn Sie das sagen, Sir.«

»Ich habe nichts gesagt, sondern gefragt.«

»Sir.«

»Auch bei diesen Aussagen bleiben Sie?«

45

Da standen die Polizisten. In der Schulklasse. Zwei Männer.
Eine Frau. Dana saß in der zweiten Reihe, neben Anja. Sicher
dachten alle, dass Horst-Jürgen wieder etwas angestellt habe.
Aber die Polizei? Horst-Jürgen war neun Jahre alt. So wie Dana.
So wie die meisten anderen in der Klasse. Nur Dana dachte
etwas anderes. Sie hatte davon gehört. Dass Leute wie sie von der
Polizei überraschend abgeholt wurden. Dass sie mit ihrer Familie
in ein Flugzeug nach Bosnien gesetzt wurden. Dana wollte da
nicht hin. Seit drei Jahren lebte sie in der kleinen bayerischen
Stadt. Längst sprach sie perfekt Deutsch. Mama hatte sie dazu
gedrängt. Jeden Tag mit ihr gelernt. Von Beginn an. Jetzt ging
Dana in die dritte Klasse. Und gehörte zu den Besten. Auf einmal fröstelte sie.

»Iljana Halilovic?«, fragte die Polizistin und sah sich um.
Dann prüften sie ein Papier in ihren Händen. Iljana saß schräg
hinter Dana. Sie meldete sich nicht. Sie ahnte wohl, worum es
ging. Dana war so froh, dass die Männer nicht nach ihr fragten.
Und so sehr verzweifelt wegen Iljana. Sie mochte Iljana. Sie war
ein paar Wochen vor Dana aus Tuzla nach Deutschland gekommen. Iljana gehörte zu Danas besten Freundinnen. Dana half ihr
beim Rechnen. Iljana half ihr beim Turnen. Sie gehörte nicht zu
den Besten der Klasse. Aber auch nicht zu den Schlechtesten.

»Was wollen Sie von ihr?«, fragte die Lehrerin die Polizisten.

Die hatten Iljana inzwischen erkannt. Der eine hielt nämlich ein Foto in der Hand. Jetzt gingen sie auf Iljana zu.

»Iljana?«, fragte die Polizistin sanft. »Kommst du bitte mit?«

»Weshalb?!«, rief die Lehrerin aufgebracht. »Das dürfen Sie nicht!«

»Bitte«, sagte einer der Polizisten ruhig zu ihr, »machen Sie das hier nicht noch schwieriger, als es ohnehin schon ist.«

Iljana sah sich hilflos um. Ihr Blick traf Danas. Dana biss sich auf die Zähne. Sie wusste nicht, was sie tun sollte.

»Frau Kowalczyk!«, rief sie schließlich mit dünner Stimme. »Helfen Sie Iljana.«

Iljana war inzwischen aufgestanden. Schweigend. Hatte ihre Schulsachen zusammengepackt.

»Die brauchst du nicht«, sagte der eine Polizist.

Iljana ließ sie auf ihrem Platz liegen.

»Iljana!«, rief Dana. Sie sprang auf und fasste Iljanas Hand.

»Iljana«, sagte die Polizistin, die ihre Freundin an der anderen Hand genommen hatte. »Kommst du?«

So zogen sie einen kurzen Moment in verschiedene Richtungen. Dann löste Iljana ihre Hand aus Danas. Blickte sie noch einmal traurig an. Folgte der Polizistin.

Vor der Tür hatte sich Frau Kowalczyk aufgebaut.

»Iljana geht hier nicht weg«, erklärte sie entschieden. Die Polizisten waren einen Kopf größer.

Einer der Polizisten zeigte ihr ein Blatt Papier.

»Hier«, sagte er. »Das ist die Abschiebeorder. Bitte, lassen Sie uns durch.«

Dann ging er einfach weiter. Frau Kowalczyk versuchte, sich ihm entgegenzustellen, doch er hielt einfach nicht an. Sie musste den Weg freigeben. Rief dabei laut etwas von: Dürfen Sie nicht. Können Sie doch nicht machen. Ist so gut. Hat sich integriert. Wo soll sie denn hin?

Iljana drehte sich nicht mehr um.

Dana atmete schwer, als hätte sie einen Dauerlauf auf dem Sportplatz hinter sich. Sie schreckte hoch. Für einen Moment lang wusste sie nicht, wo sie war.

Athen. Hotel.

Wieder hörte sie von der Straße Lärm. Diesen Traum hatte sie lange nicht mehr gehabt. Ein paarmal in den ersten Jahren nach Iljanas Abschiebung. 1997 war das gewesen. Dana hatte Iljana nie wiedergesehen. Der Traum war verschwunden, nachdem ihr klar geworden war, dass sie und ihre Eltern in Deutschland bleiben durften. Das war 2004 gewesen. Dana erinnerte sich genau an den Tag. Ihre Mutter hatte sie zur Feier in eine Konditorei auf ein Stück Kuchen eingeladen. Absoluter Luxus damals.

Verschlafen rieb sich Dana die Augen. Dass gerade diese Träume nun wiederkehrten. Wie spät war es? Durch Schlitze im Vorhang drang Sonnenlicht.

Der Wecker neben dem Bett zeigte halb sieben.

Dana wälzte sich aus dem Bett. Fühlte sich überfahren. So viel hatte sie gestern Abend doch nicht getrunken?

Sie zog die Vorhänge zur Seite. Die Demonstranten füllten die gesamte Straße vor dem Hotel. Das waren mindestens zweihundert.

Zur rechten Seite hin erkannte Dana Plakate und Transparente, die Turners Freilassung forderten. Griechische und US-Flaggen. Zur linken ragten Plakate und Transparente über die Köpfe, die »Gerechtigkeit«, »Sperrt ihn ein!« und »Stoppt gezielte Morde!« forderten. Friedenstauben und Peacezeichen.

Ein paar verlorene Polizisten schützten gerade mal den Hoteleingang.

Zuerst ins Bad. Das Notwendigste. Dann warf sie sich mit dem Tablet auf das Bett. Nachrichten lesen.

Eine von Alex. Woher hatte er ihren Kontakt?

Natürlich. Sie hatte ihn angerufen. Unbedacht. Er musste nur mehr auf »Antworten« tippen.

Sorry wegen gestern Abend! Das nutzen die Amis natürlich aus! ...

Was meinte er damit?

Wie sieht es aus mit Dinner heute? Vielleicht an einem weniger öffentlichen Ort? Verstehe aber auch, wenn du mal ausspannen willst.

Der wurde ja richtig hartnäckig.

... Stavros, Manolis, Tania und ein paar Kumpel haben ein bisschen nachgeholfen, damit du wenigstens nicht die Einzige im Kreuzfeuer bist.

Kreuzfeuer? Wovon schrieb er?

»Die Telefone der Botschaft sind noch überlasteter als zuvor«, sagte Jeremy. Der Gesandte war ins Lagezentrum gekommen, um sie abzuholen. Auf einigen der Monitore waren Blogs und Postings zu sehen. Ronald zappte sich durch. In allen Derek und die anderen. Manchmal war nur der Artikel der griechischen Zeitung geteilt worden. Andere gaben ihren eigenen Senf dazu. Selten freundlich.

Der Spindoktor. Bild: Derek. Jemand hatte sich die Mühe gemacht, frühere Projekte der Gruppenmitglieder auszugraben. Zumindest jene, die bekannt waren.

Die Dreckschleuder. Bild: Ronald.

Die Spinne. Bild: Lilian.

»Da hat jemand nachgeholfen«, stellte Ronald fest. »Das hat diese komische Zeitung nicht allein geschafft.«

Er wies auf einige der Postings. »Das sind Bots. Ganze Botarmeen, die das verteilen.«

»Wissen wir, wer?«, fragte Derek. Er mochte diese Art der Öffentlichkeit nicht. Nicht für sich. Oder das Team. Ihre Arbeit sollte im Hintergrund stattfinden.

Damit war es jetzt vorbei.

»Der ICC?«, fragte Derek.

»Die hier waren die Ersten, wie es scheint«, sagte Ronald. Er rief mehrere Seiten von Blogs und sozialen Medien auf, die ähnlich aussahen. Auch die Gesichter darin wiederholten sich. Derek hatte sie schon einmal irgendwo gesehen.

»Woher kenne ich die?«, fragte er.

Ronald spielte Bilder von Dana Marin und ihrem griechischen Begleiter in der Bar ein. Neben den beiden standen ein paar Personen, die jenen auf den Webseiten ähnelten.

»Daher kennst du die«, sagte Ronald. »Freunde von Marins Athener Bekanntschaft. Linke Blogger und Aktivisten. Andere sind dann gefolgt. Ab einer gewissen Masse springen die Kommerziellen auf. Die Falschnachrichten, Gerüchte, Verschwörungstheorien und den ganzen Mist verbreiten, weil es genug Schwachköpfe gibt, die das lesen und denen man dazwischen dann Werbung verkaufen kann. Simples Geschäftsmodell mit der Dummheit der Menschen. Und wahrscheinlich die Russen, die Chinesen. Nordkorea. Iran. Um uns eins auszuwischen. Werden wir nachvollziehen.«

»Bekommen wir wohl nicht mehr eingefangen«, sagte Derek.

»Nein. Das verschwindet aber so schnell, wie es gekommen ist. Solche Kampagnen haben eine kurze Halbwertszeit. In ein paar Stunden trendet schon wieder ein ganz anderes Thema. Dafür sorgen wir schon.« Er dachte kurz nach. »Vielleicht haben sie uns damit sogar einen Gefallen erwiesen.«

Dereks Telefon läutete. Sandra. Er trat zur Seite.

»Ihr schlaft gerade auch nicht viel«, sagte er.

»Nach dem Wahlkampf«, flachste Sandra.

»Glaubst du«, sagte Derek. »Was hast du?«

»Die neuesten Zahlen. Die Rede des Präsidenten kam gut an. Staatsmännisch, ausreichend entschieden und patriotisch, aber auch weltmännisch. Hielt aber nur kurz. Dass Turner nach Mitternacht immer noch drin war, half nicht. Erste Onlineumfrage unter ausgewählten Zweitausend: Der Präsident stürzt weiter ab. Ihr müsst was tun. Sonst verlieren wir die Wahl definitiv. Wrights Team drückt inzwischen auch massiv auf die Tränendrüse. Mit Bildern aus dem griechischen Gefängnis. Ist ja wirklich ein Drecksloch. Eine Frechheit. Langsam tut Turner sogar seinen Gegnern und Nichtsympathisanten leid. Der ›Gefängnis geschähe ihm recht‹-Spin wird immer schwieriger, womöglich riskant.«

»Dann lasst ihn. Oder tragt ihn niederschwellig weiter. Vielleicht brauchen wir ihn ja doch noch. Was Neues zu eventuellen heimlichen US-Unterstützern des ICC?«

»Nichts bislang. Könnte echt ein Alleingang der griechischen Justizministerin gewesen sein. Das Interview mit ihr habt ihr wahrscheinlich gesehen. Unsere ersten Recherchen ergeben, dass die Geschichte stimmen könnte.«

»Hat uns der Franzose aufs Glatteis geführt mit seinem Verdacht?«

»Wie auch immer. An der Geschichte bleiben wir dran, so oder so. Aber wir brauchen mehr. Sonst können wir die Wahl vergessen.«

Dana überflog Alex' Links. Die Nachricht über Derek Endvor und sein Einsatzteam hatte sich über Nacht rasant im Internet verbreitet. In manchen Berichten wurden den Bildern des

US-Teams jenes Danas gegenübergestellt. Eine junge Frau gegen ein grimmiges Spezialistenteam. Das Framing der Botschaft war deutlich. Sie wurde hier zur Heldin stilisiert, zur Jeanne d'Arc. Dana hatte nicht darum gebeten. Hoffentlich schadete es der Sache nicht. Aber immerhin: Jetzt waren die Amis auch im Licht der Öffentlichkeit.

Eine Nachricht von Henk. Mist! Bei ihm hatte sie sich gestern Abend nicht mehr gemeldet.

Deshalb höre ich nichts von dir. Wenigstens Spaß gehabt?

Dazu ein paar Links. Hinter dem ersten öffnete sich ein Bild. Halbdunkel, schlecht belichtet und doch eindeutig erkennbar.

Sie und Alex gestern Abend in der Bar. Sie wirkten darauf vertrauter, als Dana es empfunden hatte. Fast intim. Alex' Freunde rundum. Nicht sofort als dazugehörig erkennbar.

Da wird noch mehr kommen, hatte sie Manolis' Prophezeiung vom Vorabend im Ohr.

Sie las die Bildunterschrift. »Dana Marin, Vertreterin des International Criminal Court, die Ex-US-Präsident Douglas Turner in Athen verhaftete, feiert mit unbekanntem Beau in Athener Linksextremistenviertel.«

Fuck!

Das nutzten die Amis natürlich aus.

Das hatte Alex in seiner Nachricht gemeint.

Beau? Auf seine Art attraktiv, vielleicht. Aber Beau?

Und: Linksextremistenviertel?

Schnell scrollte sie weiter. Da waren noch mehr Fotos von ihr und Alex in der Bar.

Nichts von der Schlägerei danach.

Von wem stammte der Mist?!

Ein Blog, den Dana noch nie gesehen hatte.

Hastig öffnete sie den nächsten Link.

Nun wurden sogar Tania, Stavros, Manolis und Dimitrios gezeigt und identifiziert. Als die Verfasser eines linksradikalen Blogs.

Alles, was du tust, kann vor dem Onlinemobgericht gegen dich verwendet werden.

Dana scrollte weiter. Diese und andere Bilder waren überall in den sozialen Medien. Brennende Autos und Barrikaden. Rauch und Tränengasschwaden. Demonstrierende, die vermummte Polizisten mit Gegenständen bewarfen. Darunter die Artikel. Die Dana mittels der Bilder mit diesem Milieu verbanden. Offensichtlich hatte Alex sie in das Stadtviertel Exarchia verschleppt, bekannt für seine linke bis anarchistische Szene und Demonstrationen, die mitunter gewalttätig wurden. Hunderte hatten die Postings geteilt. Tausende. Die Bildunterschrift des Blogs war gegen viele davon geradezu freundlich. Darunter die perversesten Kommentare. Rüdest formulierte Massenvergewaltigungs-, Folter- und Mordfantasien. Nach einem Dutzend hörte Dana auf zu lesen. Welche Perverslinge schrieben so etwas? Dachten es sich überhaupt aus? Manche der Postings hatten Hunderttausende Likes!

Dann fand sie auch Bilder von sich und Alex, wie sie aus der Schlägerei flüchteten. Dazu Bilder der Schlacht vor und in der Bar. Das völlig zerstörte Lokal danach. Zertrümmerte Hocker, die kreuz und quer in einem Scherbenmeer lagen. Die Straße davor ein Schlachtfeld. Mittendrin Polizeiwagen mit Blaulicht. Flaschen. Steine. Möbel brannten auf der Straße.

»Eine Frau glaubt, sie sorgt für Gerechtigkeit. Stattdessen bewirkt sie Chaos und Gewalt.«

In der Art ging es überall weiter.

Der ersten Nachricht mit den Links hatte Henk eine zweite hinterhergeschickt.

*Gebt den Fall auf! Ihr habt euren Punkt gemacht! Ihr hattet
eure 15 Minuten Ruhm. Gebt endlich Frieden!*

Sie warf das Tablet zur Seite. Draußen brüllten die Demonstranten gegeneinander an. Vermutlich schlief in diesem Hotel kein einziger Gast mehr.

Eine Schmutzkübelkampagne.

Da würde noch mehr kommen.

Dabei waren sie erst an Tag drei von Douglas Turners Verhaftung.

Und Henk, der Idiot, hatte nichts Besseres zu tun, als ihr eine Szene zu machen. Wie hatte sie sich so in diesem Menschen irren können? Jahrelang! Wütend griff sie wieder zu dem Tablet.

Glaub doch, was du willst!

Beim Zimmerservice bestellte sie Frühstück. Dann wählte sie Marias Nummer.

Die Chefanklägerin hob nach dem ersten Freizeichen ab.

»Guten Morgen!«, rief sie in den Hörer. »Was gibt's?«

Wach. Entschieden. Direkt.

»Mir ist da etwas Unangenehmes passiert«, gestand Dana. »Ich war gestern Abend noch kurz etwas trinken. Man hat mich erkannt, und das führte zu einer Auseinandersetzung unter den Gästen. Irgendjemand, wahrscheinlich die Amerikaner, schlachten das jetzt kommunikativ aus.«

In ihrem Telefon blieb es einen Moment still.

»Wie schlimm?«, fragte Maria schließlich.

»Das muss die Presseabteilung beurteilen«, sagte Dana. »Ich schicke ein paar Links zu Berichten.«

Wieder kurze Stille. Dann: »In Ordnung. Danke, dass du Bescheid gesagt hast. Viel Glück für später.«

Als Dana an die Hotelrezeption trat, eilte ein junger Mann aus dem Raum dahinter zu ihr. Das Schild an seinem Revers wies ihn als Costas aus. Martin war wohl schon im Bett.

»Costas«, sagte sie, »guten Morgen! Kann ich bei Ihnen ein Taxi zum Gericht ordern?«

Sie musste laut sprechen, um das Brausen der Demonstranten zu übertönen.

»Frau Marin«, sagte er und knetete die Hände, »ich muss mit Ihnen reden.«

»Das tun Sie ja schon.«

Ein paar Hotelgäste an der Bar auf der anderen Seite der Lobby beäugten sie skeptisch.

»Ich...«. Er brachte kaum ein Wort heraus. »Ich muss Sie bitten, das Hotel zu verlassen.«

»Das habe ich gerade vor«, sagte sie mit einem komischen Gefühl im Bauch, dem sie nicht glauben wollte. »Wenn Sie mir ein Taxi rufen.«

»Ich meine«, stammelte er, »ganz verlassen. Sie können hier nicht weiter wohnen.«

Also tatsächlich.

Erst einmal blöd stellen. Und ihn wenigstens in Verlegenheit bringen für sein Duckmäusertum.

»Wieso? Was soll das heißen?«

»Sie sehen selbst«, sagte er mit einer Geste zu den Demonstranten. »Unsere Gäste haben keine Ruhe, solange Sie hier wohnen.«

»Dann sorgen Sie für Ruhe.«

Noch so eine hilflose Bewegung.

»Nicht einmal die Polizei kann das«, klagte er. »Sie haben nicht genug Leute, sagen sie.«

»Sie werfen mich aus dem Hotel? Ernsthaft?!«

»Es tut mir wirklich sehr leid«, sagte er. Senkte die Stimme. »Unter uns: Ich finde es großartig, was Sie getan haben.«

Das half ihr gerade wenig.

Er sprach wieder in normaler Lautstärke. »Aber die Eigentümer fürchten die Sanktionen. Sie können Sie hier nicht mehr beherbergen.«

Obwohl der ICC das vorab besprochen hatte.

»Können nicht?! Wollen nicht.«

Nur noch Achselzucken.

»Da hilft mir Ihre Bewunderung wenig«, sagte sie. Bei manchen Kämpfen wusste Dana, ob zu kämpfen sinnvoll war oder nicht.

»Ein Taxi bestellen Sie mir aber noch?«

»Selbstverständlich«, versicherte er mit einer Verbeugung.

»Machen Sie bitte meine Rechnung fertig«, sagte sie kühl. »In einer Viertelstunde bin ich zurück.«

Die Nacht war überraschend ruhig verlaufen. Zwischendurch war der Mann sogar eingedöst. Ein Ohr war trotzdem immer wach. Kapo hatte keine weiteren Angriffe gewagt. Entweder war er nicht so mächtig, oder das Geldversprechen hatte ihn gefügig gemacht. Oder er war einfach clever genug. Wie auch immer.

Das Frühstück wurde in einem Speisesaal ausgegeben, der so appetitlich war wie die Zellen. Das Mobiliar hätte nicht einmal mehr die Caritas angenommen.

Den US-amerikanischen Ex-Präsidenten entdeckte der Mann nirgendwo. Bekam sein Frühstück wohl ans Bett serviert. Der Mann fragte sich bloß, von wem. Selbst in dem Riesensaal mit Hunderten Häftlingen entdeckte er neben dem Küchenpersonal gerade einmal vier Justizbeamte. Sie patrouillierten entlang der Wände. Ab und zu wagte sich einer durch die langen Tischreihen. Arbeitskräfte schienen in dieser Einrichtung Superluxus.

Er stellte sich mit den anderen Inhaftierten in die Schlange an der Essensausgabe. Vor Kapo. Der Großteil der Häftlinge war in einem erbarmungswürdigen Zustand. Ihre Gebisse hätten gut in ein Gemälde eines niederländischen Meisters des siebzehnten Jahrhunderts gepasst. Ihre Haut zeugte von zu viel Alkohol, Zigaretten, schlechter Ernährung, Sonne und zu wenig Geld. Die meisten sahen älter aus, als sie waren. Natürlich gab es die Muckibrüder. Und ihre sehnigen Wieselkumpel. Sie hatten den Mann sofort ausgespäht. Ein Neuer. Dass er sich unbehelligt und aufrecht vor Kapo hinstellen durfte, verwirrte sie. Ihn kümmerte es nicht. Er holte sich seine Pampe ab und setzte sich an einen freien Platz.

Kapo setzte sich neben ihn. Mit gebeugtem Rücken und dem Löffel in der Hand, als lernte er gerade erst, mit Besteck zu essen.

»Wir müssen über unser Geschäft reden«, sagte er.

»Geduld«, sagte der Mann und schob den Löffel in den Mund.

Hinter ihnen lief einer der Wachbeamten vorbei. Auf dem Tablett des Mannes landete ein kleines Telefon. Altmodisch, aber kompakt und mit allem, was man brauchte. Ein klassischer Burner. Der Wärter hatte es so unauffällig hingelegt, wie es die Situation erforderte. Jedoch auffällig genug, dass es der gesamte Tisch mitbekommen hatte. Und ein paar Typen an den Nachbartischen dazu.

Die Botschaft war angekommen. Hier saß jemand mit Einfluss. Mit einem direkten Draht. Jemand, der Zeug beschaffen konnte. Wichtiges Zeug. Jemand, der die Kontrolleure kontrollierte.

Der Mann ließ das Telefon liegen und löffelte weiter. Ließ den Moment wirken. Ein weiteres Zeichen der Macht. Die anderen Wächter hatten nichts gesehen oder taten wenigstens so. Der Beamte war in der nächsten Tischreihe.

Jetzt steckte der Mann das Gerät ein. Ohne es zu prüfen. Ohne wichtige Nachrichten abzurufen. Oder gar zu telefonieren. Wer wichtig war, rief niemanden an. Er wurde angerufen. Angeschrieben. Außer er musste Anweisungen erteilen. Befehle geben.

Musste er nicht.

Er aß weiter.

Kapo neben ihm löffelte, als wäre nichts geschehen. Doch der Mann registrierte, dass sich Kapos Gesicht noch tiefer über den Teller beugte. Untertänig.

Auch die Muckis und Wiesel hatten den Vorfall mitbekommen.

Ein neuer Spieler war im Haus. Der Mann spürte ihre Blicke auf sich ruhen. Gegner? Oder möglicher Verbündeter?

Steve kam als Erster in die Küche. Cath schminkte sich noch im Bad. Steve prüfte das Telefon im Abstellraum.

Keine neue Nachricht.

Der Akku des Geräts war jetzt vollständig aufgeladen. Steve steckte es in die Hosentasche.

Angespannt bereitete er das Frühstück zu. Wie konnten ihn die so hängen lassen? Andererseits... Was sollten sie tun? In ein totales Zeugenschutzprogramm wollte er nicht. Noch nicht. Wollte er damals nicht und hatten sie ihm auch nicht angeboten. Nur dass er vor dem ICC anonym würde aussagen dürfen – sollte er überhaupt aussagen müssen. Wofür eigentlich kein Grund bestand. Das Video sagte genug.

Beim Frühstück sprachen Steve und Cath nicht viel. Beide löffelten verschlafen von ihrem Müsli oder aßen ihr Brot, tranken ihren Kaffee und wischten über ihre Smartphones. Steve spürte den Wein vom Vorabend. Hatte auch nicht geholfen, ihre Diskussion zu klären.

Turner saß immer noch in dem Athener Gefängnis. Die internationalen Medien ergingen sich in Spekulationen, der Rest des Internets in Verschwörungstheorien und gegenseitigen Beschimpfungen. Die USA drohten mit weiteren Sanktionen gegen Griechenland und den ICC. Einige Meldungen fand Steve über Dana Marin. Sie war damals bei der Befragung und dem Stimmvergleich dabei gewesen. Und nun bei Turners Verhaftung. Eine Flut ähnlicher Artikel grub in ihrem Vorleben herum. Aber auch über ein US-Spezialistenteam fanden sich eine Menge Berichte. Steve kannte niemanden davon. Er wollte schon zum Sport wechseln, als er über eine Schlagzeile stolperte:

USA beantragen internationalen Haftbefehl gegen ungenannten Verräter von Staatsgeheimnis.

Washington, D. C. – Die Vereinigten Staaten haben einen internationalen Haftbefehl gegen einen Verräter hochgeheimer staatlicher Informationen erlassen. Die Identität der gesuchten Person ist den Behörden bekannt. Aus Sicherheitsgründen wird sie vorerst nicht der Öffentlichkeit mitgeteilt. Ob der Haftbefehl im Zusammenhang mit der Verhaftung von Ex-US-Präsident Douglas Turner in Athen im Auftrag des International Criminal Court steht, wurde nicht kommentiert, aber auch nicht dementiert. Die verdächtige Person soll sich ins Ausland abgesetzt haben. Zuverlässige Quellen aus dem Umfeld des Weißen Hauses sprechen jedoch von einem Zusammenhang mit Turners Verhaftung. Die Rede ist von einem Aufenthaltsland in Europa. Vielleicht Deutschland. US-Behörden geben dazu keinen Kommentar, haben jedoch ihre Spur aufgenommen und arbeiten mit internationalen Polizeidiensten zusammen. Sie rechnen mit einer baldigen Festnahme.

»Ist was?«, fragte Cath. »Zu viel Wein gestern?«

»Wieso?«, fragte Steve.

»Du bist ganz weiß im Gesicht. Dein Gesicht glänzt richtig. Brauchst du eine Aspirin?«

Aspirin würde da nicht helfen.

»Danke, geht schon.«

In Steves Hosentasche glühte das andere Telefon. Doch er

konnte es jetzt nicht einfach hervorziehen und eine Nachricht senden. Statt sich noch ein Brot zu streichen, stand er auf.

»Bin kurz im Bad.«

»Hm«, machte Cath nur, ohne von ihrem Telefon aufzusehen.

Im Bad wusch er sich das Gesicht mit kaltem Wasser. Fuhr sich mit den nassen Händen über die verschwitzte Kopfhaut. Holte das Telefon aus der Hosentasche. Tippte.

Meldung über internationalen Haftbefehl gegen US-Bürger wegen Geheimnisverrats. Identität bekannt, wird aber nicht veröffentlicht. Soll sich »ins Ausland abgesetzt« haben. Laut anderen Quellen mutmaßlich Europa, eventuell Deutschland! US-Behörden haben bereits Spur. Erwarten Festnahme in den kommenden Tagen. Bin das ich???

Er steckte das Telefon weg und musterte sich im Spiegel. Keine schöne Farbe, Cath hatte recht. Schon wieder spürte er den kalten Schweiß unter dem Haar, auf der Stirn, unter den Augen, über den Lippen.

Zog das Telefon noch einmal hervor.

Keine neue Nachricht.

Er kehrte an den Frühstückstisch zurück.

Cath hatte inzwischen alles weggeräumt.

»Ich muss los«, sagte sie. »Denk dran, heute Abend sind wir bei Delli und Emil.«

Weg war sie.

Steve ließ sich auf den Stuhl fallen. Tippte sein Handy an, das noch dalag. Starrte auf die Meldung über den internationalen Haftbefehl, die sofort auf dem Screen erschien. Ob Cath nachgesehen hatte?

Und wenn.

Er musste los. Davor musste er aber noch etwas finden.

46

Der Fahrer sprach schlecht Englisch. Dana war nicht böse darüber. Hatte sie ihre Ruhe. Die brauchte sie gerade. Ebenso wie eine Unterkunft für die kommende Nacht. Und womöglich noch einige weitere Nächte.

Die Klimaanlage des Wagens funktionierte nicht. Die Luft war schwül und schwer. Eine hauchdünne Wolkenschicht vor dem nun blassblauen Himmel ließ alle Konturen weicher wirken als das gleißende Licht der vergangenen Tage. Und noch etwas war anders. Sie runzelte die Stirn. Der Verkehr war es nicht. Er war so dicht wie eh und je.

Da war es wieder! Eine Menschentraube vor einem Laden. Was war das? Ein Supermarkt?

»Ist das ein Supermarkt?«, fragte sie den Fahrer.

»Ja«, sagte er.

»Warum sind da so viele Leute? Sonderangebote?«

»Angst.«

»Wovor?«

»Dass es bald nichts mehr gibt. Wegen Gericht.«

Ernsthaft jetzt? Mit einem Mal fror Dana.

Wegen des Gerichts?! Das Gericht hatte doch keine Sanktionen erlassen.

Hatte der Mann sie erkannt? Immerhin fuhr er sie zu ebendiesem Gericht.

»Sie meinen, weil die Amerikaner Sanktionen erlassen haben?«

»Wegen Gericht«, sagte er, »das amerikanischen Präsidenten verhaftet.«

»Deshalb gibt es aber doch keine Lebensmittelknappheit«, erwiderte Dana und bemühte sich, nicht zu aufgebracht zu klingen.

Der Fahrer schwieg.

Inzwischen waren sie ein paar Häuserblocks weiter. Vor einem Gebäude hatte sich eine lange Schlange Wartender gebildet.

»Was ist dort? Das ist kein Supermarkt.«

»Bank.«

Nicht wirklich, oder? Das hier war doch keine Finanzkrise oder Pandemie! Wer redete denen denn solche Ängste ein?!

»Auch wegen der Amerikaner?«

»Wegen Gericht«, sagte der Fahrer.

Eine Diskussion schien Dana sinnlos.

Während Steve das Fahrrad losschloss, scannte er unauffällig die Umgebung. Vielleicht der Wagen dort hinten. Motorrad- oder Fahrradfahrer bemerkte er keine. Er radelte los wie immer. Keine Schulterblicke, keine Umwege.

Heute allerdings fuhr er nicht direkt in die Agentur.

Gemächlich radelte er in die Innenstadt. Dort würden es Autos schwer haben, ihm zu folgen. Auf dem letzten Abschnitt in dem Einbahnstraßengewirr und der Fußgängerzone ohnehin.

Er suchte sich einen Radständer und schloss das Rad an.

Bis zur Filiale der Bank lief er zwei Minuten.

In der Bank trat er zu einem der freien Servicetische. Er wandte sich an die junge Frau dahinter.

»Ich möchte zu meinem Schließfach, bitte«, sagte er.

Die Bankangestellte erhob sich und ging voraus. Der Raum mit den Schließfächern lag eine Etage tiefer hinter einer Tür aus dicken Stahlstangen.

Die Frau ließ ihn ein und wandte sich zum Gehen.

Den Schlüssel für das Schließfach trug Steve immer bei sich, an seinem Schlüsselbund mit all den anderen Schlüsseln.

Er öffnete die niedrige, breite Tür und zog die Lade hervor.

Darin lagen übereinander zwei fingerdicke weiße Kuverts.

Steve öffnete sie und versicherte sich. Das Bargeld war noch drin. Zwölftausend Euro im einen. Achttausend US-Dollar im anderen. Immer wieder erstaunlich, wie wenig Platz eine solche Summe einnahm. Selbst wenn man sie, wie Steve, in größere und kleinere Scheine aufgeteilt hatte.

Er steckte die Kuverts in die Bauchtasche, die er sich extra unter das Hemd geschnallt hatte. Die Messengerbag war ihm zu unsicher. Dieses Geld war seine Überlebenschance für den Fall der Fälle.

Das war sein Fehler gewesen: das Geld in einem Schließfach zu deponieren, auf das er nur zu Banköffnungszeiten Zugriff hatte. Was, wenn er sofort hätte untertauchen müssen und Geld gebraucht hätte, ohne digitale Spuren zu hinterlassen?

Er klingelte, und die Bankangestellte ließ ihn aus dem Tresorraum.

»Danke«, sagte er. Und, während sie die Treppe emporstiegen: »Ich möchte das Schließfach bitte kündigen.«

Danas Fahrer näherte sich dem Gericht von hinten. Sie sah Rauchwolken hinter dem Gebäude aufsteigen.

Die Seitenstraße mit dem Nebeneingang hatte die Polizei abgesperrt. Dana kramte aus ihren Bargeldresten die erforderliche Summe und reichte sie dem Fahrer.

Draußen war es noch schwüler. Bis zu ihnen klangen die Sprechchöre der Demonstranten und die Sirenen. Als der Fahrer ihr Gepäck aus dem Kofferraum hievte, sagte er: »Lassen Präsidenten frei.«

Wie bitte? War das eine Voraussage? Oder eine Forderung?

»Wer lässt den Präsidenten frei?«

»Sie. Sie müssen freilassen.«

Hatte er sie also erkannt.

»Sie wissen, wer ich bin?«

»Natürlich. Ihr Bild überall«, sagte er.

»Sie finden es falsch, was ich tue?«

Er zuckte mit den Schultern.

»Falsch. Richtig. Wer weiß schon. Schwierigkeiten. Große. Womöglich sogar Krieg mit der Türkei. Helfen niemandem.«

Er zog den Griff aus ihrem kleinen Rollkoffer und schob ihn ihr vor die Füße.

»Wegen diesem Mann sind unschuldige Menschen gestorben. Frauen, Kinder, Greise. Haben Sie eine Frau, Kinder?«

»Ja.«

»Frauen und Kinder wie Ihre. Eltern wie Ihre Eltern.«

»Kämpft gegen Terroristen. Haben viel mehr unschuldige Menschen getötet. Viele, viele mehr.«

»Und deshalb darf er das auch?«

Der Fahrer zuckte wieder mit den Schultern und blickte zur Seite.

»Große immer lässt laufen. Nur Kleine hängt man.«

»Diesmal nicht. Auch wenn niemand gehängt wird.«

»Natürlich nicht. Freigelassen wird. Muss.«

»Trotzdem haben Sie mich gefahren?«

»Sie Fahrgast. Zahlen. Ich brauche Geld.« Jetzt sah er sie an. Spöttisch und traurig zugleich. »Für meine Frau und Kinder. Wichtiger als meine Meinung.«

»Danke«, sagte sie.

Er stieg ein. Dana sah ihm nach, bis der Wagen um die nächste Ecke verschwunden war.

Je näher Dana dem Seiteneingang kam, desto lauter vernahm sie die Demonstranten. Nur vereinzelte hellgraue Rauchschwaden zogen aus ihrer Richtung an dem Gebäude vorbei über die Straße. Die Einmündung der Seitenstraße schützte im Gegensatz zu gestern kein Polizeikordon, sondern panzergroße, bullige olivgrüne Fahrzeuge mit Wasserwerfern obendrauf.

Vassilios erwartete sie wie üblich an der Sicherheitskontrolle. Beim Anblick von Danas Rollkoffer und ihrem restlichen Gepäck verzog sich sein Gesicht zu einem Grinsen.

»Sie reisen ab?«

»Sehr witzig«, sagte sie, während die Uniformierten sie kontrollierten und ihr Gepäck in die Durchleuchtung schoben.

»Man hat Sie hinausgeworfen«, stellte er fest.

»Hunderte Demonstranten vor dem Hotel«, sagte sie. »Bestellt, wenn Sie mich fragen. Wenigstens die Gegner.«

Vassilios nickte nur und nahm das Gepäck.

»Danke.«

»Wahrscheinlich werden Ihnen die meisten Hotels schnell Schwierigkeiten machen«, sagte er, »sobald man Ihnen die Demonstranten hinterherschickt.«

»Sie halten das auch für inszeniert?«

»Natürlich«, sagte er. »Am einfachsten wäre es wahrscheinlich, wenn Sie bei mir blieben. Wie gesagt, ich habe sogar zwei Gästezimmer.«

»Das ist sehr nett, danke«, sagte Dana. Vermutlich hatte er recht. »Ich denke darüber nach.«

Aus dem Inneren des Gerichtsgebäudes konnte Dana nun die Straße davor sehen. Auf den zwei näher liegenden Fahrstreifen drängten sich noch mehr Sendewagen und Medienvertreter als tags zuvor. Dahinter die Demonstranten. Von der Nebenstraße aus hatte sie nicht gesehen, wie viele es waren. Tausende.

Nicht alle waren friedlich. Polizei und Militär hatten einen etwa vierzig Meter breiten Leerstreifen zwischen den streitenden Parteien gesichert. Über die Köpfe der schwer geschützten und bewaffneten Polizisten und Soldaten flogen Flaschen, Steine, Latten in beide Richtungen. Immer wieder landeten Trümmer auch mitten in dem Trupp von vielleicht fünfzig Uniformierten. Auf beiden Seiten stiegen da und dort kleine Rauchsäulen auf.

»Das werden sie bald räumen«, sagte Vassilios. »Müssen.«

Er rollte Danas Koffer neben sich her.

»Und, unterhaltsamen Abend gehabt, gestern?«, fragte er, schon wieder grinsend. Was war an dieser ganzen Situation so lustig?

»Sie haben die Bilder gesehen«, stellte sie fest.

»Geht mich aber nichts an«, sagte er.

Genau.

»Solange der Typ tatsächlich eine ganz normale Bekanntschaft ist«, fügte er dann aber doch noch hinzu.

»Was meinen Sie?«

»Wie haben Sie ihn kennengelernt?«

Dana erzählte die Geschichte.

»Der Handtaschendieb entkam?«, fragte Vassilios.

»Ja.«

Vassilios nickte.

Dana dämmerte es. Sie spürte, wie sich die Haare in ihrem Nacken und auf dem Kopf aufstellten und anfühlten wie Stacheln.

»Sie meinen, jemand könnte den Diebstahlsversuch inszeniert haben, um Alex in meiner Nähe zu positionieren?«

Die Agentur lief bereits auf Hochbetrieb. Steve hatte sie kaum betreten, als die erste Stimme nach ihm rief.

»Moment noch«, sagte er.

Zuerst checkte er sein Kontakttelefon.

Sie haben eine neue Nachricht.

Wahrscheinlich wieder: Bleib ruhig und unauffällig!

Die wollen Sie verrückt machen.

Das gelang ihnen jedenfalls.

Wir verstehen Ihre Bedenken. Das muss sich gerade sehr unangenehm anfühlen. Aber noch einmal: Wenn die wirklich etwas wüssten, wären sie längst aktiv geworden. Die wollen Sie zu einem Fehler provozieren. Zu auffälligem Verhalten. Das ist ein Psychokrieg. Den die anderen gewinnen, wenn Sie jetzt nicht ganz normal weiterleben. Da werden noch mehr Dinge kommen, bereiten Sie sich darauf vor. Wir tun es auch. Und sind jederzeit für Sie da!

Wie erwartet. Verärgert tippte Steve eine Antwort.

Und was tue ich, wenn es ernster wird? Wenn mich jemand bedroht oder ich verhaftet werde? Kann ich um Asyl nachsuchen? Bringt mich der ICC in ein Zeugenschutzprogramm?

Um Steve herum strömten die anderen in die Agentur, während er auf eine Antwort wartete. *Sind jederzeit für Sie da!* Wo war sie dann, die Antwort?! Das Schlimmste war die Unsicherheit. War er es, der mit internationalem Haftbefehl festgenommen werden sollte? Wenn ja, was blühte ihm? Er spürte, wie kalt seine Hände und Füße wurden, obwohl es noch sommerlich warm war.

47

»Die Staatsanwaltschaft hat das Argument bereits vorgebracht, dass dieses Gericht für die Beurteilung der dem Verhafteten vorgeworfenen Tatbestände nicht zuständig ist«, erklärte der Vorsitzende Michelakis. »Dieses Gericht hat jedoch beschlossen, dass der Verhaftete die Informationen für seine Verteidigung benötigt.«

Auf der gegenüberliegenden Seite nickte Ephramidis zufrieden.

Diesmal waren die Amerikaner in kleiner Besetzung aufgefahren, stellte Dana fest. Alana Ruíz, William Cheaver, Derek Endvor.

»Der Vorwurf gegen Douglas Turner lautet Kriegsverbrechen, insbesondere vorsätzliche Angriffe auf die Zivilbevölkerung. Das Gericht möchte dazu ausführlichere Erklärungen.«

Der Staatsanwalt ergriff das Wort. Gut. Dieses Framing durften sie nicht der Gegenseite überlassen.

»Als Kriegsverbrechen angesehen werden schwere Verstöße gegen das Internationale Humanitäre Völkerrecht oder Kriegsrecht, die mit krimineller Absicht begangen werden – also vorsätzlich oder rücksichtslos«, erklärte Stouvratos.

»Das Gericht zieht den Begriff Kriegsrecht vor«, warf der Vorsitzende ein. »Es kann in kriegerischen Konflikten nichts Humanitäres entdecken, weshalb es ihn für die angesprochenen Umstände deutlich zutreffender findet.«

»Selbstverständlich«, sagte Stouvratos. »Als schwere Verstöße, für die Individuen angeklagt werden können, gelten laut dem Rom-Statut unter anderem absichtliche, unterschiedslose oder nicht verhältnismäßige Angriffe, die Zivilisten verletzen oder töten, Geiselnahme, Verschwindenlassen, die Verwendung menschlicher Schutzschilde und kollektive Bestrafung, Mord. Individuen können dafür angeklagt werden, dass sie an Kriegsverbrechen beteiligt waren, sie ermöglicht haben, dabei geholfen haben oder Vorschub geleistet beziehungsweise dazu aufgefordert, sie vorbereitet oder angezettelt haben. Kommandierende und zivile Verantwortliche können wegen Kriegsverbrechen strafrechtlich belangt werden, wenn sie wussten oder hätten wissen müssen, dass im Rahmen ihres Verantwortungsbereichs solche Verbrechen begangen werden könnten, und sie unzureichende Maßnahmen zu deren Verhinderung ergriffen beziehungsweise Personen, die solche Verbrechen begingen, nicht bestraften. Euer Ehren«, fuhr Stouvratos nach einem Blick in seine Unterlagen fort, »wenn Sie mir erlauben, möchte ich ein Beispiel vorlesen, das der ICC auf Ersuchen des Gerichts übermittelt hat. Das Gericht wollte Informationen. Hier sind die Informationen.«

Er nahm einen der Zettel aus seinen Unterlagen und las vor.

»27. Oktober 2018.«

48

Bisher war es ein halbwegs ruhiger Abend in Shahidanu Mena gewesen. Fahrid und seine Geschwister waren bereits zu Bett gegangen. Mit seinen Brüdern alberte er noch herum. Sie lachten über einen ihrer Mitschüler, der am Vormittag etwas besonders Dummes gesagt hatte. Im Zimmer nebenan nähte Fahrids Mutter. Sein Vater saß noch mit dem Großvater im Wohnzimmer. Die Großmutter war zu Bett gegangen. Sie schlief in einem Zimmer auf der anderen Seite des Hauses. Von draußen hörte Fahrid nur ab und zu ein Auto oder den scheppernden Lärm eines Mopeds, das durch ein Schlagloch fuhr. Bis er mit einem Mal aus der Ferne, kaum wahrnehmbar, ein dumpfes, rhythmisches Klopfen vernahm. Es kam rasch näher. Fahrids Herz begann schneller zu schlagen. Er kannte das Geräusch gut. Der Rodat District in der afghanischen Provinz Nangarhar war umkämpftes Gebiet. Mal waren die afghanischen Truppen Herren des Gebiets, mal waren es die Taliban oder andere Bewaffnete, die den Bewohnern das Leben schwer machten.

»Hört ihr das?«, fragte er seine Brüder. Fahrid war zwölf, seine Brüder vierzehn, sechzehn und siebzehn. Natürlich hörten sie es. Das dumpfe Flappen hatte sich mittlerweile in aggressives Rattern von Helikopterrotoren verwandelt, die sich Rodat näherten.

Von nebenan klang nun auch die nervöse Stimme ihres Vaters. Er war Lehrer an der Schule. Fahrid hörte, wie er mit ihrer Mutter sprach.

Sie alle wussten, was bevorstand. Doch keiner ahnte, wen es diesmal treffen würde.

Im nächsten Augenblick platzte Fahrids Trommelfell fast, als das Haus unter einer gewaltigen Explosion erbebte. Er hörte seine eigenen Schreie und die seiner Brüder kaum, so laut klingelte es in seinen Ohren. Im Nebenzimmer brüllte ihr Vater, Fahrids Mutter plärrte hysterisch.

»Sie haben die Tür gesprengt!«, rief sein Vater. »Kinder, bleibt in eurem Zimmer! Lasst das Licht ausgeschaltet!«

Doch seine Brüder waren bereits aufgesprungen und auf dem Weg zu ihren Eltern, Fahrid hinterher. Im Haus war es dunkel. Von der anderen Seite hörten sie die Großmutter panisch rufen. Aus dem Nachbarzimmer waren nun auch Fahrids zwei Schwestern dazugekommen. Fahrids Vater lief zur Tür oder was davon übrig war, Fahrids Brüder immer hinterher.

»Bleibt drin!«, rief der Vater. Auch im Hof vor dem Haus war es dunkel, nur von fern spendete irgendetwas spärliches Licht. Die Explosion hatte ein Loch, dreimal so groß wie die Tür, in die Mauer gerissen.

»Warum haben sie auf uns geschossen?!«, rief die Mutter. »Wir haben doch nichts getan!«

Von der anderen Hausseite brüllte die Großmutter. War sie verletzt? Von draußen drangen Stimmen herein. Geschrei überall. Durchs Fenster sah Fahrid jetzt die Schatten der Männer. Sie trugen Uniformen. Fahrid hörte sie in Paschtu durcheinanderreden. Einer von ihnen übersetzte auf Englisch. »Amerikaner«, flüsterte seine Schwester, die plötzlich neben ihm aufgetaucht war. Die waren bei solchen Einsätzen immer dabei. Sein Bruder schubste seine Schwester nach hinten und riss Fahrid an der Schulter hinunter, sodass er nichts mehr sehen konnte. Aber auch von den Männern da draußen nicht gesehen werden konnte.

»Ergebt euch!«, brüllten die Männer draußen, kaum den Lärm

der Hubschrauber übertönend. »Ergebt euch! Kommt mit erhobenen Händen heraus und ergebt euch!«

»Das muss ein Missverständnis sein!«, rief sein Vater. »Wir haben nichts getan! Wir haben nichts getan!«

»Heraus! Mit erhobenen Händen! Ergebt euch! Sonst feuern wir noch einmal! Los!«

Erst jetzt bemerkte Fahrid, dass sein ganzer Körper schlotterte. Er drückte sich fest gegen die Wand, um die unkontrollierten Bewegungen zu stoppen. Das Schütteln hörte nicht auf.

»Herauskommen!«

»Nein, nicht!«, brüllte seine Mutter mit einer Stimme, die Fahrid bei ihr noch nie gehört hatte. Sie ließ ihn zu seinem Zittern frieren.

»Nicht! Tu das nicht! Nein!!!«

Während sein Vater mit erhobenen Armen in das große Loch in der Hauswand trat.

»Hier bin ich!«, rief er. »Ich habe nichts getan! Ich bin Lehrer!« Er tat ein paar Schritte hinaus in das fahle Licht der Straßenlaternen. »Das muss ein Irrtum sein. Ich bin …«

Seine nächsten Worte gingen unter im Knattern der Maschinenpistolen und in den entsetzten Schreien seiner Mutter. Fahrid hatte nicht gesehen, was geschehen war. Doch seine zwei ältesten Brüder sprangen auf und rannten zu dem Loch in der Wand.

»Nicht!«, brüllte ihre Mutter. »Bleibt hier! Bleibt da! Sie werden euch auch erschießen!«

Tausend Stimmen durcheinander. Wieder knatterten die Waffen. Schrie seine Mutter. Fahrid hörte das dumpfe Geräusch, als ihre Körper auf den staubigen Grund fielen. Jetzt rannten auch Fahrids dritter Bruder und seine ältere Schwester zu dem Mauereinbruch. Fahrid krabbelte ihnen auf allen vieren hinterher. Steckte den Kopf nur so weit hinaus, dass er die drei leblosen Körper im Staub liegen sah. Ein paar Meter weiter, am Rand des

Grundstücks, waren die Schatten der Angreifer. Jetzt erkannte er auch die Uniformen. Sie gehörten zu einer Einsatztruppe der afghanischen Armee. Wieder hörte Fahrid sie brüllen. Untereinander. Auf Englisch. Dann waren also auch Amerikaner dabei. Er hatte davon gehört. Über alles legte sich das entsetzliche Geschrei seiner Mutter. Es hatte nichts Menschliches mehr. Wie ein Tier, dachte Fahrid; er wusste nicht, welches, eines aus den entsetzlichen Märchen, die ihm der Großvater manchmal erzählte, so stellte er sich das vor. Er war nun auch neben dem Loch, so wie die Großeltern. Gemeinsam versuchten sie, Fahrids Bruder davon abzuhalten, nach seinem Vater und seinen Brüdern zu sehen.

»Bitte, tötet uns nicht!«, rief seine Mutter. Schluchzte. »Bitte! Nicht!«

Ein böser Knall durchdrang die Nacht, gefolgt von zwei weiteren. Mit einem leisen Stöhnen sank in dem düster beleuchteten Mauerloch Fahrids Großmutter zusammen, die ihren Enkel eben noch am Arm gezerrt hatte.

Ihr Mann, der Fahrids Bruder festgehalten hatte, ließ eine Hand los, um ungläubig nach seiner Frau zu greifen. Diese unerwartete Schwäche hatte Fahrids Bruder wohl nicht erwartet. Er musste sich gar nicht mehr losreißen. Stolperte vielmehr aus ihrem Griff hinaus in den Hof, den Namen der Brüder brüllend, und: »Vater! Vater!«

Von den Schatten auf der anderen Seite des Grundstücks blitzte es, wieder die bösen, harten Geräusche, und Fahrids Bruder richtete sich auf, nicht aus eigener Kraft, sondern wie von unsichtbaren Fäusten geprügelt, bevor er mit abgespreizten Armen hintüberfiel und leblos liegen blieb. Ehe Fahrids Mutter sie noch halten konnte, stürzte seine ältere Schwester mit erhobenen Armen hinaus.

»Nicht schießen! Nicht schießen! Warum schießt ihr?! Wir haben nichts getan! Ich muss ihnen helfen! Ich muss ...«

Weiter kam sie nicht. Mehrere Treffer schleuderten sie um die eigene Achse. Sie kam neben ihrem Bruder zu liegen.

Fahrids Großvater lag halb auf Fahrids schluchzender Mutter, verzweifelt versucht, sie im Haus zu halten.

Fahrid und seine jüngere Schwester umklammerten sich gegenseitig. Sie zitterte noch heftiger als er.

Draußen brüllten wieder die Männer auf Englisch. Drinnen sein Großvater und die Mutter. Draußen lagen die Körper seiner Familie. Fahrid entdeckte eine Bewegung. Seine älteste Schwester. Ein Bein hob sich ein paar Zentimeter vom Boden.

»Ich muss ihr helfen«, wimmerte er und ließ seine andere Schwester los.

»Nein!«, brüllte sie. »Lass mich nicht allein! Nicht! Sie bringen dich auch noch um!«

Doch da war Fahrid schon in dem Mauerloch. Mit erhobenen Händen. Er war zwölf Jahre alt. Er war ein Kind. Schmal, nicht besonders groß. Auf ihn konnten sie nicht schießen.

»Nicht schießen! Ich will ihnen nur helfen!«, rief er und meinte seine Brüder, die Schwester, den Vater. Außer der Schwester bewegte sich keiner von ihnen. Und selbst sie mühte sich nur kaum wahrnehmbar.

»Nicht schießen!«

Beim dritten Schritt spürte er die Schläge. Den ersten im rechten Oberschenkel. Der zweite traf ihn gleichzeitig in die linke Schulter. Zwei in einen Arm. Er spürte keinen Schmerz an den Stellen, an denen die Projektile in sein Fleisch und seine Knochen drangen. Er spürte ihn nur in seinem Kopf und seinem Herzen, als er taumelte, versuchte, sich aufzurichten, bevor ihn ein weiterer Treffer ins Brustbein zu Boden schleuderte und ihm bewusst wurde, dass er niemandem würde helfen können, dass er nicht einmal seine Mutter ein letztes Mal sehen würde, bevor er hart auf dem Boden landete und die Zeit stehen blieb.

49

»Es besteht laut ICC ein begründeter Verdacht«, hob Staatsanwalt Stouvratos an, »dass am oder um den 27. Oktober 2018 Mitglieder einer Spezialeinheit der afghanischen Armee gemeinsam mit Beratern des US-Nachrichtendienstes CIA und unter dem Kommando einer in Nangarhar stationierten CIA-Einheit in den frühen Morgenstunden die Eingangstür zum Wohnhaus von Khialay T. in Shahidanu Mena, Nangarhar, gesprengt haben, drei männliche Mitglieder der Familie festgenommen und außerhalb des Hauses ermordet haben sowie fast alle anderen Familienmitglieder, einschließlich Frauen und Kinder, während der Durchsuchung des Hauses erschossen haben.«

Derek verfolgte jede noch so kleine Veränderung in den Mienen der Richter, während der Staatsanwalt vortrug. Dieser machte eine kurze Pause und blickte von seinen Papieren hoch in die aufmerksamen Gesichter der Richterin und der Richter, bevor er fortfuhr:

»Es gibt keine Hinweise darauf, dass eines der Opfer zum Zeitpunkt seiner Tötung bewaffnet war oder sonst gefährlichen Widerstand geleistet hat. Die Opfer waren ein Lehrer, seine Frau und sechs minderjährige Kinder sowie seine betagten Eltern.«

Pause. Ließ die Informationen wirken. Minderjährige Kinder. Greise.

»Die Behauptung der afghanischen Armee, es habe sich um

Mitglieder des IS gehandelt, konnte vom Anklagebüro nicht bestätigt werden. Vielmehr gibt es zahlreiche Zeugenaussagen, nach denen die Opfer der Zivilbevölkerung angehörten.«

Wieder blickte er das Gericht an, die Amerikaner, das Gericht. Sprach leiser: »Überlebt hat lediglich die zehnjährige Tochter der Familie.«

Auch hier machte er wieder eine Pause.

»Der Vorfall ist einer von vielen ähnlich gelagerten, in denen gemischte US-afghanische Einheiten bei nächtlichen Hausdurchsuchungen Angehörige der Zivilbevölkerung getötet haben, ohne dass diese bewaffneten Widerstand geleistet hätten. Menschenrechtsorganisationen und Journalisten haben die Vorgehensweise ebenfalls in akribischer Weise recherchiert und der Öffentlichkeit bekannt gemacht. Dem ICC liegen außerdem Zeugenaussagen vor, die eine Mittäterschaft der US-amerikanischen Berater und CIA-Einheiten beweisen.«

Seinem Blick zur amerikanischen Seite im Gerichtssaal folgten jene der Richterin und der Richter.

»Douglas Turner war zum fraglichen Zeitpunkt Oberbefehlshaber der US-Streitkräfte und Nachrichtendienste, einschließlich der Central Intelligence Agency. Es besteht daher begründeter Verdacht, dass Douglas Turner für das besagte Verbrechen am 27.10.2018 individuell strafrechtlich verantwortlich ist, weil er die vorsätzliche Tötung von Angehörigen der Zivilbevölkerung angeordnet hat, oder als militärischer Befehlshaber strafrechtlich verantwortlich ist, weil er es trotz seiner tatsächlichen Befehlsgewalt verabsäumt hat, die ordnungsgemäße Kontrolle über die Truppen auszuüben, entweder weil er von entsprechenden Anordnungen der CIA-Führung oder untergeordneten Einheiten wusste oder aufgrund der medialen Berichterstattung hätte wissen müssen, und keine erforderlichen und angemessenen Maßnahmen getroffen hat, um die Begehung solcher Verbrechen zu unterbinden oder die mutmaßlichen Verbrechen untersuchen zu lassen und die Verantwortlichen zu bestrafen.«

William Cheaver beugte sich zu Derek und flüsterte: »Wenn die nicht mehr als einen Night Raid haben, dann war es das. Das genügt nicht.«

»Wir machen zehn Minuten Pause«, sagte der Vorsitzende und erhob sich.

»Du meinst, damit können Sie Turner nicht halten?«, fragte Derek erleichtert.

»Nie und nimmer. Das argumentieren wir ihnen im Handumdrehen unter dem Hintern weg.«

50

»Medien und die Crowd in den sozialen Medien haben Turners Transferrouten vom Gefängnis ins Gericht und retour rekonstruiert«, erklärte Sal auf dem Beifahrersitz. »Gestern waren es andere als heute.«

Auf seinem Tabletcomputer rief er entsprechende Karten aus dem Internet auf. Stadtpläne von Athen, durch die sich rote und blaue Linien zogen. An einigen Stellen kreuzten sie sich oder liefen durch dieselben Straßen. Bessere und schlechtere Fotos von Polizeiwagen und Kleinbussen. Darunter lange Diskussionen mit unzähligen Teilnehmern, die die Richtigkeit der Aufnahmen und Annahmen debattierten.

»Da vorn rechts«, sagte er zu Sean am Steuer.

Auf der Rückbank saßen Harry und Biff. Die anderen vier folgten ihnen in dem zweiten Jaguar. Auch sie mit Tablets und den Stadtplänen. Verbunden über Telefonfreisprechanlagen.

»Es sind nicht die kürzesten Wege«, sagte Sal, »sondern die sichersten. Würden wir auch so machen. Breite Straßen, mit Möglichkeiten, zu überholen, auszuweichen und umzudrehen.«

»Wäre ein ziemlicher Aufwand, sie da irgendwo stoppen zu wollen«, drang Hernans Stimme aus der Freisprechanlage. »Abgesehen davon, dass wir die Routen im Vorfeld nicht kennen werden.«

»Daran arbeiten wir«, sagte Sal. »Aber du hast natürlich recht.

Angesichts unserer Vorbereitungszeit ist das derzeit ein suboptimales Szenario.«

»Wenn ich mir das so anschaue«, sagte Biff, »kommt es mir nicht so vor, als hätten sie bislang Ablenkungsmanöver durchgeführt. Es war immer nur ein Konvoi. Man wusste immerhin, woran man war.«

»Muss natürlich nicht so bleiben«, wandte Harry ein.

»Natürlich nicht.«

»Je länger sich die Situation hinzieht, desto vorsichtiger werden sie wohl werden«, sagte Sean. »Sie müssen annehmen, dass die USA immer ungeduldiger werden. Der Druck im Kessel steigt. Bis hin zu einer Befreiungsaktion.«

»Hast du etwa Neuigkeiten?«, fragte Sal. »Da vorn fahren wir rechts.«

51

Eilmeldung: Frankreich schickt Flugzeugträger ins östliche Mittelmeer!

Im eskalierenden Konflikt zwischen Griechenland und der Türkei um mögliche Gasvorkommen im östlichen Mittelmeer wird Frankreichs Präsident nun als Erster aktiv. Um seine Unterstützung Griechenlands zu unterstreichen, kündigte der französische Präsident an, die militärische Präsenz in der Region zu verstärken. Der französische Flugzeugträger Tonnerre, der derzeit vor Zypern ankert, wird auf See geschickt. Dort soll er zwei französische Fregatten unterstützen, die bereits in der Region unterwegs sind. Die Entscheidung habe nichts mit der Verhaftung des ehemaligen US-Präsidenten Douglas Turner in Athen und den Diskussionen über die Rolle der EU in der Verhaftung zu tun, auch nicht mit der Unterstützung der Türkei durch die USA, erklärte der französische Präsident.

52

Der Ablauf der Pause war bei fast allen derselbe. Toilette. Telefon. Nachrichten checken. Dana stand schon wieder im Gerichtssaal an ihrem Platz. Vassilios blätterte neben ihr in den Unterlagen. Von den Amerikanern waren die meisten auch wieder zurück. Standen über ihre Telefone gebeugt.

Ihre nächtliche »Party im Anarchistenviertel« wurde online immer noch gepusht. Aber auch die Neuigkeiten über Derek Endvor und seine Leute in Athen. Wer immer dafür verantwortlich war – ständig tauchten neue Geschichten über die Mitglieder seines Teams auf. Dazu Storys, die sie und die Amerikaner gegenüberstellten. Verfluchter Suchtfaktor dieser Pseudonachrichtenmedien! Dana wollte Twitter gerade wegtippen, als ihr eine Meldung mit Bild auffiel. Es musste abends oder nachts geschossen worden sein. Auf dem Foto waren zwei Personen, die sie in der Kombination noch nicht gesehen hatte. Nicht ganz scharf, aber deutlich genug. Sie unterhielten sich auf einem Bürgersteig, zwischen Autos und Häuserfassaden.

Der eine war Derek Endvor.

Der andere war Alex.

Danas Knie fühlten sich an wie schmelzende Butter.

Was haben Dana Marins neuer griechischer Freund und der Leiter des US-Krisenteams miteinander zu besprechen?, fragte der Text.

Ja, was?!

Bereits hundertfach geteilt.

Sie sank auf ihren Stuhl. Spürte, wie ihr der Schweiß ausbrach. Blickte verstohlen zu Derek Endvor hinüber.

Die Nachricht, zu der der Link im Tweet führte, fand sich wieder auf einem obskuren Nachrichtenblog.

Athen, gestern Nacht: Wenige Stunden nach den Ausschreitungen in Exarchia trifft Derek Endvor Dana Marins geheimnisvollen Begleiter aus der Anarchistenszene. Was haben die beiden miteinander zu besprechen? Das Foto wurde uns freundlicherweise von einem Passanten zur Verfügung gestellt, der die Szene zufällig beobachtete. »Ich habe erst heute Morgen begriffen, wen ich da fotografiert habe«, erklärte uns die fotografierende Person, die anonym bleiben möchte.

Zufällig! Daran glaubte Dana keinen Augenblick! Hatte Vassilios also recht gehabt ... Dana wurde übel vor Zorn und Scham. So naiv war sie auf Alex und seinen miesen Trick hereingefallen!

Wütend kopierte sie den Link. Öffnete eine Nachricht an Alex. Lud den Link hinein.

Ja: Was hattet ihr zu besprechen? Spar dir eine Antwort!

Die Richter betraten den Raum. Alle setzten sich.

»Ehrwürdiges Gericht«, erhob Ioannis Ephramidis seine Stimme. »Es steht außer Zweifel, dass es zu solchen tragischen Ereignissen kam. Diese sogenannten Night Raids werden jedoch von afghanischen Einheiten durchgeführt. Falls US-Kräfte anwesend sind, dann höchstens zu Trainingszwecken. Es besteht zu keiner Zeit eine Befehlsverantwortung von Douglas Turner.«

Das wird das Gericht wohl nicht schlucken, hoffte Dana.

»Wie der Staatsanwalt bereits ausgeführt hat, handelt es sich bei dem Konflikt in Afghanistan um einen nicht internationalen bewaffneten Konflikt. In einem solchen ist vom Kriegsrecht ebenfalls der Schutz der Zivilbevölkerung vorgesehen, auch wenn es viel weniger niedergeschriebene Regeln gibt als in Kriegen zwischen Staaten. Der gemeinsame Artikel drei der Genfer Konventionen von 1949 formuliert grundlegende Rechte für Personen, die nicht oder nicht mehr an Kampfhandlungen teilnehmen – etwa Zivilpersonen oder Gefangene und solche, die sich ergeben haben, Kranke und Verwundete. Er verbietet die Anwendung von Gewalt gegen sie – speziell Mord, grausame Behandlung und Folter, Verschwindenlassen sowie die Verletzung ihrer Menschenwürde. Falls Zivilpersonen direkt an Feindseligkeiten teilnehmen, verlieren sie allerdings den Schutz vor direkten Angriffen, zumindest für diese Zeit.«

Während er sprach, lauschte Turner regungslos der Übersetzerin. Nur mit einem Ohr war Dana bei der Sache. Ihre Gedanken kehrten immer wieder zu dem Bild von Derek Endvor und Alex zurück. Sie konnte nicht anders, als auf ihrem Telefon nachzusehen. Natürlich hatte Alex auf ihre erbosten Worte geantwortet. Sie zögerte, seine Nachricht zu öffnen.

»Damit es zu keinen Missverständnissen kommt«, unterbrach der Staatsanwalt Ephramidis' Ausführungen, »weil es in diesen Unterlagen auch diverse solche Fälle gibt: Ärzte, die Verwundeten helfen, egal auf welcher Seite, sind natürlich Zivilisten. Trotzdem kommt es immer wieder zu Angriffen auf sie mit dem Argument, sie hätten durch die Behandlung Gegner unterstützt.«

»So etwas würden die USA, ihre Streitkräfte und deren Oberbefehlshaber niemals zulassen«, wandte Ephramidis ein.

Turner schüttelte den Kopf.

»Im Gegenteil«, fuhr Ephramidis fort. »Die USA bilden ihre Truppen intensiv im Kriegsrecht aus. Ein juristischer Berater wird bei allen Einsätzen konsultiert. Und es ist ihnen wichtig, dass das auch ihre Bündnispartner verstehen. Aus diesem Grund trainieren US-Streitkräfte afghanische Einheiten nicht nur in der besten Kampftaktik, sondern auch in der Einhaltung des Kriegsrechts – gegen einen tückischen Gegner wohlgemerkt. Aber das heißt nicht, dass sie ihnen Befehle geben können. Sie können lediglich die afghanischen Kommandanten dazu auffordern, eventuelle Verstöße zu ahnden.«

Ephramidis nahm einen Schluck Wasser. Turner hatte während seiner Rede mehrmals genickt.

»Und vergessen Sie nicht: Die US-amerikanischen und afghanischen Soldaten kämpfen gegen Terroristen, die sich unter die Zivilbevölkerung mischen mit dem Ziel, den Gegner davon abzuhalten, sie anzugreifen. Den Konfliktparteien ist verboten, Zivilisten als Schutzschild zu verwenden. Eine Praxis übrigens, die gerade von den Taliban, ISIS und anderen in Afghanistan, Pakistan, dem Jemen, dem Sudan und an weiteren Orten laufend angewendet wird! Außerdem tragen diese Terroristen keine Uniformen, damit man sie nicht von der Zivilbevölkerung unterscheiden kann. Hier können wir nicht von vorsätzlichen Angriffen auf die Zivilbevölkerung sprechen! Der Punkt ist«, fuhr Ephramidis fort, »gibt es einen handfesten Anhaltspunkt, dass Douglas Turner für die vorgetragenen Taten verantwortlich gemacht werden kann? Wir haben vage Zeugenaussagen und von komplizierten, kaum nachvollziehbaren angeblichen Befehlsketten gehört – aber keinen Beweis. Und angesichts der Schwere der Vorwürfe sollte es einen solchen doch geben, denke ich. Deshalb ist mein Mandant sofort freizulassen.«

Die Richter hatten ihm zugehört. Nun flüsterten sie kurz miteinander. Die beiden Männer nickten.

Zustimmend?, fragte sich Dana bange, als der Vorsitzende verkündete:

»Wir machen eine kurze Pause.«

Sean hatte den Jaguar in der heruntergekommenen Garage geparkt, zu der Mahir sie bestellt hatte. Dino hatte den zweiten Wagen daneben abgestellt. Es roch nach Staub, Motoröl und alten Reifen. Hernan, Sal, Hopper und Biff hatten sie zuvor aussteigen lassen. Sie deckten die Außenseiten. Man wusste nie. Vorsicht war die Mutter der Waffenkiste. Die da vor ihnen stand. Und noch drei weitere Kisten. Daneben Mahir. Heute in blassblauem Anzug. Riesenkragen, wie in den Siebzigerjahren. Was sollte das?

Seine Lieferanten waren nirgendwo zu sehen. So hatte Sean es verlangt. Je weniger Zeugen, desto besser.

»Wie gefallen euch die Hubschrauber?«, fragte Mahir.

»Passen«, sagte Sean. »Außer der Sache mit dem Polizeidesign.«

»Habe ich dir gleich gesagt. Aber das bekommt ihr auch so hin.«

»Gibt es neue Intel? Oder Einsatzzeitpläne?«

»Bis jetzt nicht.«

Sean nickte nachdenklich.

»Der zweite Teil deiner Bestellung«, sagte Mahir mit seinem schleimigen Lächeln. Er beugte die Knie. Öffnete die erste Kiste langsam.

Fünf SCAR-H, CQC. Mit der Special Forces Combat Assault Rifle hatten sie alle ihre Erfahrung. Das Sturmgewehr der US-Army und ihrer Spezialeinsatzkräfte. Mahir reichte Sean eine der Waffen mit dem Bogenmagazin. Sean hatte die leichtere, kürzere Variante bestellt. Sofort lag sie vertraut in seiner Hand. Er prüfte sie kurz. Mahir gab eine zweite an Dino.

Während sie die Gewehre aus der ersten Kiste checkten, öffnete Mahir die zweite. Die anderen fünf Gewehre. Auf den Böden der zwei Kisten fanden sie je fünf Beretta M9. Inspizierten sie ebenfalls kurz. Ritsch. Klack. Magazine rein. Raus.

In der dritten und vierten Kiste stapelte sich die Munition.

Dino besah sich ein paar willkürlich ausgesuchte Magazine. Nickte Sean zu.

Gemeinsam hievten sie die Kisten in die Kofferräume der Jags. Je eine mit Gewehren und eine mit Munition. Das Gewicht drückte die Karosserien merklich näher an die Hinterräder.

Sean und Dino stiegen in die Wagen.

Sean lehnte sich aus dem offenen Fenster. Fragte den Libanesen: »Wie lange wollen die noch warten?«

53

»Euer Ehren«, erklärte Ephramidis, »dürfen wir zum Abschluss etwas zeigen? Ein Video?«

»Was ist darauf zu sehen?«, fragte der Vorsitzende.

»Das werden Sie gleich sehen, wenn Sie gestatten. Es zeigt, was ›Zivilbevölkerung‹ im Kampf gegen den Terror bedeutet.«

»Stehlen Sie uns nicht unsere Zeit«, forderte der Mann.

»Dauert nur ein paar Minuten. Darf ich vortreten?«

Er stand auf, nahm seinen Laptop.

Ephramidis stellte den Laptop schräg, sodass alle sehen konnten. Der jüngere Richter stand auf, um einen besseren Blick zu bekommen.

Ephramidis startete ein Video.

Eine staubige Straße in der Mittagssonne. Am Rand ein paar einfache sandfarbene Häuser. Afghanistan vielleicht. Oder der Irak.

In der Mitte stand ein Junge. Vielleicht zehn Jahre alt. An der Kleidung erkannte Dana, dass es wohl der Irak sein musste. Die schwarzen Locken klebten auf seiner verschwitzten Stirn. Die großen Augen starrten schwarz in die Kamera. Die Haut darunter glänzte. Nicht vom Schweiß.

Das waren Tränen. Über die ganze untere Gesichtshälfte verteilt.

Seine Lippen zitterten.

Dana presste ihre zusammen, um zu unterdrücken, dass ihr dasselbe geschah.

Der ganze kleine Körper zitterte.

Dana legte eine Hand unauffällig gegen den Richtertisch, um ihre eigenen Bewegungen zu kontrollieren.

Nicht wegen der tränenverschmierten Wangen. Oder wegen der zitternden Lippen. Oder der schweißverklebten Stirn.

Wegen der Sprengstoffweste, die das Kind gut sichtbar um seinen kleinen Oberkörper gewickelt hatte.

Bitte nicht, was Dana erwartete.

»Dieses Video machte ein US-Team im Irak. Es ist nicht öffentlich zu sehen.«

Jetzt hörte Dana ein Schluchzen. Nach Luft schnappen.

Das Kind.

Dann brüllten unsichtbare Männer in der Nähe der Kamera. Amerikaner.

»Stehen bleiben!«

»Keinen Schritt weiter!«

»Beweg dich nicht!«

»Stopp!«

Der Junge hob die Ärmchen. Konnte sie vor Zittern kaum halten. Machte einen Schritt auf die Kamera zu.

»Bleib stehen!«

»Verdammt, er bleibt nicht stehen!«

»Nicht schießen«, brüllte eine der Stimmen. »Nicht schießen. Nur auf meinen Befehl.«

Noch ein Schritt.

»Verdammt. Wir müssen den aufhalten.«

»Bleib stehen, Junge! Wir können dir helfen!«

Jemand von ihnen brüllte etwas in einer fremden Sprache. Wahrscheinlich eine Übersetzung des eben Gesagten.

»Wir haben Spezialisten! Die können dir das abnehmen!«

Dana hatte solche Videos gesehen. Der Junge konnte gar nichts tun. Irgendwo in einem der Häuser entlang der Straße, vielleicht sogar erst in den umliegenden Hügeln, versteckten sich die eigentlichen Angreifer. Mit einer Fernsteuerung für den Sprengstoff am Körper des Kindes.

Der Kleine machte noch einen Schritt.

Zitterte nun fast wie bei einem epileptischen Anfall.

»Kein Märtyrer«, sagte Ephramidis leise. »Das sieht man. Dieser Junge ist da nicht freiwillig. Wahrscheinlich haben die Terroristen seine Familie als Geiseln. Und ihn vor die Wahl gestellt. Entweder er geht. Oder sie töten seine gesamte Familie.« Er atmete schwer. »Vielleicht haben sie sogar schon ein oder zwei Familienmitglieder erschossen, um ihrer Drohung Nachdruck zu verleihen.«

Dana wurde schlecht.

Wie immer, wenn sie solche Aufnahmen sah.

Daran gewöhnst du dich nie.

»Stehen bleiben!«

»Stopp!«

»Wir können dir helfen!«

Noch ein Schritt. Und noch einer. Der Junge stolperte mehr, als dass er lief. War das ein Brüllen? Oder Weinen? Oder beides?

Stimmen schrien durcheinander. Dann fielen Schüsse.

Das Bild verwackelte. Gleichzeitig ertönte ein gewaltiger Knall. Dann nur mehr Staub.

Dann Stille.

Mehr Gebrüll. Alle in Ordnung? Verletzt? Erwischt? Nein. Gut. Du auch. Ja. Noch alles dran.

Währenddessen lichtete sich der Staub langsam.

Da stand kein Junge mehr.

Das Gebrüll wurde leiser. Nur mehr vereinzelte Stimmen.

Wo der Junge gestanden hatte, gelaufen, gestolpert war, war nur ein kleiner Krater in der staubigen Straße zu sehen.

»Fuck!«, flüsterte eine der unsichtbaren Stimmen. Eine raue Männerstimme. Kratzig.

Dann hörte man eine andere ähnliche Stimme. Räusperte sich. Konnte ein Schluchzen kaum unterdrücken.

»Diese verdammten Schweine.«

Dana versuchte, den Kloß in ihrem Hals hinunterzuschlucken. Blinzelte mehrmals, um die Tränen in den Augen zu behalten. Blickte verstohlen zu den anderen. Die Lippen der zwei Richter schmale Striche. Die Richterin bleich.

Ephramidis klappte den Laptop zu.

Schwieg.

Niemand anders sagte etwas.

Schweigend ging Ephramidis an seinen Platz und setzte sich.

Wartete.

Dana kehrte an ihren Platz zurück. Neben ihr Vassilios.

Der Staatsanwalt ließ sich schwer atmend auf seinem Stuhl nieder.

Der jüngere Richter tat, als müsste er sich an der Wange kratzen. Dicht bei den Augen.

Jetzt besser schweigen, sagte sich Dana. Erstens bekommst du ohnehin kein Wort heraus. Außerdem gibt es dazu nichts zu sagen.

Dana hasste Ephramidis dafür. Und konnte es ihm gleichzeitig nicht verübeln.

Das waren die Opfer.

Auf beiden Seiten.

Erst das Rascheln der Roben hinter dem Richtertisch brach die lähmende Stille. Der Vorsitzende Michelakis räusperte sich.

Sagte nichts.

Räusperte sich noch einmal.

Ja. War nicht so leicht, jetzt etwas über die Lippen zu bringen.

Er wartete offenbar, dass Ephramidis sich erklärte. Immerhin hatte er die Sache angefangen.

Der Anwalt verstand das Zeichen.

Bevor Ephramidis zu sprechen begann, erhob sich Turner. Überrascht hielt der Anwalt inne. Derek wollte auch aufspringen. Neben ihm Alana und William. Das Reden sollte Turner den anderen überlassen.

»Euer Ehren«, sagte Turner.

»Mister President«, flüsterte William. »Ich denke, Sie sollten ...«

Mit einem Blick brachte Turner ihn zum Schweigen.

»Mister Turner?«, forderte der Vorsitzende ihn zum Fortfahren auf.

»Sie haben dieses Video eben gesehen«, sagte Turner. »Das sind die Leute, gegen die die US-Armee und ihre Verbündeten kämpfen. Im Rahmen der Internationalen Sicherheitsunterstützungstruppen ISAF waren in Afghanistan übrigens auch schon griechische Soldaten stationiert.« Dass er dieses Detail wusste! »Und das war nur ein Beispiel von unendlich vielen während der vergangenen Jahrzehnte«, erklärte Turner ruhig mit seiner in Jahrzehnten des politischen Lebens geschulten Stimme. »Anschläge, oft mit Dutzenden oder Hunderten Toten, von denen wir alle paar Tage in den Nachrichten hören. Häufig unschuldige Zivilisten. Zudem verstecken sich die Terroristen unter Zivilisten. Bewusst. Nutzen Zivilisten als menschliche Schutzschilde. Obwohl das, wie schon ausgeführt, laut allen internationalen Abkommen verboten ist. Und das wissen die Terroristen auch. Aus diesem illegalen Zustand heraus greifen sie an. Wie, haben wir gerade gesehen. In zahlreichen Staaten und Konflikten der Welt!« Nun erhob er die Stimme, holte Schwung. »Der Herr

Staatsanwalt hat Geschichten und Bilder von Opfern?! An denen ich Schuld tragen soll?! Hunderte? Der ICC hat Protokolle und Interviews und Bilder von Opfern?! Deren Tod ich zu verantworten haben soll?! Vielleicht Tausende?!« Mit einer ausholenden Geste kündigte er mehr an. »Was glauben Sie, wie viele Bilder wir haben? Und Protokolle, Aussagen, Zeugen, Videos! Von Opfern jener, die sich an keine Regeln halten! In Kriegen, ach was Kriegen, Abschlachtungen, die seit Jahrzehnten Leben kosten! Die zu brutalster Unterdrückung, Ausbeutung, Verzweiflung, Tod führen!« Er senkte die Stimme, fuhr ganz leise fort. »Millionen sind es, Euer Ehren. Millionen und Abermillionen. Wir könnten Ihnen Bilder zeigen. Ganze Hallen voll von Bildern. Von den Opfern der Vigilanten, Warlords, Terroristen und anderen Barbaren, die wir zu stoppen versuchen. Wollen Sie Bilder sehen? Von Hunderten entführter Schulmädchen in Afrika? Wollen Sie Bilder sehen von Abertausenden Menschen, die von Autobomben und Selbstmordattentätern zerfetzt wurden? In Afghanistan, im Irak, in Somalia, Mali, in einem Dutzend anderer Staaten? Wollen Sie Bilder sehen von Steinigungen unschuldiger Frauen und Männer? Vom Abhacken von Händen, Füßen, Gliedmaßen, Enthauptungen, Kreuzigungen, Verbrennungen? Von Grausamkeiten, die Sie sich gar nicht ausmalen können?« Demonstrativ ratlos schüttelte er den Kopf. »Ich glaube, dass diese Verbrecher gestoppt werden müssen. Das habe ich getan, als ich Präsident war. Mit gutem Grund und gutem Gewissen. Ich habe versucht, sie zu bekämpfen. Damit diese Gemetzel ein Ende haben. Damit die Menschen, Frauen, Kinder, in Freiheit und Frieden leben können.« Stolz straffte er sich noch ein wenig mehr. »Dafür wollen Sie mich einsperren?«

54

Steve verfolgte die Diskussion an dem Besprechungstisch in der Agentur zurückgelehnt in seinem Sessel. Joey und Annegret erklärten den Kunden wortreich die neuen Konzepte anhand der Projektionen an der Wand. Animierte Figuren und Grafiken wirbelten herum, beifälliges Nicken bei den Klienten. Aufmerksames Registrieren ihrer Reaktionen bei den anwesenden Mitarbeiterinnen und Mitarbeitern der Agentur. Unter den insgesamt zehn Anwesenden, die sich um den Tisch versammelt hatten und sich alle auf die Projektionen konzentrierten, fiel Steves Unaufmerksamkeit nicht auf. Zumal er sich an das hinterste Ende des Tisches platziert hatte. Sein Blick sprang hin und her zwischen der Präsentation und dem Telefon, das er unter dem Tisch auf dem Schenkel liegen hatte. Fahrig surfte er darauf durch die Nachrichtenseiten und sozialen Medien. Journalisten berichteten aufgeregt von außerhalb des Athener Gerichts, dass sie noch nichts zu berichten hätten, da die Richter noch nicht über Douglas Turners Haft entschieden hatten. Kommentatoren erklärten ausschweifend, was nun alles geschehen könne, um die Zeit zu überbrücken, bis tatsächlich etwas geschah. Die meisten rechneten mit einer Freilassung. Und hofften wohl insgeheim auf eine Haftfortsetzung, damit sie weiterhin vor die Kameras eingeladen wurden und auf ihren Blogs und in ihren Postings ihre Meinungen breittreten konnten. In den sozialen Medien tauschten wie üblich Gegner und Befürworter der Verhaftungen wüste Verschwörungen und Beschimpfungen aus. Die einen forderten die Freilassung, die anderen eine Haftbestätigung und Auslieferung nach Den Haag.

Steve fiel es schwer, ruhig sitzen zu bleiben. Er wusste nicht, was er hoffen sollte. Eine Freilassung hätte vielleicht ein wenig Druck von ihm genommen. Obwohl. Die amerikanischen Behörden und Geheimdienste würden nicht ruhen, bis sie den mutmaßlichen Kollaborateur mit dem ICC gefunden hatten, Freilassung hin oder her. Eine Haftbestätigung dagegen würde die Sache gegen Steve weiter eskalieren. Das war nur eine Frage der Zeit.

»Noch immer kein Urteil«, verkündete der Tweet einer US-Journalistin, der Steve auf Twitter folgte, unter einem Bild von ihr vor dem Gerichtsgebäude in Athen. Wie er es hasste, zum Warten verdammt zu sein und nichts tun zu können!

55

Die Tür hinter dem Richtertisch öffnete sich. Die Frau und die zwei Männer in ihren Roben setzten sich an den Tisch.

Der Vorsitzende sah den Staatsanwalt an. Er ließ den Blick über Vassilios, Dana und die Amerikaner gleiten. Blickte Douglas Turner an.

»Dieses Gericht hatte vier Punkte zu prüfen: Ist der Verhaftete die im Haftbefehl genannte Person? Verlief die Verhaftung nach dem im Gesetz vorgesehenen Prozedere? Wurden die Rechte des Verhafteten gewahrt, insbesondere jene auf Rechtsbeistand und Übersetzung, aber auch auf Informationen zu seiner Verteidigung? Befugen die Verbrechen, die dem Angeklagten vorgeworfen werden, zu einer Verhaftung?«

Der Ex-Präsident saß aufrecht und wirkte demonstrativ aufmerksam. Als läse ihm der Richter einen Gesetzesentwurf vor. Oder einen Schulaufsatz. Ephramidis neben ihm belauerte das Gericht mit gespitzten Lippen. Derek Endvor und die drei anderen Amerikaner saßen ruhig da wie in einem Konzert.

Der Staatsanwalt auf Danas Seite zog mit seiner Linken an seinem rechten Zeigefinger.

»Das Gericht kommt zu der Entscheidung, dass Frage eins mit Ja beantwortet werden kann.«

Das hatten sie ja schon geklärt.

»Ebenso kann Frage zwei mit Ja beantwortet werden.«

Hatten wir doch auch schon abgeschlossen.

»Frage drei, wurden die Rechte des Angeklagten gewahrt? Die Antwort für dieses Gericht lautet: Ja, von griechischen Behörden jedenfalls. Die Frage, ob der Verhaftete vor dem Internationalen Strafgerichtshof sein Recht auf Verteidigung wahren kann, muss er dort verhandeln.«

Dana hörte Ephramidis schnaufen.

»Schließlich Frage vier: Befugen die Verbrechen, die dem Angeklagten vorgeworfen werden, überhaupt zu einer Verhaftung?«

Blick in den Saal.

»Das Gericht ist nicht überzeugt, dass der vom Internationalen Strafgerichtshof übermittelte Vorfall – so tragisch er ist – tatsächlich einen vorsätzlichen Angriff auf die Zivilbevölkerung darstellt. Auch ist das Gericht nicht überzeugt, dass schon allein wegen der bloßen Anwesenheit von amerikanischen Soldaten bei Operationen der afghanischen Armee der US-Präsident für zivile Opfer strafrechtlich verantwortlich gemacht werden kann. Das Gericht fragt daher die Vertreterin des Internationalen Strafgerichtshofs: Kann sie dem Gericht einen solchen Beweis vorlegen?«

Dana fühlte sich wie von einer Abrissbirne getroffen.

Das Verfahren war völlig entglitten. Sie stand auf und bemühte sich, ihre Stimme unter Kontrolle zu halten.

»Euer Ehren, mit Verlaub, nein. Das Rom-Statut sieht eindeutig vor, dass dem Haftgericht keine Beweise vorgelegt werden müssen. Es ist nicht die Aufgabe dieses Gerichts, Beweise zu prüfen ...«

Ephramidis wollte sich erheben, doch Derek hielt ihn zurück.

Michelakis antwortete mit schneidender Stimme: »Nach Ansicht des Strafgerichtshofs in Den Haag ist die Aufgabe des griechischen Gerichts wohl, alle Ersuchen des ICC abzusegnen, ohne sich um griechische Gesetze zu kümmern. Bei einem normalen Auslieferungsverfahren werden Beweise nämlich sehr wohl geprüft. Und der Verhaftete hier soll weniger Rechte haben?«

Sie ließen Turner frei!

Jahrelange Arbeit umsonst! Unzählige Menschen hatten für nichts Beweise gesammelt, Zeugen befragt, waren in lebensgefährliche Gebiete gereist, und nun das. Maria hatte ihr vertraut. Doch Dana hatte versagt. Zahllose Menschen waren in brutalen Akten getötet worden und würden keine Gerechtigkeit erfahren. Danas Vater würde sich über den Freispruch freuen. Sich bestätigt sehen. All die Demonstranten da draußen.

Panisch blickte sie Vassilios an. Doch der starrte fassungslos auf den Vorsitzenden. Auch der Staatsanwalt sah Dana nicht.

Aufseiten der Amerikaner bemerkte sie Rascheln, Aufatmen, aber keine großen Gesten des Triumphs.

Als der Richter sein Urteil verkündete, hatte Derek innerlich die Faust geballt. Äußerlich ließ er sich nichts anmerken, während Turner leise »Endlich ist das Affentheater vorbei« hervorstieß.

Noch nicht, dachte Derek und beobachtete gespannt die Richterbank, aber auch Dana Marin, ihren alten Begleiter und den Staatsanwalt Stouvratos. Sie saßen da wie eingefroren. Der Richterspruch hatte sie erst einmal sprachlos hinterlassen.

Im ersten Moment hatte die Bekanntgabe in Derek große Erleichterung ausgelöst. Hatten ihre Bemühungen doch Erfolg gehabt. Wenn auch nicht so schnell wie erhofft und erwartet. Arthurs Wahlkampf hatte noch eine Chance. Gleich darauf hatte das Bewusstsein eingesetzt, dass es keineswegs zu Ende sein musste.

»Noch sind wir nicht draußen«, flüsterte William ihm nun zu.

»Ich weiß«, erwiderte Derek mit einem Seitenblick auf Turner und Ephramidis, der ebenfalls gespannt auf den Richtertisch blickte.

»Aber diese Chance, die Geschichte vom Tisch zu bekommen, können sich die Griechen doch nicht entgehen lassen«, meinte Alana.

Hoffen wir es!

Dana Marin hatte sich zum Staatsanwalt gebeugt und begonnen, auf ihn einzureden.

»Wir haben Beweise vorgelegt!«, zischte Dana dem Staatsanwalt zu. Dessen Blick sprang unsicher zwischen dem Richtertisch und Dana hin und her. »Die kann das Gericht nicht einfach wegwischen! Sie müssen Berufung einlegen!«, forderte sie in dem Augenblick, als der vorsitzende Richter Michelakis erklärte: »Die Staatsanwaltschaft kann gegen dieses Urteil Berufung einlegen. Tut sie dies nicht, kann der Angeklagte den Gerichtssaal als freier Mann verlassen.«

»Berufung!«, wiederholte Dana gegenüber Stouvratos. »Sie müssen Berufung einlegen!«

Vassilios mischte sich ein.

»Worauf soll sie sich stützen? Wenn der Strafgerichtshof keine Beweise vorlegen will oder kann? Und ich habe Sie gewarnt: Die Beweislage bei Night Raids ist schwach.«

»Das hat dieses Gericht eigentlich gar nicht zu beurteilen«, erinnerte ihn Dana.

»Und hat es dennoch getan«, erwiderte Vassilios. »Wenn wir keine neuen Beweise bringen, bringen können, dann kann Stouvratos nichts mehr tun. Nicht wahr?«

Der Staatsanwalt nickte wortlos.

»Und wenn ich einen Beweis erbringe?«, fragte Dana.

»Dann ... ähem ...«, stammelte Stouvratos.

»Würden Sie Berufung einlegen?«, fragte Dana. »Sie müssten. Finden Sie denn, dass hier Recht gesprochen wurde? Finden Sie, dass dieser Mann frei gehen sollte?«

Jetzt beugte sich Vassilios so zu ihr, dass er in ihr Ohr flüstern konnte: »Sie verlangen sehr viel von ihm. Wenn er das tut, ist dies das Ende seiner Karriere.«

Dana war durchaus bewusst, was sie von Stouvratos verlangte.

»Dieses Gericht hat den Schwanz eingezogen«, flüsterte Dana dem Staatsanwalt zu. »Wollen Sie das auch? Sie haben sich doch bis jetzt fabelhaft für die Sache eingesetzt!«

Sie sah Stouvratos' Kiefer mahlen.

»Wir haben einen eindeutigen Beweis«, gestand Dana endlich. »Ich verbürge mich dafür, dass wir ihn liefern, um die Berufung zu rechtfertigen.«

Stouvratos schielte über ihren Kopf zu den Amerikanern, dann zum Richtertisch.

»Was tuscheln die so lange?«, fragte Turner ungeduldig in Dereks, Alanas und Williams Richtung.

»Sie lecken ihre Wunden«, sagte Ephramidis neben ihm zufrieden. Verfolgte trotzdem aufmerksam das Geschehen auf der gegenüberliegenden Seite des Raums.

Auch am Richtertisch war man auf ihr Getuschel aufmerksam geworden und beobachtete sie neugierig.

Derek behielt vor allem Dana Marin im Auge. Wie eine Raubkatze, bereit zum Sprung, hockte sie auf der Kante ihres Stuhls und redete auf den Staatsanwalt ein. Natürlich wollte sie, dass er Berufung einlegte. Das konnte sie nur mit neuen Beweisen. Hatte sie welche? Derek dachte an das Video, das Alana ihnen im Flugzeug gezeigt hatte und dessen Urheber sie noch immer nicht gefunden hatten. Oder wenigstens nicht eindeutig identifiziert. Hatte der ICC es? Konnte er andere Beweise besitzen, von denen Derek und sein Team nichts wussten?

Die Stimme des Vorsitzenden ertönte, sodass alle Köpfe sich zum Richtertisch wandten.

»Die Staatsanwaltschaft hat also keine Einwände mehr?«, fragte Michelakis.

Der Staatsanwalt stand auf und räusperte sich.

56

Dana und Vassilios hockten neben dem Staatsanwalt vor dem Laptop in einem kleinen Besprechungszimmer des Gerichtsgebäudes. Acht nüchterne Stühle um einen nüchternen Tisch.

Auf dem Monitor blickte ihnen Maria Cruz' Gesicht entgegen. Gerade hatte sie erfahren, dass das griechische Gericht Douglas Turner freisprechen wollte.

Ihre Miene zeigte keine Emotionen. Dann beugte sie sich noch näher an die Kamera, sodass ihr Gesicht den Bildschirm komplett ausfüllte.

»Sie müssen Berufung einlegen«, sagte sie entschieden.

»Ohne neue Beweise ist das sinnlos«, sagte Stouvratos. »Ich zögere bloß das Verfahren unnötig hinaus.«

»Wir haben ausgezeichnete Beweise geliefert!«, rief sie. »Das Ganze hier hat nichts mehr mit Recht und Gerechtigkeit zu tun!«, wütete sie. »Dieses Gericht überschreitet seine Zuständigkeiten maßlos! Es ist ein blödes Machtspiel, sonst nichts!«

»Das wir mitspielen müssen«, erwiderte Dana. »Sonst ist Turner in wenigen Minuten draußen.«

Dana beugte sich vor, sodass auch ihr Gesicht das kleine Fenster am oberen Rand des Computers völlig ausfüllte.

»Maria. Wir müssen ihnen einen Beweis liefern. Und zwar den eindeutigsten, den wir haben!«

»Himmel, ist dir klar, was das bedeutet? Selbst wenn wir ihn liefern, kann der Kerl immer noch behaupten, dass er ihm nicht genügt.«

»Das kann er nicht«, sagte Dana. »Er ist zu eindeutig.«

»Pah, was ist schon eindeutig! Abgesehen davon liefern wir damit den Amerikanern eine der Kronjuwelen der Anklage.«

»Früher oder später müssen wir das ohnehin tun«, wandte Dana ein. »Ohne den Beweis wird Turner mit Sicherheit nie vor deinem Gericht stehen.«

Maria starrte sie vom Bildschirm aus an. Wog ab.

Schüttelte schließlich mit gesenktem Blick den Kopf.

Ablehnend? Resignierend?

»Douglas Turner bleibt weiterhin in Haft!«, überschlug sich die Stimme der Reporterin auf dem Bildschirm. Sie berichtete von der griechischen Botschaft in Washington, D.C. »Das Gericht entschied zwar in der ersten Instanz, den ehemaligen US-Präsidenten freizulassen!«

Hinter der Journalistin ein Meer von Transparenten und US-Flaggen. Sprechchöre. Schwer bewaffnete Polizisten und Panzerfahrzeuge schützten die Gesandtschaft.

»Gegen diesen Entscheid hat der griechische Staatsanwalt jedoch Berufung eingereicht. Der Justizminister hat dazu erklärt, dass das Berufungsgericht bereits morgen zusammentreten und den Fall verhandeln wird.«

»Ein Einsatz rückt immer näher«, sagte Sean. »Womöglich schon heute Nacht.«

Die versammelte Truppe saß vor dem Fernseher im Loungebereich.

»Wann, wenn nicht heute Nacht?«, fragte Harry. »Wie lange wollen die noch warten?«

»Jetzt müssen wir handeln«, forderte der General. »Heute Nacht müssen unsere Männer Turner herausholen.«

Von dem Bildschirm im Lagezentrum blickte ihnen Arthur Jones entgegen. In Washington war es Morgen.

Über die Bildschirme daneben liefen Bilder der internationalen Berichterstattung. Die Nachricht von Turners Haftverlängerung beherrschte alle Kanäle. In Athen und anderen Städten musste die Polizei Pro- und Kontra-Demonstranten trennen. Molotowcocktails und Steine flogen, Barrikaden brannten, Rauchschwaden verdunkelten manche Bilder.

»Derek?«, fragte er.

»Kann man überlegen«, sagte der. »Wenn wir einen internationalen Skandal riskieren wollen. Morgen tagt schon das Berufungsgericht. Das Signal ist klar. Die Griechen wollen den Fall vom Tisch haben. Und sich vom ICC nicht auf der Nase herumtanzen lassen.«

»Turner selbst hielt eine ausgezeichnete Rede«, sagte der General. »Die Richter hat er überzeugt. Bloß dieser Bastard von Staatsanwalt ...«

»Ich habe bereits mit dem Justizminister gesprochen«, sagte Lilian Pellago. »Er wird sich für die Sache einsetzen.«

»Das behauptet er seit seiner Ernennung«, schimpfte Arthur. »Bis jetzt bleibt er damit erfolglos! Wie ernst sollen wir den noch nehmen?«

»Gar nicht«, sagte der General. »Sir, geben Sie als Oberbefehlshaber das Kommando, ihren Vorgänger aus dieser Lage zu befreien und den USA die fortgesetzte Demütigung zu ersparen.«

»Ich weiß nicht, wie oft ich das wiederholen muss«, sagte Derek, »aber wir reden hier nicht von einem Einsatz in Afghanistan, Pakistan oder einem anderen mehr oder minder rechtsfreien Raum. Das hier ist Europa, Griechenland. Ein NATO-Mitglied!«

»Umso schlimmer!«, rief der General.

»Hier können wir nicht einfach Cowboy spielen«, ignorierte Derek den Einwurf. »Wir müssen andere Mittel einsetzen, die das Gericht endgültig überzeugen, dass die Vorwürfe des Strafgerichtshofs unhaltbar sind. Bisher hat der ICC auf seiner Rechtsansicht beharrt, das griechische Gericht gehe die Beweise nichts an. Und ich bekomme langsam das Gefühl, es wäre gut, wenn das Berufungsgericht das auch so sieht.«

»Was schlägst du vor?«, fragte Arthur.

Steve war so sehr in die Berichte auf seinem Bildschirm über die Ereignisse in Athen vertieft, dass er den Anruf fast nicht gesehen hätte.

Unbekannte Nummer, erklärte sein Smartphone.

»Donner?«

»Donner, du verdammter Verräter«, erklärte eine raue Stimme in US-Englisch, »wir wissen, was du getan hast. Und dafür wirst du bezahlen. Wir kriegen dich. Wir haben dich schon fast. Sei froh, wenn die Polizei schneller ist. Du weißt, was Verrätern blüht.«

Knacken.

Freizeichen.

Das Rauschen des Blutes in Steves Ohren.

Die Stimme hallte in seinem Kopf nach.

Donner, du verdammter Verräter!

Wir kriegen dich.

Du weißt, was Verrätern blüht.

Zum zweiten Mal an diesem Tag fühlte er diesen Schwindel. Den kalten Schweiß, der binnen Sekunden seinen ganzen Körper klebrig überzogen hatte.

Das war eine neue Stufe.

Keine abstrakten Andeutungen oder Warnungen über die Medien.

Eine ganz konkrete, persönliche Drohung.

Sicherlich sinnlos, den Anruf zurückverfolgen lassen zu wollen.

Außerdem: Zur Polizei gehen konnte er ohnehin nicht.

Internationaler Haftbefehl.

Wir kriegen dich.

Du weißt, was Verrätern blüht.

Ehrlich gestanden: nein.

Verhaftung, Prozess, mit Pech lebenslänglich.

In diesem Anruf klang das nach noch etwas ganz anderem.

Her mit dem Kontakttelefon.

Als er versuchte, die Nachricht zu tippen, merkte er, wie sehr seine Finger zitterten.

Schluss mit Tippen.

Er eilte aus den Büroräumen ins Treppenhaus. Wählte dabei die eingespeicherte Nummer.

Freizeichen.

Immerhin. Nicht tot.

Freizeichen.

»Hallo, VidSelf – Ihr Codename hier, Sie wissen schon. Hier spricht Ted. Vielleicht erinnern Sie sich. Wir haben uns einmal gesehen, als Ihre Stimme abgeglichen wurde. Was kann ich für Sie tun?«

Steve war überrascht, tatsächlich so schnell jemanden zu hören. Noch dazu jemanden, den er kannte. Er erinnerte sich an Ted.

Nach der Schrecksekunde erzählte er ihm von dem Anruf, den er eben erhalten hatte.

»Damit war zu rechnen«, sagte Ted sofort. »Wie gesagt: Die Gegenseite versucht, Sie fertigzumachen.«

»Das gelingt ihr verdammt gut!«

»Ich verstehe Ihre Gefühle. Aber Sie müssen einen kühlen Kopf bewahren, so schwer das auch ist. Sie tun sich jetzt keinen Gefallen mit überstürzten Reaktionen«, erklärte Ted. »So schwierig es klingt. Verhalten Sie sich weiterhin so normal wie möglich.«

»Ich habe meine Bargeldreserven bereitgelegt«, sagte Steve. »Wenn es sein muss, tauche ich unter.«

»Tun Sie jetzt nichts Unüberlegtes. Wir haben die Meldungen über den internationalen Haftbefehl gesehen. Wir versuchen gerade herauszufinden, ob dieser Haftbefehl überhaupt existiert. Und wenn ja, wer darin ausgeschrieben ist.«

»Und wenn er existiert? Wenn es ich bin?«

57

Das erste Bild zeigte einen schwarzen Mittfünfziger mit rundem Gesicht. Er trug eine Richterrobe und blickte ernst in die Kamera.

Darunter verkündete eine fette Schlagzeile:

Das dunkle Geheimnis des nigerianischen Richters

Ernsthaft?, dachte Dana. Die bilden einen Schwarzen ab und schreiben dazu »Das *dunkle* Geheimnis?« Dummheit? Gedankenlosigkeit? Oder Absicht?

Was die Welt über einen angesehenen Richter des International Criminal Court weiß. Und was sie wissen sollte.

So die reißerische Artikeleinleitung. Was sollte die Welt wissen? Dana kannte Anatole seit Jahren. Er entsprach geradezu erschreckend dem Klischee des etwas steifen, langweiligen Juristen. Bis hin zu dem Umstand, dass er rasch übermütig wurde, wenn er zu viel trank. Weshalb er das nicht tat. Oder weitestgehend vermied. Dana hatte es nur einmal erlebt, und selbst das hatte sich völlig im Rahmen gehalten. Was also gab es über Anatole zu sagen? Zu schreiben?

Anatole Mgeba ist einer der sieben Richter in der Vorverfahrens-
abteilung – Pre-Trial Chamber – des International Criminal
Court in Den Haag. Als solcher gehörte er zu jenen drei Richtern
der Pre-Trial Chamber, die dem Haftbefehl gegen Douglas Turner
zustimmten.

Herr Mgeba hat eine eindrucksvolle Karriere vorzuweisen. Ge-
boren in Nigeria, studierte er nach seinem Schulabschluss in Eton,
England, Philosophie an der Sorbonne in Paris, Frankreich, und
Internationales Recht in London, England, sowie in Yale, USA.
In allen Fächern gehörte er zu den Jüngsten und Besten seines
Jahrgangs. Anschließend absolvierte er Postdoctoral Studies zu
internationalem Recht in Georgetown, Washington, D.C.

Bilder eines jungen Anatole Mgeba als Student, mal mit Kommilitonen, mal mit Freunden, mal mit einem bekannten Professor,
lockerten den Text auf. Für die Generation Online, dachte Dana.
Gib mir Bilder.

Seine erste berufliche Station trat er in einer renommierten Londo-
ner Kanzlei für Menschenrechtsfragen an. Diesen Job macht man
nicht wegen des Geldes, wie man sich vorstellen kann. Doch das
musste Anatole Mgeba auch nicht. Dazu kommen wir später. Die-
sen Job macht man aus Überzeugung. Oder für das Renommee. Im
besten Fall und wenn man noch dazu gut genug aussieht, heira-
tet man einen Filmstar, der sich mit sozialem Gewissen an seiner
Seite schmücken kann.

Anatole Mgeba heiratete keinen Filmstar. Sondern eine hoch
erfolgreiche Wirtschaftsanwältin aus London mit karibischen
Wurzeln.

Warum war die Erwähnung der karibischen Wurzeln von Anatoles Frau wichtig?, fragte sich Dana. Sie kannte seine Frau, Amelia.

Kein Filmstar, obwohl sie fast so aussah. Optisch waren die beiden, was man ein ungleiches Paar nannte.

Mgebas nächste Station führte ihn zurück in seine Heimat Nigeria. Mit nur zweiunddreißig Jahren wurde er jüngster Generalstaatsanwalt des Landes. Zwei Jahre später wurde er zum jüngsten Justizminister ernannt, den Nigeria je hatte. In dieser Funktion arbeitete er zwei Jahre, bis die Regierung abgewählt wurde.

Auch hier waren Bilder eingestreut. Anatole in förmlichen Outfits und offiziellen Situationen.

Seine Frau setzte währenddessen ihre Karriere in London fort. Für vier Jahre pendelte das Paar zwischen der nigerianischen und der britischen Hauptstadt.

Was der Ehe nicht geschadet hatte, wie Dana wusste. Und auch der Artikel sogleich ausführte.

In dieser Zeit gebar Amelia Mgeba ihre ersten zwei Kinder.

Die Perfidie des Artikels wurde für Dana immer offensichtlicher. Der Autor hätte schreiben können: »In dieser Zeit bekam das Paar seine ersten zwei Kinder.« Oder: »In dieser Zeit kamen die ersten zwei Kinder der Mgebas zur Welt.« Nein. Die Frau gebar zwei Kinder. Von wem auch immer sie die empfangen hatte. Wo doch der Mann so oft und lange in der Ferne weilte. Und wer wusste schon, was er dort inzwischen trieb. Die meisten Leserinnen und Leser würden das nicht bemerken. Doch ein Gefühl würde zurückbleiben. Diffamierung aus der untersten Schublade. Sollte das Anatoles »dunkles Geheimnis« sein? Seitensprünge?

Kuckuckskinder? Sie überflog die nächsten Zeilen. Anatoles Laufbahn kannte sie ja so weit. Worauf wollte der Autor hinaus? Sie stolperte erst wieder ein paar Absätze weiter unten über einen neuen Twist in der Geschichte. Jetzt wurde nicht über Anatoles Karriere berichtet. Sondern über seine Herkunft.

Anatole Mgeba stammt aus Nigeria und ist Mitglied eines der einflussreichsten Clans des Landes. Er wuchs zwischen Villen in Abuja, Paris und London auf. Kindermädchen und Privatlehrer in den ersten Jahren waren für den jungen Anatole ebenso selbstverständlich wie Ferien in der Provence, Florida, auf den Seychellen oder einer der privaten Yachten sowie die Eliteschulen und -universitäten.

Die Bilder zum Text zeigten protzige Villen, Traumstrände, Frauen im Bikini am Pool mit zu großen Sonnenbrillen und Strohhüten und einem Cocktail in der Hand. Die Bildunterschriften erklärten: »Mgeba-Villa bei St. Tropez«, »Seychellen« und »Partylife«. Dana suchte, fand aber Anatole auf keinem der Bilder.

Das bringt uns zu Anatole Mgebas Onkel Yarun Yassin und dessen Söhnen, Anatole Mgebas Cousins. Während ihr Verwandter in der Welt des Rechts und der Gesetze Karriere machte, mehrten sie den Wohlstand der Familie. Yarun Yassin war Haupteigner des größten Mischkonzerns Nigerias. Zu seinem Imperium gehörten unter anderem große Anteile des hoch lukrativen Ölgeschäfts, die größte Supermarktkette des Landes, wichtige Radio- und TV-Stationen sowie der größte Mobilfunknetzbetreiber des Landes. Doch Missmanagement, die allgegenwärtige Korruption im Land und Streitigkeiten unter seinen Söhnen hatten die Finanzen der Gruppe ausgehöhlt. Die Ankündigung eines neuen Handelsab-

kommens mit den USA begrüßte er daher freudig. Es stellte seinen Unternehmen vielfältige neue Geschäftsmöglichkeiten in Aussicht. Yarun Yassin unterstützte die Bemühungen der damaligen Regierung intensiv. Über seine Mediengesellschaften ließ er im ganzen Land für das Abkommen trommeln.

Die Gespräche liefen vielversprechend. Yarun Yassin wollte für den kommenden Boom gerüstet sein. Er steckte Milliarden in seine Unternehmen. Milliarden, die er nicht hatte, sondern leihen musste. Insider behaupten, dass ein beträchtlicher Teil des Geldes gar nicht bei den Konzernen landete, sondern bei Lobbyisten, Unternehmern und Politikern auf beiden Seiten beziehungsweise auf deren Schweizer, karibischen und Kanalinselkonten.

Auf den beigefügten Bildern sah Anatoles Onkel nicht gerade sympathisch aus. Ein großer Mann mit einem mächtigen Bauch. Mal in traditioneller nigerianischer Kleidung, mal in englischem Maßanzug, immer mit einem selbstgefälligen Grinsen im Gesicht, das er selbst wohl für charmant und gewinnend hielt. Schüttelte Hände und klopfte Schultern ähnlich anziehend wirkender Zeitgenossen. Zwei Bilder zeigten ihn mit Anatole Mgeba. Auf dem einen war der Richter noch jung, wahrscheinlich Student, auf dem anderen älter. »Anatole Mgeba, Richter am ICC, und sein Onkel Yarun Yassin«, verlautete die Bildunterschrift.

Über all die Jahre pflegte Yarun Yassin ein enges Verhältnis zu seinem Neffen Anatole Mgeba. War er doch schon einer seiner Hauptmentoren bei der Bestellung zum Generalstaatsanwalt und später zum Justizminister gewesen. Man sagt, dass Anatole Mgeba seinen angenehmen Lebensstil in London und heute in Den Haag nicht nur dem Vermögen seiner fleißigen Frau verdanke, sondern auch den Zuwendungen aus verschiedenen Trusts seiner Familie.

In Sachen Handelsabkommen schien alles ebenfalls gut zu lau-

fen. Yarun Yassin hatte gute Verbindungen zum als sicher scheinenden nächsten Präsidenten aufgebaut. Man sagt, dass er sieben- oder achtstellige Summen für dessen Wahlkampf spendete beziehungsweise für Super-PACs gab.

Doch dann gewann, für viele völlig überraschend, dessen Widersacher. Kaum im Amt, ließ der neue Präsident sämtliche Verhandlungen stoppen und überprüfen. Ein Jahr lang passierte gar nichts. Nach sechs langen Jahren voller Bemühungen und unbekannten Summen von Investitionen in zum Teil wohl auf immer unbekannte Stellen starb das Handelsabkommen, von dem sich Anatole Mgebas Onkel die Rettung seines Vermögens erhofft hatte, einen leisen Tod. Der Dominoeffekt ließ nicht lange auf sich warten: Wenig später folgten die ersten seiner Unternehmensbeteiligungen. Yarun Yassin verlegte seinen Wohnsitz nach Genf. Kurz darauf ließ die nigerianische Regierung seine verbliebenen Vermögenswerte einfrieren und forderte mehrere Länder, darunter die Schweiz, dazu auf, Yarun Yassins dort bekannte Vermögenswerte zu konfiszieren und dem nigerianischen Staat zu übergeben, da sie durch Korruption und andere kriminelle Aktivitäten bis hin zum Mord erlangt worden waren. Anatole Mgebas Onkel hatte somit sein Vermögen verloren und seinen Einfluss. Er lebt heute zurückgezogen in einer Villa am Genfer See. Von dort aus kämpft er in zahllosen Prozessen um die Rückgabe seiner Vermögen und gegen seine Auslieferung nach Nigeria, wo ihm Anklagen wegen diverser Delikte bis hin zum Mord drohen. Er bestreitet alle Vorwürfe, nennt sie Intrigen, Verleumdungen und Schmutzkübelkampagnen, um ihm sein Vermögen zu entreißen. Als einen der Hauptschuldigen sieht er jenen US-Präsidenten, der das lange erhoffte Handelsabkommen killte. Dessen Namen: Douglas Turner. Jener Douglas Turner, dessen Verhaftung nun unter anderem von Yarun Yassins Neffen Anatole Mgeba, Richter an der Pre-Trial Chamber des International Criminal Court, betrieben wurde.

Das Richtergremium besteht aus drei Personen. Mgebas Stimme allein ist also nicht verantwortlich für die Verhaftung. Doch ein seltsames Gefühl bleibt, wenn man diesen Teil der Geschichte kennt.

Das konnte man wohl sagen. Fassungslos starrte Dana auf ihr Telefon. Der Artikel unterstellte einem der Richter am ICC, die über Turners Haftbefehl entscheiden mussten, persönliche Motive. Rache für den Niedergang des Onkels, des Familienvermögens. Von dem Anatole selbst profitiert habe, wie der Bericht behauptete. Nach den Bildern von Dana als Studentin unter Kommunisten war dies nun also die zweite Unterstellung persönlicher Motive für das Handeln der Beteiligten. Der Artikel war auf einem obskuren Blog erschienen, inzwischen jedoch über tausend Mal geteilt worden! Nach nur zwanzig Minuten.

»Da sind wir«, sagte Vassilios.

Überrascht sah Dana hoch. So sehr war sie in den Artikel versunken gewesen, dass sie die Welt um sich herum vergessen hatte. Vassilios bezahlte den Taxifahrer.

58

Vassilios' Haus war eine geschmackvolle kleine Architektenvilla aus den Dreißigerjahren. Viele gerade Linien, viel Glas hatten die griechische Inselarchitektur für die damalige Zeit radikal modern interpretiert. Einst war dieses Haus wahrscheinlich ein Skandal gewesen. Wie bei ihrem ersten Besuch fühlte sich Dana sofort wohl darin.

Die Räume waren nicht so groß wie in modernen Villen, sondern klein und gemütlich. Sogar die originalen Einbaumöbel hatte der alte Anwalt restauriert.

»Mit meinen eigenen Händen«, erklärte er stolz. »Mein Hobby. Als Ausgleich für die viele Kopfarbeit.«

Im Wohnzimmer standen ein paar Fotografien. Vassilios mit seiner verstorbenen Frau. Vassilios am Steuer eines Flugzeugs. Vassilios neben einer viersitzigen Propellermaschine.

»Auch ein Hobby«, erklärte er. »Früher. Heute fliege ich nur noch hin und wieder mit.«

Danas Zimmer lag Richtung Nordwesten zu dem kleinen gepflegten Garten hin. Sie verstaute ihr Gepäck im Schrank, hängte ihre Kostüme und Blusen auf. Handtücher und sogar ein Bademantel lagen bereit, als erwartete Vassilios jederzeit Besuch. Ein Ort der Ruhe und des Rückzugs nach den verrückten Ereignissen der zurückliegenden Tage.

Sie zeigte ihrem Gastgeber den Artikel über Mgeba.

»Lesen Sie das. Was halten Sie davon?«

Während er ihn las, zog sie sich zurück.

Nach einer erfrischenden Dusche warf Dana ein leichtes Sommerkleid über und setzte sich mit nassen Haaren auf die kleine Terrasse, auf der sie schon am Vortag Derek Endvor und seine Truppe recherchiert hatten. Auf dem Tisch hatte Vassilios ein Tablett mit zwei Gläsern und einer Flasche Mineralwasser bereitgestellt.

Eine Brise kühlte die brütende Resthitze des Spätnachmittags. Umgezogen und wohl auch geduscht, gesellte sich Vassilios zu ihr. In einer Hand zwei Gläser, in der anderen eine Flasche Wein.

»Dieser Artikel über Mgeba«, sagte er und setzte sich. »Ich kenne Anatole ein wenig.«

»Ich kenne ihn sogar ganz gut«, sagte Dana.

»Von diesen Geschichten weiß ich nichts.«

»Ich habe auch noch nie davon gehört.«

»Nun, wahrscheinlich würde er sie in unserem Umfeld auch nicht erzählen«, sinnierte Vassilios. »Aber eigentlich kann ich sie nicht recht glauben.«

»Sie meinen, nach mir versuchen sie jetzt auch andere Mitglieder des ICC zu kompromittieren?«

»Kann gut sein. Vielleicht wollen sie damit auch den Vorwurf des missbräuchlichen Verfahrens untermauern. Nach dem Motto: Der Strafgerichtshof hat keine Beweise, sondern einzelne Richter wollen sich an Turner nur rächen. Völlig idiotisch, aber sie wollen dem Gericht einen Vorwand liefern, Turner freizulassen.«

Dana zögerte, dann erzählte sie ihm von dem Bild mit Alex und Derek.

Bevor Vassilios ein »Ich habe Sie gewarnt« oder »Habe ich befürchtet« loswerden konnte, schilderte sie ihm Alex' Reaktion. Inzwischen hatte er fünf weitere Nachrichten hinterhergeschickt. Bislang hatte Dana widerstanden, sie zu öffnen.

Sie zeigte ihm das Foto.

»Hm«, machte er nur.

Als Nächstes erzählte sie ihm von der morgendlichen Nachricht, in der Alex angab, dass seine Freunde die Onlineverbreitung der Meldung über Derek Endvor und sein Team gepusht hätten.

»Ich verstehe ja«, sagte Vassilios, »dass Sie den schnuckeligen Kerl unschuldig haben möchten, aber ...«

»Was soll das schnuckelig?«, erwiderte sie schlecht gelaunt. Wahrscheinlich weil er recht hatte.

»Ich sage ja nur«, entschuldigte sich Vassilios und schenkte Wein in die Gläser. Hastig schob Dana ihre Hand über das Glas.

»Aber das sieht nicht gut aus«, fügte er hinzu.

»Ich weiß«, seufzte sie.

»Trotzdem!«, rief Vassilios. »Wir haben einen Grund zum Feiern: eine weitere Nacht, die Turner in Haft bleiben muss! Jeder Tag ist ein Punkt für uns. Jamas!«

Nun gönnte sich Dana doch einen anständigen Schluck.

Du bist eine Schande!

»Sie schauen aber gar nicht glücklich aus«, stellte Vassilios fest, nachdem sie das Glas abgesetzt hatte.

Dana zögerte. Dann erzählte sie ihm von der Nachricht ihres Vaters.

»Er war noch zwei Jahre länger in der Belagerung von Sarajevo«, sagte Vassilios.

»Ja.«

Dana hatte ihm das nicht erzählt. Vassilios hatte seine Hausaufgaben gemacht. Kenne, mit wem du zusammenarbeitest.

»Sie haben ihm die richtige Antwort gegeben«, sagte Vassilios. »Aber es ist schwierig«, fügte er hinzu. »Wie löst man solche Konflikte? Wie löst man Konflikte generell? Nach welchen Kriterien? Rechtlichen? Politischen? Moralischen? Wo unterscheiden sich diese womöglich? Sie haben als Kind den großen Präzedenzfall der vergangenen Jahrzehnte am eigenen Leib erlebt.«

»Ich weiß«, sagte Dana. »Laut Völkerrecht hätten die NATO-Angriffe eine Resolution des UN-Sicherheitsrats benötigt. Die Russland und China verhinderten.«

»Mit den Angriffen brach die NATO also das Völkerrecht. Und dennoch ... Stellen Sie sich vor, die NATO hätte damals nicht eingegriffen. Wer weiß, was aus Ihnen geworden wäre. Ob Sie überhaupt noch leben würden. Rein rechtlich gesehen war der Einsatz unzulässig. Aber politisch? Und moralisch? Immerhin stoppte er das wahnsinnige Völkermorden mit seinen über hunderttausend Opfern und Millionen von Vertriebenen.« Er seufzte. »Aber er verhinderte nicht, dass danach im Gegenzug Serbischstämmige aus bosnischen und kosovarischen Gebieten vertrieben wurden. Er verhinderte nicht, dass diese Gebiete bis heute politisch und ethnisch zerstritten, korrupt und bettelarm sind.«

»Dafür kann man aber nicht die NATO-Einsätze verantwortlich machen«, widersprach Dana. »Sondern die Menschen, die dort danach die Macht übernahmen. Oder denen man sie überließ.«

»Der Einsatz lieferte den USA eine prächtige Ausrede für den Angriff auf den Irak. Russland für seine Annexion der Krim und den Bürgerkrieg in der Ukraine.«

Nachdenklich betrachtete Vassilios sein fast leeres Glas. »Woran sollen wir uns festhalten, wenn alles zerfällt?«

»Vielleicht daran«, sagte Dana nach einer kurzen Pause, »dass manches doch besser wird. Nach den Jugoslawienkriegen definierte die UNO ihre Einsätze neu. Stattete sie besser aus. Die Menschenrechte wurden wichtiger im Völkerrecht. Politiker und Generäle können heute nicht mehr unter dem Mäntelchen der Immunität und staatlichen Souveränität ihre eigenen Bürger abschlachten – theoretisch zumindest.«

Sie wollte Vassilios nachschenken, da läutete ihr Telefon. Maria.

»Hast du schon die Geschichte über Anatole Mgeba gelesen?«, fragte Dana sie.

»Gelesen nicht, aber gehört. Schmutzkübelkampagne. Die Öffentlichkeitsarbeit kümmert sich darum. Wie auch immer: Glückwunsch! Vassilios in der Nähe?«

»Neben mir.«

»Stell kurz auf laut.«

Dana aktivierte die Lautsprecherfunktion und legte das Telefon auf den Tisch.

»Maria!«, rief Vassilios gut gelaunt. »Wo bist du?«

»In Den Haag«, schnaufte die Stimme aus dem Gerät. »Und da bleibe ich wohl noch, so wie es aussieht. Keine Chance auf einen Flieger nach Athen.«

»Dass die großen wie Lufthansa oder KLM sich nicht trauen, verstehe ich noch zum Teil«, sagte Vassilios. »Wenn die Amis deren Start-Lande-Rechte in den USA sperren und andere Staaten unter Druck setzen, können sie einpacken. Aber kleinere oder private ...«

»Erst recht«, sagte Maria. »Ein Kleinunternehmen treibst du mit wenigen Maßnahmen ganz leicht in den Ruin.«

»Mein Angebot eines Fluges unter dem Radar steht weiterhin ...«

»Nein. Wie gesagt: entweder anständig oder gar nicht.«

»Die Niederlande? Deutschland? Frankreich? Die EU? Was ist mit dem Blocking Statute?«

»Diskutieren sie nun ernsthaft. Aber du weißt, wie das ist. Sie diskutieren lange genug, bis sich das Problem von allein löst.«

»Außerdem würde es ohnehin wenig helfen. Auto oder Zug?«

»Dauert zu lange. Ihr braucht mich ohnehin nicht, wie es aussieht.«

»Morgen stehen wir vor dem obersten Gericht. Das ist ein anderes Kaliber. Ich wette, da wird hinter den Kulissen längst auf höchster Ebene geschoben und geschachert und gedrückt und gedroht, was das Zeug hält. Nach allem, was heute geschehen ist.«

»Davon kannst du ausgehen. Da können wir ohnehin wenig machen.«

»Wir könnten versuchen, dich morgen zuschalten zu lassen«, schlug Dana vor.

»Habe ich auch schon überlegt«, sagte Maria.

»Ich kümmere mich darum«, sagte Dana mit einem Blick zu Vassilios: Helfen Sie mir dabei? Vassilios nickte.

»Ich muss weitermachen«, sagte Maria. »Wir hören uns.«

Weg war sie.

»Bullys«, schnaubte Vassilios und meinte die Amerikaner und ihre Blockade des ICC.

»Für mich ist es ein Zeichen der Angst«, sagte Dana. »Sie nehmen uns ernst genug, um uns zu drohen.«

Vassilios schüttelte nachdenklich den Kopf und erhob sich.

»Ich mache einmal ein paar Anrufe wegen Marias Zuschaltung«, sagte er. Vassilios verschwand im Haus.

Nach den Aufregungen des Tages genoss Dana die Ruhe der Laube. Sie sollte ein wenig ausspannen. Oder es wenigstens versuchen.

Doch ihre Gedanken kehrten unaufhörlich zu Alex zurück. Verwirrt versuchte sie zu ergründen, weshalb. Ärgerte sie sich, auf ihn hereingefallen zu sein? So arglos gewesen zu sein? Geradezu dumm? Doch wenn sie ehrlich zu sich war, weckte er Gefühle in ihr, die sie lange schon nicht mehr in dieser Form empfunden hatte. Das Bedürfnis, mit jemandem mehr Zeit zu verbringen und ihn näher kennenzulernen. Nicht unbedingt Schmetterlinge. Aber da war etwas.

Einen Augenblick lang zögerte sie. Dann gab sie Alex' Namen in die Onlinesuchmaschinen ein.

Die Ergebnisse kamen sofort. Die ersten bargen nichts Spannendes. Postings auf sozialen Medien, ein paar Blogartikel. Sie bestätigten, was Alex ihr an den Vortagen über sich erzählt hatte. Ein unternehmungslustiger Mann, der sich aber in den sozialen Medien nicht anders inszenierte, als sie ihn kennengelernt hatte. Dana tippte sich ein paar Ergebnisseiten weiter. Nichts Auffälliges.

Wäre da nicht dieses Foto von heute Morgen.

Um sich abzulenken, wechselte sie in den Twitter-Feed.

Nach Haftbestätigung für Douglas Turner: US-Präsident Jones kündigt weitere Sanktionen an.

Dieses Mal hatte er nicht eigens einen TV-Termin anberaumt. Kurzfristig hatte er im Presseraum des Weißen Hauses ein Statement abgegeben. Flankiert von fünf Regierungsmitgliedern.

»Ab sofort sind US-Unternehmen Geschäfte mit griechischen Unternehmen untersagt«, erklärte US-Präsident Arthur Jones. »Zudem dürfen griechische Staatsbürger vorerst nicht mehr in die USA einreisen.«

»Jetzt brauchen wir das Blockade Statute!«, rief Nikólaos von seinem Bildschirm dazwischen.

Na klar, dachte der Ratsvorsitzende. Diesmal waren neben der Kommissionspräsidentin nur der Deutsche, der Franzose, Nikólaos, der Schwede, Spanien, Dänemark, Polen, Rumänien und Österreich in der Videoschaltung vertreten. Sie hörten weiter Arthur Jones' Erklärung zu.

»Der US-Kongress hat außerdem einem Eilantrag stattgegeben, die seit zwei Jahren blockierte Lieferung von Militärequipment in Milliardenhöhe an die Türkei freizugeben.«

»Dieser Hurensohn!«, rief Nikólaos.

»Außerdem beunruhigt uns die Situation im östlichen Mittelmeer«, fuhr Jones fort. »Deshalb werden wir den ohnehin nur wenige Hundert Seemeilen entfernten Flugzeugträger Nemesis und zwei Kreuzer in die Region senden.«

»Na bravo«, stöhnte der Schwede, »dort wird es bald keinen Platz mehr geben für all die Kriegsschiffe.«

»Das macht der doch nicht wegen des Gasstreits«, ereiferte sich der Däne.

»Ach nicht?«, bemerkte der Franzose spöttisch.

»Noch einmal möchte ich US-Bürger davor warnen, in dieser Sache mit dem International Criminal Court zusammenzuarbeiten«, erklärte Arthur Jones in seiner kurzen Ansprache. Steve sah auf seinem Telefon die Aufzeichnung eines US-TV-Senders, der den Link zum Video in den sozialen Medien geteilt hatte. »Wir wissen, dass jemand diesen Fehler begangen hat. Das ist laut US-Gesetzen ein schweres Verbrechen. Sie haben jetzt Ihre letzte Chance, die Sache wiedergutzumachen, Ihre Mitarbeit zu beenden und sich den US-Behörden zu stellen. Noch können wir Ihnen entgegenkommen.«

59

Das Taxi glitt ruhig durch den noblen Athener Vorort Kifissia, in dem die Villa des frisch gekürten Justizministers stand. Eukalyptusbäume, Palmen und Pinien beschatteten die Villen der Reichen und Schönen. Vor dem massiven Metalltor eines der Anwesen wachten zwei Polizeiwagen. Zwei Uniformierte stoppten das Fahrzeug. Der Fahrer ließ die Seitenscheiben herab und wechselte ein paar Worte mit ihnen.

Die Polizisten ließen ihn passieren. Die Eisenwand öffnete sich zur Seite. Der Fahrer steuerte den Wagen durch eine spärlich beleuchtete Allee auf den Vorplatz der klassizistischen Villa. Dort stand ein halbes Dutzend Limousinen, darunter zwei wertvolle Oldtimer.

Der Fahrgast fragte sich, ob außer ihm noch weitere Gäste anwesend sein würden.

Ein Bediensteter öffnete ihm die Tür und begleitete ihn ins Haus.

In dem majestätischen Entree erwartete ihn der Justizminister.

»Guten Abend, Herr Richter«, dröhnte er. »Danke, dass Sie meiner Einladung gefolgt sind.«

»Herr Minister.«

Der Justizminister geleitete seinen Gast durch die eindrucksvollen Räumlichkeiten auf eine weitläufige Steinterrasse an der Rückseite, von der eine Freitreppe in den parkartigen Garten führte, dessen Dimensionen der Richter im Nachtlicht nur erahnen konnte. Währenddessen redete er pausenlos.

»Wir sind Zeugen eigenartiger Zeiten, finden Sie nicht? Hätten Sie jemals erwartet, einen ehemaligen US-Präsidenten in Ihrem Gericht zu sehen? Als Angeklagten? Ungeheuerlich!«

Ungeheuerlich. Diese Wertung gab dem Richter den erwarteten Hinweis. Wie würde der Minister die Sache spielen?

Zu ihrer Linken stand ein Tisch mit weißem Tischtuch und zwei bequemen Stühlen, umringt von Windlichtern. Daneben wartete ein livrierter Angestellter.

Bin ich hier für ein Rendezvous?, fragte sich der Richter.

»Diese Geschichte ist eine äußerst delikate Angelegenheit«, sagte der Minister, »die unser Land ganz schnell in größte auch wirtschaftliche Schwierigkeiten bringen kann.« Der Angestellte füllte ihre Gläser mit einem sicherlich exquisiten Weißwein, während der Minister den Richter fragte: »Investieren Sie in Wertpapiere?«

»Nur wenig«, erwiderte der Richter. »Und das sehr konservativ.«

»Die Athener Börse hat in den drei Tagen seit Turners Verhaftung dreizehn Prozent verloren«, stellte der Minister fest. »Ein Blutbad! Ich hoffe, es hat Sie nicht zu schlimm erwischt.«

Durchsichtig. Er schickte den Serviceman mit einer wedelnden Geste fort.

»Und die Türken bekommen jetzt Unterstützung von den Amerikanern im Kampf um das Gas! Noch ein paar Tage, und wir haben einen offenen Krieg! Zwischen NATO-Mitgliedern! Diese Farce muss schnellstmöglich beendet werden.«

Er prostete dem Richter zu.

»Gesichtswahrend für alle Seiten natürlich. Für die Amerikaner. Für uns. Lassen Sie uns gemeinsam überlegen, wie das gelingen könnte.«

60

Vassilios hatte den Tisch in der Laube mit griechischen Delikatessen gedeckt, Oliven, gefüllte Weinblätter, Käse, Gebäck, und eine Flasche Wein geöffnet. Hungrig und beherzt griff Dana zu.

»Sagen Sie, wie kommt es eigentlich, dass der Strafgerichtshof Sie hierhergeschickt hat?«, fragte Vassilios, während er es sich in einem windschiefen Korbsessel gemütlich machte.

»Wollen Sie die kurze oder die lange Version?«, seufzte Dana.

»Die lange. Wir hatten ja noch nicht wirklich Gelegenheit, uns kennenzulernen. Und heute Abend haben wir Zeit.«

»Dann müssen Sie aber auch ein bisschen aus der Schule plaudern«, grinste Dana. »Ich habe ja schon einiges von Ihnen gehört.«

»Abgemacht«, sagte Vassilios und goss beiden Retsina nach. »Bei der Gelegenheit«, sagte er und hob das Glas, »nach allem, was wir gemeinsam schon durchgemacht haben: Vassilios.«

Dana lächelte ihn an, hob ihr Glas.

»Dana.«

Sie trank, dachte kurz nach. »Wo fange ich am besten an?« Dana runzelte die Stirn und blickte auf das Meer, das in der Ferne zwischen ein paar Baumstämmen hindurchschimmerte. Die Dämmerung hatte es in ein tiefes Rotgold getaucht.

Vassilios fragte sanft: »Du bist ursprünglich aus Bosnien, so viel weiß ich.«

Dana schluckte.

»Ja, dort bin ich geboren. Sarajevo.«

Sie schwieg wieder. Vassilios lehnte sich vor, ohne etwas zu sagen.

Dana holte tief Luft und sprach weiter, etwas zu schnell: »Während der Belagerung der Stadt war ich ein kleines Kind, noch nicht einmal in der Schule. Meine Familie konnte nach Deutschland flüchten, wo ich wirklich Glück hatte. Eine Lehrerin nahm sich meiner an, ermutigte mich, in der Schule mitzumachen. Einmal ist sie sogar zu meinen Eltern nach Hause gekommen, um ihnen zu sagen, was für eine gute Schülerin ich bin und dass sie mir so viel wie möglich helfen sollten. Das war nicht einfach für meine Eltern, der Krieg hat viele Wunden hinterlassen. Aber irgendwie schafften wir es, und ich kam aufs Gymnasium. Dort war ich dann sogar Klassensprecherin, weil ich immer den Mund aufhatte, wenn jemand ungerecht behandelt wurde. Und da war die Geschichte mit der Freundin, die abgeschoben wurde. Dann studierte ich eben Jura. Trocken, das meiste, muss ich zugeben. Eines Tages sah ich die Ankündigung zu einem Seminar über die Tätigkeit des Internationalen Strafgerichtshofs für das ehemalige Jugoslawien. Da war es um mich geschehen. Ich bettelte den Professor an, mir ein Praktikum dort zu verschaffen. Schließlich gelang es, da das Tribunal immer Leute brauchen konnte, die Bosnisch sprachen. Na ja, und vor vier Jahren, nach dem Abschluss meiner Ausbildung und einiger Berufserfahrung, die ich noch sammeln wollte, habe ich mich dann in Den Haag beworben. Als ich die Zusage bekam, Vassilios ... so gefeiert hatte ich lange nicht mehr!«

Vassilios hatte aufmerksam zugehört.

»Soll ich dir mal sagen, was ich ehrlich denke?«, fragte er und nahm einen großen Schluck Retsina.

»Bitte.«

»Ich weiß nicht, was der Strafgerichtshof sich bei der Anklage gedacht hat.«

Dana ließ fast ihr Glas fallen.

»Das sagst gerade du?«, stieß sie überrascht hervor.

»Versteh mich nicht falsch«, beeilte er sich zu sagen und machte eine beschwichtigende Geste, »Turner verdient es bestimmt, im Gefängnis zu sitzen, für die Vorwürfe des Strafgerichtshofs und überhaupt sein Kommando einer US-Armee, die immer mehr aus dem Ruder geraten ist. Aber der ganze Wirbel, die unglaublichen Ressourcen, die draufgehen, diese *eine* Anklage durchzubringen ...«

Er schüttelte nachdenklich den Kopf. Drehte das Glas zwischen den Fingern.

»Es gibt so viele Verbrechen, derer sich der Strafgerichtshof annehmen könnte, bei denen seit Jahren nichts vorangeht. Dieser Fall ist doch nur dazu da, ein Exempel zu statuieren ...«

»Aber dazu wurde der Strafgerichtshof ja ins Leben gerufen«, warf Dana ein. Nun beugte sie sich vor, ihr Gesicht leicht erhitzt. »Um Exempel zu statuieren, meine ich. Nie war es die Idee, dass der Strafgerichtshof alle Verbrechen gegen die Menschlichkeit, alle Kriegsverbrecher verfolgen könnte. Nur die schwersten dieser Verbrechen und die, die die größte Verantwortung tragen, und vor allem dort, wo sich kein anderes Gericht findet.« Sie bemerkte, wie sie in Fahrt geriet, und trank einen Schluck Wein, um sich zu bremsen, bevor sie ruhiger weitersprach. »Nie im Leben hätte sich Turner vor einem US-amerikanischen Gericht verantworten müssen. Und dass ihn ein anderes innerstaatliches Gericht anklagt, ist vollkommen unmöglich, das traut sich kein Land. Außerdem ist immer noch höchst umstritten, ob ehemalige Regierungschefs vor einem nationalen Gericht für internationale Verbrechen angeklagt werden dürfen. Da ist der ICC eben die große Ausnahme.«

»Wie du sagst«, hob Vassilios an, »nur die schwersten Verbrechen. So schlimm es ist, was Turner getan hat, ich denke, da gibt es viel Schlimmeres, was sich an diversen Kriegsschauplätzen abspielt.«

Dana stand auf und ging zum Geländer der Laube. Sie schaute zum Meer, dann drehte sie sich um und lehnte sich rücklings an das Geländer.

»Weißt du, was mich so zum Tribunal für das ehemalige Jugoslawien gezogen hat?«, fragte sie ihn. Blickte versonnen auf den Tisch mit den Köstlichkeiten. »Die Vorstellung, jemand könnte den Opfern zuhören. Jemand könnte mir zuhören, der Stimme eines kleinen Kindergartenkindes, das fürchterliche Dinge mit ansehen musste. Ein Kind, das zwei Jahre lang das Haus nicht verlassen durfte, weil es draußen zu gefährlich war. Die Vorstellung, jemand würde diese Stimme hören, wirklich hören. Jemand würde das Leid verstehen und erkennen, dass das nicht einfach ›der Krieg‹ war, weil ›im Krieg‹ schlimme Dinge passieren. Nein, dass all diese Toten, diese Angst und dieser Schrecken absichtlich von jemandem verursacht wurden, von einem Menschen, und dass dieser Mensch von der internationalen Gemeinschaft dafür verurteilt würde und ins Gefängnis müsste, wie jeder andere Mörder auch.« Sie fuhr sich mit der Hand durchs Haar, das ihr während ihrer Rede ins Gesicht gefallen war, so sehr bewegte sie die Diskussion. »Aber das ist nicht das Wichtigste«, fuhr sie fort. »Das Wichtigste ist, dass der Stimme ein Raum gegeben wird, vor einem international anerkannten, unabhängigen Gericht. Dem Strafgerichtshof kann man keine Siegerjustiz vorwerfen, er steht für etwas anderes.«

»Gerechtigkeit«, murmelte Vassilios und blickte an Dana vorbei aufs Wasser.

»Gerechtigkeit«, wiederholte Dana. »Du hast nie eine Verhandlung vor dem Strafgerichtshof gesehen?«

»Nein.«

»Wenn die Zeuginnen und Zeugen aussagen, ist die Stimmung im Raum unbeschreiblich. Es ist so bedrückend und gleichzeitig so befreiend. Wenn ich an Turner denke, denke ich gleichzeitig an die Abertausend Opfer, die sein ›Krieg gegen den Terror‹ verursacht hat. Keine Frage, die Drahtzieher terroristischer Anschläge gehören vor Gericht. Aber ihre Familien? Ihre Kinder? Ihre Nachbarn, ihre Cousins? Leute, die nur einen ähnlichen Namen tragen und vom Geheimdienst verwechselt werden? Womit haben sie es verdient, Nacht für Nacht vor den anrauschenden Hubschraubern zu zittern, vor dem Poltern an der Tür, oder tagelang das Brummen der Drohnen über ihren Köpfen zu hören?« Sie blickte kurz hoch in die Laube. »Oder noch schlimmer, dem blauen Himmel nicht mehr zu trauen, weil die Drohnen von diesem besser sehen als durch Wolken. Bis eine zuschlägt. Ich denke an die Kinder, die so aufwachsen. Und niemand verteidigt sie, nicht wirklich, weil gegen sie eine Macht steht, die die ganze Welt beherrscht. Die sich wirklich um die Menschenrechte verdient gemacht hat, aber in diesem verdammten Krieg gegen den Terror glaubt, sie kann alle Regeln neu schreiben.«

Vassilios stand ebenfalls auf und stellte sich neben Dana. Beide schwiegen. Die Sonne war nun verschwunden.

»Du bist überzeugt, dass ihr ausreichend Beweise für eine Verurteilung von Turner habt? Außer den Night Raids müsst ihr ja noch etwas haben.«

»Ja«, sagte Dana. »Maria schickt Stouvratos die Unterlagen.«

»Es würde mir helfen zu wissen, was es ist. Auch für die Vorbereitung der Verhandlung. Die Verteidigung wird sicher mit schweren Geschützen auffahren.«

Dana zog ihr Telefon hervor. »Vielleicht sind sie schon da.«

Sie überflog ihre neuen Nachrichten und Mails. Tatsächlich war jene von Maria vor ein paar Minuten eingetroffen.

»Hier«, sagte sie und zeigte sie Vassilios. »Die Staatsanwaltschaft hat die Unterlagen. Ich kenne das Teil zwar auswendig, aber sicherheitshalber hat sie mir noch einmal Kopien geschickt.«

Sie öffnete den Anhang und reichte Vassilios das Gerät. Er zog die Lesebrille aus der Brusttasche seines Hemdes, setzte sie auf und begann zu lesen.

Konzentriert scrollte er nach und nach über den Bildschirm, begleitet von gelegentlichen Schlucken Wein.

Nachdem er fertig war, seufzte er und sagte: »Dann bereiten wir uns wohl besser auf morgen vor. Du weißt, was die Verteidigung sagen wird, wenn wir die Anklagepunkte durchgehen?«

»Ja, ich weiß. Eine der großen Schwächen des Rom-Statuts, leider. Aber ich habe mit Maria gesprochen, und wir wissen, wie wir das Argument der Verteidigung aushebeln können.«

»Da bin ich gespannt.«

Vassilios' besorgter Blick war der Begeisterung gewichen.

Er verschwand im Haus und kehrte gleich darauf mit einem Block und einem Stift zurück. Sie setzten sich wieder an den Tisch, ausgerüstet mit Schreibblock und Wein.

»Folgenden Präzedenzfall des Strafgerichtshofs wird Maria zur Grundlage der Anklage machen ...«, sagte Dana und machte mit ihrer präzisen Handschrift Notizen.

61

»Musste irgendwann kommen«, brummte Ronald Voight.

Auf dem Bildschirm lief das Interview von Douglas Turners Frau, in dem sie Arthur Jones Tatenlosigkeit und Schwäche vorwarf. Sie forderte den ICC auf, ihren Mann sofort freizulassen. Er habe für das großartigste Land der Welt, für die Freiheit und Sicherheit des Westens gekämpft. Dafür gehöre er nicht ins Gefängnis, sondern mit dem Friedensnobelpreis ausgezeichnet.

»Wrights Team wird das auf und ab spielen«, tobte Arthur auf seinem Bildschirm.

»Wir arbeiten auf allen Ebenen an der schnellstmöglichen Lösung«, versicherte Derek.

Von dem Monitor im Lagezentrum der Athener US-Botschaft aus blickte Arthur Jones ihnen zornig entgegen.

»Das Berufungsgericht tagt schon morgen«, erklärte William Cheaver. »Und es wird sich mit den Vorwürfen gegen den Richter in Den Haag auseinandersetzen müssen. Die anderen Punkte wurden von der ersten Instanz schon geklärt.«

»Mit dem Ergebnis, dass Turner immer noch in diesem Loch sitzt«, unterbrach ihn Arthur barsch.

»Die Richter hatten keine Wahl«, erklärte William. »Wenn der Staatsanwalt Berufung einlegt ... Sie haben ohnehin die Frist zur Anhörung vor dem Obersten Gerichtshof auf das Minimum verkürzt.«

»Der Vorsitzende des Berufungsgerichts ist ein anderes Kaliber«, sagte Lilian Pellago. »Ihm werden höhere Ambitionen nachgesagt. Politische. Er versteht, dass dieser Fall nicht nur juristische Dimensionen hat.«

»Inhaltlich erwarte ich mir nicht mehr viel«, fügte Cheaver hinzu. »Der Staatsanwalt will wahrscheinlich auf die Besonderheiten des Verfahrens im Namen des Strafgerichtshofs pochen. Da wünsche ich ihm viel Glück.«

»Und wenn sie doch das Video haben?«, fragte Derek. »Dafür brauchen wir irgendeine Strategie.«

William lächelte.

»Haben wir«, sagte er. »Sonst wäre ich nicht so ruhig. Ist zwar tricky, aber sollten wir hinbekommen. Schließlich wollen die Griechen das ja auch.«

»An diesem Steve Donner bleiben wir aber schon noch dran«, sagte Trevor. »Falls er der Verräter ist. Was ich inzwischen stark annehme.«

»Natürlich«, sagte William. »Sicherheitshalber. Außerdem willst du ja den Verräter schnappen, falls er es ist.«

»Wir sollten trotzdem eine Befreiungsaktion in Betracht ziehen«, mischte sich General Nestor Booth ein. »Soll heißen, Sie sollten die explizite Freigabe erteilen für den Fall, dass vor Gericht morgen doch etwas schiefgeht.«

»Ich denke«, sagte Derek, »das können wir morgen immer noch entscheiden.«

»Da könnte es zu spät sein«, gab nun auch noch Trevor seinen Senf dazu.

»Weshalb?«, fragte der Präsident.

»Im Fall einer Haftbestätigung müssen die Griechen mit einer Aktion unsererseits rechnen«, entgegnete Nestor. »Die Sicherheitsvorkehrungen würden drastisch gesteigert werden. Die Überstellung nach Den Haag würden sie auch so schnell wie möglich vollziehen. Die beste Möglichkeit für einen Zugriff wäre wahrscheinlich unmittelbar nach einer Haftbestätigung. Da hätten sie die Verteidigung womöglich noch nicht vollständig oben.«

»Mit denen werden unsere Jungs doch so oder so fertig«, sagte Arthur.

»Ich möchte hinzufügen«, sagte Derek, »dass wir gute Verbindungen zu den griechischen Behörden haben, die uns in allen Fällen nicht zu viele Hindernisse in den Weg legen würden. Weshalb ich gegen übereilte Entschlüsse bin. Und so schnell wird es mit der Überstellung nicht gehen. Die Griechen brauchen erst das offizielle Ersuchen des Strafgerichtshofs. Dort sind sie ja wohl ein wenig überfordert, anständige Unterlagen zusammenzustellen, wie wir heute gesehen haben. Der vorläufige Haftbefehl war wohl ein nicht ganz durchdachter Schuss aus der Hüfte. Obwohl ...«

»Wie wahrscheinlich ist es«, unterbrach ihn der Präsident, »dass Turner morgen nicht freikommt?«

»Sehr unwahrscheinlich«, sagte Derek, »aber ein Restrisiko bleibt natürlich.«

»Wir können kein Restrisiko brauchen!«, polterte Arthur. »Ich bin innenpolitisch inzwischen unter schwerem Dauerbeschuss. Meine Umfragewerte sind im Keller. Wenige Wochen vor der Wahl! Ehrlich gestanden finde ich das Szenario inzwischen reizvoll. Ein Spezialteam, das Turner in einer spektakulären Aktion raushaut, würde mir die Wiederwahl sichern. Das haben unsere Statistiker in einer Umfrage herausgefunden.«

»Mister President ...«, begann Derek, doch Arthur unterbrach ihn.

»Ihre Leute sollen sich bereit machen, General. Sollte Douglas Turners Haft morgen bestätigt werden, können wir nicht länger warten.«

»Das heißt, wenn das Gericht morgen zu dem Entschluss

kommt, Turner an Den Haag auszuliefern, schicken wir unsere Teams los?«, fragte General Booth.

»Die letzte Entscheidung liegt bei mir«, erwiderte Arthur. »Bereiten Sie alles vor. Ich erwarte eine Benachrichtigung unmittelbar nach dem Urteil. Dann gibt es nur mehr No oder Go.«

62

Dana schreckte aus dem Schlaf.

Wo war sie?

Was hatte sie geweckt? War dieser schwere, dumpfe Knall Teil ihres Traums gewesen?

Die Dunkelheit vor dem Fenster flackerte orangefarben.

Jetzt erinnerte sie sich.

Vassilios' Gästezimmer.

Von fern vernahm sie ein seltsam fauchendes Geräusch.

Klirren. Dann ein Geräusch wie ein Rammbock, begleitet von einer Erschütterung. Das orangefarbene Flackern draußen wurde heller.

Da brannte etwas. Sehr nah.

Dana sprang aus dem Bett.

»Weg von den Fenstern!«, rief Vassilios. Er stürzte in den Raum, nur mit seinem gestreiften Pyjama bekleidet. »Alles in Ordnung?!«

»Was ist passiert?«

»Ich weiß es noch nicht!«, rief er und lief wieder hinaus.

Dana warf ein Kleid über, packte ihr Telefon, das neben dem Bett lag, und folgte ihm.

Die Geräusche wurden zur Straße hin lauter. Vassilios stand an einem Fenster neben der Eingangstür und lugte vorsichtig hinaus. Jetzt flackerte auch sein Gesicht rötlich.

Vor dem Fenster ragte eine Feuerwand auf.

Trotz Vassilios' Warnung stellte sie sich neben ihn.

In der Auffahrt loderte, was einmal Vassilios' Auto gewesen war. In den meterhohen Flammen sah sie nur ein paar schwarze Streben, um die sich die roten Zungen wanden, bevor sie sich in schwarzem Rauch und Abermillionen Funken auflösten. Die Richtung Haus wirbelten.

»Weg«, rief Vassilios, »bevor der Tank explodiert!«

Er packte Dana und zog sie mit sich durch den Flur zurück ins Schlafzimmer. Mit der anderen Hand drückte er bereits sein Telefon an das Ohr.

Die nächste Explosion hüllte Dana in eine Hitzewand, und sie hörte nichts mehr, als sie zu Boden geschleudert wurde.

Auf den Monitoren im Lagezentrum verfolgten Derek, Walter, Trevor und Ronald die Liveberichte von dem Haus des griechischen Anwalts. Vor dem Gebäude rauchte das verbogene schwarze Gerippe eines völlig ausgebrannten Fahrzeugs. Die Feuerwehr löschte mit mehreren Wagen den Brand, der Teile des Hauses erfasst hatte.

Oder das Ganze. So genau konnte Derek das auf den TV-Aufnahmen und Handyvideos Schaulustiger nicht sehen.

»Was sagen sie?«, fragte Derek ungeduldig. Bislang waren nur griechische Berichterstatter vor Ort.

»Sie wissen noch nichts«, übersetzte Walter. »Die einen reden von einem Terroranschlag Linksradikaler, wie sie in Griechenland immer wieder mal vorkommen.«

»Unsinn«, sagte Derek, »warum sollten die das tun? Den Linken gefällt Turners Verhaftung doch!«

»Ohnehin. Andere meinen, es sei ein Anschlag Rechtsradikaler.«

»Schon eher. Rechtsradikale waren auch unter den Pro-Turner-Demonstranten.«

»Und natürlich kommen wir ebenfalls ins Spiel«, sagte Walter.

»Die CIA wird zwar nicht wörtlich erwähnt, aber die Rede ist von ›nicht näher genannten Dritten‹.«

»War zu erwarten.« Ohne den Blick von den Monitoren zu nehmen, fragte Derek: »Noch einmal: Wir waren es nicht?«

»Sicher nicht«, beteuerte Walter.

»Wer war es dann?«

»Die Rechtsradikalen, wäre mein Tipp. Kann sein, dass sie sich von einem unserer Kontakte ermutigt fühlten, aber…«

»Ermutigt?!«, brüllte Derek. »So nennen Sie das also? Wer hat das angeordnet?«

»Niemand«, erwiderte Walter. »Wie gesagt, es handelt sich wohl um ein Missverständnis.«

»Das uns eine Menge Sympathien kosten kann!«

»Wir versuchen gerade, etwas herauszufinden. Kann aber dauern – falls wir überhaupt etwas erfahren. So oder so machen die Kommentatoren alle Seiten verantwortlich. Sie geben abwechselnd dem ICC, den griechischen Behörden oder Gerichten die Schuld. Weil sie Turner überhaupt verhaftet haben. Andere machen die Vereinigten Staaten verantwortlich, weil sie die Lage so eskaliert hätten.«

»Ronald?«

»Wir bestreiten in einer Aussendung jegliche Beteiligung und Verantwortung. Zudem verurteilen wir den Einsatz von Gewalt gegen Zivilisten und Rechtsorgane aufs Schärfste. Terror können und werden wir nicht akzeptieren, wie schon unser seit Jahren andauernder Krieg gegen den Terror beweist. So in etwa. Geht in den nächsten Minuten raus.«

»Wissen wir endlich«, fragte Derek, »was mit Dana Marin und Vassilios Zanakis geschehen ist?«

»Er wird wieder«, sagte der Arzt.

Vassilios lag mit einer Sauerstoffmaske im Krankenhausbett.

»Ich sage doch: Unkraut vergeht nicht«, ächzte er unter seiner Gesichtsbedeckung.

»Mit Ihnen ist sicher alles in Ordnung?«, fragte der Mediziner Dana zum wiederholten Mal.

»Geh schlafen, Dana«, forderte Vassilios. »Ich bin hier in guten Händen. Und du brauchst morgen deine Energie.«

»Die können doch jetzt nicht einfach weitermachen!«, ereiferte sich Dana.

»Natürlich können sie«, sagte Vassilios. »Sollten sie sogar. Von so etwas dürfen wir uns nicht einschüchtern lassen!«

Er rang nach Luft.

»Sie sollten nicht sprechen«, sagte der Arzt.

»Bei mir ist ihnen das ganz gut gelungen«, sagte Dana. »Für einen Augenblick habe ich mich gefragt, ob es das alles wert ist.«

»Dana, ihr seid nicht so weit gekommen, um jetzt aufzugeben.«

»Keine Sorge«, sagte Dana, »es war nur ein Augenblick.«

Längst hatte ihr Zorn die Überhand gewonnen. Auch den musste sie noch in den Griff bekommen.

»Dann geh jetzt da hinaus und zeig es denen! Gute Nacht.«

Er schloss die Augen.

Der Arzt nickte Dana aufmunternd zu.

»Gute Nacht«, sagte Dana.

Vor dem Zimmer wachten zwei Polizisten. Zwei Zivilbeamte warteten auf Dana. Der eine hatte sich als Athens Polizeichef persönlich vorgestellt.

»Wir bringen Sie in eine sichere Unterkunft«, erklärte er. »Inklusive Polizeischutz. So etwas darf nicht noch mal passieren.«

So etwas hätte überhaupt nicht passieren dürfen, dachte Dana. Aber das wusste der Mann selbst.

63

Vorsichtig lugte Dana durch den Vorhang aus dem Fenster.

Vor ihrer Tür wachten zwei Beamte. Im Hauseingang standen zwei weitere. Vor dem Haus parkten zwei unmarkierte Polizeiwagen mit je zwei Beamten.

Die Wohnung war ein einfacher Sechzigerjahrebau. Wohnzimmer mit Küchenecke, Schlafzimmer, Bad. Vielleicht vierzig Quadratmeter. Die Einrichtung war schlicht und funktionell. Wirkte fast wie von damals. Kirschholz, schwarze Metallstreben. Es roch süßlich nach Jasmin und Limonen. Ein schwerer Raumduft, der anderes übertönen sollte. Wie viele hatten sich hier schon eine sichere Unterkunft erhofft?

Verloren stand Dana in dem kleinen Wohnzimmer.

Ihr drittes Quartier an diesem Tag.

Erst jetzt begriff sie, dass ihr gesamtes Gepäck in Vassilios' Haus geblieben war. Sie wusste nicht, ob etwas davon den Brand überlebt hatte. Ihr war nur das Kleid geblieben, das sie kurzerhand angezogen hatte. Es hatte schwarze Brand- und Rußflecken, war an einigen Stellen zerrissen und roch nach Rauch. Was sollte sie morgen für das Gericht anziehen?

Kurz entschlossen ging sie zur Wohnungstür. Öffnete sie. Die Polizisten auf ihren Stühlen wandten sich erschrocken um.

»Do you speak English?«

»Yes«, sagte der eine.

»Ich werde morgen früh Kleidung brauchen«, erklärte sie auf Englisch. »Kann mir jemand etwas besorgen?«

Der Mann sah sie verblüfft an, dann verwandelte sich seine Miene ins Säuerliche. Bin ich dein Dienstmädchen, oder so.

»Ihr Vorgesetzter meinte, ich kann mich mit allem an Sie wenden«, erinnerte ihn Dana. »Ich brauche eine Bluse, ein dunkles Kostüm. In small. Danke. Gute Nacht.«

Sie schloss die Tür.

Sie ließ sich in den Polstersessel fallen, der sich mit seinem Holzgestell in jedem trendigen Lokal gut gemacht hätte. Hier wirkte er nur alt.

Ob sie am Morgen tatsächlich etwas zum Anziehen bekommen würde? Es war ihr egal, merkte sie. Sie war so voller Wut und Entschlossenheit, dass sie in jedem Aufzug hingehen würde.

In einer der Taschen zwischen den Falten des Rocks spürte sie etwas Hartes.

Ihr Telefon.

Wie kam es, dass der moderne Mensch sich überall gleich weniger allein und fremd fühlte, wenn er sein Telefon in der Hand spürte? Das Netz- oder WLAN-Zeichen sah? Eine Verbindung zur Welt? War es das?

War ja klar. Dutzende neue Nachrichten.

Maria hatte versucht, sie anzurufen. Sie hörte die Nachricht auf der Mailbox ab. Sie endete mit »Ruf mich jederzeit an!«.

Dana wählte die Nummer. Maria Cruz hob nach dem zweiten Freizeichen ab.

»Gott sei Dank!«, stieß sie hervor. »Wie geht es dir?!«

»Besser als Vassilios. Er liegt im Krankenhaus.«

»Habe ich gehört. Hast du Polizeischutz?«

»Ja.«

»Es tut mir leid«, sagte sie. »Ich habe nicht erwartet, dass sie *so* skrupellos sind.«

»Angeblich haben sich griechische Rechtsradikale zu dem Anschlag bekannt«, sagte Dana. »Das erklärte mir zumindest die Polizei.«

»Habe ich auch gehört. Von wem die wohl finanziert werden? Wie auch immer. Glaubst du, dass du morgen trotzdem zum Gericht kannst?«

»Auf jeden Fall. Ich habe mit Vassilios die Strategie durchgesprochen, auf die wir uns geeinigt haben.«

Kurze Stille in Den Haag.

»In Ordnung«, sagte Maria Cruz schließlich. »Ich habe bis jetzt noch keine Informationen darüber, ob ich zugeschaltet werde.«

Dana wusste nicht, ob Vassilios sich darum gekümmert hatte.

»Ich werde gleich noch einmal sehen, was ich tun kann!«

»Vergiss es«, sagte Maria. »Um diese Zeit erreichst du niemanden mehr.«

»Die müssen doch alle noch wach sein nach dem Anschlag!«

»Und wenn. Der Polizeichef und der Justizminister vielleicht. Aber die wirklich Wichtigen, die Techniker, schlafen.«

»Gibt es etwas Neues zu Anatole Mgeba?«, fragte Dana.

»Unsere Pressestelle hat vor zwei Stunden eine Gegendarstellung veröffentlicht. Hast du naturgemäß nicht mitbekommen.«

»Gut.«

»Ich bin jetzt auch dran«, sagte Maria. »Richtig fies. Ich leite einen Pädophilenring. Wie Hillary Clinton.«

»Du liebe Güte! Immer derselbe Scheiß. Fällt denen nichts Neues ein?«

»Pädophilie funktioniert eben immer. Wozu etwas Neues ausdenken? Deshalb klage ich angeblich Turner an, weil mir die US-Behörden auf der Spur sind. Um davon abzulenken. Schwachsinniger geht es kaum. Bis jetzt taucht es aber nur in den üblichen rechten Verschwörungstheoriezirkeln auf.«

»Von dort zieht es dann gern und schnell weitere Kreise.«

»Dagegen kann ich jetzt nichts machen. Dich haben sie ja auch schon ganz schön hergenommen.«

»Das Demofoto war einfach fies. Die Sache hier in Athen war ungeschickt von mir.«

»Allerdings.«

»Sorry.«

Wieder kurze Stille.

»Pass auf dich auf. Viel Glück morgen. Gute Nacht. Oder was davon noch übrig ist.«

Es war kurz vor drei Uhr morgens. Viel von der Nacht blieb ihr nicht mehr. Wenn sie überhaupt schlafen konnte. Noch war sie zu aufgewühlt.

Der Polizeichef hatte ihr seine Nummer gegeben. Sie rief ihn an. Er hob sofort ab. Sie erklärte ihm ihr Anliegen. Dass sie mit dem Justizminister sprechen wolle. Mit dem Gerichtschef. Wer immer zuständig war.

»Ich werde mich darum kümmern«, sagte er. »Aber ich kann nichts versprechen.«

»Deshalb möchte ich persönlich mit dem Verantwortlichen sprechen.«

Der Mann hatte den Zugang zu dem Zuständigen, Dana nicht. Mit einem Mal fühlte sie sich hilflos.

»Gehen Sie schlafen«, sagte er. »Ich sehe zu, was ich tun kann.«

Das hatte sie an diesem Abend in der Sache schon einmal gehört. Derjenige, der es gesagt hatte, lag nun im Krankenhaus. Der Polizeichef beendete das Gespräch. Kurz überlegte Dana, was sie noch versuchen könnte. Da übermannte sie die Erschöpfung.

Sie zog das zerstörte Kleid aus, das T-Shirt und den Slip, die ähnlich ramponiert waren und geräuchert rochen, und stellte sich unter die Dusche. In einen dünnen Bademantel gewickelt, warf sie sich auf das Bett. Schlafen konnte sie jetzt nicht. Sie hatte nicht einmal ein Nachthemd. Oder ein sauberes T-Shirt oder Unterwäsche. Im Wohnzimmer würde ein Fernseher stehen. Da hatte sie jedoch keine Lust drauf. Womöglich nur griechische Sender. War ja kein Hotel. Überhaupt: Wer sah heutzutage noch fern?

Blieb das Telefon.

Sie hatte kein Aufladegerät. Siebenundsechzig Prozent geladen. Fürs Erste würde das genügen. Noch einmal würde sie nicht zu den Polizisten hinausgehen.

Alex hatte sieben weitere Nachrichten geschickt. Und zwölf Mal versucht, sie anzurufen!

Sie haderte mit sich.

Sie wollte nichts mehr mit ihm zu tun haben.

Dann hörte sie die Nachrichten auf der Mailbox doch ab. Die erste stammte vom vorigen Abend, gegen halb acht. Vor dem Anschlag.

»Alex hier. Bitte ruf mich zurück. Es ist wichtig. Wegen dieses Fotos. Es ist gefälscht. Ehrlich.«

Die zweite hatte er um halb zehn hinterlassen.

»Wieder Alex. Bitte, ruf mich zurück. Dieses verdammte Bild – es ist gefakt. Ich kann es beweisen!«

Die dritte, vierte und fünfte stammten aus den vergangenen eineinhalb Stunden.

»Alex hier. Wie geht es dir? Warst du dort? Bei dem Anschlag? Ist alles in Ordnung? Bitte melde dich? Geht es dir gut?!«

»Alex. Einige Sender behaupten, du warst dort. Sie berichten nichts davon, wie es dir geht. Nur dass es Opfer gibt, die ins Krankenhaus gebracht wurden. Bitte, melde dich, wenn es geht!«

»Ich bete, dass es dir gut geht! Und du nur wegen des Fotos sauer auf mich bist. Bitte lies die Nachrichten, die ich dir geschickt habe!«

Fast warf sie das Telefon weg vor Schreck, als es in ihrer Hand zu vibrieren begann. Wer rief jetzt noch an?, schoss es ihr durch den Kopf. Panik schüttelte sie. War etwas mit Vassilios geschehen?! Dann erkannte sie die Nummer.

»Mama?!«, rief sie fast ins Telefon.

Zuerst hörte sie nur atmen.

»Wie geht es dir?«, fragte die raue Stimme ihres Vaters schließlich. »Bin ich froh, dich zu hören.«

Dana brachte kein Wort hervor. Ihre Augen wurden feucht.

»Papa«, stammelte sie schließlich. »Danke. Ich bin gesund und unverletzt.«

Wieder nur Atmen in ihrem Ohr.

Dann hörte sie ihn durch den Hörer schluchzen.

Mit einem Mal vernahm sie wieder das ferne und nahe Dröhnen der Mörsereinschläge in Sarajevo.

Einen langen Moment schwiegen sie beide.

»Es … es tut mir leid«, sagte er endlich. Sie hörte den Kloß in seinem Hals.

»Mit mir ist alles in Ordn…«, sagte sie, doch er unterbrach sie.

»Es tut mir leid, was ich dir geschrieben habe«, sagte er, die Stimme noch kratziger als zuvor. »Dass … ich …«, er verstummte.

»Ich weiß«, sagte Dana leise.

»Versprich mir, dass du auf dich aufpasst«, sagte er.

»Ja.«

»Schlaf jetzt.«

»Du auch.«

Dana wusste nicht, wie lange sie an die Wand gestarrt hatte, bis sie sich endlich die Augen trocken wischte. Sie ging ins Bad und putzte sich die Nase, wusch noch einmal das Gesicht.

Auf dem Bett lag ihr Telefon. Mit einer neuen Nachricht von Alex.

Zögerlich strichen ihre Finger um den Rand des Geräts. Dann tippte sie Alex' Nachrichten an.

Das ist Fake! Die wollen dich damit fertigmachen! Ich habe den
nie getroffen! Das schwöre ich!

In der zweiten bat er nur, dass sie sich melde, und beteuerte erneut, dass das Bild eine Fälschung sei. Eine Nachricht von kurz vor Mitternacht war deutlich länger. Das musste etwa zu jener Zeit gewesen sein, als vor Vassilios' Haus das Auto explodierte.

Der Text wurde von mehreren Bildern unterbrochen.

Dana überflog ihn.

Alex behauptete darin, den Beweis für die Fälschung des Bildes zu liefern. Stavros und weitere Freunde hätten ihn erarbeitet. Als ersten Hinweis präsentierte er zwei Bilder vom vergangenen Abend in der Bar, auf denen er zu sehen war und die in zahlreichen Onlineberichten zu finden waren, von denen er einige verlinkt hatte. Diese Fotos mussten unmittelbar hintereinander gemacht worden sein.

Als Nächstes hatten seine Freunde aus der Aufnahme mit Derek Endvor den Teil mit Alex herausgelöst, sodass er allein dastand.

Im folgenden Bild hatten sie Alex auch aus den zwei anderen Fotos isoliert. Die drei freigestellten Alex hatten sie nebeneinander angeordnet, den aus dem Bild mit Derek zwischen den anderen.

So gesehen konnte man meinen, es sei eine Fotoreihe. Innerhalb einer oder zwei Sekunden geschossen. Sollte zeigen: Alex' Bild stammte eigentlich aus dieser Serie und war in eines mit Derek Endvor montiert worden.

Als Nächstes erklärte Alex etwas über Programme, die manipulierte Fotos erkennen konnten. Dazu wieder diverse Links zu professionellen Seiten.

Da hatte sich jemand Mühe gegeben, sie zu überzeugen. Dana hatte nicht mehr die Nerven, die Quellen genauer zu studieren.

Ergebnis der ellenlangen Nachricht: Das Foto war gefälscht. Behaupteten wenigstens Alex und seine Freunde.

Zu guter Letzt hatte er noch Links zu Seiten im Internet hinzugefügt, auf denen sie den angeblichen Beweis veröffentlicht hatten, sodass alle Welt ihn sehen und überprüfen konnte. Open Source, sozusagen. In den Kommentarbereichen hatte sich bereits eine heftige Diskussion entwickelt.

Die meisten Beiträge unterstützten die Erklärungen. Andere waren skeptisch. Oder widersprachen glatt. Wurden von wieder anderen mit einleuchtend klingenden Argumenten widerlegt.

Du willst, dass sie einleuchtend klingen, dachte Dana. Sie schloss die Nachrichten.

Wenigstens war es hier auf der Straße ruhig. Keine Demonstranten. So gut wie kein Verkehr.

Endlich spürte Dana etwas wie Müdigkeit. Es war fast vier Uhr morgens.

Sie stellte den Wecker auf sieben Uhr, legte das Telefon auf das Nachttischchen und schaltete das Licht aus. Zog den Bademantel aus, der ihr für die Nacht zu warm werden würde, und schlüpfte unter das dünne Leintuch, das als Decke diente. Ein paarmal warf sie sich hin und her, bis sie eine angenehme Schlafhaltung gefunden hatte.

Dann drehte sie sich um und griff zum Telefon.

Aktivierte Alex' Beweisnachricht und tippte eine Antwort.

Bin den Umständen entsprechend okay. Muss morgen früh raus.
Gute Nacht.

64

»Sie scheiden mit allen militärischen Ehren und Ansprüchen aus dem Dienst«, erklärte der Colonel Sean. Auf dem Schreibtisch zwischen ihnen lagen die Dokumente. Sean musste nur unterschreiben.

»Und wenn ich nicht will?«, fragte Sean.

»Gibt es einflussreiche Leute, die trotzdem dafür sorgen werden. Dann aber womöglich nicht ganz so gesichtswahrend.«

»Captain Jason Waters?«

»Er ist überaus effizient. Ein sehr erfolgreicher Soldat. Ausgezeichnete Führungspersönlichkeit. Wir werden ihn sicher noch in höheren Positionen sehen.«

»Es gibt keine Konsequenzen für ihn?«

»Unsere Untersuchungen haben keine Hinweise darauf gefunden, dass es welche geben sollte. Außer Ihren Aussagen. Vorsichtig formuliert könnte man fragen, warum nur Sie diese Anschuldigungen vorgebracht haben.«

»Sie unterstellen, dass ich Captain Waters verleumde?«

»Ich unterstelle gar nichts. Krieg ist eine komplizierte Sache. Nie so eindeutig, wie sich die Menschen das vorstellen. Oder es gern hätten.«

»Diese Situationen waren sehr eindeutig.«

Seans Gegenüber schob ihm die Papiere ein paar Zentimeter entgegen.

»Ihre Wahl«, sagte er.

»Wir bestrafen also den Überbringer der schlechten Nachricht statt deren Verursacher.«

»Sie werden nicht bestraft, Lieutenant. Im Gegenteil. Sie kehren ehrenvoll zurück nach Hause.«

»Dort will ich gar nicht hin.«

»Wohin immer Sie wollen.«

65

Der Weckton des Handys war eine sanfte Melodie. Und doch wie eine Sirene. Dana fühlte sich wie ein gefällter Baum. Ihr ganzer Körper schmerzte. Einfach liegen bleiben dürfen ... Wo war sie überhaupt?

Die sichere Wohnung.

Immerhin hatte sie keine Vergangenheitsträume in dieser Nacht gehabt. Zumindest konnte sie sich an keinen erinnern. Die Gegenwart war aufwühlend genug.

Mühselig schleppte sie sich ins Bad.

Sie sah nur eine Möglichkeit, Leben in sich zurückzupumpen.

Tief Luft holen und die Dusche auf eiskalt.

Ein paar Minuten später stand sie mit nassem, gekämmtem Haar in der Küche und hatte das Telefon am Ohr.

Nach dem dritten Freizeichen meldete sich eine Frauenstimme auf Griechisch. Dana versuchte es auf Englisch. Die Frau holte eine Kollegin. Dana fragte noch einmal.

»Herr Zanakis hatte eine ruhige Nacht«, erklärte diese Dana. »Er schläft noch.«

Dana dankte ihr erleichtert.

Nächste Station: im Bademantel an die Tür. Als sie öffnete, schreckten die Polizisten von ihren Stühlen aus dem Schlaf.

»Guten Morgen!«

Derjenige, den sie am Vorabend um Kleidung gebeten hatte,

sprang auf und richtete sein Jackett. Erst jetzt sah Dana die fahrbare Kleiderstange neben ihm.

»Hier«, sagte er verschlafen, aber freundlicher als in der Nacht und schob sie zu ihr. »Ich hoffe, das passt.«

Dana bedankte sich mit einem Lächeln und zog sich in das Apartment zurück.

Drei Blusen. Drei Kostüme. Grau. Blau. Beige. Dana entschied sich für das beigefarbene. Bluse und Rock passten.

In der Küchenecke fand sie Brot, Butter, Marmelade, Müsli, Käse und Schinken, eine Gurke, ein paar Tomaten, Trauben, zwei Birnen, Milch, Joghurt, Tee, eine Kaffeemaschine für Pads.

Als Erstes einen Kaffee.

Während die Maschine ratterte, meldete das Telefon mit leisen Bing-Tönen neue Nachrichten.

Mehrere verpasste Anrufe von Henk mitten in der Nacht. Hatte sie im Wirbel der Ereignisse natürlich nicht mitbekommen.

Textnachrichten.

Wie geht es dir? Ist alles in Ordnung? Melde dich bitte!

Mehrere von der Sorte. Immerhin, er zeigte sich besorgt. Die letzte lautete:

Was muss noch passieren, damit ihr aufhört? Die wollten euch umbringen! Gestern ist es ihnen nicht gelungen. Morgen womöglich schon. Lasst die Anklage fallen! Komm heim!

Dana war nicht einmal mehr enttäuscht. Wenn, dann von sich selbst und ihrer Geduld in dieser Beziehung. Sie wechselte zu den Nachrichten.

Der Anschlag beherrschte die Schlagzeilen. Nichts über Vassilios' Zustand. Dafür fand sie mehrere Interviews mit Schutzsuchenden in Lagern auf den griechischen Inseln, die seit dem Vorabend auch bei großen Medien liefen. Drei Männer verschiedenen Alters, eine junge Frau mit einem schmutzigen Kind auf dem Arm, eine ältere Frau mit zerfurchtem Gesicht. Sie standen in den armseligen Kulissen von Flüchtlingslagern und schimpften über die Verhaftung Turners. Die Amerikaner hätten ihnen immer geholfen. In Afghanistan, im Irak. Gäbe es mehr wie ihn, hätten sie nicht von daheim und vor islamistischen Extremisten fliehen müssen. Natürlich. Wer diese Videos wohl initiiert hatte. Die Absicht war so durchschaubar wie schäbig. Und trotzdem würde es bei dem einen oder der anderen verfangen.

Wütend wechselte Dana zurück zu den persönlichen Nachrichten.

Alex hatte zwei neue geschickt.

Das solltest du sehen: über den Vorsitzenden des Berufungsgerichts heute.
Zur Info: Artikel von Freunden zur Kampagne gegen euch.

Dana öffnete die erste Nachricht. Sie bestand im Wesentlichen aus einer Fotoserie und einem Video. Aufgenommen im abendlichen Dämmerlicht aus einiger Entfernung. Manchmal tauchten unscharfe Silhouetten von Blättern, Gegenständen oder Personen am Bildrand oder im Vordergrund auf. Darauf zu sehen war ein älterer Mann, der in ein Taxi stieg. Das Auto, wie es durch die Stadt fuhr. Und schließlich hinter einem schmiedeeisernen Tor in einem parkartigen Gelände verschwand.

Konstantinos Konstanidis, Vorsitzender des Berufungsgerichts, fuhr gestern Abend in die Villa des Justizministers. Dort blieb er etwa zwei Stunden, bevor er wieder nach Hause fuhr. Freunde von Stavros, Manolis und den anderen hatten ein Auge darauf. Drei-

mal darf man raten, worum es dabei ging. Die Story geht zum
Prozessbeginn heute Vormittag online und an die Medien. Dachte,
das könnte interessant für dich sein.

Auf jeden Fall gut zu wissen. Dana öffnete die zweite Nachricht. Darin wieder ein ellenlanger Roman. Dana bereitete sich noch einen Kaffee zu. Kippte etwas Müsli in den Joghurt und löffelte es abwesend in sich hinein, während sie den Text überflog.

Ausführlich erklärten die Verfasser, wie die mediale Kampagne gegen den ICC seit Turners Verhaftung geführt wurde. Besonderes Augenmerk legten sie dabei auf die Miss- und Desinformationen. Von dem Bild aus Danas Studententagen auf der Klimademo über jene mit Alex und den anderen in Exarchia bis hin zur Verleumdung von Anatole Mgeba und Maria Cruz. Für alle brachten sie Aufklärungen und Berichtigungen. Dazu erklärten sie in aller Breite, unterstützt von zahlreichen Screenshots und Links, wie diese Informationen über soziale Medien gepusht wurden. In akribisch recherchierten Beispielen belegten sie, dass die angeblichen Informationen ihren Ausgang bei einigen wenigen Social-Media-Konten hatten, die schon in zahlreichen früheren Beispielen für Schmutzkübelkampagnen und vorwiegend rechts-konservative bis -radikale Propaganda verantwortlich waren. Von dort fluteten sie dank klassischer und sich ständig erneuernder Medienkrieg-Werkzeuge wie etwa AI-gesteuerten Bot-Armeen das Internet und die Hirne der User. In einigen dieser früheren Fälle hatten schon damals andere investigative Journalisten und Aktivisten nachgewiesen, dass sie im Wesentlichen von einem ehemaligen CIA-Mitarbeiter betrieben wurden, der einige Jahre lang auch im Team eines republikanischen Abgeordneten beschäftigt gewesen war.

Der Text war so lang, dass Dana ihn schließlich nur noch abschnittsweise überflog. Er belegte, was allen klar war, die die

Situation beobachteten: dass die Amerikaner eine massive Verleumdungskampagne gegen den ICC und dessen Mitarbeiter fuhren. Was zu erwarten gewesen war. Nun konnte sich jeder ein Bild machen, wie das vonstattenging. Mehr auch nicht. Viele würden den Text nicht lesen. Dafür war er zu faktenreich und zu ausführlich. Ändern würde er nichts. Interessant fand sie ihn dennoch. Zeigte er der Gegenseite doch, dass man ihre Instrumente immerhin kannte.

Zugleich ertappte sie sich dabei, dass die Strategie, mittels Miss- und Desinformation vor allem Verwirrung und Unsicherheit zu stiften, auch ihr Vertrauen in Information erschütterte. Sie fühlte sich unsicher und gestärkt zugleich. Von anonymen, nicht greifbaren Feinden mit einem gigantischen Tsunami von Dreck und Müll und Gemeinheiten und Drohungen zugeschüttet zu werden hatte sie zutiefst hilflos gemacht. Gleichzeitig jedoch halfen ihr die Erklärungen dabei zu verstehen, was geschah. Wer dahintersteckte. Wodurch der Feind doch ein Gesicht bekam. Und Verteidigungsmaßnahmen ein Ziel.

Mehrmals fragte sie sich während der Lektüre, ob Alex all das nur inszenierte, um ihr Vertrauen zurückzugewinnen.

»Die Geschichte geht gleich online«, schrieb er abschließend.

Immerhin, dachte Dana. Wie schon mit dem Artikel zur angeblichen Fälschung des Bildes von Alex und Derek Endvor vergangene Nacht stellten sie sich auch mit diesem der öffentlichen Kritik und Debatte. Oder trugen nur bei zur weiteren Verwirrung. Oder größerem Misstrauen.

Wem konnte sie noch vertrauen?

Sie zögerte kurz, dann suchte sie die Kontaktdaten von Staatsanwalt Stouvratos auf ihrem Telefon. Fand sie. Begann eine Nachricht zu tippen.

66

Steve hatte kaum geschlafen. Immer wieder war er hochge-
schreckt, aus Träumen, die er beim Erwachen schon vergessen
hatte. Nur ein rasendes Herz ließen sie jedes Mal zurück. Neben
ihm lag Catherine und atmete ruhig und gleichmäßig. Als es
draußen dämmerte, stand er auf und schlich ins Wohnzimmer.
Schlafen würde er heute doch nicht mehr.

Sein erster Griff war natürlich zum Telefon. Gab es Neuigkeiten? Aus Athen? Aus Den Haag? Aus den USA?

Sofort wurden ihm Bilder eines Feuers auf den Schirm gespült.
Ein Haus brannte, das verkohlte Gerippe eines Autos, Feuerwehr-
leute, Polizei, Blaulicht.

Schlagworte »Brandanschlag«, »Juristen«, »Internationaler
Strafgerichtshof«, »verletzt«, »Krankenhaus«, »Athen«.

Steve überflog ein paar Meldungen. Auf die Frau, die Douglas
Turner verhaftet hatte, und einen griechischen Anwalt war in der
vergangenen Nacht ein Brandanschlag verübt worden. Über den
Zustand der Opfer war wenig bekannt, nur so viel, dass sie in ein
Krankenhaus gebracht worden waren.

Steve kauerte auf dem Sofa und starrte auf das Telefon. Ein
Übelkeitsgefühl, wie er es nur aus dem Magen kannte, erfüllte
seinen ganzen Körper.

In den Nachrichten stand nichts von den Attentätern. Wie üblich machten Gerüchte und Verschwörungen die Runde. Links-

extremisten waren in Griechenland seit Langem immer wieder für gewalttätige, auch tödliche Anschläge verantwortlich. Für sie gab es allerdings kein Motiv, gegen die Verhaftung des ehemaligen Führers des kapitalistisch-imperialistischen Westens zu bomben. Deshalb vermutete man eher rechte Kreise. Womöglich unterstützt von amerikanischen oder anderen Geheimdiensten. Was die Amerikaner natürlich sofort vehement als Verleumdung zurückwiesen. Steve wusste nicht, was er denken sollte. Doch das Zeichen, wer immer es gesetzt hatte, war klar.

Wer Douglas Turner angreift, bekommt es mit uns zu tun.

Die Übelkeit in Steves Körper verwandelte sich in eine Mischung aus Panik, glühender Wut und Ohnmacht. Hektisch wischte er über den Schirm, suchte nach weiteren Nachrichten. Noch dominierte der Brandanschlag. Andere poppten dazwischen auf. Über Mitglieder des Strafgerichts. Böse Artikel. Relativ leicht als Schmutzkübelkampagne zu erkennen für jemanden, der es sehen wollte. Und wieder der Brandanschlag. Was würden sie mit ihm machen, wenn sie dahinterkamen, was er getan hatte? Nach und nach verschwand das Gefühl der Ohnmacht. Er hatte etwas unternommen. Vielleicht hatte es sogar zu Turners Verhaftung beigetragen. In ihm blieben die Panik und die Wut.

67

An diesem Morgen fuhr ein Polizeiwagen Dana zum Gericht. Zum ersten Mal wartete Vassilios nicht bei der Sicherheitskontrolle. Zum ersten Mal musste sie allein zum Verhandlungssaal gehen.

Sie war auf halbem Weg zum Gerichtssaal, als ein mittelgroßer Endfünfziger mit kurz gestutztem grauem Bart und Haar auf sie zukam. Sie erkannte ihn sofort. Von den Bildern, die Alex ihr heute Morgen geschickt hatte. Konstantinos Konstanidis, der Vorsitzende des Berufungsgerichts. Hatte in Harvard studiert, erinnerte sich Dana. Er blieb vor ihr stehen.

»Guten Morgen«, sagte er »Ich bin froh, Sie gesund hier zu sehen«, fuhr er in tadellosem Englisch mit amerikanischem Akzent fort. Unter dem Talar zeichnete sich ein Bäuchlein ab. Dana fand, dass er auffallend große Hände und dicke Finger hatte. »Es tut mir sehr leid, was heute Nacht geschehen ist. Ich hoffe, Vassilios geht es gut.«

»Er liegt im Krankenhaus«, sagte Dana.

»Ich hoffe, sie finden die Kerle.«

Dana nickte.

»Könnte ich mich kurz mit Ihnen unterhalten?«, fragte er.

Dana wusste sofort: Der Richter wollte nicht über Formalitäten plaudern.

»Als Vertreterin des ICC«, fügte der Richter mit einem offenen Lächeln hinzu.

Dana sah sich um. Außer ihnen war noch niemand zu sehen.

»Wir sind ungestört«, sagte sie.

»Vielleicht gehen wir trotzdem an einen weniger exponierten Ort«, erwiderte er.

Dana blieb misstrauisch. Regulär war das nicht. Nach seinem gestrigen Besuch beim Justizminister war diesem Richter alles zuzutrauen. Aber regulär war an diesem Verfahren ohnehin nichts mehr. Besser vorgewarnt, als im Gerichtssaal dumm dazustehen, dachte sie und folgte ihm durch den Flur am Eingang des Gerichtssaals vorbei in ein Besprechungszimmer, das dahinterliegen musste.

»Geht es um die Zuschaltung von Maria Cruz?«, fragte Dana.

»Es tut mir leid«, erwiderte er. »Es sieht nicht so aus, als bekämen wir das hin. Aus rechtlichen, technischen *und* Sicherheitsgründen. Uns fehlt schlicht das Equipment, um eine sichere Übertragung zu gewährleisten. Und der ICC will bestimmt nicht, dass die Übertragung gehackt werden könnte.«

Warum war Dana nicht überrascht? Es war alles nur mehr lächerlich!

Der Richter bot ihr einen Stuhl an.

»Nach gegenwärtigem Stand der Dinge«, sagte er, sobald sie saßen, »werde ich Douglas Turner freilassen.«

Er machte eine kurze Pause, um die Wirkung seiner Worte abzuwarten. Dana blieb gelassen. Sie hatte mit so etwas gerechnet.

»Sie haben unseren Berufungsantrag noch nicht gesehen. Wir werden neue Beweise vorlegen.«

»Natürlich. Trotzdem. Sie haben keine Chance, Turner nach Den Haag zu bekommen«, fuhr er enttäuscht über Danas Ruhe fort, »das muss Ihnen doch selbst klar sein. Sie und der Gerichtshof haben Ihr Zeichen gesetzt. Ihren Punkt gemacht. Aber jetzt ist es genug. Der ICC hatte seine Chance, Beweise vorzulegen. Und sie vergeigt. Wir können diesem Theater nicht länger zusehen. Die

Amerikaner drohen mit der Vernichtung unserer Wirtschaft. Und Ihre aktuelle Heimat ist als Nächstes dran. Wir stehen knapp vor einem Krieg mit der Türkei, die in der Sache plötzlich von den USA ermutigt, wenn nicht gar unterstützt wird. Sie haben doch auch eine Verantwortung! Deswegen werde ich es heute beenden. Ich gebe Ihnen die Chance, dabei das Gesicht des ICC zu wahren. Indem nicht das Gericht gegen die Haft entscheidet. Sondern weil der ICC den Haftbefehl von sich aus zurücknimmt. Kurz: Lassen Sie die Anklage fallen. Das ist für alle die beste Lösung.«

Sein Blick fixierte Dana. Suchte in ihren Augen nach Zeichen von Angst, Verunsicherung, Einschüchterung, Zorn. Irgendeinem Gefühl der Schwäche, bei dem er einhaken konnte.

Dana verweigerte ihm den Gefallen. Stattdessen deutete sie ein Lächeln an.

»Der ICC wahrt sein Gesicht«, setzte der Richter hinzu, nun sichtlich um Beherrschung bemüht, »weil er selbstständig eine Entscheidung trifft. Die Amerikaner bekommen ihr Gesicht zurück, weil ihr Ex-Präsident von der Anklage befreit ist. Und die griechische Gerichtsbarkeit wahrt ihr Gesicht, weil sie Recht und Gesetz Genüge getan hat.«

Danas Lächeln wurde breiter.

»Das erzählen Sie mir so einfach nach dem, was heute Nacht vorgefallen ist?«, fragte Dana. »Man versucht, Recht und Gerechtigkeit mit Gewalt mundtot zu machen, und Sie unterstützen das?«

»Nichts liegt mir ferner«, erwiderte er, »und das wissen Sie. Sie wissen aber auch, dass Sie in dieser Geschichte nicht gewinnen können. Sie sind schon viel weiter gekommen, als irgendwer geglaubt hätte. Douglas Turner, ein ehemaliger US-Präsident, saß im Gefängnis. Betrachten Sie das als Ihren Sieg.«

»Es geht nicht darum«, sagte Dana, »ob ich etwas gewinne. Oder verliere. Es geht darum, dass Tausende unschuldiger Menschen ermordet wurden. Und in Zukunft werden mehr und mehr Opfer dazukommen, wenn so weitergemacht wird wie bisher. Es geht darum, dass jemand die Verantwortung dafür trägt. Und dafür zur Rechenschaft gezogen wird. Und ein klares Signal für alle gesetzt wird, die glauben, sie könnten es den USA nachmachen, weil die internationale Gemeinschaft untätig zusieht. Sie«, fügte sie hinzu, »sind sogar in der vergleichsweise komfortablen Situation, darüber gar nicht entscheiden zu müssen. Sie müssen nur bestätigen, dass die vier Bedingungen für Turners Verhaftung eingehalten wurden. Lassen Sie uns diesen einen Beweis vorlegen. Die Entscheidung über seine Verantwortung, seine Schuld oder Unschuld fällt das Gericht in Den Haag. Im Vergleich sind Sie fein raus.«

»Wie gesagt, das sehe ich nicht.«

Dana musterte ihn. Sie hatte noch mehr Argumente. Alex hatte sie ihr heute Morgen geliefert. Sollte sie so weit gehen? Durfte sie? Wie oft hatten sie in Den Haag diskutiert, dass dieser ganze Prozess nur zu einem geringen Teil auf der juristischen Ebene entschieden wurde. Wie viel wichtiger die Rolle der Politik dabei war. Wie entscheidend auch jene der Kommunikation. Als Juristin hatte sie sich trotzdem immer in den Bereich von Recht und Gesetz zurückgezogen. Politik hatte sie bis jetzt Maria erledigen lassen. Oder, in den vergangenen Tagen, Vassilios. Kommunikation hatte sie den Presseabteilungen überlassen. In den letzten Stunden hatten ihr Alex' Freunde hilfreich zur Seite gestanden. Sie hatte sich nicht kümmern müssen. War nicht das Risiko eingegangen, sich die Finger schmutzig zu machen.

Bis jetzt hatte sie sich seinen Vortrag im Stuhl zurückgelehnt angehört, die Hände locker auf den Lehnen. Nun richtete sie sich auf. Spürte, wie sich ihr Rücken unwillkürlich straffte. Wie eine nie gekannte Wut, aber auch Selbstsicherheit sie erfüllten.

»Zugegeben«, sagte sie, »ich möchte nicht in Ihrer Haut stecken«, und zog ihr Telefon hervor. »Sie stehen unter enormem Druck.« Sie öffnete die Fotos, die zeigten, wie der Richter vor seiner Wohnung in das Taxi stieg. Wie er in dem Taxi durch Athen fuhr. Bis dieses in die Auffahrt der Villa des Justizministers verschwand.

»Ebenso wie Ihr Justizminister«, sagte sie und zeigte ihm die Bilder. »Nicht wahr?«

Der Richter betrachtete die Bilder wortlos. Nur sein Mundwinkel zuckte kurz.

»Das sind Standaufnahmen eines Videos, das bereits online zu finden ist«, erklärte sie. »Bald werden es mehr Menschen sehen. Sehr viele Menschen. Und sich fragen, was der Justizminister und der Vorsitzende eines unabhängigen Gerichts im Fall des Douglas Turner am Vorabend der entscheidenden Verhandlung so Wichtiges zu besprechen hatten.«

Nun war sie es, die auf eine Reaktion wartete.

»Von wem sind diese Bilder?«, fragte er.

»Da fragen Sie die Falsche. Die wichtigere Frage ist ohnehin: Wie werden Sie handeln angesichts dieser Bilder? Das sähe nicht gut aus, wenn Ihr Gericht einen Antrag auf Vorlage von Beweisen zurückweisen würde, nur um eine politisch motivierte Entscheidung treffen zu können, nicht wahr? Sie sprachen gerade davon, das Gesicht der griechischen Justiz wahren zu wollen. Und der Justizminister will das sicher auch. Dieses Gesicht werden wohl Sie sein. Es liegt an Ihnen.«

Als Dana den Gerichtssaal betrat, standen die Amerikaner bereits an ihren Plätzen. Kaum hatten sie Dana gesehen, eilten sie auf sie zu. Derek Endvor erreichte sie als Erster.

»Guten Tag!«, sagte er. »Ich freue mich aufrichtig, Sie hier zu sehen!« In Danas Ohren klang er sogar ehrlich. »Ich möchte Ihnen in unser aller Namen unsere Abscheu über die ungeheuerlichen Ereignisse der vergangenen Nacht ausdrücken. Diese Tat wird von uns zutiefst verurteilt. Wir werden die griechischen Behörden mit allen uns zur Verfügung stehenden Mitteln unterstützen, dieses Verbrechen aufzuklären.«

»Danke«, sagte Dana kühl. »Fangen wir mit der Aufklärung von Verbrechen doch gleich bei Douglas Turner an.« Mit diesen Worten ließ sie ihn stehen und begab sich an ihren Platz. Stouvratos und seine Mitarbeiterin saßen bereits an ihrem Tisch. Der Staatsanwalt erkundigte sich nach Vassilios. Dana berichtete ihm, was sie wusste.

»Die Dokumente des Strafgerichtshofs haben Sie bekommen, habe ich gesehen«, sagte sie.

»Ja«, meinte Stouvratos.

»Haben Sie die Unterlagen ausgedruckt, die ich Ihnen heute Morgen geschickt habe?«, fragte sie ihn dann.

Er reichte ihr einen Stapel Papier. Dana blätterte ihn kurz durch.

»Danke.«

Das Berufungsgericht setzte sich aus drei Männern zusammen. Konstanidis führte den Vorsitz. Die beiden anderen waren jünger. Einer Mitte vierzig, ein drahtiger mittelgroßer Läufertyp. Bartlos, der Kopf geschoren. Der andere trug einen beeindruckenden Schnurrbart und kecke Löckchen. Der Bauch unter seinem Talar war deutlich größer als bei seinem Vorsitzenden. Ihre Namen standen in den Unterlagen, die sie gestern noch bekommen hatte.

Nachdem Konstanidis sie begrüßt hatte, setzten sich alle außer Ephramidis.

»Der Herr Anwalt hat es wohl eilig«, stellte Konstanidis auch fest. »Dann, bitte.«

»Wir weisen neuerlich daraufhin«, erklärte Ephramidis, »dass der Haftbefehl des ICC gegen unseren Mandanten missbräuchlich ist. Neue Beweise dafür finden sich seit gestern auch in allen

Medien. Diese Beweise machen jede weitere Erörterung der Vorwürfe des Strafgerichtshofs überflüssig. Wir wissen nun, dass der Haftbefehl konstruiert wurde, um meinen Mandanten zu demütigen und zu verleumden.«

Er trat vor den Richtertisch und legte eine schmale Akte hin.

»Diese Berichte zeigen, dass bei mehreren Mitgliedern des Strafgerichtshofs persönliche Gründe eine wesentliche Rolle für die Anklage spielen. Das beginnt bei der lokalen Repräsentierenden, Dana Marin, die dort drüben sitzt!« Er zeigte mit dem Finger auf sie! Waren sie hier im Fernsehen? »Schon als Jugendliche demonstrierte sie mit Kommunisten gegen das ›ausbeuterische US-Empire‹« – die letzten Worte spöttisch betont. »Und kaum in Athen, trifft sie in Anarchistenvierteln linksradikale Publizisten!«

Hatten sie sich also inzwischen über Tania, Manolis, Stavros & Co. schlaugemacht.

Die Richter betrachteten die Papiere. Betrachteten Dana.

Sie konnte sich denken, was sie darauf sahen. Jene Bilder und Artikel, die sie online seit Tagen in ungünstigen Perspektiven zeigten und beschrieben. Sie ahnte auch, was da noch kommen würde.

»Noch gravierender sind die Umstände betreffs Anatole Mgeba«, sagte Ephramidis. Er hielt ein großes Bild des Richters hoch. Wozu? Hier saßen keine Geschworenen, keine Medien, kein Publikum, vor denen man eine Show abziehen musste. Den Richtern hatte er das Foto sicher in die Unterlagen gepackt. »Er ist Richter jener Pre-Trial Chamber in Den Haag, die dafür verantwortlich war, Ermittlungen und den Haftbefehl gegen meinen Mandanten zu genehmigen. Das macht ihn zu einer der entscheidenden Figuren in dieser lächerlichen Scharade! Mgebas Familie und er persönlich machen Douglas Turner für schweren wirtschaftlichen Schaden in Milliardenhöhe ihrer zutiefst korrupten Familie verantwortlich.«

Bei den Richtern hoben sich ein paar Augenbrauen. Ephramidis ließ ihnen Zeit, die Unterlagen zu studieren.

»Schließlich«, fuhr er fort, »haben wir noch Maria Cruz, die Chefanklägerin des Gerichts selbst. Auch bei ihr liegen massive selbstsüchtige Gründe vor, Douglas Turner zu verfolgen, wie Sie sehen können.«

Wieder ein großes Bild.

Dana bemerkte, wie die Richter die Stirnen runzelten. Wo hatten die in den vergangenen Tagen gelebt? Diese Berichte waren seit mindestens vierundzwanzig Stunden draußen. Wenigstens ebenso lang fluteten sie sämtliche Medien. Überrascht von diesen Fabrikaten konnten die drei da vorn doch nicht mehr sein.

»Angesichts dieser überwältigenden Indizien für den Missbrauch des Verfahrens aus persönlichen Beweggründen fordere ich die sofortige Freilassung meines Mandanten«, donnerte Ephramidis. »Ich hätte gute Lust, diese Personen selbst sofort verhaften zu lassen, aber das liegt nicht in meiner Zuständigkeit oder Kraft. Doch ich bin sicher, dass die verantwortlichen Stellen die notwendigen Verfahren einleiten werden! Sie haben Recht und Gesetz auf internationaler Ebene schwersten Schaden zugefügt!«

Die Richter legten die Papiere zurück. Konstanidis wandte sich an Dana.

»Hat die Vertretung des Gerichtshofs dazu etwas zu sagen?«, fragte er.

Derek gefiel das gelassene, fast selbstgefällige Lächeln in Danas Gesicht nicht. Während Ephramidis' Tirade mit den ständig schwerer werdenden Vorwürfen hatte es sich eher verbreitert, als dass es verschwunden wäre.

Der Aufforderung des Vorsitzenden folgend, erhob sie sich.

»Das können wir allerdings rasch beenden«, sagte sie. Sie griff zu den Ausdrucken, die Stouvratos ihr gegeben hatte, und trat an den Richtertisch. »Der Herr Verteidiger ist augenscheinlich nicht über die jüngsten Entwicklungen und Informationen in der Sache informiert. Sämtliche von ihm vorgetragenen Vorwürfe sind entweder völlig sinnentstellend verzerrt oder überhaupt komplett erfunden.« Sie überreichte die Unterlagen. »Dies wurde in den vergangenen Stunden bereits mehrfach kommuniziert. Hier finden Sie Ausdrucke von Artikeln, die in diesen Momenten online gehen. Sie belegen ausführlich, wie diese Manipulationen angefertigt wurden. Und wer dafür verantwortlich ist. Kurzversion: Im Wesentlichen wurden die angeblichen Informationen von Webseiten, Blogs und Social-Media-Seiten in die Welt gesetzt und massenhaft verbreitet, bei denen teils schon in der Vergangenheit eine Nähe zu den US-Geheimdiensten nachgewiesen werden konnte. Sie können die Unterlagen in Ruhe studieren und sich selbst ein Bild machen. Das wird wenigstens eine Stunde in Anspruch nehmen. Wenn Sie die Quellen persönlich prüfen wollen, noch deutlich länger. Aber Sie können sich auch darauf verlassen, dass sie stimmen. Dann können wir hier weitermachen. Das ist sicher auch im Interesse der Verteidigung und des Gerichts.«

Sie wandte sich um, einen zweiten Stapel in der Hand, sah Derek an. Er verzog keine Miene. »Hier sind Kopien für die Verteidigung und die US-Kollegen. Aber Sie wissen ohnehin genau, was darin steht.«

Derek konnte es sich denken. Sie hatten diese Person unterschätzt. Auch er. Die Blicke der Richter wanderten von den Unterlagen zu Dana und weiter zu Derek, Ephramidis und Turner.

68

»Das Gericht hat die eingebrachten Unterlagen beider Seiten geprüft«, sagte Konstanidis, nachdem sich die Richter draußen beraten und wieder gesetzt hatten. »Einen missbräuchlichen Einsatz des Verfahrens aus persönlichen Gründen diverser Involvierter kann zum gegenwärtigen Zeitpunkt wohl ausgeschlossen werden.«

Ephramidis sprang auf. »Euer Ehren!«

Konstanidis schnitt ihm das Wort ab.

»Fahren wir fort! Die Staatsanwaltschaft hat gestern Berufung eingelegt und will heute neue Beweise vorlegen. Das kann sie jetzt tun.«

Zehn Minuten nachdem der Präsident mit seinem Tross in der Speisekammer der Universitätsmensa in Berkeley verschwunden war, erschien er wieder. Grinsend, als wäre nichts geschehen. Auf dem Teller in seiner Hand fehlten das halbe Steak und ein Gutteil der Pommes frites.

»Köstlich!«, verkündete er. »Sorry für die Unterbrechung, dringende Staatsangelegenheiten.«

Ein Steak zu essen? Steve konnte nicht mitfilmen. Sein Handy lag noch irgendwo. In der Hinterkammer. In der Hektik hatte er es zur Seite gelegt, als er gleichzeitig Nachtisch hatte holen wollen und von Douglas Turners Sicherheitskräften aus dem Raum gedrängt worden war.

Genug andere Studenten filmten. Auf der anderen Seite des Küchentresens drängten sich noch immer Hunderte von ihnen. Und reckten sich Hunderte Arme mit Telefonen am oberen Ende.

Begleitet von seinem Trupp, kehrte der Präsident in den Speisesaal zurück. Nickte Benito und dem Küchenpersonal zu.

»Jetzt werde ich dieses köstliche Steak in Ruhe fertig genießen.« Er verschwand in der Traube der Schau- und Filmlustigen. Benito und die anderen sahen ihm hinter dem Tresen nach.

Steve schlüpfte in den Vorratsraum und suchte nach seinem Telefon. Auf dem Boden fand er es nicht. Wie war das noch mal gewesen? Er hatte gefilmt. Sollte Nachtisch nachliefern. War mit den anderen in den Vorratsraum gegangen. Wollte gerade das Telefon wegstecken und die Nachspeisen aufladen, als die Präsidentenentourage den Raum gestürmt und sie hinausgedrängt hatten. Sein Telefon musste auf dem Regal mit den Nachtischen liegen.

Dort entdeckte er es auch. Es war zwischen zwei Dessertbecher gerutscht und stand dort schräg auf der Breitseite mit der Rückseite zum Raum.

Als er es in die Hand nahm, zeigte der Monitor ein verwackeltes Bild. Die Videofunktion war an. Hatte er sie eben versehentlich aktiviert, als er nach dem Gerät gegriffen hatte?

Er prüfte im Bildarchiv. Als jüngste Datei war da ein zwanzig Minuten langes Video. Steve spürte sein Herz im Hals schlagen. Hatte sein Telefon die ganze Zeit weitergefilmt?

»Steve!«, hörte er Benito brüllen. »Steve, wo zum Teufel bist du?!«

Er würde mit der Ansicht bis nach der Arbeit warten müssen. Rasch schob er das Telefon in die Hosentasche und machte sich wieder an die Arbeit.

Derek beobachtete Dana und den Staatsanwalt ganz genau, als dieser zu sprechen begann. Wie selbstsicher waren sie? Wie sehr bereit zu bluffen?

»Euer Ehren«, erklärte der Staatsanwalt, »wir möchten den ganz konkreten Fall des Ahmar al-Bashar anführen.«

Den Namen erkannte Derek sofort. Hatten sie das Video? Alana und William wechselten kurze Blicke mit Derek.

»Wenn es der geforderten Beweisführung dient«, sagte der Vorsitzende. »Stehlen Sie uns nicht noch mehr Zeit.«

»Ahmar al-Bashar war Führer einer mit al-Qaida verbundenen Truppe in Afghanistan«, erklärte der Staatsanwalt und hielt das Bild eines bärtigen Mannes hoch, »die für zahlreiche tödliche Anschläge mit Hunderten Opfern verantwortlich ist. Er wurde vor vier Jahren bei einem Drohnenangriff getötet.«

Weitere Bilder: Luftaufnahmen von orangefarbenen Häusern in orangefarbener Steinwüste; Krater; Nahaufnahmen zerfetzter Fahrzeuge, von Fotografen am Boden geschossen.

»Bei diesem Angriff kamen insgesamt sechsunddreißig Menschen ums Leben«, erklärte Stouvratos. »Laut dem jährlichen Bericht über gezielte Tötungen an den US-Kongress handelte es sich dabei ausschließlich um Terroristen.«

Er präsentierte weitere Bilder. Verkohlte Leichenreste.

»Laut Angaben von Einheimischen und Recherchen unabhängiger Journalisten und Menschenrechtsorganisationen waren der ganz überwiegende Teil der Opfer jedoch Zivilisten.«

»Euer Ehren«, unterbrach ihn Ephramidis, »bei allem Respekt vor den Opfern und der Arbeit der involvierten Ermittler auf allen Seiten – wenn ich diese Bilder sehe, frage ich mich, wie man beweisen will, dass es sich bei diesen Überresten um Zivilisten gehandelt hat und nicht um Terroristen? Wie bei den meisten anderen Fällen liegen wohl Indizien und Zeugenaussagen vor, die echte Beweislage ist jedoch dünn.«

»Die Beweislage ist ausgezeichnet!«, unterbrach Dana ihn aufgebracht.

Da hatte sie leider recht, dachte Derek. Er hatte den Fall definitiv falsch eingeschätzt. Sie brauchten eine Idee.

Dana sprang auf. »Euer Ehren, darf ich?«

Irritiert nickte der Vorsitzende.

Dana trat an den Richtertisch. Sie legte ein A4-Blatt vor die Männer auf den Tisch. Und noch eines. Und noch eines. Und noch eines. Fünfunddreißig insgesamt.

Ausdrucke von Porträts der Toten, als sie noch gelebt hatten. Die Ermittler des Strafgerichtshofs hatten sie in mühsamer und gefährlicher Kleinarbeit zusammengetragen.

»Das sind die Toten«, sagte Dana. »Schauen Sie genau hin. Ja, elf davon sind Kinder. Zwölf Jugendliche. Drei Frauen. Vier Alte. Im Bericht an den Kongress wurden sie übrigens alle als Terroristen ausgewiesen.«

Ephramidis war hinzugetreten und betrachtete die Bilder ebenfalls.

»Sind das Ihre Beweise?«, fragte er Dana. Dabei klang er nicht einmal geringschätzig, sondern geradezu schadenfroh. Er wandte sich wieder den Richtern zu. »Umso besser.« Er hob beschwichtigend den Arm und beeilte sich hinzuzufügen: »Damit Sie das nicht missverstehen. Falls es Zivilisten waren, wie die Anklage behauptet, ist das natürlich furchtbar für die Opfer. Aber ...«, er schüttelte ungläubig den Kopf, wieder mit einem Seitenblick zu Dana, »... ich muss mich doch sehr wundern. Denn die Anklage hat hier selbst gerade den Beweis dafür geliefert, dass mein Mandant sofort freizulassen ist!«

Bevor die Richter fragen konnten, fuhr er schon fort: »Ja, bei dem Angriff auf Ahmar al-Bashar wurde womöglich der Tod von Zivilisten in Kauf genommen! Das aber ist im Kriegsrecht sogar vorgesehen! So bitter das klingt! Ja, nun wird die Anklage argumentieren, dass dies jedoch ein unverhältnismäßiger Angriff gewesen sei. Dass also zu viele Zivilisten sterben mussten, um einen einzigen Terroristen zu töten. Fünfunddreißig Zivilisten, um genau zu sein. Ja, darunter Kinder und Alte. Ja, und jede und jeder Einzelne ist eine Tragödie! Ja, das wäre auch laut Kriegsrecht ein Kriegsverbrechen! Dessen sind wir uns alle hier bewusst. Und glauben Sie nicht, dass Douglas Turner diese Entscheidung leichtfertig getroffen hat! Aber...«, nun blies er sich zu seiner vollen Größe auf, »... bei aller Tragik dieser persönlichen Schicksale, bei aller Tragik all dieser Gewalt – selbst wenn dies ein unverhältnismäßiger Angriff war, dann...«, er wandte den Blick von den Richtern ab und Stouvratos zu, bevor er Dana fixierte, »... haben Sie eben den Beweis gesehen, dass der International Criminal Court für diesen Fall nicht zuständig und mein Mandant daher sofort freizulassen ist.« Sein Blick ging zurück zu den Richtern, seine Rede donnerte nun geradezu. »Warum das, werden Sie fragen, wenn dieser unverhältnismäßige Einsatz tatsächlich ein Kriegsverbrechen gewesen sein könnte? Ganz einfach«, sagte er, nun gefährlich ruhig, »weil laut Rom-Statut der International Criminal Court zwar für die Verhandlung von Kriegsverbrechen zuständig ist. Aber nicht für alle davon! Warum auch immer das so ist, müssen Sie die Verhandler fragen, die diesen Vertrag damals geschlossen haben. Von bestimmten Kriegsverbrechen ist die Zuständigkeit des International Criminal Court ausgenommen. Dazu gehört der Vorwurf des unverhältnismäßigen Einsatzes von Gewalt bei einem Angriff auf feindliche Kämpfer in einem nicht internationalen Konflikt. Und Sie erinnern sich: In Afghanistan herrscht ein solcher nicht internationaler Konflikt.«

Endlich ließ er etwas Luft aus seinem Auftritt. Aber nur um die Richter seine Erläuterungen verdauen zu lassen.

Diese hatten ihm aufmerksam zugehört. Nun hatten sie drei

Möglichkeiten: Entweder waren sie fit genug im internationalen Strafrecht, um diese Nuance zu kennen, zu verstehen und zu interpretieren. Unwahrscheinlich, soweit Dana wusste. Oder sie mussten nachsehen. Oder sie ließen sich die Sache von einer unabhängigen Instanz erklären.

Die drei steckten kurz die Köpfe zusammen, flüsterten.

»Stimmt das?«, fragte der Vorsitzende schließlich Dana direkt. »Liegt diese Art eines Kriegsverbrechens nicht in der Zuständigkeit des International Criminal Court?«

Dana straffte sich, strich ihr Kostüm glatt. Dann sagte sie:

»Ja, Euer Ehren.« Das Gesicht des Richters zeigte seine Verblüffung. Sie setzte hinzu: »Der Herr Anwalt hat völlig recht mit seinen Ausführungen.«

Fast hilflos überrascht, hob der Vorsitzende die Hände.

»Sie wussten, dass der ICC für diesen Fall nicht zuständig ist?«, fragte er. In seiner Stimme schwoll der Zorn. »Dann hätten Sie den Präsidenten nie verhaften lassen dürfen!«

Den Präsidenten?! Der Mann war längst nicht mehr Präsident!

»Was, zum …«, rief der Richter bebend. »Weshalb sitzen wir dann überhaupt hier?!«

69

Ta-ta-ta-ta-ta-ta!

Das Spielzeuggewehr ist zu groß für Milan. Sein Großvater hat es ihm aus Holz zusammengebastelt und dann grau angemalt. Jetzt rennt Milan auf seinen kurzen Beinchen damit vor dem Wohnblock herum und richtet es auf Vesna, Dana und die anderen Kinder.

»Ta-ta-ta-ta-ta-ta!«

Milan ist sechs. Vesna auch. Dana ist fünf.

Sie spielen. Vor dem Wohnblock. In den Wohnungen ist es genauso kalt wie draußen. Und langweilig. Also spielen sie draußen auf den Betonplatten zwischen den Wohnblocks. Zwischen den Ritzen der Platten vertrocknen Grashalme. Da sind auch noch Slavica, Anela, Vlado, Dejan und ein Neuer, dessen Namen Dana schon wieder vergessen hat. Wenn er öfter kommt, wird sie ihn sich merken. Vesna ist Danas beste Freundin. Sie wohnt zwei Stockwerke unter Dana im selben Block. Die Häuser sind so grau wie der Beton, auf dem sie spielen. In manchen sind Löcher. Von Kugeln, hat ihr Vater gesagt.

Vlado und Dejan haben nicht einmal selbst gebastelte Spielzeuggewehre. Sie strecken ihre Zeigefinger aus und den Daumen hoch und zielen damit auf Milan.

»Tack-tack!«

»Tack-tack-tack!«

Die Kinder spielen Krieg. So wie die Erwachsenen. Danas Papa muss arbeiten. Sagt er. Wenn Dana fragt, was er arbeitet, sagt er es nicht. Danas Mutter hat keine Arbeit mehr. Sie hat es Dana erklärt. Seit Sarajevo eingeschlossen ist und belagert wird, kann sie nicht mehr arbeiten gehen. Was heißt belagert?, hat Dana gefragt. Das verstehst du noch nicht, hat ihr Vater gesagt. Sie kennt ja nichts anderes, hat ihre Mutter dann noch gesagt. Dana hat nicht genau verstanden, was sie damit meinte. Aus der Ferne hört Dana ein dumpfes Wummern. Das sind Kanonen, hat ihr Vater erklärt. Ihr sollt nicht draußen spielen, hat ihre Mutter gesagt. Aber immer drinnen ist es langweilig. Also gehen sie manchmal hinaus. Und ihre Eltern sagen nichts. Manchmal ruft eine Mutter aus dem Fenster. Dann gehorcht das Kind und geht hinein. Oder nicht. Milan hat schon so viel gespielt, dass sein Gesicht ganz rot ist. Und schmutzig. Dana hat keine Lust mehr auf das Spiel. Sie mag es nicht. Immer nur machen sie »Ta-ta«, die Jungs.

»Gehen wir hinauf?«, sagt Dana zu Vesna.

Aber Vesna ist nicht mehr da.

Alle sind sie auf einmal weg. In diesem furchtbar lauten Schwarz verschwunden. Durch das Dana fliegt. Bis sie hart auf den Betonplatten landet. Sie hört nichts. Dann hört sie einen lauten Ton. Wie von einer Flöte, die jemand direkt in ihre Ohren gesteckt hat. Sie sieht nur Grau. Das sich langsam auflöst in Wolken und Schwaden. Dana sieht die anderen nicht. Da liegen nur dunkle Klumpen über die Betonplatten verteilt. Einer davon bewegt sich. Jetzt erkennt sie Vlado. Obwohl sein Gesicht ganz schwarz ist. Er versucht, den Kopf zu heben. Der fällt wieder auf die harte Platte zurück. Vlado schaut komisch aus. Kleiner als vorhin. Kürzer. Ist das, weil er liegt? Jetzt bewegt er sich nicht mehr. Einen Meter neben Vlado liegt noch jemand. Dana erkennt das Gesicht nicht gleich, zu viele Haare hängen darüber. Überhaupt sieht dieser Kopf seltsam aus. Aber die Kleidung. Es ist Vesnas blauer Pullover mit dem gelben Streifen über der Brust. Irgendwie scheint da nur der ausgestopfte Pullover von Vesna zu liegen, mit dem Kopf obendran. Unten mit Teilen von Vesnas rotem Rock. Wo hat sie ihre Beine versteckt? Wo ist ihr Arm? Hat sie den hinter dem Rücken? In dem schwarzen Gesicht öffnen sich weiß zwei Augen. Schauen Dana an. Immer noch das fiese Flöten in Danas Ohr. Vesnas Augen blinzeln. Dana rappelt sich hoch. So recht will ihr Körper nicht gehorchen. Ihr rechter Arm knickt weg, als wäre er nicht da, wie Vesnas. Ihr Bauch schmerzt, ihre Brust tut weh. Arme und Beine auch. Sie stechen und pochen an mehreren Stellen. Es gelingt Dana, mit dem anderen Arm und mithilfe der Beine zu Vesna zu robben. Ein paar Meter hinter Vesna und Vlado ist eine Grube in den Betonplatten. Die war vorher noch nicht da. Jetzt sieht Dana aus den Augenwinkeln Menschen durch die Staubwolken laufen. Erwachsene. Dana sieht aufgerissene Münder und Augen. Hört nur das Singen in ihren Ohren. Die Erwachsenen beugen sich zu den Bündeln, die überall verstreut liegen. Betasten sie. Rufen ihnen etwas zu. Rufen anderen Erwachsenen etwas zu. Vor Dana versucht Vesna, sich zu bewegen. Ihr Oberkörper ruckt, zuckt. Vesna schaut Dana an. Dann kippt sie auf den Bauch. Auf dem Rücken ist Vesnas Pullover ganz schwarz und kaputt. Das ist nicht der Pullover. Dana sieht weiße Steifen zwischen dem Schwarz. So hat der Pullover nicht ausgesehen. Anstelle Vesnas linkem Arm ist nur ein Loch im Pullover. Vesna schaut sie aus ihren weißen Augen in dem schwarzen Gesicht an. Dann werden die Augen komisch grau. Starren Dana immer noch an. Dana sieht ihren eigenen Bauch. Ihre Füße. Überall ist die Jacke zerrissen. Und die Hose. Alles ist voll Blut. Mama wird schimpfen! Woher kommt all das Blut? Ein Schatten beugt sich über Dana. Ein riesiger Mund mit vielen Zähnen. Darüber Nasenlöcher und weit aufgerissene Augen. In einem Gesicht, so weiß wie Kalk. Dana erkennt ihre Mutter fast nicht. Sie hört auch nicht ihr Schreien. Nur den Flötenton in ihren Ohren. Dana versucht, die verschmutzte Kleidung mit ihren Händen abzudecken. So viel Blut. So viel Schmutz. Es ist ihr peinlich. Mamas Finger tasten über Danas Körper. Schieben die Arme zur Seite. Es beginnt wehzutun. Mamas riesige Augen in dem blutleeren Gesicht. Ihre Mutter hat Angst. Eine solche Angst hat Dana noch nie in ihren Augen gesehen. Ganz leise hört sie durch den Ton in ihren Ohren ihren Namen. Dana! Dana! Hörst du mich! Dana hört sie. Sagen kann sie nichts. Mama schiebt ihre Arme unter Danas Rücken und ihre Beine. Dann schwebt Dana, und es wird finster.

Als Dana wieder die Augen öffnet, bohrt sich Feuer durch ihren Arm. Dana hört den Schrei eines wilden Tieres. Wieder beugt sich Mamas weißes Gesicht über Dana. Hinter ihr sieht Dana eine weiße Zimmerdecke. Der Schmerz in Danas Arm wird noch schlimmer. Wieder dieser Schrei. Dana spürt ihn in ihrer eigenen Kehle.

»Es tut mir leid«, hört Dana die Stimme eines Mannes, den sie nicht sieht. »Wir haben keine Narkosemittel. Gleich ist es vorbei.«

Mama streichelt Danas Wange. Mamas Wangen glänzen ganz nass. Schneidet der Mann Danas Arm ab? So fühlt es sich an. Sie brüllt wieder.

»Geschafft«, sagt die Stimme. »Die anderen Stücke sind nicht so groß und tief. Es wird weniger wehtun.«

Tat es nicht.

Ein paar Wochen später spürte Dana nichts mehr von den Verletzungen. Eine Krankenschwester hatte ihr sogar die Schrapnellstücke gezeigt, die der Arzt aus Dana herausgezogen hatte. Die Wunden verheilten fast ohne Narben. Äußerliche Narben.

»Wie geht es Vesna?«, hatte Dana ihre Mutter gefragt.

Später erfuhr Dana, dass Vesna zwischen der Einschlagstelle der 82-Millimeter-Mörsergranate und Dana gestanden hatte. Vesnas Körper war Danas lebensrettender Schutzschild gewesen.

Die Reste von Vesnas kleinem Körper waren auf einem Fußballplatz begraben worden. Wie die Leichen Hunderter anderer. Die Friedhöfe der Stadt waren längst übervoll. Vesnas Eltern hatten ein einfaches Holzkreuz daraufgestellt. Dana durfte es nicht sehen. Erst mehr als zwei Jahrzehnte später, bei ihrem ersten Besuch seit der Flucht.

»Vesna ist jetzt im Himmel.«

Und in Danas Herzen. Bis heute. Mit dem Schmerz von damals.

70

»Euer Ehren«, begann Dana. »Wie gesagt, der Anwalt der Gegenseite hat recht, wenn er erklärt, dass der ICC bei nicht internationalen Konflikten nicht zuständig sei für den Vorwurf von Angriffen auf gegnerische Kämpfer, bei denen unverhältnismäßig viele Zivilisten starben – obwohl das als Kriegsverbrechen gilt. Wo ich den Herrn Kollegen allerdings korrigieren muss«, fuhr sie fort, »ist bei seiner Interpretation, dass es sich bei den Opfern um Kollateralschäden eines Angriffs gegen einen feindlichen Kämpfer handelt. Ein Terrorist. Fünfunddreißig zivile Opfer? Das ist nicht nur unverhältnismäßig. Dahinter steckt Vorsatz.«

»Das ist eine ungeheuerliche Unterstellung!«, rief Ephramidis dazwischen. »Außerdem, wo will die Anklage die Grenze ziehen zwischen unverhältnismäßig und angeblichem Vorsatz?«

»Die Grenze muss die Anklage nicht ziehen«, sagte Dana. »Die wurde bereits gezogen. Und zwar vom Internationalen Strafgerichtshof für das ehemalige Jugoslawien – International Criminal Tribunal for the former Yugoslavia, kurz ICTY – im Prozess gegen den bosnisch-serbischen General Stanislav Gadić.«

Die Richter hörten ihr konzentriert zu.

»Gadić war einer der verantwortlichen Generäle auf serbischer Seite für die Belagerung von Sarajevo. Sie dauerte von 1992 bis 1996. In Sarajevo lebten damals rund dreihunderttausend Menschen. Gadić' Verteidiger argumentierten, dass sich etwa vierzigtausend bosnisch-muslimische Kämpfer in der Stadt versteckt hätten und deshalb die gesamte Stadt legitimes Ziel für Angriffe sei. Jahrelang terrorisierten die Belagerer die Eingeschlossenen mit Granatenbeschuss und Heckenschützen, auch und vor allem auf zivile Ziele wie Krankenhäuser, Schulen, Märkte und Moscheen. Ein paar Beispiele? Den Anfang machten am 5. April 1992 Heckenschützen, als sie zwei Demonstrantinnen erschossen.«

Dana spürte den Kloß im Hals. Zwang sich, ihn hinunterzuschlucken.

»27. Mai 1992: Eine Mörsergranate tötet beim Markt in der Vase-Miskina-Straße zweiundzwanzig Menschen und verletzt sechzig schwer. Ausnahmslos Zivilisten an einer Brotverteilungsstelle. 1. Juni 1993: Zwei Mörsergranaten töten fünfzehn Zuschauer eines Fußballspiels und verwunden hundert. 12. Juli 1992: Eine Mörsergranate tötet im Stadtteil Dobrinja zwölf Menschen und verletzt fünfzehn, während sie auf die Verteilung von Wasser warten.«

Sie stockte einen Moment. Wollte nicht, dass ihre Stimme dünn wurde oder brach. Räusperte sich.

»5. Februar 1994: Eine Mörsergranate tötet auf dem Markale-Marktplatz achtundsechzig Menschen und verletzt einhundertvierundvierzig. Am 28. August sterben bei einem Mörsergranateneinschlag auf einer Straße neben dem Markt siebenunddreißig Menschen, neunzig werden verletzt. Berüchtigt wurde die Strecke vom Flughafen ins Stadtzentrum als Sniper-Alley – Heckenschützen-Allee. Die Heckenschützen schossen dort wahllos vorwiegend auf Zivilisten.«

Langsam bekam sie ihre Kehle wieder unter Kontrolle.

»Insgesamt starben während der Belagerung rund dreitausend Zivilisten durch solche Angriffe. ›Nur‹ dreitausend von insgesamt dreihunderttausend Bewohnern, argumentierten die Verteidiger des Generals und wollten damit zeigen, dass die Angriffe nicht unverhältnismäßig gewesen seien.«

Wie oft und genau hatte sie diesen Fall studiert. Immer und immer wieder!

»Die eigentliche Frage hier aber war: Durften die Angreifer die gesamte Stadt als Ziel definieren? Die Richter sagten schließlich: Nein, durften sie nicht. Ein Einkaufszentrum, ein Markt, ein Krankenhaus, eine Straße sind nicht per se militärische Ziele, weil sie in einer Stadt liegen, in der militärische Ziele existieren. Die Richter betonten aber durchaus, dass die Feststellung, ob es sich um unverhältnismäßige Angriffe auf militärische Ziele gehandelt habe oder auf direkte Angriffe auf zivile Ziele, in jedem Einzelfall anhand der vorliegenden Beweise abgewogen und getroffen werden muss.«

»Wie entschieden sie nun im Fall des Generals?«, fragte Konstanidis ungeduldig.

»Nach einer sorgfältigen Abwägung aller Umstände kam das Gericht zu dem Urteil, dass die Angriffe auf die Zivilisten vorsätzlich waren, und verurteilten den General 2003 zu zehn Jahren Haft«, sagte sie.

»Aber das war der Strafgerichtshof für das ehemalige Jugoslawien«, unterbrach sie Ephramidis, »nicht der ICC.«

»Danke für die Überleitung«, nahm Dana den Einwand auf. »Zeitsprung ins Jahr 2014. Prozess gegen Germain Katanga vor dem ICC. Dem ehemaligen Anführer der Milizarmee Force de Résistance Patriotique d'Ituri in der Demokratischen Republik Kongo wurden diverse Kriegsverbrechen vorgeworfen, unter anderem die Rekrutierung von Kindersoldaten und die Lieferung von Waffen für den Überfall auf das Dorf Bogoro, in dessen Folge zweihundert Menschen ermordet und zahlreiche Frauen vergewaltigt wurden.«

»Das lässt sich doch bitte nicht vergleichen mit einem Drohnenangriff auf einen Terroristen!«, warf Ephramidis ein, vermutlich, um sie aus dem Konzept zu bringen.

»Der International Criminal Court entschied, dass das Kriegsverbrechen des vorsätzlichen Angriffs auf Zivilisten auch dann vorliegen kann, wenn dabei ebenfalls ein legitimes militärisches Ziel angegriffen wird. Entscheidend dabei ist der Nachweis, dass Zivilpersonen das vorrangige Ziel waren, zum Beispiel wenn ein ganzes Dorf, in dem sich eine Militärbasis befindet, ausgelöscht wird. Klassische unverhältnismäßige Angriffe, bei denen der Tod von Zivilpersonen ein Nebeneffekt ist, fallen also nicht darunter. Aber der Gerichtshof hielt fest, dass unverhältnismäßige Angriffe als direkte Angriffe auf die Zivilbevölkerung gewertet werden können – besonders wenn der zivile Schaden so hoch ist, dass das Gericht zu der Ansicht kommen muss, die Attacke der Angreifer habe in erster Linie den zivilen Zielen gegolten und nicht den militärischen. Bei diesem Urteil berief sich der ICC ausdrücklich auf jenes des ICTY gegen General Gadić. Wir haben hier also durchaus bereits eine Kontinuität in der internationalen Rechtsprechung. Übrigens«, sagte sie, bevor wieder jemand dazwischengrätschen konnte, »und damit komme ich zum Schluss, das Gericht erklärt auch, dass nicht jeder Angriff mit unverhältnismäßig vielen zivilen Opfern automatisch als Angriff gegen die Zivilbevölkerung beurteilt werden kann. Sondern dass jeder Fall seine eigene Prüfung und Beweise erfordert.«

»Danke!«, dröhnte Ephramidis, kaum dass sie geendet hatte. »Genau diesen Beweis für die Verantwortung von Douglas Turner sehe ich eben nicht! Hier ebenso wenig wie bei allen anderen vorliegenden oder in den vergangenen Tagen angeführten Fällen, selbst wenn es sich um Zivilisten gehandelt hätte. Was, wie gesagt, nicht bewiesen ist, sondern lediglich von einer Seite behauptet wird.«

Ephramidis blickte erwartungsvoll auf Turner. Das gewohnte Nicken blieb aus.

»Euer Ehren«, sagte Dana, trat zu ihrem Platz und griff nach drei schmalen Mappen, die sie den drei Männern vorlegte, »hier ist der Beweis.«

Dana sah aus den Augenwinkeln, wie Derek Ephramidis ein Zeichen gab. Finger über den Hals. Killen Sie das!

Der Anwalt verstand schnell.

»Euer Ehren«, rief er, »diese Unterlagen sind der Verteidigung nicht bekannt. Wir verlangen, dass sie uns sofort ausgehändigt werden, weil unser Mandant andernfalls keine angemessene Verteidigung aufbauen kann!«

Der Vorsitzende musterte Ephramidis kurz, da war Dana schon mit weiteren Mappen bei ihnen.

Die Richter hatten bereits begonnen, die Papiere zu studieren.

Es war drei Uhr nachmittags in Berkeley. Steves Schicht war vorüber. Der Präsident längst abgerauscht. Die Kantine nicht mehr so voll. Steve nahm sich einen Salat und suchte sich einen ruhigen Tisch. Dort lehnte er das Telefon gegen den Salz-Pfeffer-Ständer und begann zu schauen, während er den Salat in sich hineinschaufelte. Den Ton zum Video lieferten seine Kopfhörer.

Das linke Bilddrittel war ein dunkler Schatten. Vermutlich einer der Nachtischbecher, der vor der Linse stand. Auf der rechten Seite verdeckte nur ein schmaler Streifen den Rand des Bildes. In der Mitte des Monitors erkannte Steve Teile des Raums. Schatten wischten hin und her. Stimmen redeten durcheinander. Steve verstand nicht alles, aber das meiste. Nach und nach erkannte er einzelne Personen. Meistens sah er nur Schultern, Rücken, eine Brust, ein Kinn, Nasen, manchmal ganze Gesichter. Turner war immer wieder gut zu erkennen. Er bildete das Zentrum des Geschehens. Jemand aus der Entourage hielt einen Laptop. Steve meinte, darauf vier Gesichter in vier Feldern zu erkennen. Blecherne Stimmen. Wahrscheinlich die Männer aus dem Computer. Steve konzentrierte sich auf die Geräusche, die an sein Ohr drangen.

Nachdem er das Video zum ersten Mal gesehen hatte, lehnte er sich zurück und atmete tief durch. Hatte er das gerade richtig gehört?

Auf seinen Unterarmen hatten sich die Haare aufgestellt, dann in seinem Nacken. Sein Körper hatte vor seinem Kopf verstanden, wovor er saß.

Dana hielt es kaum auf ihrem Platz, während die drei Männer hinter dem Tisch die schmale Akte Seite für Seite durcharbeiteten.

»Das ist ein Transkript«, stellte der Vorsitzende schließlich fest.

»Mit den entscheidenden Aussagen«, sagte Dana.

Der Vorsitzende sah sie abfällig an: Was willst du, Mädel? Dana biss die Zähne zusammen und beherrschte sich.

»Da kann man alles hineinschreiben«, sagte er.

Meinte der das ernst?

»Die beigelegten Gutachten bezeugen die Echtheit des Originals«, sagte sie.

»Papier ist geduldig«, erwiderte der Vorsitzende mit einer fast abschätzigen Miene.

Ihr war klar, worum es hier ging. Maria hatte es vorausgesagt. Dieser Richter wollte einfach nicht. Aber er brauchte einen Vorwand.

»Ich möchte die Aufnahme sehen«, sagte er jetzt. Seine Beisitzer blieben reglose Statuen.

»Die habe ich nicht bekommen«, sagte Dana. »Dafür muss ich wieder Den Haag fragen.«

»Sie haben eine Stunde«, sagte der Vorsitzende.

»Euer Ehren«, fuhr der Staatsanwalt dazwischen, »das ...«

Der Vorsitzende erhob sich.

»Sechzig Minuten. Die Uhr läuft.«

71

Es war kurz nach zwei Uhr nachmittags, als Steve mit drei anderen von einem späten Mittagessen in die Agentur zurückkam. Schon im Treppenhaus sah er durch die große Glastür mit dem Agenturnamen zwei Polizisten am Empfang stehen. Mit ihnen zwei Zivilisten. Einen hatte er schon einmal gesehen.

In dem Fahrzeug, das ihn gestern verfolgt hatte.

Er erstarrte.

Sie zeigten Leonhard hinter dem Tisch einen Ausdruck, und der wies mit dem Finger ins Loft. Ihre Blicke folgten, sie blieben jedoch stehen. Fragten noch einmal. Kopfschütteln.

Sie wandten sich zum Gehen.

Steve zögerte nicht länger.

»Ich habe etwas vergessen«, sagte er seinen Begleitern und drehte sich um. Ohne ihre Antwort abzuwarten, stürzte er die Stufen hinunter. Hielt auf dem Absatz in der ersten Etage an. Von oben hörte er Schritte.

Das Loftbürogebäude besaß zwei Nebeneingänge. Vielleicht kannten sie die nicht. Oder dachten nicht daran.

Steve lief zum Fahrradabstellraum im Erdgeschoss und schloss sein Bike los. Dann eilte er zu dem Ausgang, der über den Hof in eine Seitenstraße führte.

Lugte hinaus.

Im Hof war niemand. Hinaus. Bis zum Tor. Ein weiterer Erkundungsblick. Parkende Autos. Keine auffälligen Gestalten. Aber man wusste nie.

Dann hörte er das Trampeln von Schuhen aus dem Ausgang in den Hof kommen.

»Da ist er!«

Steve schwang sich auf das Rad und fuhr los. Mit voller Kraft stieg er in die Pedale. Ohne Rücksicht auf sich und andere zweigte er an der nächsten Kreuzung rechts ab. Gegen eine Einbahnstraße. Autos konnten ihm hier nicht folgen. Ein Blick über die Schulter. Da war nichts. Kein Auto, kein Motorrad, keine Radfahrer. Gleich die nächste Straße wieder rechts. Wieder gegen die Einbahnstraße.

Aus dem Eingang eines schmucken Altbaus kam eine junge Frau mit einem kleinen Kind an der Hand. Das Kind plärrte, seine Mutter zog es energisch weiter, beachtete ihn nicht. Schulterblick. Noch immer niemand. Steve bremste abrupt und lenkte das Rad gekonnt zwischen zwei geparkten Autos auf den Gehsteig. Sprang ab. Packte das Bike und schlüpfte schnell durch die schwere Haustür, kurz bevor sie zufiel.

Schwer atmend lehnte er das Rad in dem gepflasterten Eingangsflur des Gebäudes an die Wand. Schlich vorsichtig zu dem kleinen Fenster in der Haustür, das außen mit einem kunstvollen schmiedeeisernen Gitter gesichert war.

Wenn sie ihn gesehen hatten, hatte er sich in die perfekte Falle gesetzt. In diesem Augenblick schoss draußen ein Motorrad vorbei. Gegen die Einbahnstraße. Der Fahrer mit einem grauen Helm.

Wie lange würde es dauern, bis sie dahinterkamen, dass er sich versteckt haben musste?

Er wartete, ob noch jemand kam. Aus der anderen Richtung. Oder hinter ihm her. Wie auch immer. Die Glasscheibe beschlug mit jedem seiner Atemzüge, klarte dazwischen wieder auf.

So stand er ein paar Minuten da.

Kein Fahrzeug fuhr mehr gegen die Einbahnstraße. Nicht einmal eines in der korrekten Richtung. Langsam begann Steve zu glauben, dass er sie abgehängt hatte. Vorerst.

Dann fiel ihm sein Smartphone ein. Er hatte es für das Mittagessen bewusst an seinem Arbeitsplatz liegen lassen. Das machte er öfter. Die sozialen Medien und all die anderen Westentaschenspione mussten ihn nicht permanent verfolgen.

Genauso wenig wie amerikanische Geheimdienste, die hinter ihm her waren. Besorgt griff er zu der flachen Tasche, die er in Gürtelhöhe unter dem Hosenbund trug. Gefüllt mit je ein paar Tausend Euro und Dollar und einem altmodischen Telefon, dem niemand folgte.

Und jetzt?

72

»Das ist lächerlich«, sagte Maria auf dem Monitor. »Er will Turner draußen haben. Und er wird ihn entlassen – egal, was wir liefern.«

Wieder hatte sich Dana in den ihr zugewiesenen Besprechungsraum zurückgezogen. Maria auf dem Laptopmonitor wirkte müde.

»Wir sind nicht so weit gekommen – und gegangen –, um jetzt aufzugeben«, sagte Dana. »So etwas war zu erwarten. Hast du selbst immer gesagt.«

»Weiß ich doch! Ist trotzdem etwas anderes, wenn es dann geschieht!« Maria legte die Hände vor sich auf den Tisch. »Entschuldige bitte. Aber manchmal fragt man sich, wozu es Gesetze und Gerichte gibt, wenn sich die einen nicht an die anderen halten.«

Das aus dem Mund einer Juristin.

»Klar will das Gericht Turner draußen haben. Wohl auf Anweisung von oben. Dreimal dürfen wir raten, weshalb der Richter gestern Abend den Justizminister besuchte.« Sie seufzte. »Wer weiß, wie hoch oben. Brüssel wünscht sich das wohl auch. Ohne es zu sagen.«

»Kannst du drauf wetten.«

»Unserer Ansicht nach ist das Beweisstück eindeutig. Aber unsere Ansicht interessiert hier niemanden. Ich frage mich, ob man das Gericht nicht herausfordern sollte. Sie können den Beweis nicht ignorieren. Höchstens desavouieren. Das versuchen sie jetzt.«

»Und werden es weiterhin.«

»Wenn sie das Original sehen, wird es sehr schwer.«

Wieder Marias Kopfschütteln.

»Wir sehen doch jetzt, wie es läuft.«

»Deshalb«, sagte Dana.

Das Harvey's war eine der Studententränken in Berkeley. Der Abend war kühl, trotzdem waren alle Tische im Freien besetzt. Dazwischen standen plaudernde Gruppen. Auch drinnen war alles voll. Steve fand Frank draußen mit einer Flasche Bier im Gespräch mit einem Typen, den er nicht kannte. Steve winkte dahin und dorthin. Viele kannten ihn von seinem Job in der Mensa. Oder aus Lokalen wie dem Harvey's.

»Ich hol mir auch ein Bier«, sagte er zu Frank und dem anderen. Als er ein paar Minuten später mit einer Flasche zurückkam, wartete Frank allein.

Flaschen-Kling.

»Wie geht's in der Kanzlei?«, fragte Steve.

»Bestens«, erwiderte Frank. Er sah nicht so aus, wie man sich einen Anwalt vorstellte. Eher einen Surfer. So groß wie Steve, dieselbe schlaksig-athletische Figur, die blonden Haare noch länger als Steves dunkle Locken.

»Ihr hattet prominenten Besuch vor ein paar Tagen«, sagte Frank.

»Und interessanten«, sagte Steve. »Auch deshalb wollte ich dich treffen.«

»Um über Turner abzulästern?«

»Sag du's mir«, erwiderte Steve. »Ich brauche deinen fachlichen Rat. Aber streng vertraulich.«

»Geheimnisse, wow!«, lachte Frank. »Worum geht's denn?«

»Vertraulich?«

»Ernsthaft jetzt? Anwalt-Klienten-Gespräch?«

»Womöglich.«

»Jetzt machst du mich neugierig. Klar: streng vertraulich.«

Das Stimmengewirr rund um sie war so laut, dass Steve getrost reden konnte. In kurzen Worten erzählte er Frank von dem Vorfall in der Küche. Und von dem Video.

Zwischen Franks Augenbrauen furchten sich zunehmend zwei Falten.

»Das hat er gesagt?«, fragte er.

»Sinngemäß«, sagte Steve. Er zog die zusammengefalteten Zettel aus der Tasche. »Denn genauen Wortlaut habe ich hier aufgeschrieben.«

Frank entfaltete die Papiere. Handschriftlich hatte Steve den Text des Videos transkribiert.

»Ich wollte das nicht am Computer machen«, erklärte er. »Und ich wollte das Telefon nicht zu unserem Treffen mitnehmen.«

»Das war eine gute Idee«, murmelte Frank, während er bereits las. Konzentriert arbeitete er sich durch die vier eng beschriebenen Blätter.

»Das hier«, sagte er schließlich und zeigte auf eine Passage auf der dritten Seite.

»Ja«, sagte Steve. »Das darf er doch nicht, oder?«

Frank gab ihm die Unterlagen zurück. Steve steckte sie ein.

»Das ist eindeutig«, erklärte Frank. Stieß Luft durch gespitzte Lippen aus. »Eigentlich eine Bombe. Was willst du damit tun?«

»Das frage ich dich.«

»Ich schätze, dir ist klar, was du hier hast. In einem funktionierenden Rechtsstaat und einer intakten Demokratie könntest du den Präsidenten damit stürzen und eigentlich ins Gefängnis bringen. Es gibt nur ein Problem.«

»Und zwar?«

»Die USA sind weder das eine noch das andere, was diese Dinge angeht. Denk an George W. Bush, Dick Cheney, Donald Rumsfeld und andere. Bush gab offen zu, von Folterungen infolge der Ereignisse von 9/11 gewusst zu haben. Konsequenzen? Keine. Gegen ein paar CIA-Leute wurde ermittelt. Aber schon nicht mehr gegen die richtig hohen Tiere. Unter anderem wegen so absurder Argumente, dass sie ja nur Erlasse des Präsidenten befolgt hätten.«

»Das hier ist mehr als Wissen.«

Frank zuckte mit den Schultern.

»Ja. Du hast da eine Granate in der Hand. Die Frage ist bloß, wen sie in die Luft sprengen wird. Den mächtigsten Mann der Welt oder dich?«

»Muss ja keiner erfahren, dass sie von mir ist.«

Frank lächelte ihn schief an.

»Dein Ernst?«

»Ich war nicht der einzige Mitarbeiter in dem Raum. Das Video könnte also von verschiedenen Quellen stammen. Ich gebe nicht das Original oder das Telefon her, mit dem man mich gleich über Meta- oder Bewegungsdaten identifizieren kann. Ich gebe es über Vertrauenspersonen weiter, die meine Anonymität wahren.«

Da war wieder die Furche zwischen Franks Augenbrauen.

»Ich?«

»Dachte ich.«

»Alter ...«

Er nahm einen tiefen Schluck aus seiner Flasche. Blickte über die Köpfe des restlichen Publikums vor dem Harvey's in die Baumkronen, bevor er Steve antwortete.

»Warum stellst du es nicht einfach online?«, fragte er dann. »Bei einer der Enthüllungsplattformen? Oder lädst es in einen der Whistleblowerkanäle bei einem der zuverlässigeren Medien?«

»Drei Gründe. Erstens: Chelsea Manning und andere. Ist immer schwierig mit der Anonymität. Zweitens: Wahrscheinlich würde ich mich strafbar machen wegen Verrats von Staatsgeheimnissen oder so.«

»Vermutlich«, murmelte Frank. »Öffentliches Interesse könnte natürlich überwiegen ...«

»Drittens, und für mich am wichtigsten: Das Internet ist doch längst eine Infomüllhalde. In dem Augenblick, in dem so ein Video da draußen erscheint, reiht es sich ein in all die anderen echten, falschen, verfälschten und aus dem Zusammenhang gerissenen Abermilliarden Videos, die da draußen herumschwirren. Millionen Menschen werden es diskutieren, loben, verteufeln, verleumden, interpretieren, zerreden, was der Flut an Pseudo- und Desinformationsscheiße da draußen noch einmal eine Welle hinzufügt. Das Video würde ertrinken in diesem Tsunami aus Irrelevanz und Unsicherheit, den es selbst mit auslöst.«

Sollte Frank mal kurz darüber nachdenken. Steve leerte seine Flasche.

»Nein«, fuhr er fort. »Besser ist, es schauen sich jene in Ruhe an, die es etwas angeht. Eine Staatsanwaltschaft. Oder wer immer dafür zuständig ist.«

»Und du willst anonym bleiben.«

»So weit es geht.«

»Im Ernstfall womöglich nicht«, sagte Frank.

»Ernstfall heißt? Prozess?«

»Ja. Vielleicht schon früher. Bei der Prüfung der Echtheit des Beweises. Oder Medien, die nachbohren.«

»Dann bekommt die Sache aber immerhin schon die nötige Öffentlichkeit.«

»Ja.«

»Die einen Mindestschutz gibt.«

»Und garantiert, dass du von der Gegenseite zumindest medial und beruflich vernichtet wirst.«

»Na ja, beruflich gibt es da noch nicht so viel zu vernichten ...«

»Bis dahin vielleicht schon. Bis die Staatsanwaltschaft so weit ist, kann das Jahre dauern.«

»Aber dann kann man es wenigstens nicht mehr unterdrücken.«

»Das nicht, nein.«

»Doch es muss nicht so weit kommen?«

»Muss nicht. Aber mach dir nicht zu viele Hoffnungen.«

Steve dachte nach.

»Würdest du das Projekt übernehmen?«

Jetzt dachte Frank nach. Wieder der Blick in die Bäume.

»Puh!« Er nickte. »Aber ich kann das nicht allein.«

Die Richter hatten einen großen Bildschirm auf einem rollbaren Gestell in den Gerichtssaal bringen lassen. Er stand im Mittelgang zwischen den leeren ersten Stuhlreihen.

Ephramidis, die Amerikaner, der Staatsanwalt und Dana standen vor dem Richtertisch. Fast wie für ein Familienfoto, dachte Dana. Bloß dass niemand lächelte. Aber wer tat das schon bei einem Familienfoto? Aller Augen waren auf den Monitor gerichtet.

»Bitte«, sagte der Vorsitzende.

Der Gerichtsdiener drückte die Fernbedienung.

Das linke Drittel des Bildes war dunkel. Unscharfe Kante. Da stand etwas vor der Linse. Auf der rechten Seite ein schmalerer Streifen. Dazwischen bewegte Schatten. Schultern. Arme. Hemdkragen. Krawatten. Gesichter. Turner. Der Stabschef. Verschwanden wieder. Stimmengewirr.

»... die gezielte Tötung von Ahmar al-Bashar, die Sie vor ein paar Monaten unterzeichnet haben, Mister President. Die Drohne ist vor Ort und schussbereit.«

»Wo liegt das Problem?«

Turner. Die Stimme gut erkennbar.

»Es sind Zivilisten anwesend. Mitglieder seiner Familie.«

»Schon wieder dieser Ahmar al-Bashar? Den unsere Leute verantwortlich machen für wenigstens zweihundert tote US-Soldaten? Und Tausende irakischer und afghanischer Polizisten, Militärs und Zivilisten? Den Sie schon fünf Mal nicht erwischt haben? Oder bei dem Sie den Einsatz abgebrochen haben? Weil er *immer* zwischen Zivilisten rumhockt? *Kill him!*«

»Die Regeln sind klar: Unnötige zivile Opfer sind zu vermeiden. Bei dem Angriff würden mehr als dreißig Zivilpersonen sterben.«

»Verdammt noch mal! Menschliche Schutzschilde sind auch verboten! Trotzdem verwendet sie der Hundesohn. Wieder und immer wieder! Außerdem: Wer ist da schon? Klein Ahmar, der später Groß Ahmar wird. Und wieder Tausende ermorden lässt. Wie oft habe ich es schon gesagt: Wir gewinnen den Krieg gegen den Terror nicht mit politischer Korrektheit! Gegen Gesetzlose gewinnt man nicht mit Gesetzen! Wir müssen verhindern, dass aus Klein Ahmar Groß Ahmar wird!«

Und das tut man, indem man Klein Ahmars Familie kurzerhand ermordet?, fragte sich Dana zum hundertsten Mal. So züchtete man nur neue Terroristen.

»Zur Hölle damit! Ich habe es mehr als einmal erklärt, auch öffentlich: Bei Bedarf müssen wir nicht nur die Terroristen töten. Sondern den Boden zerstören, in dem dieses Unkraut gedeiht. Wir müssen ihre Unterstützer töten. Wir müssen ihre Helfer töten. Wir müssen ihre Familien töten. Wir können keine Rücksicht auf sie nehmen. Und ich will das nicht jedes Mal aufs Neue diskutieren müssen!«

»Zivile Opfer bringen den Krieg gegen den Terror in Misskredit.«

»Bei wem? Irgendwelchen Gutmenschen, die in einer Irrealität leben! Ich sehe die Zahlen: Die Mehrheit der US-Bürger hat keine

Probleme mit gezielten Tötungen. Im Gegenteil. Auch wenn es zivile Opfer gibt.«

»Ist das ein Befehl, Sir? Beziehungsweise eine Freigabe?«

»Ich denke, es ist ein Fakt. Wir müssen damit leben. Ich kann damit leben. Also leben Sie damit.«

»Officer, Sie haben den Präsidenten gehört.«

Unverständliches elektronisches Gebrabbel. Wohl aus einem Telefon oder Laptop.

»Er soll feuern?«

»Wenn er den Hundesohn damit erledigt«, sagte Turner, »ja!«

»Officer, haben Sie verstanden?«

Gebrabbel.

Der Bildschirm wurde dunkel. Video Ende.

»Zehn Sekunden später tötete das Geschoss aus der Drohne sechsunddreißig Menschen«, erklärte Dana. »Fünfunddreißig davon unschuldige Zivilisten. Ermordet auf Anweisung dieses Mannes dort.«

Alle Blicke wandten sich Turner zu.

Der saß stumm auf seinem Stuhl, die Arme vor der Brust verschränkt, das Kinn ein wenig rechthaberisch vorgereckt, wie Mussolini es einst liebte.

Mehr kam nicht. Wahrscheinlich hatte man ihn gebrieft, sich unter keinen Umständen noch einmal zu rechtfertigen.

Die Blicke der Richter glitten über die Papiere. Hoben sich auf den Bildschirm. Zu Turner. Zurück zu den Gesichtern.

Da bewegte sich etwas, bemerkte Dana. Das ließ sie nicht kalt.

Lass es wirken.

»Euer Ehren«, sagte Ephramidis, »hier wird doch kein Befehl zur Tötung von Zivilpersonen gegeben. Der Präsident sagt es ganz deutlich: ›Wenn er den Hundesohn damit erledigt.‹ Das zeigt doch, dass al-Bashar das Ziel war!«

»Ich darf noch einmal?«, sagte Dana ruhig. Sie hatte den Einwand vorausgesehen und spulte die Aufzeichnung an die entsprechende Stelle. Zielsicher, beinahe auf die Sekunde. Hunderte Male hatte sie diese Bilder gesehen. Jedes Wort konnte sie wiederholen. Jede Sekunde nennen, an der es in dem Video fiel. Play.

»Ich habe es mehr als einmal erklärt«, erklang Douglas Turners Stimme, »auch öffentlich: Bei Bedarf müssen wir nicht nur die Terroristen töten. Sondern den Boden zerstören, in dem dieses Unkraut gedeiht. Wir müssen ihre Unterstützer töten. Wir müssen ihre Helfer töten. Wir müssen ihre Familien töten.«

Sie stoppte das Band. Ließ die Worte in den Köpfen der Zuhörer nachklingen. Turner hatte nicht einmal hingesehen. Dann sagte sie, ganz ruhig: »Er gibt hier nicht mehr den Befehl, einen feindlichen Kämpfer zu töten. Er sagt, dass seine Familie getötet werden muss. Unschuldige Zivilisten. Darunter Kinder. Damit diese keine Terroristen werden können.« Sie sah die Richter an. »Das sind keine Kollateralschäden mehr. Er greift Zivilpersonen an. Bewusst. Direkt.«

Die Richter fixierten sie mit flatterndem Blick. Sie hatte sie verunsichert.

»Zivilpersonen«, wiederholte sie. »Der Angriff richtet sich auch gegen ein militärisches Ziel, ja. Aber er sagt klar und deutlich« – sie spielte die Stelle noch einmal ab: »Wir müssen ihre Familien töten«, wiederholte Turners Stimme ihre Forderung, bevor Dana den Film stoppte und selbst fortfuhr: »›Wir müssen ihre Familien töten‹«, hämmerte sie Turners Aussage in das Bewusstsein der Richter. »Und – im Gegensatz zu zivilen Kollateralopfern eines Angriffs auf gegnerische Kämpfer – für direkte Angriffe auf Zivilisten ist der International Criminal Court sehr wohl zuständig. Ein feiner juristischer Unterschied, mag man meinen. Aber der alles entscheidende.«

Mit einem Mal stürmte Ephramidis von seinem Platz an den

Richtertisch. Er knallte ein Blatt auf den Tisch, quer über eines der Gesichter. Eine Liste, erkannte Dana. Und noch eine daneben. Klatsch! Noch eine. Weiter.

»Sie wollen Opfer?!«, brüllte er. »Hier haben Sie Opfer! Hunderte! Tausende! So viele, dass ich Ihnen keine rührseligen Porträts von jedem Einzelnen präsentieren kann! Das sind Ahmar al-Bashars Opfer über die Jahre. Zumindest jene, die man mit höchster Wahrscheinlichkeit ihm zuordnen kann. Verdammt noch mal!«

Hinter ihm nickte Turner zustimmend.

Spielte er die Wut so gut? Oder war er tatsächlich dermaßen erzürnt? Danas Blick flog über die Blätter. Wenn diese Liste echt war – und warum sollte sie es nicht sein, alles andere wäre zu riskant –, hatte das Verteidigungsteam seine Hausaufgaben gemacht. Aber was hatte sie erwartet?

»Gegen Gesetzlose gewinnt man nicht mit Gesetzen«, wiederholte Dana Turners Zitat. Bleib sachlich. Sie wandte sich an die Richter: »Können Sie das als Männer des Gesetzes anhören? Können Sie das akzeptieren? Auch nur in geringster Weise? Macht uns nicht ebendas zu einer zivilisierten Gesellschaft, dass wir auch gegen Gesetzlose mit Gesetzen vorgehen? Dass wir allen Menschen die gleichen Rechte zugestehen?«

Der Kiefer des Vorsitzenden mahlte.

Turner hatte in dem Video eine Steilvorlage geliefert.

»›Bei Bedarf müssen wir nicht nur die Terroristen töten‹«, zitierte Dana weiter, »›sondern den Boden zerstören, in dem dieses Unkraut gedeiht. Wir müssen ihre Unterstützer töten. Wir müssen ihre Helfer töten. Wir müssen ihre Familien töten.‹«

Sie fixierte den Vorsitzenden. »Das ist eindeutig eine Anweisung zu Kriegsverbrechen. Die in die Zuständigkeit des ICC fallen.«

Sie wandte sich an Ephramidis, Derek Endvor und die zwei anderen Amerikaner.

»Douglas Turners Großvater zog gegen die Nationalsozialisten in den Krieg, um ebensolche Verbrechen zu verhindern. Einer seiner Vorgänger und besonders dessen Ehefrau, Eleonore Roosevelt, waren maßgeblich an der Etablierung der Allgemeinen Erklärung der Menschenrechte beteiligt. Was würden sie wohl dazu sagen?«

Derek hörte nur mehr mit einem Ohr zu. Auf seinem Telefon hatte soeben eine Nachricht Walter Vatanens aufgeleuchtet.

Dringend! Potenzieller Whistleblower Steve Donner in München geflüchtet. Hat unsere Leute abgehängt. Ist wohl Bestätigung, dass er unser Mann ist.

Derek überlegte fieberhaft. Gab Ephramidis, der gerade zu einer Antwort ansetzte, ein Zeichen. Waagerechte Hand auf die Fingerspitzen der senkrechten anderen Hand gelegt. Time-out.
»Einen Moment, Euer Ehren«, bat der Anwalt.
Währenddessen tippte Derek bereits eine Antwort.

Ihr wisst, was zu tun ist.

Dann beugte er sich zu Ephramidis.

Dana beobachtete, wie Derek Endvor dem griechischen Anwalt etwas zuflüsterte. Unmittelbar davor hatte er auf seinem Telefon herumgefummelt.
Derek Endvor setzte sich wieder.
Ephramidis wandte sich an das Gericht.
»Was die Roosevelts dazu sagen würden, fragte die Vertreterin des ICC soeben«, hob er an. »Ich versuche, eine Antwort darauf zu geben.« Er machte eine Pause, bevor er fortfuhr: »Deep Fake, würden sie sagen. Hätte es das damals schon gegeben.«

Wie bitte?!

»Eine Fälschung«, erklärte der Verteidiger noch einmal.

Dana war für einen Moment sprachlos. Sie hatte zwei Gutachten vorgelegt!

»Euer Ehren! Sie haben zwei Gutachten von anerkannten Experten vorliegen! Die Aufnahmen sind authentisch.«

Der Richter überflog die Papiere.

»Stimmanalysen«, erklärte Dana, »mittels modernster Methoden, inklusive künstlicher Intelligenz.«

»Mittels derer man auch Deep Fakes herstellt«, unterbrach Ephramidis sie. »Darf ich kurz etwas zeigen, Euer Ehren?«

»Wenn es sein muss.«

Wieder kam der Verteidiger mit seinem Computer an den Richtertisch. Dana und der Staatsanwalt traten hinzu.

Ephramidis spielte ein Video ab. Der ehemalige US-Präsident Barack Obama hielt eine Rede. Ephramidis ließ das Video eine Minute lang laufen. Dann stoppte er.

»Sie kennen den Mann«, sagte er zu den Richtern. »Die Rede kennen Sie auch. Allerdings hat Obama sie nie gehalten.«

Er startete ein anderes Video: Malcolm X.

Dieselben Worte. Andere Stimme. Anderer Rhythmus. Alles anders. Außer den Worten.

»So geht das heute. Lernende Programme werden auf Stimmen, Gesichtsausdrücke und anderes trainiert. Und legen jeder beliebigen Person jedes beliebige Wort in den Mund. Jede beliebige Rede. Oder den Kopf eines Promis auf die Körper beliebiger Darsteller in Pornofilmen.«

»Himmel!«, rief Dana. »Das von uns präsentierte Video ist über vier Jahre alt. Damals war das in der Qualität noch nicht möglich!«

»Wer sagt, dass es so alt ist?«

Das durfte nicht wahr sein!

»Die Gutachter! Ausserdem kann man Deep Fakes bei genauer Untersuchung nachweisen!«

Der Richter musterte sie aus zusammengekniffenen Augen. Senkte den Blick auf die Papiere vor sich. Die Gutachten.

»Hier steht etwas von Stimmanalyse und -vergleich. Nicht nur mit der Stimme des Angeklagten und der Mitarbeiter, die man auf dem Band angeblich hört.«

Angeblich?!

»Sondern auch mit jener Person, die das Video aufnahm.«

»Dieses Video hat niemand bewusst aufgenommen«, widersprach Dana. Ihre Stimme zitterte vor mühsam unterdrücktem Zorn. »Es entstand zufällig. Die Person, der das Telefon gehört, filmte den Besuch des Präsidenten in einer Universitätscafeteria. Sie verlor es in der Hektik, als der Präsident für die dringende Entscheidung einen Extraraum benötigte. Dort filmte das Gerät einfach weiter. Erst später, als die Person ihr Telefon wiederfand, entdeckte sie das Video.«

»Die Originalaufnahme ist also länger als der Ausschnitt, den Sie uns gezeigt haben?«

Dana zögerte.

»Was für eine Rolle spielt das? Die Aussagen des Angeklagten sind klar und deutlich zu verstehen.«

»Die Stimme des Telefonbesitzers«, sagte der Vorsitzende. »Oder der Besitzerin. Wenn sie auf dem Video zu hören ist und ich sie mit dem Original vergleichen könnte – das könnte das Gericht überzeugen.«

»Dem Original?«

»Dem Besitzer des Telefons. Jener Person, die es dem ICC wohl überhaupt erst gegeben hat.«

Meinte der das ernst?

»Euer Ehren ... Sie haben die Gutachten ... das ist ...«

Dana verstummte. Maria hatte recht gehabt. Hatte sie damit

gerechnet? Warum sonst hatte sie das Video freigegeben? Aber weiter würde Dana nicht gehen. Konnte sie nicht.

»Die Person ist selbst beim Strafgerichtshof nur ganz wenigen Leuten bekannt«, erklärte sie. »Aus Sicherheitsgründen.«

»Nun«, sagte der Richter, »dann sollen diese Leute dafür sorgen, dass ›die Person‹ vor diesem Gericht zu einem Stimmvergleich erscheint.«

»Euer Ehren«, sagte Dana und hoffte, nicht zu flehentlich zu klingen, »Ihnen liegen zwei – zwei! – Gutachten vor. Die Person ist aus guten Gründen anonym.«

»Das kann sie hier auch bleiben«, erklärte der Richter.

»Das glauben Euer Ehren nicht ernsthaft«, sagte sie. »Die Vereinigten Staaten haben einen internationalen Haftbefehl ausstellen lassen. Wenn Sie die Person hierherzwingen, können Sie sie gleich an die USA ausliefern.«

»Dafür ist dieses Gericht nicht zuständig.«

»Es ist auch nicht für die Beweisprüfung zuständig«, sagte Dana eisig. »Trotzdem besteht es darauf.«

Der Vorsitzende klatschte mit der Handfläche auf den Tisch. Wie ihr Vater, wenn er eine Diskussion aus seiner Sicht für beendet hielt.

»Binnen vierundzwanzig Stunden bekommt man eine Person« – er betonte das Wort fast spöttisch – »von überall auf diesem Planeten nach Athen. Das Gericht tritt Morgen um diese Zeit wieder zusammen. Sie haben vierundzwanzig Stunden.«

Er erhob sich.

Dana stand versteinert da.

Mit Gerichtsbarkeit hatte das nichts mehr zu tun. Vor einer weiteren – europäischen – Instanz würde dieses Vorgehen nicht bestehen. Aber bis dahin würden Monate, wenn nicht Jahre vergehen. Und Turner wäre in vierundzwanzig Stunden frei.

»Euer Ehren, das ist reine Willkür!«, rief Dana.

Der Vorsitzende kehrte ihr den Rücken zu. Die beiden anderen Richter wandten sich gleichfalls um und verließen mit ihrem Chef den Raum.

Hinter ihr packte Ephramidis zufrieden seine Aktentasche ein. Flüsterte mit Derek Endvor und den anderen.

Vierundzwanzig Stunden.

73

Steve, Frank und die Frau saßen zu dritt um den Laptop in dem fensterlosen Raum. Die Frau war Mitte fünfzig mit einem Ponyschnitt, wie er in den Siebzigern modern gewesen war. Ihre große Brille mit dem extravaganten schmalen Rahmen betonte ihre großen grünen Augen zusätzlich.

Nennen Sie mich Ann, hatte sie gesagt. So hieß sie. Ann Fillson. Eine der renommiertesten Menschenrechtsanwältinnen der USA. Ihr Blick wanderte von dem Bildschirm zu Steve und zurück. Auf dem Monitor ein Standbild der Szene, als Steve sich in der Cafeteria selbst kurz gefilmt hatte, mit Turner im Hintergrund.

»Sieht so aus, als wären Sie das«, sagte Ann.

»Dieser Teil des Videos bleibt aber weiterhin bei meinem Mandanten«, sagte Frank. »Nur Sie bekamen es zu sehen, damit Sie auch sicher sein können, dass die Aufnahmen echt sind.«

»Wie besprochen«, sagte die Menschenrechtsanwältin. Sie wandte sich Steve zu, den sie nur als Franks »Mandanten« kannte.

»Also, junger Mann«, sagte sie. »Bevor wir fortfahren, bitte ich Sie: Denken Sie an William Binney, Kirk Wiebe, Edward Loomis, Diana Roarke, Mark Klein, Katharine Gun – nun, sie ist Britin, deckte aber US-Vergehen auf –, Joseph Wilson, Russ Tice, Thomas Drake, Chelsea Manning, Edward Snowden, um nur ein paar aus den vergangenen Jahren zu nennen, die es wagten, Verfehlungen ihrer Vorgesetzten und Behörden ans Licht zu bringen.«

»Glauben Sie mir, ich denke an sie«, sagte Steve, »soweit ich ihre Namen und Fälle kenne. Ich habe nicht gewagt, sie im Internet nachzusehen.«

»Das war klug«, sagte Ann. »All diesen Menschen wurde nicht gedankt, sondern sie wurden eingeschüchtert, bedroht, entlassen, ruiniert, ins Gefängnis gesteckt oder leben wie Edward Snowden im Exil.«

Frank hatte das Treffen organisiert. Unter höchsten Vorsichtsmaßnahmen. Später sollte niemand nachvollziehen können, dass sie sich an diesem Tag gemeinsam an diesem Ort getroffen hatten. Niemand hatte ein Telefon dabei. Franks Laptop war ein sicheres Gerät. Steve konnte nur hoffen, dass sie alles richtig gemacht hatten.

Ann legte eine Mappe auf den Tisch, schlug sie auf. Gesichter mit den Namen, die sie eben genannt hatte.

»Binney, Wiebe, Loomis und Roarke kamen unter Beschuss, weil sie Geldverschwendung und geheimes Ausspionieren der US-Bevölkerung durch das Überwachungsprojekt Trailblazer anprangerten. Lange vor Edward Snowden.«

Sie blätterte weiter.

»So wie Klein, der ebenfalls Überwachungsprogramme anprangerte, und Tice und Drake und Snowden.« Noch mehr Gesichter. »Joseph Wilson ist Ihnen ein Begriff?«

»An ihn erinnere ich mich. Ein US-Botschafter, der erklärte, dass er keine Hinweise für Urandeals des Iraks in Afrika gefunden habe. Was zeigte, dass die Massenvernichtungswaffen, die als Vorwand für den Irakkrieg dienten, wohl nicht existierten. Daraufhin wurde seine Frau als Agentin geoutet und damit in Lebensgefahr gebracht. Gab es da nicht auch einen Film?«

»Ja, *Fair Game,* mit Naomi Watts und Sean Penn«, sagte Ann, während sie weiterblätterte. »Sowie über Katharine Gun – *Official Secrets* mit Keira Knightley.«

»Ich könnte also Filmstar werden«, versuchte Steve einen Scherz, doch Ann lachte nicht. Stattdessen blickte sie ihn durchdringend an. Erst nach ein paar Sekunden sagte sie: »Ich hoffe nicht, dass das der Grund ist, warum wir hier sitzen.«

»Natürlich nicht«, murmelte Steve betroffen.

»Die Fälle Chelsea Manning und Edward Snowden brauche ich wohl nicht auszuführen«, fuhr Ann fort. Wieder blickte sie Steve durchdringend an. »Ihnen ist klar, warum ich diese Geschichten hier noch einmal vor Ihnen aufrolle.«

Steve nickte.

»Selbst wenn es uns gelingt, Sie anonym zu halten, müssen Sie verdammt überzeugt sein von dem, was Sie vorhaben«, sagte Ann. »Andernfalls stehen Sie das nicht durch. Sind Sie das?«

Sie ließ die Mappe offen liegen, wie ein Menetekel.

»Das Fiese ist ja«, sagte Steve, »dass ich mir das Ganze nicht ausgesucht habe. Ich komme zu diesem verdammten Video wie die Jungfrau zum Kind. Ich kann alles lassen. Dann mache ich mir womöglich ein Leben lang Vorwürfe, nichts unternommen zu haben. Oder wir machen weiter. Und weiß der Teufel, wie das dann ausgeht.«

»Auf jeden Fall wird man alles versuchen, Sie ausfindig zu machen«, sagte Ann. »Und Sie fertigzumachen.«

»So hat mir Frank die Sache auch schon schmackhaft gemacht.«

»Immerhin geht es um den Präsidenten persönlich«, sagte Frank.

»Nixon musste schließlich auch zurücktreten«, erwiderte Steve.

»Wir leben aber nicht mehr in diesen Zeiten«, sagte Ann.

»Vielleicht kommen sie ja wieder.«

»Träumen Sie weiter. 9/11 hat alles geändert. Die US-Bevölkerung wird massenüberwacht, Gefangene werden ohne Prozess seit Jahrzehnten festgehalten, es wird gefoltert, in fremden Ländern werden mit US-Unterstützung Tausende ohne Prozesse getötet, auch Zivilisten, auch schon mal als Vergeltung. Unsere Großväter zogen aus, um solchen Schweinen das Handwerk zu legen. Und jetzt ordnen unsere eigenen Präsidenten solche Methoden an. Und genauso schlimm: Ein nicht unbeträchtlicher Teil der Bevölkerung billigt das.«

»Sie machen mir richtig Mut«, meinte Steve.

»Dazu bin ich da«, sagte Ann.

»Das gelingt Ihnen prächtig.«

»Was ich gerade tue, ist nichts im Vergleich zu dem, was auf Sie zukommt.« Ann straffte sich, beugte sich über den Tisch näher zu Steve, fixierte ihn mit ihren großen Augen. »Selbst wenn alles gut geht«, sagte sie, »über die ganze Zeit hinweg, den gesamten Prozess, wie immer der aussehen mag: In Ihrem Inneren werden Sie permanent auf Alarm gestellt sein. Immer wieder verstärkt von Angst, Panik und Verzweiflung. Selbst wenn Ihr Name nie publik wird, werden Sie in der permanenten Furcht davor leben, dass er es könnte. Und glauben Sie, das wird noch Ihre geringste Angst sein. Es würde mich wundern, wenn Sie sich nicht schon ganz andere Szenarien ausgemalt hätten. Da draußen gab es auch schon Leute, die durch Unfälle starben, an überraschenden Herzinfarkten oder durch Selbstmord.« Beim letzten Wort verdrehte sie vieldeutig die Augen. »Behaupten Sie nicht, Sie hätten nicht auch schon solche Befürchtungen gewälzt.«

Steve starrte auf den Tisch zwischen ihnen.

Ann wartete, bis er sie wieder ansah.

»Ich habe mir die Unterlagen angesehen«, sagte sie. »Ich habe Sie getroffen. Ich glaube Ihnen. Dieser Fall ist anders als alle anderen davor. Es geht direkt gegen den Präsidenten. Sie werden gegen die halbe Nation kämpfen, mindestens. Man wird

Sie als Verräter beschimpfen. Ich werde Jahre meiner Arbeitszeit ausschließlich für diesen Fall einsetzen müssen. Ihr Leben, wie Sie es heute führen, wird vorbei sein. Im besten Fall werden Sie Filmstar«, sagte sie spöttisch. »Im schlimmsten ... na ja. Freunde werden sich von Ihnen abwenden, vielleicht Ihre Familie.« Ann wusste nichts von seinen geschiedenen Eltern, dachte Steve, von seinen beiden Geschwistern, deren Frau und Mann und von den fünf Nichten und Neffen. Auch die Großeltern waren noch am Leben. Aber sie konnte annehmen, dass er Familie hatte. »Womöglich werden sogar sie unter Druck gesetzt. Durch die Medien gezerrt. Öffentlich angegriffen, verleumdet, bloßgestellt. Siehe der Fall Wilson. In jedem Geschäft, in das Sie gehen, in jedem Restaurant, jeder Bar, auf der Straße werden wildfremde Leute Sie erkennen. Manche werden Sie vielleicht loben oder bejubeln. Viele werden Sie verächtlich ansehen, beschimpfen, womöglich tätlich angreifen. Wir würden natürlich im Vorfeld und begleitend versuchen, durch PR einen Teil davon abzufangen oder in Ihrem Sinn zu drehen. Aber die anderen haben das hunderttausendfache Budget und keinerlei Skrupel. Es ist David gegen Goliath. Gegen hundert Goliaths. Und Sie haben keine Steinschleuder, keine überlegene Waffe. Nur die Wahrheit. Und das Vertrauen, dass sie am Ende siegt.«

74

»Wozu sitzen wir hier eigentlich noch herum?«, fragte Bull.

Auf dem Riesenfernseher in der Lounge lief CNN. Die Journalistin stand vor dem Gerichtsgebäude in Athen.

Der Rest der Truppe hatte sich in die Sofas gefläzt. Die meisten beugten sich über ihr Telefon, sahen nur mit einem Auge zu. Bloß Dino saß mit einem halb zerlegten SCAR da, das er gerade klappernd wieder zusammenbaute.

»Von den US-Vertretern gibt es noch keine Reaktion«, erklärte die Reporterin. »Auch der International Criminal Court hat sich noch nicht geäußert. Alles, was wir haben, ist die dünne Presseerklärung des Gerichts. Es wird seine endgültige Entscheidung morgen um diese Zeit treffen.«

Ein Schwenk über die Demonstranten vor dem Gerichtsgebäude.

»Das bedeutet eine weitere Nacht in der Zelle für Douglas Turner.«

»Also heute Nacht«, sagte Hernan. »Noch länger können die doch nicht warten.«

»Wir warten«, sagte Sean. »Bis wir das Go bekommen.«

»Und weitere vierundzwanzig Stunden für Arthur Jones«, rief die Journalistin in ihr Mikro, »in denen er dem amerikanischen Volk erklären muss, warum sein Ex-Präsident im Gefängnis sitzt.«

»Diese Mistkerle!«, rief Arthur Jones von dem Bildschirm auf Dereks Laptop. Ihr Fahrer hielt sich hinter dem Bus, der Turner zurück in die Haftanstalt fuhr. Derek konnte nicht fassen, dass sie diesen Weg noch einmal fahren mussten!

»Das Video des Richters von gestern Abend, wie er zum Justizminister fuhr, zwang ihn, dem ICC eine wenigstens formelle Chance zu lassen.«

»Nichts zwang ihn dazu! Er hätte Douglas einfach entlassen können! So geht der Zirkus wieder in die Verlängerung. Und die Vereinigten Staaten werden erneut zum Gespött der ganzen Welt!«

»Geben Sie den Einsatz für unser Team frei«, sagte General Booth. »Dann ist Turner in vier Stunden draußen. Und wir beweisen, dass man uns bei allem guten Willen nicht endlos auf der Nase herumtanzen kann!«

»Ich verstehe die Ungeduld«, sagte Derek. »Aber auf ein paar Stunden mehr oder weniger kommt es jetzt nicht an. In vierundzwanzig Stunden ist Turner frei«, versuchte Derek, ihn zu beschwichtigen. »Auf legale und international akzeptierte Weise.«

»Wen kümmert das denn?!«, brach es aus Trevor heraus. »Wir werden doch nicht respektiert dafür, dass wir uns an die Regeln halten! Sondern dafür, dass wir sie machen!«

»Ich habe gute Lust dazu«, sagte der Präsident. »Trevor hat hier einen Punkt.«

»Dann hätten wir das gleich tun müssen«, sagte Derek. »Wozu der Aufwand, uns zu schicken? Wozu tagelang in Gerichtssälen argumentieren, wenn wir am Ende doch mit der Kavallerie ins Haus fallen? Wollen wir wirklich als jene dastehen, die zu dumm sind, ihren Mann auf anständige Weise zu befreien? Und wenn dabei etwas schiefgeht?«

»Was soll schiefgehen?«, ereiferte sich Nestor Booth. »Unsere Jungs sind die Besten!«

»Denken Sie nur an den Geiselbefreiungsversuch in Teheran 1978.«

»Himmel, das ist bald ein halbes Jahrhundert her!«

»Der Einsatz gegen Osama bin Laden lief auch nicht glatt. Wir verloren einen Hubschrauber. Das hätte leicht viel böser enden können«, erinnerte Derek. »Und es gibt noch andere Beispiele, das wissen Sie sehr gut. Tun Sie nicht so, als ob derartige Aktionen ein Sonntagsspaziergang wären! Die Griechen müssen doch jeden Tag noch mehr mit so etwas rechnen! Entsprechend sehen inzwischen die Sicherheitsvorkehrungen aus!«

»Darüber lachen unsere Männer doch bloß!«

»Außerdem sehe ich die vier Stunden nicht, innerhalb derer Sie die Sache erledigt haben wollen. Wann wollen Sie denn zuschlagen?! Zur besten TV-Sendezeit? Sicher nicht! Ich tippe ja wohl eher auf mitten in der Nacht. Zwei, drei Uhr nach Mitternacht? Bis die Welt davon erfährt, ist es selbst hier in Europa Morgen.«

»Immer noch früher als die andere Variante«, entgegnete Nestor Booth.

»General«, fragte Arthur, »der Einsatz würde in der Nacht stattfinden?«

»Üblicherweise, Sir.«

»Das Gericht gab dem ICC vierundzwanzig Stunden, um den Zeugen beizuschaffen«, erinnerte Derek. »Zuletzt wurde er bei München gesehen. Das schaffen die nur, wenn er fliegt. Auto und Zug sind zu langsam beziehungsweise zu riskant, dass es zu Verspätungen kommt. Zumal die einzige Strecke, auf der er theoretisch schnell genug wäre, über Serbien führt. Das bedeutet ein Verlassen der Europäischen Union und damit Grenzkontrollen, bei denen man ihn erwischen könnte. Die Behörden der entsprechenden Länder werden wir natürlich trotzdem umgehend informieren. Einen Linienflug können Sie wegen des internationalen

Haftbefehls vergessen. Die Deutschen müssten ihn schon beim Einchecken verhaften.«

»Und wenn sie es nicht tun?«

»Wüssten wir dank der Fluggastdaten trotzdem, dass er in dem Flieger wäre. Dann müssten ihn die Griechen bei der Einreise nur noch einsammeln.«

»Das Gericht hat Anonymität und Sicherheit zugesagt«, wandte Trevor ein.

»Die griechische Regierung will die Sache doch auch beendet sehen«, sagte Derek. »Dem Innenminister ist egal, was das Gericht sagt. Er schickt seine Leute zur Einreise und fertig. Missverständnis zwischen zwei Ressorts … irgendeine Erklärung findet sich schon.«

»Selbst wenn die Griechen diesen Typen abfangen«, sagte der General, »kann er immer noch vor Gericht erscheinen.«

»Als Verhafteter?«, erwiderte Derek. »Theoretisch ja. Faktisch? Müsste man Ephramidis fragen, ob beziehungsweise wie man das verhindern kann. Wir behalten den Flugverkehr zwischen Deutschland und Griechenland im Auge. Wir stellen mehrere Teams bereit, die binnen kurzer Zeit überall im Land sein können, nicht wahr, Trevor?«

»Können wir«, sagte der Geheimdienstmann zähneknirschend.

»Sir«, ereiferte sich der General, »gestern hieß es, wenn Turner heute nicht freigelassen wird, gibt es nur mehr No oder Go! Er ist nicht frei. Das heißt, wir haben ein Go.«

»Ich darf den Präsidenten korrekt zitieren«, fuhr Derek dazwischen. »In unserer Diskussion gestern entschied er, dass der Einsatz stattfindet, falls das griechische Gericht Douglas Turners Haft heute für rechtmäßig befindet und der Auslieferung nach Den Haag zustimmt. Das hat es nicht getan.«

»Eine weitere Verzögerung war doch nicht vorgesehen!«, rief der General.

»Ich denke, der Präsident war da gestern eindeutig«, sagte Derek. »Wie sähe das aus, wenn er seine Entscheidung plötzlich revidieren würde?«

»Wenn sich die Fakten ändern, ändert man seine Meinung«, erwiderte Trevor. »Und wie machst das du?«

»Seit wann zitierst du John Maynard Keynes?«, fragte Derek.

»Keine eigenen Ideen? Die Fakten haben sich nicht geändert. Das griechische Gericht hat Turner nicht für Den Haag freigegeben. Morgen will es ihn freilassen. Nutzen wir diese Chance, ihn international zu rehabilitieren.«

»Das werden wir nicht tun«, sagte Maria auf dem Monitor. »Die Typen sind doch völlig durchgeknallt.«

Und das über Juristenkollegen. Oder gerade darum.

»Dann ist Turner morgen draußen.«

Maria blickte finster.

»Wo ist er überhaupt?«, fragte Dana. »Bekämen wir ihn rechtzeitig nach Athen?«

»Vergiss es. Ich lasse das nicht zu. Seine Sicherheit ist dort nicht gewährleistet. Auch wenn sie Anonymität und Schutz versprechen. Wahrscheinlich ist das sogar der Sinn der Aktion. Der Richter steckt mit den Amis unter einer Decke. Oder wurde vom Justizminister unter Druck gesetzt.«

»Das war es dann also?«, seufzte Dana.

»Es war ein Versuch«, sagte Maria, »bei dem wir von vornherein wussten, dass er wenig Chancen auf Verwirklichung hatte.«

»Aber der Funke einer Chance war da. Und ist es immer noch.«

»Für mich sieht es nicht so aus. Immerhin haben wir ein Zeichen gesetzt. Schade, dass ein Unterstützungsstaat des ICC nicht wagt, dasselbe zu tun. Und dabei von sämtlichen anderen Unterstützungsstaaten im Stich gelassen wird.«

»Ist nicht das erste Mal.«

»Der Zeuge hat demnach alles umsonst auf sich genommen?«, fragte Dana. »Die Drohungen seiner eigenen Landsleute, das Zurücklassen seines alten Lebens, die beständige Unsicherheit, ob er enttarnt wird, die dauernde Sorge?«

»Über die Konsequenzen wurde er oft genug aufgeklärt«, erwiderte Maria. »Auch zurückziehen hätte er sich lange genug können. Es war seine Entscheidung, uns das Video zu überlassen.«

Dana überlegte. »Sollte es dann jetzt nicht auch seine Entscheidung sein, ob alles umsonst war oder nicht?«

Steve hatte eine halbe Stunde gewartet, ob seine Verfolger noch einmal auftauchten.

Zumindest an dem Haus waren sie nicht mehr vorbeigekommen.

Vorsichtig öffnete er das schwere Tor einen Spaltbreit und warf einen Blick hinaus. Er entdeckte niemand Auffälligen.

Er nahm sein Rad, schob es hinaus. Rasch, aber nicht hektisch. Blicke links und rechts, ununterbrochen. Noch immer niemand.

Stieg auf.

Schulterblicke. Niemand schien ihm zu folgen.

Ziellos fuhr er durch die Straßen.

Das war es also.

Sein altes Leben war vorbei.

Zum zweiten Mal.

Dieses Mal endgültig.

Catherine.

Er konnte ihr nicht einmal Bescheid sagen.

Der Gedanke, sie so völlig abschiedslos und ohne Erklärungen zurückzulassen, drehte ihm den Magen um.

Er hielt zwischen zwei geparkten Autos im Schatten eines Baumes. Lehnte das Rad an den Baum. Holte sein verbliebenes Telefon aus der Bauchtasche. Wählte die eingespeicherte Nummer.

Freizeichen.

Freizeichen.

Freizeichen.

»Hier Ted. Was gibt's?«

»Offenbar existiert der internationale Haftbefehl!«, rief er zornig. Kurz schilderte er, was geschehen war. »Ich kann nicht mehr zurück«, sagte er. »Weder in die Agentur noch nach Hause. Ich brauche Schutz. Und einen Ort, wo ich hinkann. Sonst muss ich ganz untertauchen.«

Auch wenn er keine Ahnung hatte, wie er das anstellen sollte. Früher hatte er sich manchmal darüber Gedanken gemacht. Nun schon länger nicht mehr. In einer komplett vernetzten, überwachten und getrackten Welt verschwand man nicht ohne Weiteres von der Bildfläche.

Er hatte das Gefühl, diesem Ted drohen zu müssen. Zu lange hatte er ihn beschwichtigt und Steves Sorgen als übertrieben abgetan.

»Verstehe«, sagte Ted. »Normalerweise würden wir die deutschen Behörden um Schutz bitten«, sagte er. »Aber das geht nicht, wie es scheint. Ich überlege ...«

»Überlegen Sie schnell. Sonst bin ich weg. Auch für Sie.«

75

Das Taxi kämpfte sich durch Athens Innenstadtverkehr. Die herabgelassenen Fenster waren die einzige Klimaanlage.

»Kaputt«, hatte der Fahrer auf Danas Frage nach einer Lüftung mit einem Schulterzucken geantwortet. Kühlung gab es nur während der Fahrt. Gerade standen sie wieder einmal in einer der Gassen im Stau. Dana hing am Telefon. Wartete darauf, dass Ted abhob.

Endlich.

»Dana«, begrüßte er sie. »Was für ein Zufall! Wie geht es dir? Ist ja unfassbar, was da letzte Nacht passiert ist! Was macht der alte Grieche?«

»Ich bin gerade unterwegs zu ihm ins Krankenhaus«, sagte sie. »Hör zu, ich habe nicht viel Zeit. Ich brauche dringend einen Kontakt zu VidSelf. Dem Zeugen, der uns das Video mit Du-weißt-schon-wem übergeben hat.«

Turners Namen wollte sie in dem Taxi nicht nennen. Sie drehte sich um, ob sie einen Wagen wiedererkannte. Es war anzunehmen, dass US-Teams laufend an ihr dran waren. Im Taxi konnte sie die schwer abhängen.

»Nach dem du dich vorgestern erkundigt hast«, sagte Ted. »Weshalb? Du weißt, dass ich dir den nicht einfach so geben kann.«

»Du musst!«

Sie erklärte ihm, was das Gericht verlangte.

»Ich habe von Maria noch nichts gehört«, sagte Ted. »Darum müsste doch sie sich kümmern.«

»Müsste sie. Hat sie halt noch nicht. Gibst du mir den Kontakt jetzt bitte? Jede Minute zählt!«

Das Taxi war inzwischen weitergefahren. Dana war nicht besonders gut in so etwas. Sie musste davon ausgehen, dass sie beobachtet wurde. Wie sollte sie VidSelf unter diesen Umständen halbwegs sicher anrufen?

»Du kannst den nicht einfach von deinem Handy anrufen oder antexten. Zu riskant, dass du abgehört wirst. Außerdem gibt es ein ganz anderes Problem.«

»Problem?«, fragte Dana alarmiert. »Was für ein Problem?«

»VidSelf wurde in den vergangenen Tagen von irgendjemandem beobachtet und erhielt eindeutige Drohanrufe. Offenbar haben ihn die Amerikaner identifiziert. Oder sie haben ihn zumindest unter Verdacht und haben versucht, ihn unter Druck zu setzen, damit er einen Fehler macht. Heute wollten ihn dann angeblich Polizisten verhaften.«

Danas Magen fraß sich selbst.

»Wo ist er?!«

»Das weiß ich nicht. Er ist untergetaucht. Wir haben vor Kurzem telefoniert. Er will Schutz. So spontan konnte ich ihm nichts anbieten, vor allem auch wegen des internationalen Haftbefehls. Da geht es tatsächlich um ihn, aber das habe ich ihm noch gar nicht gesagt. Im schlimmsten Fall will er ganz verschwinden und den Kontakt abbrechen.«

»Umso dringender muss ich ihn erreichen!«

»Er will untertauchen und Schutz. Du willst ihn in Athen vor einem Gericht. Du erkennst schon, dass das ziemlich entgegengesetzte Ideen sind?«

»Ted, wir haben nicht Jahre an diesem Projekt gearbeitet, um jetzt aufzugeben. VidSelf hat all das nicht auf sich genommen, damit Du-weißt-schon-wer jetzt freikommt. Ich muss ihn unbedingt sprechen!«

»Vielleicht hat er seine Meinung geändert. Wäre nicht verwunderlich, nach dem, was dir vergangene Nacht geschehen ist.«

»Trotzdem mache ich weiter. Er muss wenigstens wissen, was vor sich geht. Und welche Rolle er darin spielt!«

»Ich kann versuchen, ihm das mitzuteilen.«

»Wenn es gar nicht anders geht. Aber ich würde es gern selbst tun. Ich bin hier vor Ort. Ich habe alles miterlebt. Wenn er Fragen hat, kann ich sie gleich beantworten. Du müsstest wieder bei mir rückfragen. Das kostet alles zu viel Zeit. Schon dieses Gespräch. Bitte, Ted!«

»Himmel, Dana, wir haben Regeln! Ich rede mit Maria.«

»Das dauert zu lange, Ted! Zur Not frag lieber VidSelf, ob er mit mir reden würde! Bevor er uns komplett verschwindet! Zeit, Ted! Wir haben keine Zeit mehr!«

Für den Lidstrich beugte sich Catherine näher an den Spiegel. Steve war immer noch nicht da. Linkes Lid. Rechtes Lid. Ein letzter Blick. Passte.

Wo war der Kerl?

Im Vorzimmer schlüpfte sie in ihre Jacke und warf die Handtasche um. Genervt wählte sie Steves Nummer auf dem Telefon. Niemand hob ab. Dann die Mailbox. Catherine rief in der Agentur an.

»Ist Steve noch da?«, fragte sie, als sich jemand meldete. Der Empfang war um diese Zeit nicht mehr besetzt.

»Ich sehe kurz nach«, sagte die Frauenstimme.

Kurzes Klappern.

»Nein. Aber auf seinem Platz liegen ein Telefon und eine Messengerbag.«

»Blaugrün?«

»Ja.«

»Das ist seine. Ist er vielleicht auf der Toilette?«

»Augenblick.«

Wieder Stille. In den vergangenen Tagen war er nicht gut drauf gewesen. Die Diskussionen wegen Kindern. Er mochte sie nicht. Cath gab das schon länger zu denken. Was sagte das über ihre Beziehung aus?

»Ich habe geklopft und gerufen«, erklärte die Stimme in ihrem Telefon. »Da ist niemand.«

»Aber wenn seine Tasche und das Telefon doch noch da sind?«

»Ich weiß auch nicht.«

»Richten Sie ihm bitte aus, dass Catherine angerufen hat, falls Sie ihn sehen. Er weiß dann schon Bescheid.«

»In Ordnung.«

Noch einmal wählte Cath seine Nummer. Wartete auf die Mailbox.

»Falls du dein Telefon in der Agentur vergessen hast und bereits auf dem Weg nach Hause oder zu Delli und Emil bist, hat sich die Nachricht erübrigt. Falls nicht und du vergessen oder einen besonders guten Grund hast, warum du weder da bist noch dich meldest, hier die Erinnerung. Wir sind jetzt gleich bei den beiden eingeladen. Ich mache mich schon mal auf den Weg. Ich treffe dich dann dort.«

Sie beendete die Verbindung. Der Abend begann ja gut.

Dana nahm den Hörer in die Hand. Ein ungewohntes Gefühl. Wann hatte sie zuletzt über ein öffentliches Münztelefon gesprochen? Vier Plexiglasbubbles nebeneinander in der Eingangshalle des Krankenhauses. Dass so etwas überhaupt noch existierte. Mit Münzeinwurf! Sie könnte auch mit Karte zahlen. Konnte sie nicht. Ihre waren schließlich gesperrt. Noch einmal sah sie sich um. Niemand schien ihr in das Gebäude gefolgt zu sein. Keine unauffällig herumlungernden Personen. Menschen liefen an ihr vorbei. Besuchten Patienten. Holten sie ab. Vereinzelte Patienten in Nachthemden vertraten sich die Beine. Medizinisches Personal in weißen Kitteln eilte umher. Falls sie Verfolger hatte, mussten die annehmen, dass sie Vassilios besuchte. Und sie warteten draußen?

Sie warf die Münzen ein und wählte die Nummer.

Steve starrte aus dem Zugfenster, ohne die Landschaft draußen wahrzunehmen. Seine Gedanken waren überall und nirgends. Bei Cath. Seinen Eltern. Dem verhängnisvollen Nachmittag in Berkeley. Den geheimen Besprechungen danach.

Da saß er nun wieder, wie vor drei Jahren im Flugzeug von Los Angeles nach Frankfurt, und starrte aus einem Fenster, vor dem eine Landschaft vorbeifloh. So wie er.

Der Himmel war damals wie immer blau gewesen, seine Zukunft nebelig. Zuerst wollte er nach Berlin. Dann würde er sehen. Vielleicht Amsterdam. Oder Barcelona. Antwerpen. Irgendwohin, wo etwas passierte, Neues entstand. Leben, Aufbruch. Insgeheim hatte er auf eine längere Reise gehofft. Wanderjahre. Die irgendwann jedoch enden würden mit einer Rückkehr. Bis er sich bei Catherine angekommen gefühlt hatte. Nicht mehr an eine Weiterreise gedacht hatte. Irgendwann sogar den permanenten Schulterblick vergessen hatte. Nie war in der Öffentlichkeit über Ermittlungen gegen Turner berichtet worden. Steve hatte geglaubt, dass es vorbei sei. Dass er ein fast normales Leben würde führen können.

Er schreckte zusammen, als der Burner zu summen begann. Die Nummer kannte er nicht. Plusnulldreinull. Welche Landesvorwahl war das? Einen Moment zögerte er. Ted hatte ihm versichert, dass nur die Zeugenschutzabteilung des ICC die Nummer kannte!

Er nahm das Gespräch an.

»Dana Marin!«, sagte eine aufgeregte Frauenstimme. »Gott sei Dank melden Sie sich!«

Steves Magen war ein Säurebad. Was war geschehen? Wer war Dana Marin? Eine dunkle Erinnerung. Dann die Klarheit: die Frau, die Turner in Athen verhaftet hatte!

»Sie haben mich vor einigen Jahren beim Stimmvergleich Ihres Videos für die Gutachten des ICC kennengelernt«, sagte sie. »Ich war die Frau, die mit Ted Valenski dabei war. Ich kenne Sie nur als VidSelf.« Ihre Stimme klang irgendwie leise. Als müsste sie beim Sprechen vorsichtig sein.

»Warum soll ich Ihnen das glauben?«, fragte Steve alarmiert. »Von wem haben Sie diese Nummer?«

»Von Ted«, sagte die Frau. »Sie waren damals in Begleitung Ihrer Rechtsvertreter Frank Adams und Ann Fillson. Der zweite Gutachter hatte diesen ausgepolsterten Koffer für seine Geräte. Danach übergab Ihnen Ted ein Telefon. Ich weiß nicht, ob es dasselbe ist, auf dem ich Sie jetzt erreiche. Genügt das?«

Steve versuchte, sich zu erinnern. Die Beschreibungen stimmten. Wenn sie nicht Dana Marin war, konnte sie dann von Frank und Ann wissen? Von dem gepolsterten Koffer? Solche verwendeten diese Techniker wohl öfter. Franks und Anns Rolle konnte sie erraten haben? Ted Valenskis Namen ebenso wie den von Dana Marin selbst …

»Frank Adams schüttete seinen halb vollen Kaffeebecher aus«, fügte sie schnell hinzu, als wäre ihr das gerade erst eingefallen. »Fast wäre der Kaffee über das Aufnahmegerät gelaufen.«

Steve lief es kalt über den Rücken. Gleichzeitig machte sein Herz einen kleinen Sprung. Auch er hatte dieses Detail fast vergessen. Das konnte nur jemand wissen, der dabei gewesen war!

»Dana Marin«, sagte er. »Die Dana Marin, die bei Douglas Turners Verhaftung in Athen dabei war? Auf die gestern ein Anschlag verübt wurde?«

»Ja. Wo sind Sie?«, fragte Dana.

Steve spürte Misstrauen in sich aufsteigen.

Schließlich: »Weshalb wollen Sie das wissen?«

»Es ist ... Wir haben ein Problem.«

»Ich weiß«, erwiderte Steve kühl. »Ich bin untergetaucht und auf der Flucht. Wenn ich erwischt werde, wandere ich lebenslang in den Knast. Bestenfalls. Sie wurden vergangene Nacht fast in die Luft gejagt. Wir haben uns mit jemandem weit über unserer Kragenweite angelegt.«

Dana schwieg für einen Moment.

»Der griechische Richter, der über Douglas Turners Auslieferung nach Den Haag entscheidet, legt es darauf an, ihn freizulassen. Wir mussten ihm bereits das Video zeigen. Und wir haben ihm die Gutachten über dessen Echtheit vorgelegt. Beides genügt ihm nicht.« Sie machte eine Pause, bevor sie fortfuhr: »Er möchte Sie persönlich sprechen. Möchte Sie sehen und Ihre Stimme hören. Erst dann glaubt er, dass das Video echt ist.«

Steve blickte aus dem Fenster. Draußen zog Deutschland vorbei.

»Ich bin auf dem Weg nach Den Haag.«

»Wo? Wie reisen Sie?«

»Deutschland.« Genauer wollte er nicht werden. »Im Zug. Die einzige Möglichkeit, anonym zu reisen. In der Hoffnung, dort Schutz zu bekommen. Und jetzt soll ich nach Athen kommen?«

»Innerhalb der nächsten zweiundzwanzig Stunden. Wo sind Sie jetzt?«

Schweigen auf Steves Seite. Bis er fragte: »Ist das ein Scherz? Dazu müsste ich fliegen. Wahrscheinlich werde ich schon beim Check-in verhaftet, spätestens beim Sicherheitscheck. Oder ich muss in den nächsten Zug steigen. Oder hätten Sie jemanden in meiner Nähe mit einem unverdächtigen Auto, der mich mal eben quer über den Balkan fährt? Weil: Mietwagen kommt auch nicht infrage. Da würden sofort zu viele Daten von mir in den Systemen herumschwirren. Name, Kreditkartennummer, Sie wissen schon. Und selbst dann: Ich weiß nicht, ob man es per Auto in der Zeit von hier nach Athen schafft.«

»Daran arbeite ich noch«, antwortete Dana.

Vor dem Fenster verschwamm die Landschaft.

»Sie sagen selbst«, sagte Steve endlich, »dass der Richter Turner freilassen will. Wenn er das will, wird er das auch tun. Ob ich da nun auftauche oder nicht. Er wird einen anderen Vorwand finden. Und ich bin in die Falle gelaufen.«

»Das Gericht garantiert Ihre Sicherheit und Anonymität gegenüber den Amerikanern.«

»Das glauben Sie doch selbst nicht.«

»Dann hätte ich Sie nicht kontaktiert.«

»Wie wollen die das tun?«

»Bei Ankunft werden Sie in einen Safe Place gebracht. Eine Wohnung oder ein Haus. Dort bewacht. Zum Gericht gebracht, dort hinter einem Paravent von den Richtern befragt. Danach wieder weggebracht.«

»Und wer sagt, dass nicht irgendein griechischer Verantwortlicher alles an meine lieben Landsleute durchsticht? Und ich doch gefunden werden? Womöglich vor meiner Aussage? Und ich mich plötzlich in einem Flieger in die USA befinde, wo ich direkt in eine Zelle wandere?«

»Wir sind hier in keinem Agentenfilm.«

»Sagt die Frau, die gestern fast verbrannt wurde. Im Prinzip müssten meine lieben Landsleute nur verhindern, dass ich rechtzeitig vor Gericht erscheine.«

»Auch die Griechen haben ein Interesse daran, nicht als völlige Bananenrepublik dazustehen.«

Steve dachte nach.

»Wenn mich meine lieben Landsleute erwischen, kann ich kein

Zeuge mehr sein. Nicht einmal ein anonymer. Dann bin ich nur mehr ein Häftling. Oder tot.«

»Wenn Sie nicht kommen, verlässt Douglas Turner in zweiundzwanzig Stunden das Gefängnis als freier Mann«, sagte Dana. »Dann war alles umsonst. Alles, was Sie auf sich genommen haben. Und es wird nicht vorbei sein, ob Sie nun kommen oder nicht. Auch wenn Turner entlassen wird, bleiben Sie der Whistleblower. Mit allen Konsequenzen. Nur wenn Sie nach Athen kommen, hat das alles einen Sinn gehabt.«

Guter Punkt. Hatte das alles überhaupt einen Sinn?, fragte sich Steve, während er aus dem Fenster starrte, ohne die Landschaft draußen wahrzunehmen.

76

Vassilios sah blass aus. Aus seiner Nase wuchsen zwei Plastikschläuche. Seine Augen funkelten.

»Dieser Bastard!«, krächzte er und meinte den Vorsitzenden des Berufungsgerichts, Konstantinos Konstanidis. »War immer schon ein Wiesel! So ist er auch ganz nach oben gekommen.«

Er musste unterbrechen, um Luft zu holen. Hustete.

»Hat sich also herausgewunden«, fuhr er mit seiner heiseren Tirade fort. »Nach den Fotos von ihm beim Justizminister gestern Abend konnte er Turner natürlich nicht völlig umstandslos entlassen. Also stellte er unerfüllbare Bedingungen.«

Musste wieder husten. Wackelte mit seinem Zeigefinger Richtung seines metallenen Krankenhausnachttischchens.

»Mein Telefon«, keuchte er.

Dana reichte ihm das Gerät. Das Display war zersprungen. Er drückte den Daumen auf den einzigen Knopf, um es zu entsichern. Ließ die Hand wieder auf das Bett fallen. Er wirkte sehr schwach.

»Alles in Ordnung?«, fragte Dana besorgt.

»Such einen Kontakt«, forderte er schwer atmend anstelle einer Antwort. »Jochen Finkaus.«

Dana tat wie ihr geheißen. Da war er.

»Ruf ihn an. Von einem sicheren Telefon. Oder einem öffentlichen, an dem dich niemand sieht. Sag ihm, was Sache ist. Ein alter Freund, der mir noch einen Gefallen schuldet. Dem die Geschichte außerdem Spaß macht, wie ich ihn einschätze. Wenn dir jemand den Zeugen bringen kann, dann er.«

Hustenanfall.

Als er sich endlich davon erholt hatte, scheuchte er sie mit geschlossenen Augen und einer Handbewegung davon.

»Nun mach schon, dass du wegkommst!«, ächzte er. »Du hast keine Zeit zu verlieren!«

Dana sprang auf. Zögerte kurz. Beugte sich vor und drückte ihm einen Kuss auf die Stirn.

»Danke!«, flüsterte sie. »Für alles! Gute Besserung!«

Schon auf dem Weg aus dem Zimmer hatte sie ihr eigenes Telefon wieder in der Hand. Kurz schwebte ihr Finger über dem Screen. Dann tippte sie den Chat an.

Entdeckte, dass Alex ihr vor einer halben Stunde eine Nachricht geschickt hatte. Wohl kurz nachdem die Nachricht von Turners Haftverlängerung öffentlich geworden war.

Glückwunsch!

Rasch tippte sie im Gehen.

Sorry für mein Verhalten gestern! Aber du musst verstehen. Danke für die Infos heute Morgen! Waren sehr hilfreich! Würdest du mir noch einmal helfen?

Noch atemlos vom Treppensteigen, stand Catherine vor der Tür im Dachgeschoss, als Delli öffnete. Sie war eine kleine hübsche Brünette mit großen braunen Augen, die immer erstaunt dreinblickten.

»Guten Abend«, keuchte Catherine wegen der Treppen. »Ich bin allein, Steve verspätet sich. Kommt aber sicher gleich.«

Hinter Delli tauchte Emil auf. Ein langer Lulatsch mit blonden Locken bis zu den Schultern und viel zu viel Bart.

»Da bin ich mir nicht so sicher«, sagte er.

Verwundert wandte sich Delli zu ihm um.

»Was ist los?«, fragte sie.

»Sorry«, sagte Emil zu Catherine, »komm erst einmal rein.«

Verwirrt folgte Catherine der Aufforderung.

Umarmung, Küsschen. Catherine überreichte Delli den Wein und Emil die Schokolade. Sie war unsicher, was Emil ihr sagen wollte.

»Was meinst du?«, fragte sie ihn.

Sie gingen in die Wohnküche. Auf dem großen Esstisch stand sein iPad.

»Das explodiert gerade auf allen Kanälen«, sagte er.

Auf dem Bildschirm war ein großes Porträt von Steve zu sehen. Ein paar Jahre jünger, aber eindeutig Steve.

»Was soll das?«, fragte Catherine und spürte die Hitze in ihren Kopf steigen.

Emil schob das Bild nach oben, eine Schlagzeile erschien.

10 Millionen Dollar für diesen Mann!

»Wie es scheint«, meinte Emil, während Catherine den Text überflog, »haben die USA ein Kopfgeld von zehn Millionen Dollar auf Steve ausgesetzt.«

Catherine wurde schwindelig.

»Was soll das ...«, flüsterte sie fassungslos. »Steve? Warum?«

»Er soll Staatsgeheimnisse verraten haben. Seit heute Nachmittag sei er untergetaucht und auf der Flucht. Für Hinweise, die zu seiner Verhaftung führen, werden zehn Millionen Dollar geboten.«

»Das kann doch nicht sein. Steve? Was für Geheimnisse? Woher soll er die haben? Die Agentur hat doch nichts mit staatlichen Projekten zu tun. Schon gar nicht amerikanischen ...«

»Die Spekulationen blühen«, sagte Emil und wischte über den Schirm, rief andere Berichte auf. Auch sie mit Bildern von Steve.

Whistleblower?, fragte eine Schlagzeile.

Lieferte er die Smoking Gun für Douglas Turners Verhaftung?, eine andere.

Catherine musste sich setzen. Mit beiden Händen hielt sie sich am Tisch fest. Erfasste nur einzelne Stichworte der Artikel.

Mutmaßungen. Verdacht. Zusammenhang mit Turners Verhaftung nicht erwiesen. Auch nicht dementiert. Zeitliche Nähe auffällig.

»Geht's?«, fragte Emil.

»Doofe Frage«, zischte Delli. »Nichts geht, siehst du doch.«

»Verschwunden?!«, rief Walter. »Wie kann sie verschwinden?«

Derek stand neben dem CIA-Stationsleiter im Lagezentrum. Das Telefon war auf laut gestellt, sodass alle mithören konnten.

Auf einem der Monitore poppten hintereinander mehrere Bilder auf. Eine der schmalen Straßen in der Athener Innenstadt.

Auf dem ersten Bild war Dana Marin von hinten zu sehen. Inzwischen hätte Derek Endvor sie wohl von allen Seiten und selbst im Dunkeln erkannt. Eine Hand am Ohr. Telefonierte. Auf dem nächsten Bild verschwand sie in einem Hauseingang. Die nächsten drei Bilder zeigten verschachtelte Innenhöfe mit verschiedenen Ausgängen.

»Hier«, erklärte die Stimme des Beschatters aus dem Telefon. »Wenn man sich hier auskennt, findet man einen Weg durch das Labyrinth. So schnell konnten wir gar nicht drin sein.«

»Verdammt!«, rief Walter. »Finden Sie!«

Er beendete die Verbindung.

»Die glauben doch nicht ernsthaft, Steve Donner bis morgen hierherzuschaffen?«, sagte Trevor.

»Die haben Turner ins Gefängnis gebracht«, sagte Derek. »Und bis jetzt drinnen halten können.«

Er hatte diese Frau unterschätzt. So etwas von. Seine Wut mischte sich mit Respekt.

»Weiß der Teufel, was die noch in petto haben.«

Am Hauptbahnhof in Frankfurt am Main verließ Steve den Zug. So lautete Dana Marins Anweisung. Er hielt Ausschau nach dem Mann, den sie ihm beschrieben hatte. Er sollte am Treppenabgang auf Steve warten. Mittelgroß, sehnig, braun gebrannt. Grüne Jacke. Jochen.

Steve entdeckte jemanden, auf den die Beschreibung passte.

»VidSelf?«, sprach er Steve an.

»Jochen?«

Der Mann reichte ihm eine Schirmkappe und eine Sonnenbrille.

»Ihr Gesicht ist überall«, sagte er in akzentfreiem Englisch.

Steve setzte beides auf.

»Gehen wir.«

Jochen fuhr einen Lamborghini Countach.

»Sehr unauffällig«, bemerkte Steve.

»Damit rechnen Ihre Verfolger nicht«, erwiderte Jochen. »Wer erwartet einen Flüchtigen in einem Lambo? Obwohl, bei der Prominenz, die Sie inzwischen haben ...«

»Sie meinen die zehn Millionen.«

»Brauche ich nicht.«

»Sehe ich«, sagte Steve, während er sich im Wagen umblickte.

»Ihretwegen schicken die Amis inzwischen auch Kriegsschiffe zu den türkischen, griechischen und französischen, die sich im östlichen Mittelmeer belauern. Kindsköpfe, allesamt.«

»Nicht meinetwegen.«

»Aber irgendeine entscheidende Rolle spielen Sie in der ganzen Sache.« Er winkte ab, bevor Steve etwas sagen konnte. »Will es gar nicht so genau wissen. Warum müssen sich erwachsene Männer immer noch benehmen wie im Kindergarten? Bloß mit Flugzeugträgern und Bombern statt mit hohlen Plastikhämmern.«

Jochen steuerte den Wagen aus der Stadt.

»Wir fliegen bis Sarajevo«, erklärte er. »Dort machen wir einen Zwischenstopp. Klo und Tanken. In zwölf bis vierzehn Stunden sollten wir in Athen sein.«

»Warum tun Sie das?«, fragte Steve.

»Dasselbe könnte ich Sie fragen.«

»Fair enough. Aber Sie steckten bis jetzt nicht mit drin.«

»Wir stecken da alle mit drin. Außerdem fliege ich gern.«

»Sie gehen ein ziemliches Risiko ein.«

»Nein, ich bin ein erfahrener Pilot.«

»Ich meine ...«

»War 'n Scherz. Ich finde das ziemlich cool, was da gerade abgeht. Muss man unterstützen. Und ich kann es mir leisten.«

Schwungvoll parkte er den Wagen vor einem kleinen Flughafen für Hobbypiloten. An der Start- und Landebahn stand eine Art größerer Kiosk. Daneben parkte ein Dutzend kleiner Propellermaschinen. Mit so einer sollten sie halb Europa überqueren?

»Da sind wir«, sagte Jochen.

Aus dem kleinen Kofferraum im Heck des Wagens nahm er eine Reisetasche. Mit langen Schritten liefen sie zu einer der Maschinen.

»Cessna 635«, sagte er. »Vier Plätze, etwa zweihundertachtzig Stundenkilometer, Reichweite gut tausendfünfhundert Kilometer – mein Modell hier.«

Türen auf, Tasche hinein.

»Sind Sie schon einmal mit so einer geflogen?«, fragte Jochen.

»Nein«, gestand Steve, während er auf den Sozius kletterte.

»Es ist großartig«, sagte Jochen, »Sie werden sehen.«

»Dann los«, sagte Manolis und klopfte auf das Dach der Klapperkiste. Alex saß am Steuer, Dana auf dem Beifahrersitz. Tania hatte etwa dieselbe Konfektionsgröße wie Dana und ihr Jeans und T-Shirt geliehen. Von der Armatur schälte sich in zahlreichen kleinen Fetzen eine dunkelgraue Schicht wie nach einem bösen Sonnenbrand und gab darunter eine Schicht in einem helleren Grau frei. Das Lenkrad war so abgegriffen wie der Schaltknüppel und die Handbremse. Die Sitzüberzüge waren überzogen von Flecken aller Art und Zigarettenbrandlöchern. Außen sah die Karre nicht besser aus. Einstmals rot, ähnelte die Farbe an den meisten Stellen nunmehr einem blassen Orangerosa. Bis auf den linken vorderen Kotflügel. Der war dunkelgrün. Und die Hecktür. Dunkelblau. Oder etwas Ähnliches. Auch egal. Im Dunkeln sah man das alles ohnehin nicht so genau. Damit sollten sie dreihundert Kilometer schaffen? Und zurück?

»Schau nicht so«, lachte Alex. »Ist ein zuverlässiges Baby.«

Er warf den Motor an, schob krachend den ersten Gang rein, schaltete die Scheinwerfer ein. Im Lichtstrahl leuchteten Stavros, Dimitrios und Tania noch einmal auf. Lachend sprangen sie zur Seite. So lustig fand Dana das alles nicht. Aber die Leichtigkeit und Unbedarftheit der Truppe steckte sie doch ein wenig an. Alex fuhr los.

»Ach«, sagte er und fingerte sein Telefon aus der Hosentasche. »Der Wagen hat zwar keine Elektronik, die man orten könnte. Aber eine gute Musikanlage. Hier, such eine anständige Playlist. Wir haben eine lange Fahrt vor uns.«

77

Steve erwachte von einem Ruck, der ihn durchschüttelte.

»Pinkelpause«, verkündete die Stimme neben ihm.

Draußen war es dunkel. Nur vor ihnen raste im schwachen Licht eines Scheinwerfers eine Straße dahin. Eine Landebahn.

Steve brauchte ein paar Sekunden, bis er sich zurechtfand.

Jochen.

»Sind wir schon in Sarajevo?«, fragte er.

»Ebenda«, sagte Jochen. Die Maschine rollte auf den kleinen Terminal zu, bog aber vorher ab. Jochen parkte sie neben anderen Propellerflugzeugen.

Ein Mann kam ihnen aus der Dunkelheit entgegen.

Jochen stieg aus und gab ihm Anweisungen, während Steve ihm nach draußen folgte. Dabei achtete er darauf, sein Gesicht dem Fremden nicht direkt zuzuwenden. Erst jetzt entdeckte Steve, dass der Mann einen dicken Schlauch in der Hand hielt. Er warf nur einen kurzen Blick auf Steve, dann widmete er sich der Betankung des Fliegers.

»Gehen wir«, sagte Jochen und steuerte auf den Terminal zu.

»Das ist wie bei einem Auto«, stellte Steve verwundert fest.

»Mehr oder minder. In ein paar Minuten können wir weiter. Sollten wir auch, bevor es zu spät wird und wir keine Starterlaubnis mehr bekommen.«

Im Terminal war kaum ein Mensch. Ein Typ saß verloren auf

einer Bank und las auf seinem Telefon. Ein Securitymann spazierte durch die Flure und beachtete sie nicht weiter. Zwei Männer vom Reinigungspersonal standen neben einem großen Putztrolley und tauchten ihre Scheuerlappen mit überschaubarem Eifer in den Wassereimer.

In der Toilette waren sie allein. Jochen verschwand in einer Kabine. Steve stellte sich ans Pissoir. Er war mitten in seinem Geschäft, als noch jemand das Klo betrat. Der Securitymann, erkannte Steve aus den Augenwinkeln, als sich der Mann drei Pissoirschalen weiter hinstellte. Er schien sich nicht für Steve zu interessieren. Warf nur einen kurzen Blick herüber und widmete sich dann wieder seinem Hosenstall. Trotzdem wandte Steve das Gesicht ein wenig ab.

Er war zuerst fertig und wusch sich die Hände. Da kam auch Jochen aus seiner Kabine. Gemeinsam verließen sie die Räumlichkeiten.

Draußen hatte sich nichts verändert.

Der Typ saß noch immer über seinem Telefon. Die Putzmänner verteilten noch immer Wasser über den Boden. Fünf Minuten später waren Steve und Jochen zurück beim Flugzeug. Der Tankwart entfernte gerade den Schlauch. Jochen bezahlte ihn bar. Dem plötzlich freundlichen Gesicht des Mannes nach zu schließen, zuzüglich eines üppigen Trinkgelds.

»Weiter geht's«, sagte Jochen, als sie ins Cockpit kletterten. »Morgen Vormittag sind wir da.«

»Das sieht zum ersten Mal interessant aus«, sagte Walter.

Derek saß noch immer im Lagezentrum. Mit ihm waren Lilian, der CIA-Stationschef und einige seiner Leute, Trevor, Nestor und Ronald.

Seit Stunden schwemmten Meldungen von vermeintlichen Sichtungen Steve Donners herein. Langley sortierte sie vor, trotzdem waren es noch mehrere Dutzend pro Stunde. Mal mit höherer, mal mit niedrigerer Wahrscheinlichkeitsstufe ausgestattet. Viele Beobachter hatten Bilder mitgesandt. Die meisten davon unscharf.

Keiner von ihnen kannte diesen Steve Donner persönlich. Sie mussten sich demnach ebenso auf ihr Gespür und ihre Wiedererkennungsfähigkeit verlassen wie die Leute in der Zentrale mit ihren ausgeklügelten Programmen für Gesichtserkennung und anderen Tricks.

Die Bilder zeigten zwei Männer in einer düsteren Flughafenhalle. Eher kleiner dimensioniert, dachte Derek. Provinzflughafen oder Hauptstadt eines kleineren Staats.

»Die Bilder stammen aus Sarajevo«, bestätigte Walter Dereks Vermutung.

Einer der beiden Männer war definitiv nicht Steve Donner.

Der andere vielleicht.

Walter rief weitere Bilder auf.

»Hier gehen sie auf die Toilette«, sagte er. »Und hier kommen sie wieder.«

Er zoomte in einem Bild auf das Gesicht des linken Mannes.

»Das könnte er wirklich sein«, sagte Trevor.

»Kommt den Bildern, die wir von ihm haben, zumindest bisher am nächsten«, sagte Walter. »Meinen auch die Programme.«

Noch mehr Bilder. Die zwei Männer von hinten. Wie sie das Gebäude verließen. Im spärlichen Licht eines Scheinwerfers über das Freigelände liefen. An einem kleinen Propellerflugzeug anhielten, das gerade betankt wurde. Eine Cessna, wenn Derek die Maschine richtig erkannte.

»Wir haben in Sarajevo die Flugdaten abgefragt«, erklärte Walter. »Die Maschine kommt aus der Nähe von Frankfurt.«

»Wer ist der andere Typ?«

»Ein gewisser Jochen Finkaus. Hat ein Vermögen mit Kryptowährungen gemacht. Gefällt sich jetzt als bourgeoiser Punk und Business-Angel für radikale Konzepte. Ihm gehört auch die Maschine.«

»Mehr als die popelige Cessna kann der sich nicht leisten? Wohin wollen sie damit?«

»Nach Thessaloniki.«

»Nicht Athen?«

»Vielleicht ein Ablenkungsmanöver. Oder sie rechnen damit, dass wir nur Athen überwachen.«

»Tun wir das denn?«

»Allein in Athen und Umgebung gibt es vier Flughäfen. Natürlich haben wir die Behörden informiert. Und schicken zu jedem Flughafen einen Mann, wenn es Zeit wird. Aber das können wir natürlich nicht für jeden griechischen Provinzflughafen leisten.«

»Was ist also der Plan?«

»Athener Airports und die größeren in einem Radius von fünf Autofahrstunden. Außerdem sind, wie gesagt, die griechischen Behörden informiert. Falls wir ihn finden, platzieren wir morgen rund um das Gericht Teams.«

»Das wird heikel. Zugriff am helllichten Tag in einem befreundeten Land?«

»So sehen uns hier viele ohnehin nicht mehr. Speziell nach den Ereignissen von gestern Nacht. Da ist es auch schon egal.«

»Himmel, ist es nicht, im Gegenteil!«

»Haben Sie eine bessere Idee?«

Nicht auf Anhieb, gestand sich Derek ein.

»Haben Sie Dana Marin schon gefunden?«

»Nein.«

»Können wir ihre Telefone orten?«

»Bislang nicht.«

Derek verdrehte die Augen.

78

Unter ihnen wechselten sich bewaldete und steinige Gebirgszüge ab, als Jochen zum Funkgerät griff.

»Tower Volos Airport, hier ist Delta-Echo-Charlie-Alpha-Papa. Bitte kommen.«

Nach ein paar Sekunden meldete sich eine krachende Stimme:

»Delta-Echo-Charlie-Alpha-Papa, hier Tower Volos Airport.«

»Delta-Echo-Charlie-Alpha-Papa von Sarajevo, mit Kurs nach Athen. Melde einen kurzfristigen Bedarf für einen Tankstopp. Erbitte Landeerlaubnis.«

»Hier Volos. Landeerlaubnis erteilt.«

»Danke. Bis gleich.«

Ein paar Minuten später begann Jochen, den Flieger zu senken. In der Ferne vor ihnen sah Steve bereits die Landebahn. Sie kam schnell näher. Steve suchte nach Polizeiwagen oder anderen Anzeichen eines unerwünschten Empfangskomitees. Er entdeckte ein paar einmotorige Propellermaschinen und etwas, das eher wie eine Baracke aussah als ein Terminal. Daneben parkten drei Autos. Keine Polizei. So auffällig würden sie es aber wohl auch nicht anstellen.

Jochen setzte die Maschine so sanft auf, als hätte er in seinem Leben nie etwas anderes getan. Langsam rollte er aus und steuerte auf den Tankplatz neben der Baracke zu.

»Da sind wir«, sagte er.

Aus dem Schatten der Baracke löste sich eine Gestalt. Steve

hielt den Atem an. Die Person war zart und nicht groß. Sie blieb die einzige. Vielleicht verbargen sich die anderen in der Baracke. Oder auf einer der zwei Seiten, die sie beim Landeanflug nicht gesehen hatten.

Der Flieger hielt an der Zapfsäule. Noch immer nur die eine Gestalt. Auf dem Weg zu ihnen.

Der Flughafen Tatoi bestand aus einer Start- und Landebahn, neben der sich ein paar niedrige Gebäude erstreckten. Clubräume für einige der lokalen Hobbypilotenvereine. Hangars. Lagerräume. Die meisten geparkten Flugzeuge waren ein- oder zweimotorige Propellermaschinen. Zwei kleine Privatjets standen auch da. Derek, Trevor und der Botschaftsmitarbeiter, den ihnen Jeremy mitgeschickt hatte, saßen an einem der Tische des Kiosks im Freien mit Blick auf das Flugfeld. Die vier griechischen Polizisten warteten an einem der Nebentische. Ein Dach bot Schutz gegen die Sonne, aber nicht gegen die Hitze.

Die Polizisten unterhielten sich lautstark. Vor ihnen standen leere Gläser mit den Resten von Frappé und kleine Wasserflaschen.

Trevor und der Botschaftsangehörige hingen über ihren Telefonen. Wischten. Tippten. Tranken ab und zu aus ihren Limodosen.

Derek studierte die Nachrichten. Nichts Neues. Auch nicht von Dana Marin. Sie blieb verschwunden.

Am Nebentisch griff jener, der sich als Giorgos und Kommandeur der Gruppe vorgestellt hatte, nach dem Telefon, das vor ihm auf dem Tisch lag. Er sprach kurz, sah dabei zu Derek. Dann sagte er etwas zu seinen Kollegen. Sie erhoben sich und kamen zu Dereks Tisch.

»Er ist tatsächlich im Anflug«, sagte Giorgos. »Hat soeben um Landeerlaubnis gebeten. In fünf Minuten ist er da.«

Derek und die zwei anderen standen auch auf. Derek bezahlte ihre Getränke. Aus der Ferne meinte er schon den Motor zu hören.

Das Geräusch wurde schnell lauter. Dann sah er die Maschine auf die Landebahn zufliegen.

»Wir warten, bis er geparkt hat«, sagte Giorgos.

Aus dem Schatten des Kioskdachs beobachteten sie, wie die Maschine aufsetzte und Richtung Parkplätze rollte. Sie hielt zwischen den anderen Propellerflugzeugen etwa zweihundert Meter entfernt. Zwei Flieger standen davor. Derek musste ein paar Meter zur Seite treten, um das Cockpit der eben gelandeten Maschine sehen zu können. Die Pilotentür öffnete sich. Heraus kam eine schlaksige Gestalt. Zog eine Reisetasche hinter dem Sitz hervor. Warf sie über die Schulter. Schloss die Tür wieder. Machte sich auf den Weg und hielt auf sie zu.

»Der sieht aus wie Jochen Finkaus«, sagte Trevor. »Wo ist Steve Donner?«

Die Polizisten blickten Derek fragend an. Dann marschierten sie alle los.

Der Pilot musste sie sehen. Das änderte nichts an seinem Schritt. Unbeirrt lief er auf die Gebäude zu, ihnen entgegen. Als er näher kam, erkannte Derek in ihm tatsächlich einen der Männer von den Fotos aus Sarajevo wieder.

Als sie ihm auf halbem Weg begegneten, hielt der Pilot an.

»Jochen Finkaus?«, fragte Giorgos.

»Das bin ich«, sagte der Mann auf Englisch. Musterte den Polizisten von Kopf bis Fuß. »Habe ich etwas angestellt?«

»Dürfen wir kurz einen Blick in Ihr Flugzeug werfen?«, fragte Giorgos in sehr schlechtem Englisch.

Finkaus wirkte überrascht.

»Brauchen Sie dafür nicht einen Durchsuchungsbeschluss?«

»Haben Sie denn etwas zu verbergen?«

»Nein.«

»Dann wäre es am einfachsten für uns alle, Sie lassen uns einen kurzen Blick in Ihr Flugzeug werfen.«

»Wenn Sie meinen«, sagte Finkaus und wandte sich um. »Kommen Sie.«

Sie liefen hinter ihm her, an den beiden anderen Maschinen vorbei, bis sie seine erreichten.

Finkaus öffnete die Tür.

»Bitte sehr«, sagte er.

Giorgos warf einen Blick hinein. Zwei seiner Kollegen umrundeten das Cockpit und sahen von der anderen Seite hinein.

Da drinnen konnte sich niemand verstecken.

Giorgos wandte sich an Derek.

»Leer«, sagte er.

»Was haben Sie denn erwartet?«, fragte Finkaus.

Giorgos zog eines der Fotos hervor, die Derek ihm gegeben hatte. Ausdrucke der Aufnahmen aus Sarajevo.

»Diesen Mann«, sagte Giorgos. »Wie es aussieht, ist er mit Ihnen geflogen. Er wird ja wohl nicht mitten im Himmel ausgestiegen sein.«

Finkaus betrachtete das Bild. Nickte.

»Interessant«, sagte er. »Wer soll das sein?«

»Sie wissen sehr genau, wer das ist!«, fuhr Trevor ihn an. »Hören Sie auf mit Ihren Spielchen! Sie decken einen gesuchten Verbrecher!«

»Und Sie sind wer?«, fragte Finkaus.

»Das geht Sie einen feuchten Dreck an!«

»Ich weiß von keinen Verbrechen und von keiner Suche. Vielleicht klären Sie mich auf?«

»Wo ist er?«

»Ich habe keine Ahnung.«

»Kommen Sie mit«, forderte Giorgos.

»Bin ich verhaftet?«, fragte Finkaus. »Dann sollten Sie mir meine Rechte vorlesen und mich einen Anwalt besorgen lassen.«

»Diese Fotos beweisen, dass der Mann in Sarajevo mit Ihnen an

Bord gestartet ist. Sie können mit uns kooperieren, oder ich muss Sie vorläufig verhaften.«

»Meinetwegen«, sagte Finkaus, »ich habe den Mann mitgenommen, auf Bitten eines Freundes. Ich habe keine Ahnung, wer er ist oder warum Sie ihn suchen.«

»Das glaubt Ihnen kein Mensch!«, rief Trevor.

»Dann glauben Sie es eben nicht.«

»Wo ist er?!«

»Ich habe ihn aussteigen lassen«, erklärte Finkaus.

»Wo?!«

»Auf einem lokalen Flughafen. Karditsa.«

»Was macht er dort?!«

»Was weiß ich«, sagte Finkaus. »Er verabschiedete sich und ging zu dem kleinen Gebäude, das dort steht. Danach habe ich ihn nicht mehr gesehen.«

»Warum sind Sie weiter nach Athen geflogen?«

»Schöne Stadt«, sagte Finkaus. »Ich dachte, wenn ich schon in der Gegend bin, kann ich gleich ein paar Tage bleiben. Zumal hier gerade einiges los ist.«

Derek sah Trevors Kiefer mahlen. Der Typ verarschte sie. Aber sie konnten wenig tun.

»Sie haben weder beim Abflug in Deutschland noch bei der Zwischenlandung in Sarajevo angegeben, dass Sie einen Passagier haben«, sagte Derek.

»Habe ich wohl vergessen«, sagte Finkaus.

»Das ist strafbar.«

Giorgos sah Derek überrascht an.

»Womöglich haben Sie sich sogar des Menschenschmuggels strafbar gemacht«, fuhr Derek fort. »Ich denke, das genügt für eine vorläufige Haft. Es sei denn, Sie wollen uns noch mehr sagen.«

»Ich wüsste nicht, was.«

Sean kontrollierte mit Harry und Hopper zum dritten Mal an diesem Morgen die Hubschrauber. In den Maschinen hockten Bull und Dino. Prüften Waffen und Munition. Die Sonne knallte bereits auf das Metall.

Als Seans Telefon brummte.

Mahir.

Sean nahm an.

»Haltet euch bereit«, sagte der Libanese. »Um vierzehnhundert wird Turner aus dem Gefängnis zu Gericht gefahren. Das ist euer Moment.«

Sean verstand nicht.

»Bevor er zu Gericht gefahren wird?«

»Ja.«

»Habt ihr Intel, dass das Gericht die Haft bestätigen wird?«

»Ich übermittle hier nur die Botschaft«, sagte Mahir. »Vierzehnhundert, pünktlich. Turner wird in denselben Gefängnishof gebracht wie immer. Das ist euer bester Moment. Sobald er in den Bus steigt, der ihn zu Gericht bringen soll.«

»Am helllichten Tag«, sagte Sean.

»Wäre nicht das erste Mal.«

»Ich weiß. Deshalb.«

»In dem Moment rechnen sie am wenigsten damit«, sagte Mahir. »Denkt doch jeder, dass wir das Urteil jetzt noch abwarten.«

Damit könnte er richtigliegen.

Trotzdem wäre Sean ein Nachteinsatz lieber gewesen. Aber sie bekamen sehr viel Geld dafür, die Wünsche ihrer Auftraggeber zu erfüllen. Und Pläne hatten sie schließlich für alle Eventualitäten gemacht.

»Vierzehnhundert«, sagte Sean. »Wir sind da.«

79

An der Tankstelle auf dem Flughafen Volos war Steve aus dem Flugzeug gestiegen.

»Viel Glück«, wünschte Jochen.

Die Gestalt aus dem Barackenschatten hatte das Flugzeug fast erreicht. Steve erkannte die Frau. Dana Marin. Sie hatten sich vor Jahren bei der Validierung des Videos getroffen. Und in den vergangenen Tagen war ihr Gesicht überall zu sehen gewesen.

»Steve Donner«, begrüßte sie ihn.

Er nickte.

»Danke, dass Sie gekommen sind«, sagte sie. »Ich weiß, was Sie dafür auf sich genommen haben.« Sie lief an ihm vorbei. »Bin gleich wieder bei Ihnen.«

Sie eilte zum Flieger.

»Vielen Dank«, sagte sie zu Jochen Finkaus. »Das war sehr mutig von Ihnen. Fliegen Sie zurück?«

»Mal sehen«, hörte Steve Jochen sagen. »Ich war schon eine Weile nicht mehr in Athen.«

»Wohin auch immer«, sagte sie und winkte. »Guten Flug!«

Sie kehrte zu Steve zurück.

»Unser Auto steht dort drüben.«

Auf dem kleinen Parkplatz sah Steve nur drei Autos. An einem blassroten Kleinwagen, älteres Baujahr, asiatisch, lehnte ein Typ. Sein Gesicht kam Steve bekannt vor.

»Das ist Alex«, sagte Dana, als sie näher kamen. »Er gehört zu mir.«

Jetzt erinnerte sich Steve. Der Typ war mit Dana Marin in Athen gesehen worden. Und dann mit dem Leiter der US-Delegation! Steve erstarrte.

»Was macht der da? Ich habe Bilder von ihm und diesem Amerikaner gesehen!«

»Fälschungen«, sagte Alex, der ihnen entgegengekommen war, in gutem Englisch. »Kann man alles online nachlesen.«

Dana Marin sah Steve betroffen an. Sie begriff, dass sie einen Fehler gemacht hatte.

»Wir können ihm vertrauen«, sagte sie. »Hätte ich ihn sonst mitgenommen?«

»Wenn Sie mir nicht trauen, lassen Sie mich hier stehen«, schlug Alex vor.

»Sie können sofort die Behörden anrufen. Ihnen Wagentyp und Nummer durchgeben«, erwiderte Steve.

»Dann nehmen Sie mich doch besser gleich mit«, sagte Alex mit einem offenen Lächeln.

»Glauben Sie mir«, sagte Dana, »ich nehme diese ganze Scheiße hier nicht auf mich, um Ihnen eine Falle zu stellen. Das hätte ich einfacher haben können und gleich die Amis herschicken, statt die halbe Nacht durchzufahren und den Rest mit dem Versuch zu verbringen, auf einem durchgesessenen Autositz wenigstens ein paar Stunden zu schlafen.«

»Diese Rostlaube soll es mit uns dreien bis Athen schaffen?«, fragte Steve.

»Beleidigen Sie sie nicht«, sagte Alex lachend, »sonst macht sie am Ende noch Mätzchen.«

»Nein, wir wissen noch immer nicht, wo sie ist«, sagte die Stimme des Polizeichefs aus dem Telefon. Frustriert warf Michalis Stouvratos den Hörer auf die Gabel. Er hatte seine Karriere riskiert für diese Geschichte, ach was, er hatte sie ruiniert, und jetzt war diese Frau einfach verschwunden! »Sie sind ein Held!«, hatte ihm die Chefanklägerin aus Den Haag noch geschmeichelt, als er sich zu der Berufung bereit erklärt hatte. Held am Arsch.

Neben dem Telefon stapelten sich auf dem alten Schreibtisch die Unterlagen für den Termin, zu dem er in wenigen Stunden gehen sollte. Mit Dana Marin. Und vor allem mit jener geheimnisvollen Person, von der das Gericht nicht erwartete, dass sie auftauchen würde. Weil sie es nicht wagte. Weil Behörden eines der Länder, durch die sie reisen musste, den internationalen Haftbefehl exekutierten.

Noch einmal versuchte er Dana Marins persönliche Nummer.

Freizeichen.

Freizeichen.

Noch mehrmals. Bis sich die Mailboxstimme meldete.

»Stouvratos hier. Falls Sie das abhören. Wo sind Sie? Geht es Ihnen gut? Werden Sie vor Gericht erscheinen? Wird Ihr Zeuge da sein? Bitte melden Sie sich!«

Ähnliche Nachrichten hatte er seit Marins Verschwinden vier Mal hinterlassen. Er machte sich langsam Sorgen.

Den genauen Grund für die erneute Verschiebung der Gerichtsentscheidung hatten weder das Gericht selbst, noch der ICC, die Amerikaner, noch er selbst der Öffentlichkeit bekannt gegeben. Doch längst flirrten durch die Medien Gerüchte und Spekulationen, dass es etwas mit jenem Mann zu tun haben musste, dessen Konterfei ihm von seinem Bildschirm entgegenblickte.

Auf dessen Kopf die Amerikaner zehn Millionen Dollar ausgesetzt hatten.

Michalis wählte die Kontaktnummer des International Criminal Court, bei der er bereits mehrmals nachgefragt hatte. Vielleicht hatte sich Marin mittlerweile dort gemeldet.

Vor ihm leuchtete sein Mobiltelefon auf. Ein Anruf, die Nummer war unterdrückt. Er zögerte einen Moment. Dann nahm er das Gespräch an.

»Michalis Stouvratos?«, fragte eine Frauenstimme, die sehr weit weg klang, auf Englisch.

»Ja«, sagte er. Er meinte, die Stimme erkannt zu haben. »Frau Marin, sind das Sie?!«

»Ja«, sagte die Stimme.

»Wo sind Sie?«, fragte er aufgebracht, aber auch besorgt. »Ist alles in Ordnung?«

»Ich bin unterwegs«, sagte sie. »Mit unserem Zeugen. Sorgen Sie bitte dafür, dass er die Sicherheit bekommt, die ihm das Gericht zugesagt hat.«

»Ich tue, was ich kann«, stieß er erleichtert hervor. »Wann kommen Sie an?«

Doch da war die Verbindung schon wieder tot.

80

Ihr Fahrer hielt sich an keine Geschwindigkeitsbegrenzungen. Wozu besaß man Diplomatenstatus? Auf der Rückbank telefonierte Derek mit Walter.

»Die Griechen haben den Piloten erst mal mitgenommen. Aber das wird nicht viel bringen. Wir wussten, dass wir nicht alle Flughäfen sichern können. Umso mehr müssen eure Teams jetzt die Zufahrtsstraßen zum Gericht im Auge behalten. Haben wir schon eine Ahnung, in was für einem Wagen Dana Marin mit Steve Donner unterwegs sein könnte?«

»Nein«, sagte Walter. »Aber unsere Teams sind in Position. Zwei Ringe. Einer hundert bis zweihundert Meter vor dem Gericht. Der zweite unmittelbar vor den Eingängen.«

»Kooperiert die griechische Polizei?«

»Bis jetzt ja.«

»In Ordnung. Wir sind unterwegs zum Gefängnis, um Turner abzuholen. Bis später.«

Derek beendete das Gespräch und wählte erneut. Der Präsident hob nach dem zweiten Freizeichen ab. Sein Gesicht war auf Dereks Telefonschirm zu sehen. Er sah müde aus. In kurzen Worten schilderte Derek ihm die Lage.

»Der verdammte Verräter ist immer noch auf freiem Fuß und unterwegs zum Gericht?«, fragte Arthur Jones wütend. »Wozu, zum Teufel, habe ich euch da hingeschickt?«

»Er wird nicht durchkommen«, sagte Derek. »Der lokale CIA-Stationschef hat seine Teams auf allen Zufahrtsstraßen zum Gericht.«

»Und wenn sie ihn einfliegen?«

»Wir müssen ihn ja nur so lange aufhalten, bis das Ultimatum des Gerichts abgelaufen ist und es Turner freigelassen hat. Die griechischen Behörden sind auf unserer Seite.«

»Mister President«, sagte Nestor Booth, »wir sollten unser Team losschicken. Jetzt! Wir haben schon viel zu lange untätig zugesehen und uns auf die Rechtsverdreher verlassen.«

»Doch nicht jetzt«, widersprach Derek heftig. »Das wäre absurd!«

»Absurd wäre, wenn Turner wegen eines dämlichen Videos im Gefängnis bleiben und nach Den Haag ausgeliefert würde!«, rief der Präsident.

»Spätestens in dem Augenblick, in dem Steve Donner das Gericht betritt, klicken die Handschellen«, sagte Derek.

»Ich dachte, das Gericht hat seine Sicherheit garantiert«, sagte Arthur.

»Dann konnte es seine Garantie eben nicht einlösen«, erwiderte Derek. »Wir haben den griechischen Premierminister auf unserer Seite.«

Arthur stierte ihnen einen Augenblick lang wortlos entgegen. Dann sagte er: »General, Ihre Leute sollen sich bereithalten, sodass sie jederzeit losschlagen können.«

»Mister President«, wandte Nestor Booth ein, »meine Leute sind schon bereit.«

Doch da war Arthur Jones' Gesicht von Dereks Bildschirm bereits verschwunden. An seiner Stelle lasen sie nur noch »Verbindung beendet«.

In der Zelle herrschte weiterhin unerträglicher Gestank. Die Temperatur betrug sicher über dreißig Grad. Die Häftlinge lagen lethargisch auf ihren Betten. Schliefen, lasen. Wer ein Handy hatte, spielte darauf. Selbst wenn Douglas Turner in einer Einzelzelle saß, musste er das als jene Zumutung empfinden, die es auch für alle anderen in dem Gebäude war.

Der Mann saß auf seinem Bett, den Rücken an die Wand gelehnt. Studierte auf dem Telefon die Nachrichten online. Noch immer keine Neuigkeiten von dem Whistleblower, den das Gericht sehen wollte. Zehn Millionen Kopfgeld sollten ihn auffindbar machen.

Der nächste und entscheidende Gerichtstermin sollte in zwei Stunden stattfinden. Douglas Turner würde in einer bis eineinhalb Stunden abgeholt werden. Entweder er würde das Gericht danach sofort als freier Mann verlassen. Oder er würde noch einmal hergebracht werden. In diesem Fall würde der Mann wohl zu tun bekommen.

Er wechselte zu einem Spiel, als die Nachricht auf seinem Schirm erschien. Sie bestand nur aus einem Wort:

Go!

Jetzt? Wussten die anderen mehr als die Medien? War der Whistleblower zum Gericht durchgekommen? Ein ungewöhnlicher Zeitpunkt. Er wollte sicher sein.

Jetzt? Sicher?

Die Antwort kam sofort. Ein Wort:

Jetzt!

Er schrieb nur ein Wort zurück:

Okay.

Steckte das Telefon ein. Richtete sich auf. Wandte sich an seinen Nachbarn. Der lag auf seinem Bett und spielte auf seinem Telefon.

»Es geht los«, sagte der Mann.

In der nächsten Sekunde saß auch sein Nachbar.

»Das ist doch alles Scheiße hier!«, rief der Mann. »Ich lasse mir das nicht länger gefallen! Wir müssen etwas tun, damit sie uns besser behandeln!«

Er zog ein Feuerzeug aus der Tasche.

»Recht hat er!«, rief sein Nachbar. »Höchste Zeit, dass wir gegen die Zustände hier aufstehen!«

Ein paar der anderen reckten die Köpfe. Stützten sich auf.

Der Mann war schon dabei, seine Matratze vom Bett zu hieven. Er quetschte sie zwischen die Stangen des geöffneten Fensters, bis sie halb draußen hing. Dann streckte er den Arm hinaus und hielt die Flamme des Feuerzeugs an die untere Kante. Geduldig sah er zu, wie der Bezug zuerst schwarz wurde und dann zu rauchen begann.

»Kommt diese Rauchwolke vom Gefängnis?!«, rief Derek. In ihrem Rover waren sie noch etwa zwei Kilometer von der Haftanstalt entfernt.

»Die Richtung würde passen«, sagte Trevor. Und hängte sich ans Telefon.

»Was ist da los?«

Trevor und der Botschafter telefonierten hektisch.

»Eine Häftlingsrevolte«, erklärte Trevor.

»Genau jetzt, wenn wir Turner zum entscheidenden Termin abholen?«, fragte Derek. »Kann das Zufall sein?«

»Höchste Zeit, dass wir Turner da rauskriegen«, ereiferte sich Nestor Booth.

»Das versuche ich, dem Justizminister gerade zu erklären«, sagte der Botschafter. »Er wusste noch nichts von dem Aufstand.«

Derek lehnte sich nach vorn zum Fahrer.

»Beeilen Sie sich«, befahl er. »Wir müssen da möglichst schnell hin!«

Sie fuhren gerade durch eine zweispurige Straße mit Gegenverkehr. Überholen war schwierig bis unmöglich. Da versuchte es der Fahrer schon. Direkt in den Gegenverkehr. Die anderen Verkehrsteilnehmer hupten ihn empört an. Er riss das Steuer zurück. Der Rover kam ins Schleudern. Der Fahrer bekam ihn routiniert wieder unter Kontrolle. Drängte sich an den vorderen Wagen. Schob sich immer wieder so weit auf die Gegenfahrbahn, dass er den Gegenverkehr überblicken konnte.

Zu dicht.

»Ich komme da nicht durch«, sagte er.

Derek umklammerte den Haltegriff der Tür. Da mussten sie jetzt noch durch. In zwei Stunden würde alles vorbei sein.

Aus dem Helikopter erkannte Sean die Menschen auf den Dachterrassen. Sogar in den Straßen. So tief flogen sie über die Stadt. Das Knattern der Rotoren klang nur dumpf durch seine Kopfhörer. Weit vor ihnen stieg eine finstere Rauchsäule zwischen den Gebäuden auf. Legte sich schräg Richtung Osten über die Stadt. Entfernt erinnerte sie Sean an die Tornados seiner Kindheit.

In seinem Headset hörte er Dominics Stimme.

»… haben nördliche Flügel vorerst unter Kontrolle. Wachpersonal hat sich zurückgezogen. Wir heizen noch ein bisschen ein.«

»In Ordnung«, sagte Sean.

Lehnte sich zu Biff. Auf dessen Knien lag der aufgeklappte

Laptop. In den Fingern die Fernsteuerung. Auf dem Computermonitor dieselbe Perspektive, wie Sean sie gerade nach unten hatte: Straßen von oben. Anderer Ort. Das Gefängnis mit dem berühmtesten Häftling der Welt. Biff steuerte seine Drohne gelassen.

»Acht bis zehn Minuten noch«, sagte er. »Wenn nichts dazwischenkommt.«

Sean checkte seine Armbanduhr. Gab die Info an Dominic durch: »Ankunft um dreizehnhundertneunundfünfzig.«

Sogar die hochgewandten Köpfe der irritierten Bewohner konnte er kurz sehen. Dann waren sie auch schon vorbeigehuscht. Er wechselte Blicke mit Biff, Hernan und Bull. Daumen hoch. Läuft alles nach Plan. Ein Combatflug knapp über Häuserdächern regte sie schon lange nicht mehr auf. Athen war nicht Kabul. Niemand da unten würde sich etwas dabei denken. Zwei Polizeihubschrauber unterwegs ins Korydallos. Höchstens kurz über den Lärm ärgern. Wer die aktuellsten Nachrichten bereits kannte, würde sich noch weniger wundern. Aber da war der Krach schon weiter.

Die Rauchschwaden kamen tatsächlich aus dem Gefängnis. Jeremy und Trevor telefonierten noch immer. Auch der Fahrer sprach jetzt über sein Headset. Kündigte ihre Ankunft an. Sie näherten sich der Haftanstalt von hinten, wo keine Demonstranten lagerten. Vor ihnen öffneten sich die Tore. In den Hof waberten graue Schwaden. Sichtweite: vielleicht fünf Meter. Neben ihnen hielt der zweite Rover mit den anderen. Vor ihnen standen der Bus und zwei Polizeiwagen bereit, Turner abzuholen und in das Gericht zu bringen.

Polizisten. Im Abstand von zwei Metern, entlang der Wände. Die Waffen im Anschlag.

Derek sprang aus dem Wagen. Sofort musste er husten. Der

Rauch brannte in seinen Augen. Aus dem Gefängnis drang der Lärm der Revolte – brüllende Menschen, das düstere Donnern von Flammen, die ein Gebäude verzehrten, Krachen, Poltern.

Vor ihnen öffnete sich die Tür zum Gefängnis.

Zwei Polizisten – schwarz, Helme, kugelsichere Westen, Maschinenpistolen schussbereit – traten hastig ins Freie.

Sicherungsblicke links, rechts.

Daumen hoch.

Hinter ihnen kam Turner zwischen zwei weiteren Polizisten. Geduckt, Kopf zwischen den Schultern.

Da war noch ein Geräusch. Ein Flattern.

Die Rauchwolken wirbelten durch den Hof, als wedelte jemand von oben mit einem gigantischen Fächer.

Das Flattern. Ein Knattern. Hubschrauber. Derek entdeckte die Schatten in dem dunklen Rauch. Rasch senkten sie sich durch die schwarzen Wolken.

Die Rotoren der Hubschrauber verscheuchten Dominics Rauchschwaden. Am Rand des Gefängnishofs verwirbelten sie wie Dinos Löckchen.

Sean sah die Range Rover neben dem Bus und zwei Polizeiwagen stehen.

Davor stieg ein Mann in Handschellen aus dem Transporter. Dahinter zwei Polizisten in Helmen und kugelsicheren Westen. Maschinenpistolen. Hektische Blicke nach links, rechts, oben.

Erste Blicke nach oben zu ihnen. Woher kam der Lärm?

Die Polizisten da unten sahen Polizeihelikopter am Himmel über ihnen.

Alles gut.

Sean winkte mehrmals mit seinem Zeigefinger.

»Zugriff!«

Das Feuer war in einem anderen Gebäudeteil ausgebrochen, Derek hörte die Sirenen der Feuerwehr. Dank der Helikopterrotoren sah er jetzt besser. Auch die Atemluft war klarer. Trotzdem musste er noch einmal husten. Die Wachleute an den Wänden wirkten überrascht, blieben aber an ihren Plätzen. Turner und seine Begleiter waren auf halbem Weg vom Gebäude zu dem Bus. Derek wartete darauf, dass die Polizisten die Türen ihres Wagens aufrissen.

Das Helikopterdröhnen hüllte sie ein wie gigantischer Donner.

Die Polizisten blickten hoch.

Irritiert. Brüllten sich etwas zu.

Der erste Hubschrauber senkte die Kufen auf den schmutzigen Asphalt.

In den offenen Seitentüren waren Schatten zu sehen.

Der Heli landete kaum drei Meter neben dem Rover.

Der zweite auf der anderen Seite.

Blaue Maschinen.

Police.

Aus den offenen Seiten sprangen Männer mit Maschinenpistolen.

Vier Silhouetten aus den Helis hasteten zu Turner. Bedrohten seine Bewacher mit ihren SCARs. Zwei packten ihn an den Oberarmen, nahmen ihn ganz eng zwischen sich. Zerrten ihn in den Heli rechts von Derek. Turner sträubte sich, dann kam er plötzlich mit, schien sogar eifrig dabei.

Jetzt reagierten die anderen Polizisten und das Wachpersonal. Stürzten auf die Helis zu.

Von dort: blitzende Mündungsfeuer.

Der Boden des Hofs löste sich auf in kleinen Explosionen.

Aus dem Grund wuchsen Staubwolken wie winzige Vulkane.

Die Polizisten im Hof suchten Deckung, wo immer sie welche fanden. Brüllten. Hoben die Waffen. Schossen nicht. Zu groß die

Gefahr, Douglas Turner zu treffen. Die Geschosse würden spielend durch die Außenhaut des Helis dringen.

»Was, zum Teufel, soll das?!«, brüllte Derek wütend Nestor Booth an.

Der General hatte ihnen kein Wort gesagt!

Dereks Worte gingen unter im Knattern der Helikopter, die den Hof in Staubwolken tauchten, als sie abhoben.

Mit Douglas Turner an Bord.

Derek hatte das nicht angeordnet.

Die Konturen der Hubschrauber verschwammen in den Rauchwolken. Wurden kleiner. Verschwanden darin.

Nestor Booth, der General von Souda Bay, rief: »Fuck! Das waren nicht unsere Jungs!«

81

Verwirrt saß Douglas Turner neben Sean, während die Hubschrauber durch die finsteren Schwaden in den blauen Himmel schossen. Starrte die Männer mit den Sturmmasken und dem Combatgear an. Überrascht. Ängstlich?

Mit zwei routinierten Bewegungen bohrte Sean die Schlösser der Handschellen auf.

»Alles in Ordnung, Mister President?«

Dereks Blick schoss hin und her zwischen den Rauchschwaden, in denen die zwei Hubschrauber mit Turner an Bord verschwunden waren, und den Einfahrtstoren zu dem Gefängnishof, die das Personal in dem Chaos zu schließen vergessen hatte.

»Raus!«, befahl er dem Fahrer. »Los, los! Schnell!«

Der Mann schaltete sofort. Mit quietschenden Reifen jagte er den Wagen Richtung Ausgang. Ein paar Polizisten mussten sich mit Hechtsprüngen in Sicherheit bringen.

Der Fahrer des zweiten Wagens reagierte ebenso schnell. Direkt hinter ihnen. Die ersten Polizisten fingen sich. Liefen ihnen nach. Legten die Waffen an.

Wagten nicht abzudrücken.

»Scheiße, die werden denken, das waren unsere Leute«, rief Derek, während der Range Rover um die Kurve in die Straße schlingerte. Suchte am Himmel die Helis.

Zu viel Rauch.

Durch das Interkom in der Armatur drang Lilians Stimme:

»Wer war das? Unsere?«

»Nein!«, rief Booth. »Zumindest nicht meine Jungs. Die warten auf Kreta.«

»Trevor?«

»Keine Ahnung!«, brüllte der Geheimdienstmann.

»Das glaubt uns kein Mensch!«

»Lilian, Trevor, ihr checkt sofort mit D.C.! Jeremy, Sie müssen das mit den Griechen ausbügeln. Sonst kommen wir hier in Teufels Küche!«

»Das sind wir schon«, brummte der.

»Ich sehe zu, dass ich den Präsidenten informiere! Womöglich wurde Turner entführt!«

»Von wem denn?«, fragte der General.

Die anderen hatten die Augen in den Himmel gerichtet.

»Sieht jemand die Hubschrauber?«

Hinter ihnen war immer noch der Rover mit der zweiten Hälfte des Teams. Derek konnte nicht erkennen, ob die Polizei ihnen folgte.

»Haben wir schon Gesellschaft?«, fragte er.

Krachen aus dem Interkom. Dann: »Ja.«

Der Botschafter hatte sein Telefon bereits am Ohr. Herrschte jemanden an.

»Ja, es ist verdammt wichtig! Douglas Turner wurde gerade aus dem Gefängnis entführt!«

Trevor hatte sich vorgebeugt, ebenfalls das Telefon am Ohr, und suchte den Himmel ab.

»Ich glaube, ich sehe sie. Zwei Uhr.«

Mit der linken Hand klammerte sich Derek am inneren Türgriff fest. Der Fahrer trat den Wagen ans Limit und kurvte um die langsameren Wagen vor ihnen wie ein Slalomläufer, um den Hubschraubern auf den Fersen zu bleiben.

Zu dritt saßen sie auf der Rückbank ziemlich gedrängt. Sowohl der Botschafter als auch Nestor Booth waren breite Männer. Booth saß in der Mitte und stieß immer wieder gegen Derek, obwohl er sich mit einer Hand an der Rücklehne des Beifahrers zu stabilisieren suchte. Außer dem Fahrer telefonierten bereits alle anderen im Auto. McIntyre mit irgendwelchen Griechen. Nestor mit seinen Leuten auf Kreta. Er sah zu Derek.

»Sollen wir sie holen?«, fragte er. »In neunzig Minuten können sie da sein.«

Derek überlegte fieberhaft. Die Griechen mussten denken, dass die USA tatsächlich einen Einsatz gemäß American Service-Members' Protection Act durchgeführt hatten. »Den-Haag-Invasionsgesetz«. Jetzt also die Variante »Athen-Invasionsgesetz«. Auch wenn Botschafter McIntyre sie gerade vom Gegenteil zu überzeugen versuchte. Wenn der General in dieser Situation ein paar US-Helikopter mit Spezialeinheiten nach Athen fliegen ließ, würde das die Gemüter nicht gerade kühlen. Andererseits würden sie die Teams gut brauchen können, sollten sie Turners Befreier konfrontieren müssen.

Falls es so weit käme.

Sie wussten ja nicht, wer die Typen waren. Selbst wenn sie sie fanden: Was würden sie tun? Sie hatten Turner befreit. Was Derek und seine Leute über Tage versucht hatten. Wahrscheinlich brachten sie ihn zu einem Flughafen. Oder einem Boot. Oder anderweitig außer Landes. Was nicht so einfach sein würde.

»Lassen Sie Ihre Leute, wo sie sind«, antwortete er dem General. »Im Augenblick würden amerikanische Spezialeinheiten, die mit US-Militärhelikoptern in Athen einfliegen, wohl eher Öl ins Feuer gießen.«

Der General grunzte nur und widmete sich wieder seinem

Telefon. Trevor auf dem Beifahrersitz bellte Befehle. Wenn Derek sie richtig verstand, fragte er nicht nach, ob jemand von einem Einsatz wusste. Er gab jemandem ihre ungefähre Position durch und jene der Hubschrauber. Zwei kleine Punkte vor den Bergen, derzeit ein Uhr.

»Geben Sie mir Bescheid, sobald Sie die auf dem Schirm haben«, hörte Derek ihn sagen. »Spielen Sie mir die Bilder dann direkt rüber.«

Er verrenkte sein Genick, um Derek anzusehen.

»Unsere CIA-Leute in Athen schicken ein paar kleine Drohnen hoch, um den Hubschraubern zu folgen.« Er legte dem Fahrer eine Hand auf die Schulter. »Das sollte unseren Freund hier etwas entlasten, sobald sie dran sind.«

»Wohin fliegen wir?«, fragte Turner Sean.

Unter ihnen raste die Stadt dahin. Hopper steuerte Richtung Landesinnere.

»Wir bringen Sie in Sicherheit«, erwiderte Sean.

»Woher kommen Sie?«, fragte Turner. »Diese Basis auf Kreta, wie heißt sie noch mal …«

Statt einer Antwort gab Sean ihm einen Stapel zusammengefalteter Kleidung. Blaues Poloshirt, khakifarbene Chinos. Obendrauf eine dunkelblaue Schirmkappe.

»Sorry, dass ich Sie darum bitten muss. Aber Sie ziehen besser das hier an.«

Turner beäugte die Stücke skeptisch. Nickte dann aber. Zupfte an seinem groben Hemd.

»Ich bin froh, wenn ich aus dem herauskomme.«

»Wir haben hier leider keine Umkleidekabine«, sagte Sean.

»Habe ich schon bemerkt«, sagte Turner.

Dereks Linke fixierte weiterhin den Türgriff. Noch hatten sich ihnen keine Polizeisperren in den Weg gestellt.

Mit der Rechten hielt er das Telefon. Von dessen Screen sah ihm der Präsident entgegen.

»Nicht dein Ernst.«

»Doch. Trevor Strindsand sagt, von den Diensten war es niemand. Nestor Booth sagt, seine Leute waren es auch nicht. Lilian Pellago weiß ebenfalls von nichts.«

»Überrascht mich jetzt nicht«, sagte der Präsident. »Du hast den Lead. Hätten wir hier etwas entschieden, hätten wir euch vorgewarnt.«

»Das habe ich gar nicht gemeint.«

Obwohl ihm der Gedanke durch den Kopf geschossen war.

»Lilian Pellago und Botschafter McIntyre stehen bereits in Kontakt mit den griechischen Behörden«, sagte er, »und versuchen, sie zu beschwichtigen. Aber die sind natürlich misstrauisch. Es würde helfen, wenn das Außenministerium Kontakt aufnehmen und Unterstützung anbieten würde.«

»Die brauchen wir wohl eher von den Griechen, wie es scheint.«

Ronald Voight war aus dem hinteren Range Rover zugeschaltet und mischte sich jetzt ein.

»Ja. Aber so darf es nicht aussehen. Das Ganze ist natürlich ein Desaster für die Griechen. Das ist die Hauptstory. Aber die gewaltträtige Befreiung wirft in Griechenland und international ein katastrophales Bild auf uns, auf die USA.«

»Ist mir schon klar«, sagte Arthur. »Ein Drahtseilakt. Auf der einen Seite müssen wir kommunizieren, dass wir es nicht waren. Auf der anderen Seite müssen wir nicht wenigen unserer Landsleute erklären, warum wir es nicht längst genauso gemacht haben.«

»Exakt.«

»Sie schaffen das. Aber stimmen Sie sich mit dem Weißen Haus ab.«

Weg war er.

»Wir können uns schon auch ein wenig selbst helfen«, meldete Trevor vom Beifahrersitz, auf dem Schoß ein aufgeklappter Laptop. Der Monitor zeigte Luftaufnahmen.

»Das sind erste Satellitenbilder. Außerdem sind die Drohnen unterwegs zu den Hubschraubern. Ich bekomme hier schon die ersten Aufnahmen herein.«

»Was für Drohnen sind das?«, fragte der General.

»Nicht was Sie denken«, sagte Trevor. »Keine großen. Kleine Beobachter. Nicht viel größer als handelsübliches Spielzeug. Bloß viel besser und schneller.«

Derek schielte auf Trevors Bildschirm. Der General hatte von seinem Mittelplatz die beste Sicht darauf.

Trevor zeigte mit dem Finger auf zwei kleine Punkte in einem der vier offenen Bildfenster auf dem Monitor.

»Da sind sie schon.«

Im Fenster daneben war ein Straßenplan von Athen zu sehen. Darauf zwei blaue Punkte, die sich quer über das Gelände bewegten, keinen Straßenzügen folgten. Etwas südöstlich davon drei grüne Punkte. Ebenfalls unbehelligt von Straßenverläufen. Und mit einigem Abstand zwei rote. Sie schoben sich langsam eine Straße entlang.

»Die blauen sind die Hubschrauber. Die drei grünen unsere Drohnen. Und die roten, das sind wir.«

»Wohin wollen die?«, fragte Derek.

82

In den CIA-Räumen auf der obersten Etage der US-Botschaft an der Vasilissis-Sofias-Allee herrschte Hektik. Im zentralen Übersichtsraum hockten fünf Männer und drei Frauen an Tischen vor jeweils vier großen Monitoren. Drei von ihnen kümmerten sich um die Drohnen, die den Helikoptern mit Turner an Bord folgten.

CIA-Stationschef Walter Vatanen stand hinter einem der Mitarbeiter und blickte ihm über die Schulter.

»Das sind die Satellitenbilder der vergangenen Stunden«, erklärte der Mann. Er zeigte auf zwei kleine Punkte über einem Straßengewirr. Athen. »Hier sind die Helikopter im Anflug. Vier Minuten bevor sie Korydallos erreichen.« Auf einem Nachbarmonitor, der in sechs Felder geteilt war, sah Walter weitere Luftaufnahmen.

»Das sind Bilder der vergangenen Tage«, erklärte der Agent. Zeigte erneut auf verschiedene Stellen in den Fotos, die mit Datums- und Zeitmarken der letzten vier Tage ausgestattet waren. »Hier sind wieder Helis. Und hier. Wir können davon ausgehen, dass es dieselben sind.«

»Wissen wir, woher sie kommen?«

»Hier«, sagte der Mann und deutete auf herangezoomte Luftaufnahmen eines Villengebiets am Rand der Stadt. Vereinzelte Anwesen lagen in parkartigen Landschaften. Pools. Helipads. Mit einem Fingerspreizen auf seinem Trackpad zoomte der Mann auf eine der Anlagen. Ein Hubschrauber auf einem Helipad. Daneben ein zweiter in der Wiese.

»Von denen haben wir einige interessante Bilder«, erklärte der Agent. »Das hier war vor zwei Tagen.«

Die Hubschrauber standen auf dem Betonkreis und dem Rasen daneben.

Im Nachbarfenster rief er ein fast identisches Bild auf.

»Das war heute. Fällt dir was auf?«

Walter musterte die Aufnahmen kurz.

»Selbes Modell. Andere Farbe«, sagte er. Auf dem linken Bild waren die Fluggeräte weiß-orangefarben. Auf dem rechten blau. Wie die Farbe der griechischen Polizeihubschrauber.

»Und diese Bilder sind von gestern«, erklärte der Mann, während er unter den bereits gezeigten zwei weitere aufrief. Auf beiden waren die Helikopter zu sehen. Um sie kleine Punkte. Auf dem linken Bild war der auf dem Helipad geparkte Hubschrauber weiß-orangefarben. Mit einem blauen Heck. Auch Teile des Rumpfs waren bereits blau. Zwischen einem der kleinen Punkte und der Maschine schwebte eine blaue Wolke. Der Hubschrauber auf dem Rasen war weiß-orangefarben.

»Geht das noch näher?«, fragte Walter. Obwohl er wusste, was er sah.

»Näher ja, aber nicht schärfer«, erklärte der Mann.

Der Zeitstempel zeigte 09:43.

Auf dem zweiten Bild war der erste Hubschrauber bereits komplett blau, der zweite zur Hälfte. Zeitstempel 13:36.

»Man sieht es auch so«, sagte der Stationschef. »Die färben die Hubschrauber um. Das sind unsere Kandidaten. Wer sind die? Woher haben sie die Hubschrauber? Wem gehört das Haus?«

»Sandra, Adam und Peter sind dran«, erklärte der Agent.

»Wir schicken sofort jemanden hin«, erklärte Walter. »Die Griechen lassen wir vorerst noch außen vor.«

»Wir wissen, woher sie die Helikopter haben«, rief Sandra.

Walter lief zu ihrem Tisch. Auf den Monitoren waren Luftaufnahmen der Villa zu sehen. Und von einem kleinen Flughafen. Tatoi, wenn er das richtig erkannte. Wo Derek den Deutschen abgefangen hatte. Ohne Steve Donner.

Auf einem Gelände am Rand des Flugfeldes standen mehrere Helikopter, verschiedene Modelle. Der Stationsleiter zählte insgesamt dreizehn Stück. Der Zeitstempel des Bildes stammte von vor drei Tagen.

Zwei der Hubschrauber waren weiß-orangefarben. Dasselbe Modell wie jene bei der Villa.

Sandra spielte ein zweites Bild daneben. Selbe Ansicht. Anderer Zeitstempel. Gestern.

Elf Hubschrauber.

Die weiß-orangefarbenen fehlten.

»Was ist das?«

»Die Basis eines Helikopter-Charterunternehmens, das auch mit gebrauchten Helikoptern handelt.«

»Haben wir Bilder aus der Zeit, in der die Hubschrauber zu dem Anwesen geflogen wurden?«

»Leider nein. Adam checkt gerade, ob es in der Umgebung Überwachungskameras gibt, in die wir von hier hineinkommen.«

»Wir schicken Leute hin, die sich das Gelände ansehen und auch auf Kameras prüfen. Mit etwas zeitlichem Abstand geben wir der griechischen Polizei einen anonymen Hinweis. Gut gemacht. Peter, wissen wir schon etwas über die Villa?«

»Ich sehe sie nicht mehr«, hörte Derek Ronalds Stimme durch die Freisprechanlage im Wagen. Ihr Fahrer drängte den Range Rover durch eine schmale Gasse. Selbst Hupen brachte gegen den Kleinwagen vor ihnen wenig.

»Kein Problem«, sagte Trevor. Auf dem Laptop vor sich war

weiterhin die Athenkarte mit den bunten Punkten zu sehen.

»Unsere Drohnen sind dran. Aber auf der Straße werden wir sie kaum einholen.«

Er drückte einen Finger gegen sein rechtes Ohr.

»Ich bekomme neue Intel rein«, sagte er.

Auch auf Dereks Oberschenkeln lag inzwischen ein aufgeklappter Laptop.

»Über das Anwesen, von dem die Hubschrauber gestartet sind.«

Die Bilder dazu wurden auf Dereks Monitor gespielt.

Aus der Freisprechanlage tönte die Stimme des CIA-Stationschefs in Athen.

»Der Komplex gehört Spiros Perinassis.«

»Oh«, machte der Botschafter auf der anderen Seite der Rückbank. »Einem der reichsten Griechen.«

»Exakt«, bestätigte die Stimme aus der Gegensprechanlage.

»Was hat der damit zu tun?«, fragte Jeremy McIntyre.

»Können wir noch nicht sagen. Unsere ersten Informationen lauten, dass er das Anwesen seit Jahren nicht nutzt. Es wird von einer seiner Stiftungen verwaltet und gelegentlich an wohlhabende Touristen oder für Veranstaltungen vermietet. So wohl auch jetzt.«

»An wen?«, fragte Trevor.

»Laut Unterlagen an ein Reisebüro, das es im Auftrag eines reichen Klienten buchte, der aber gern anonym bleiben möchte.«

»Das wird wohl nicht klappen. Das Reisebüro schon kontaktiert?«

»Versucht. Sieht nach einer kurzfristig aufgesetzten Scheinfirma aus.«

»Und das hat die Vermieter nicht gestört?«

»Bezahlt wurde im Voraus. Für einen ganzen Monat. Da haben die nicht lange gefragt.«

»Klar. Ihr verifiziert das?«, meinte Trevor. »Ob dieser Perinassis wirklich nichts damit zu tun hat. Und wer hinter dem Scheinreisebüro steckt.«

83

Für Dana fühlte es sich immer noch seltsam an, mit Steve in einem Auto zu sitzen. Alex fuhr. Dana wischte auf ihrem sicheren Handy herum.

»Fuck!«, entfuhr es ihr fast lautlos.

»Was ist?«, fragten Alex und Steve im Chor.

»Douglas Turner wurde aus dem Gefängnis befreit«, erklärte sie tonlos.

»Wie bitte?!«

Alex verriss das Steuer bei dem instinktiven Versuch, auf ihr Handy zu sehen.

»Achtung!«, rief Dana und griff in das Lenkrad, um den Wagen wieder auf Spur zu bringen.

Alex gewann die Kontrolle über das Fahrzeug zurück. Er bremste und hielt am Straßenrand.

»Zeig her!«

»Es ist überall«, sagte Dana und hielt das Gerät so, dass auch Steve auf der Rückbank mitschauen konnte. »In den sozialen Medien. In den klassischen.«

»Wann soll das passiert sein?«, fragte Steve, während sie erste Meldungen überflogen.

»Vor einer guten halben Stunde.« Sie legte den Kopf gegen die Stütze und schloss die Augen.

»Alles umsonst«, sagte Steve.

»Ich hätte nicht geglaubt, dass sie so weit gehen«, sagte Dana.

Auf ihrem Telefon waren die ersten Bilder zu sehen. Alex und Steve schauten mit ihr.

Wie es schien, hatten einige der Medienvertreter vor dem Gefängnis trotz Verbots immer noch kleine Drohnen, mit denen sie den Ausbruch gefilmt hatten.

Neben ihnen schoss hupend ein Wagen vorbei, der sich damit wohl über ihre Parkposition beschwerte.

Die Bilder zeigten Rauchschwaden.

»Es gab wohl zuvor schon einen Häftlingsaufstand in der Strafanstalt«, stellte Dana fest.

Rauchschwaden und Hubschrauber. Szenen wie aus einem Kriegsgebiet. Mitten in Athen.

»Das sind Polizeihubschrauber«, stellte Steve fest. »Hier. Steht drauf.«

Tatsächlich. Police. Helikopter in Blau. Die Polizeifarbe in vielen Ländern der Welt.

»Warum sollte die griechische Polizei Turner mit Gewalt aus einem griechischen Gefängnis entführen?«, wandte Dana ein. »Das ergibt keinen Sinn.«

Sie suchte weiter. Überall ähnliche Bilder und Videos. Helikopter tauchten in den Rauch. Stiegen daraus auf wie Phönix aus der Asche und zogen eine verwirbelte grauschwarze Wolke hinter sich her. Wurden durch die sozialen Medien vervielfacht.

»Griechische Behörden verdächtigen Vereinigte Staaten«, las Dana eine Schlagzeile unter einem Bild von Helikoptern im Rauch vor.

»Ich dachte, es waren Polizeihubschrauber?«, fragte Alex.

»In dem Artikel steht, dass die griechischen Behörden das bestreiten«, sagte Dana. »Jemand müsse die Hubschrauber entsprechend lackiert haben.«

»Aber wer?«, fragte Steve. »Meine Landsleute?«

»Wer sonst?«, sagte Alex.

Da waren noch andere Videos und Fotos. Luftaufnahmen von Autos in Straßen. Athen aus der Luft, die Hügel um die Stadt im Hintergrund. Manchmal ein oder zwei kleine Hubschrauber irgendwo im Himmel.

»Ach, du liebe…«, setzte Dana an. Zeigte Steve die Bilder. »Die Mediendrohnen verfolgen anscheinend sowohl die Hubschrauber als auch Fahrzeuge der Amerikaner.«

Hastig tippte sie auf einen der Links. Gelangte zum Livekanal eines regionalen Internet-TV-Senders auf einer Onlinevideoplattform. Der Bildschirm war zweigeteilt. In der linken Hälfte waren Luftaufnahmen von zwei Wagen im Verkehr zu sehen. Dana kannte sich mit Autos nicht gut genug aus, um den Fahrzeugtyp zu erkennen. In der rechten Hälfte Flugbilder über der Stadt. Zwei kleine Punkte ließen erahnen, was der Ticker am unteren Rand abwechselnd auf Griechisch und auf Englisch verkündete:

Live: Douglas Turner aus Korydallos von zwei Helikoptern befreit. Hubschrauber mit Ex-US-Präsident Douglas Turner unterwegs Richtung Norden. Fahrzeuge mit US-Vertretern in selber Richtung unterwegs. Griechische Polizei hat Verfolgung aufgenommen.

»Die werden sich nicht erwischen lassen«, sagte Steve. »Damit hat sich der Zweck meiner Reise wohl erübrigt.«

»Abwarten«, sagte Dana und tippte einen weiteren Link des Lokalsenders an. »Sieh dir das an: Da bündelt jemand alle möglichen Aufnahmen, Livestreams und Liverecherchen aus den sozialen Medien.« Sie wischte weiter und öffnete damit einen Stadtplan von Athen. Mit kleinen bunten Punkten darin. »Heutzutage sind alle Reporter. Hier: Da macht sich jemand die Mühe, die ungefähre Position der beiden Hubschrauber laufend zu aktualisieren. Irre!«

»Lass sehen!«, rief Alex aufgeregt. »Die Domain kenne ich.« Sah noch genauer hin. »Das sind Tania und die Jungs!«

Mit zwei Fingern verkleinerte Dana inzwischen die Karte, sodass sie Athen und Umland sehen konnten.

»Schaut her«, sagte sie zu Steve und Alex, »hier fliegen die gerade ungefähr.« Sie zeigte auf die beiden Punkte. Tippte mit ihrem Finger etwas nördlich. »Und hier sind wir. Die fliegen direkt in unsere Richtung.«

Steve starrte auf das Telefon.

Alex starrte auf das Telefon.

Starrte Dana an.

»Das ist nicht dein Ernst«, sagte er.

Ihr Fahrer hatte einen breiteren Boulevard mit lockerem Verkehr gefunden. Unter lautem Dauerhupen raste er zwischen den anderen Autos quer durch die Spuren wie ein olympischer Slalomfahrer. Aus den Augenwinkeln sah Derek die Tachometernadel knapp unter hundert Stundenkilometern. Mitten im Athener Stadtverkehr.

Der zweite Range Rover folgte dicht hinter ihnen.

Botschafter McIntyre nahm das Telefon von seinem Ohr.

»Immerhin eine gute Nachricht«, verkündete er. »Die griechische Polizei lässt uns vorerst in Frieden. Sie konzentrieren sich auf die Jagd nach Turners Befreiern. Entführern. Was auch immer.«

Ihre Schultern stießen im Rhythmus der Kurven gegeneinander.

»So wie der Rest der Stadt«, sagte Trevor. Neben seinem Laptop hatte er auf einem seiner Telefone Bilder aufgerufen. Luftaufnahmen der Stadt. Des Himmels über der Stadt.

»Medienvertreter beim Gefängnis hatten trotz Verbot immer noch Drohnen dabei. Und folgen nun den Hubschraubern. Und uns. Dutzende, wenn nicht Hunderte oder noch mehr Athener haben sich der Jagd inzwischen angeschlossen. Die halbe Stadt filmt und fotografiert alles, was sie für uns und die beiden Helikopter hält, und stellt die Aufnahmen ins Internet.«

»Ich frage mich schon die ganze Zeit, wie man auf die Idee kommt, so eine Aktion am helllichten Tag durchzuführen«, sagte Nestor Booth neben Derek. »Mit so etwas muss man doch rechnen. Wenn vielleicht auch nicht in diesem Ausmaß«, bemerkte er mehr zu sich selbst. Militär alter Schule, der all die modernen IT-Methoden und -Technologien kannte, aber immer noch der Ansicht war, dass sie vor allem vom Militär und von Geheimdiensten benutzt und beherrscht wurden. »Wie wollen die da entkommen? Hoffen, dass sie schneller sind als die Drohnen? Oder eine weitere Reichweite haben? Inzwischen sind sicher auch griechische Polizei- und Militärhubschrauber in der Luft.«

Der Gedanke beschäftigte Derek von Beginn an. Die Menschen in den Helikoptern mussten das berücksichtigt haben. Irgendeinen Plan verfolgten sie. Zumal sie nicht gerade in eine Richtung flogen. Unmittelbar nach der Befreiung hatten sie sich nach Westen gehalten. Kurz darauf waren sie Richtung Norden abgebogen. Seit ein paar Minuten schienen sie einen leichten Nordnordostkurs eingeschlagen zu haben.

»Wohin wollen die?«, fragte sich auch Trevor, die Augen wieder auf seinem Laptop. »In der Richtung liegen weder der Hafen noch der Airport.«

»Irgendwo werden sie ihr Transportmittel wechseln müssen«, sagte Derek. »Unter dieser Totalüberwachung können sie mit den Hubschraubern nicht entkommen. Auch nicht den griechischen Behörden. Ich bin sicher, dass sie dafür einen Plan haben. Es ist wichtig, dass unsere Drohnenpiloten sie nicht aus den Augen verlieren.«

»Und selbst wenn«, sagte Trevor, »bleiben womöglich andere dran. Und senden es live ins Internet.«

»Wenn diese Bilder alle stimmen«, wandte Derek ein. »Wie du sagst – Kreti und Plethi stellen hier alle möglichen Aufnahmen rein. Da wird auch viel Quatsch dabei sein. Vielleicht sogar absichtlich.« Ihm kam ein Gedanke. »Wenn ich die wäre und das Ganze geplant hätte ... und ein ähnliches Szenario erwartet und mitberücksichtigt hätte ...«

»Eine Menge ›wenn‹«, sagte Booth.

Derek ließ sich davon nicht irritieren.

»Wenn also, dann hätte ich vielleicht bewusst für solche Irreführungen gesorgt. Ist denn in diesen Open-Source-Berichten die Position der Helikopter eindeutig?«

»Du hast recht«, sagte Trevor, »es gibt widersprüchliche Meldungen. Aber klare Tendenzen. Ist jedoch egal. Vorläufig haben unsere eigenen Drohnen alles im Blick.«

»Könnten unsere Leute da mitspielen?«, fragte Derek. »Ich meine, bei den Desinformationen. Damit die Unsicherheit und Verwirrung groß genug sind, sodass wir immer den notwendigen Vorsprung an korrekter Information haben.«

Trevor drehte den Kopf nach hinten und grinste.

»Sind schon dabei.«

»Die Informationen sind alles andere als eindeutig«, sagte Steve. Alex war weiter Richtung Stadt gefahren, auf die Flugroute der Hubschrauber zu. »Die einen zeigen die Hubschrauber in unsere Richtung. Aber da, da sind welche, die behaupten, sie im Süden gesehen zu haben. Beim Hafen.«

»Würde durchaus Sinn ergeben«, sagte Dana, über das Telefon gebeugt. »Dort ein Boot nehmen. Vielleicht wartet irgendwo vor der Küste ein US-Militärschiff, auf das sie Turner bringen wollen. Wohin sind denn seine Begleiter mit ihren Autos unterwegs?«

Ratlos blickte sie durch die Windschutzscheibe. Durch die Seitenscheiben. Athener Vororte.

»Auch da gibt es unterschiedliche Angaben«, erklärte Steve.

»Auf welche soll man sich denn da verlassen?«, fragte Alex.

»Gute Frage. Die viel wichtigere Frage finde ich: Was machen wir jetzt? Was mache *ich* jetzt?«

Dana hörte ihm nicht wirklich zu.

Alex hatte ihr sein Telefon gereicht.

»Ruf Manolis oder Tania an. Ich wette, die können dir mehr sagen.«

»Da passiert etwas«, sagte Trevor mit Blick auf die Drohnenbilder auf seinem Laptop.

Derek sah dieselben auf seinem eigenen Computer.

Ihr Fahrer bemühte sich immer noch, die Hubschrauber einzuholen. Sie waren mindestens zwei Kilometer entfernt. Aus der Ferne klangen Polizeisirenen. Lauter. Leiser. Näher. Weiter weg. Alle Richtungen. Vermutlich stand im Augenblick kein einziges Athener Polizeiauto still.

Einer der beiden Helis blieb zurück. Wurde größer. Schien in der Luft zu stehen.

»Der geht runter«, sagte Trevor.

»Der andere fliegt weiter«, stellte der General neben Derek fest. Dass sie das nicht schon früher gemacht hatten.

»In welchem befindet sich Turner?«, fragte Jeremy.

»Wissen wir nicht«, sagte Derek.

»Mist!«

»Die Drohnen teilen sich auf«, erklärte Trevor.

Auf ihren Bildschirmen drehte der weiterfliegende Helikopter Richtung Westen.

Trevor wies auf die Straßenkarte Athens, die er mittlerweile auf den großen Screen des Navigationssystems im Range Rover übertrug. Mit all ihren bunten Punkten.

»Die vier zusätzlichen roten Punkte da unten, seht ihr die? Das sind vier Teams, die mittlerweile unterwegs sind. Die werden sich aufteilen. Wir sind nicht allein.«

Der Helikopter setzte auf einem Flachdach auf. Es war ein Dach zwischen vielen anderen. Flache. Schräge. Große. Kleine. Vereinzelte Dachterrassen. In den Straßen weniger Verkehr.

»Was ist da?«, fragte der General.

Biff balancierte jetzt zwei Laptops auf seinen Knien, Sean und Sal je einen. Zudem hatten die beiden ihre Telefone daneben liegen. In mehreren Fenstern liefen Livestreams aus Social-Media-Kanälen. Texte. Hektisch in Kameras redende Menschen. Luftperspektiven der Stadt. Ein Hubschrauber auf einem Flachdach.

Ihr Hubschrauber.

Douglas Turner saß zwischen ihnen und verfolgte die Jagd auf den Bildschirmen.

»Hätte nicht gedacht, dass das so heftig wird«, sagte Biff. »Wenigstens zwei sind immer noch live hinter uns her. Die müssen irgendwo da oben stehen.«

Zeigefinger Richtung Cockpitdecke.

»Wir haben es nicht gedacht«, sagte Sean, »aber wir haben damit gerechnet.«

Er schielte durch die Fenster hinaus, in den Himmel. Warf einen Blick auf sein Handy mit den Livebildern. Drehte es ein wenig. Blickte wieder hinaus.

»Die eine sehe ich sogar«, sagte er.

»Wie weit?«, fragte Biff.

»Schussweite«, erklärte Sean.

Sal suchte den Himmel auf seiner Seite ab. Verglich seine Sicht mit den Livebildern eines anderen Streams.

»Die da auch«, sagte er.

»In Ordnung, Mister President«, sagte Sean. »Dann wie besprochen.«

Sean zog die Pistole aus der Seitentasche des Rucksacks, dann warf er den Rucksack über den Rücken. Packte mit der freien Hand die große Tasche neben dem Sitz.

Auf der gegenüberliegenden Seite machte Sal das Gleiche.

»Und los!«, rief er, »Mister President, knapp hinter mir!«

Sean und Sal rissen die Türen des Helis auf und sprangen ins Freie. Der Rotorenwind wirbelte den Staub auf dem Flachdach auf. Sean war das gewohnt. Die Sonnenbrillen hielten das meiste davon ab.

Blick in den Himmel. Noch einmal ein Blick auf sein Telefon.

Die Rotoren standen noch nicht still, da hatte das Cockpit zwei kleine Punkte ausgespuckt, sah Derek. Die Drohne zoomte näher.

Eine Person. Wenig zu erkennen. Vielleicht breite Schultern. Hemdfarbe Grün? Bräunlich? Schirmkappe?

Noch eine Person.

Nun eine dritte.

Die Software legte grüne Ecken um die Personen, die sich mit diesen bewegten.

Alle Passagiere trugen Schirmkappen wie der Erste.

Derek entdeckte noch etwas.

»Sind das da andere Drohnen?«, fragte er.

»Sieht so aus«, sagte Trevor. »Von Medien und womöglich Privatleuten. Ich sehe wenigstens drei.«

Einer der Männer blickte kurz hoch. Seine Sonnenbrille blitzte. Vom Gesicht war wenig zu erkennen. Trugen die Sturmmasken?

Die Rotoren verloren an Schwung.

Noch ein Typ sprang aus dem Fluggerät. Noch einer.

Grüne Ecken von der Software auch für sie.

Die ersten beiden suchten inzwischen den Himmel ab. Blickten dazwischen kurz auf ihre Hände.

»Können die unsere Drohnen sehen?«, fragte Derek.

»Eher nicht«, sagte Trevor. »Zu weit oben. Aber vielleicht die kleinen Geräte der Privaten.«

Einer der Männer hob den Arm.

Mündungsfeuer.

Zwei. Drei.

Am rechten Bildrand zersplitterte eine der kleinen Drohnen in der Luft.

Gleich darauf schoss auch der zweite. Erwischte eine weitere.

Fünf Männer waren es nun insgesamt. Die Drohnenjäger scannten weiterhin den Himmel, während sie langsam den anderen dreien folgten. Unterbrochen von Blicken auf die Telefone in ihren Händen.

»Die checken, ob noch jemand live überträgt«, begriff Derek.

Sie schienen nun aber zufrieden. Senkten die Köpfe und schlossen zu den anderen auf.

Die Ersten hatten bereits etwas erreicht, das von oben wie ein kleiner Kubus auf dem Flachdach aussah. Es warf einen schiefen Schatten wie die fünf Menschen.

Dann verschwand die erste Gestalt in dem Würfel. Und die zweite. Die anderen liefen hinter ihnen her. Verschwanden eine nach der anderen.

Dann stand da nur mehr der Helikopter. Seine Rotoren drehten sich ganz langsam.

In einem der Fenster auf Dereks Laptop vergrößerte sich der Hubschrauber. Der Drohnenpilot näherte sein Fluggerät dem Heli.

Im Fenster, das die Bilder der zweiten Drohne zeigte, die vor Ort geblieben war, war das Gegenteil zu sehen: Sie stieg hoch. Überblick. Das Gebäude, auf dem der Hubschrauber gelandet war. Die umliegenden Straßen.

»Kacke«, zischte Trevor. »Jetzt müssen wir alle Ausgänge des Gebäudes im Auge behalten.«

»Wie lange, bis wir dort sind?«, fragte Derek.

»Zehn Minuten?«, riet Trevor.

»Und die anderen Teams?«

»Länger. Fünfzehn bis zwanzig.«

»Mist. Zu lange.«

Die Bilder verwackelten.

Ein Feuerball flammte auf.

Das Fenster mit den Bildern der näheren Drohne flackerte, dann wurde es schwarz.

In dem Fenster mit den Bildern der höher fliegenden Drohne breitete sich der von orangefarben bis karmesinrot züngelnde Ball wabernd über das gesamte Dach aus. An seinen Rändern bildeten sich schwarze Rauchwolken, die sich über die Straßen und Nachbardächer legten und langsam das Feuer bedeckten.

»Da möchte jemand nicht zu viele Spuren hinterlassen«, stellte Trevor fest.

Auf dem Dach ragte ein verkohltes Helikoptergerippe auf, aus dem Flammen schlugen und nach und nach mit dreckigen Wolken die Sicht auf das gesamte Gebiet verlegten.

84

»Wow!«

Auf Danas Display hatte sich der Hubschrauber in einen roten Ball und schwarze Wolken aufgelöst. Dieser Bildschirm war einfach zu klein für all das, was es zu sehen gab.

»Du liebe …«, klang es aus den Lautsprechern überrascht.

Nichts mehr zu sehen.

»Wohin sind die?«, rief Dana aufgeregt.

»Checken wir«, sagte Tanias Stimme. »Wir haben zwei Drohnen da. Müssen sie bloß in Stellung bringen.«

Auf dem Tablet sprangen zwei kleine Fensterchen auf. Jedes war seinerseits in zwei Felder unterteilt.

Wenig zu erkennen. So klein.

Außerdem: nur Schwarz und Grau in verschiedenen Schattierungen.

Bis schließlich auf einigen der winzigen Bilder kaum erkennbare Szenen aus dem grauen Nebel auftauchten. Straßenzüge.

»Und wenn sie euch auch abschießen?«, fragte Dana. »Dann sehen wir nichts mehr.«

»Wir sind nicht mehr live«, erklärte eine Männerstimme. Manolis. »Diese Bilder sehen nur wir und ihr.«

»Das heißt, sie wissen nicht, dass ihr da seid«, fragte Dana, »und können auf ihren Telefonen nicht die ungefähre Position ausmachen?«

»Wir sind jetzt unterhalb des Rauchs«, erklärte Manolis. »Wir haben auf den zwei gegenüberliegenden Ecken des Hauses jeweils eine Drohne platziert. Von dort haben wir alle Fassaden im Blick. Jetzt müssen wir bloß aufpassen, wer das Gebäude verlässt.«

»Viel zu klein«, sagte Dana. »Ich kann hier gar nichts erkennen.«

»Wir machen das schon«, meinte Manolis.

»Wisst ihr, was das für ein Gebäude ist?«

»Noch nicht.«

»Hoffentlich ist bei der Explosion niemand verletzt worden«, sagte Dana.

»Auf dem Dach war keiner mehr«, berichtete Manolis. »Soweit ich das erkennen kann, ist es unversehrt geblieben. Wer also in dem Gebäude war, müsste okay sein. Wenn sich niemand mehr in dem Hubschrauber befand, sollte es keine Opfer geben.«

Dana zog die kleinen Fenster mit den Fingern größer. Die einzelnen Unterfenster hatten trotzdem gerade mal die Größe von Briefmarken.

»Seht ihr etwas?«, fragte sie.

Es machte sie verrückt, dass sie aufs Zusehen beschränkt war.

Steve neben ihr folgte den Bildern schweigend.

Mit einem Mal sprangen die Bilder in den vier unterteilten Fenstern um. Statt je zwei Briefmarken zeigte jedes nur mehr ein Motiv. Größer. Besser erkennbar. Haustür. Tore. Eine Garagenausfahrt.

Aus den Türen und Toren liefen Menschen. Viele.

Kein Wunder.

»Verdammt«, sagte Steve. »Klar, die wollen alle raus. Gerade ist über ihnen etwas explodiert. Überall raucht es. In dem Chaos können die bestens untertauchen.«

»Tempo, Tempo!«, rief Walter Vatanen. »Bevor sie uns entkommen!«

Auf den Bildschirmen der zwei Drohnenpiloten sah er nur Rauch und Schwarz, während die Drohnen durchtauchten.

Aus dem grauen Gewölk tauchten aufgeregt durcheinanderlaufende Menschen auf. Filmten hinauf auf das Dach. Filmten die anderen in der Straße.

Die Software legte um jeden Kopf grüne Ecken. Und um jeden Körper. Sie hüpften, glitten, flimmerten bei jeder Bewegung mit. Das zugehörige Programm analysierte Gesichter. Und Bewegungsmuster.

»Ich bleibe weit genug entfernt«, erklärte einer der Piloten an seinen Joysticks, »knapp unter der Rauchgrenze. Dann gibt uns die auch etwas Schutz.«

Dutzende grüne Ecken flackerten über den Bildschirm.

»Woher kommen die alle?«

»Aus zwei Ausgängen«, erklärte der andere Pilot, der alle Bildschirme im Blick hatte.

»Was macht der zweite Hubschrauber?«, fragte der Stationsleiter den dritten Piloten.

»Unterwegs Richtung Südwesten«, erklärte der, den Blick an seine Bildschirme gefesselt.

»Sie bleiben dran.« Walter wandte sich zu den beiden anderen. »Was ist das da?«, fragte er und zeigte auf eine Struktur, die von blauen Ecken markiert wurde und über den Köpfen der Menschen in der Straße starr in der Luft stand. Ohne die Ecken hätte der Stationsleiter sie gar nicht erkannt. »Ist das auch eine Drohne?«

»Sieht so aus«, sagte der Pilot. »Muss eine von den Medien sein. Oder von diesen privaten Streamern.«

»Peter?«, rief der Stationsleiter zu dessen Tisch.

»Livestreams kann ich gerade keine finden«, rief der zurück. »Die Typen haben zwei abgeschossen, die gesendet haben. Wenn da also noch welche sind, streamen sie nicht in die Öffentlichkeit.«

»Oder nur an eine so kleine, dass unsere Programme sie noch nicht gefunden haben.«

»Unwahrscheinlich«, entgegnete Peter. »Vielleicht die Athener Polizei?«

»Kann ich mir nicht vorstellen.«

»Jetzt bewegt sie sich«, mischte sich der Drohnenpilot ein.

»Wir fliegen näher dran«, sagte Manolis' Stimme aus der Freisprechanlage. Alex fuhr im Schritttempo auf eine rote Ampel zu.

Die wackeligen Aufnahmen näherten sich den Menschen, die aus dem Gebäude strömten. Von oben senkten sich graue Rauchschwaden in den Bildausschnitt. Die Menschen wedelten mit den Händen vor dem Gesicht. Die meisten blieben mit einigem Abstand zu dem Gebäude stehen und blickten nach oben. Viele filmten mit ihren Telefonen. Andere gingen langsam oder schneller die Straße entlang. Auch sie warfen immer wieder Blicke zu dem Dach hinauf, manche filmten.

»Das Haus befindet sich übrigens Ecke Lakias-Trivellis. Versucht, die Vouliamenis-Allee Richtung Süden zu nehmen.«

»In Ordnung«, sagte Alex. »Wo seid ihr überhaupt?«

»Tania, Stavros und ich sind mit einem Wagen zwei, drei Straßen weiter von dem Chaos entfernt. Dimitrios und die beiden anderen stehen mit einem zweiten Wagen noch einmal zwei Straßen weiter. Wir dürfen uns nicht zu weit von den Drohnen entfernen.«

Die rauchigen Schlieren verzogen sich schnell aus den unteren Straßenteilen. Dana hatte die Gesichter nun gut im Blick. Niemand gab sich Mühe, sich zu verbergen.

Die Drohnen mussten etwa vier oder fünf Meter über den Köpfen schweben. Weit genug entfernt von den Eingängen, um

Gesichter und nicht nur Köpfe von oben zu sehen. Nah genug, um Gesichtszüge zu erkennen.

In der Aufregung schien ihnen kaum jemand Aufmerksamkeit zu schenken. Zumindest entdeckte Dana niemanden, der auf die Fluggeräte gezeigt hätte.

»Da! Die Typen, die gerade aus der Tür kommen«, sagte Steve.

»Wir sehen sie«, erwiderte die Stimme aus den Lautsprechern.

Dana sah sie auch. Drei Kerle mit Sonnenbrillen und Schirmkappen. Die Schirmkappen sahen anders aus als jene der Männer auf dem Dach. Aber die konnten sie innerhalb des Gebäudes ausgetauscht haben. Warum lief jemand aus einem Treppenhaus in eine verrauchte Straße und trug dabei trotzdem Sonnenbrille und Kappe?

Konnte natürlich vermeintliche Coolness sein.

Oder das Bedürfnis, nicht erkannt zu werden.

Zwei der Männer verließen das Gebäude zuerst. Breit gebaut. Hemden, Jeans, Combathose. Jeder trug eine große Tasche in der Hand. Riemen wie von kleinen Rucksäcken zeichneten sich zwischen Schultern und Brust ab. Hinter ihnen kam ein weiterer Mann. Schmaler. Blaues Polo, khakifarbene Chinos und Kappe. Die vorderen blickten nach links und rechts, hasteten dann weiter. Der Dritte folgte. Dahinter kamen noch zwei von der breiten Sorte mit Taschen und Rucksäcken.

»Der im Polo«, rief Dana, »der Schlankere. Das könnte Turner sein!«

Das Bild wurde wieder etwas unscharf durch den Rauch, der an der Linse vorbeizog.

»Könnt ihr näher ran?«, fragte Dana.

»Besser nicht«, antwortete Stavros' Stimme. »Die Drohne steht jetzt still in der Luft, knapp vor der gegenüberliegenden Fassade. So ist sie schwer zu entdecken. Sobald wir sie bewegen, könnten die Typen sie sehen. Und sie halten sicher nach Drohnen

Ausschau, nachdem Turner von der Öffentlichkeit seit Tagen beobachtet wurde. So wie jetzt der Ausbruch.«

Der Trupp bewegte sich rasch und entschieden durch die lockere Ansammlung Wartender auf der Straße. Niemand beachtete sie.

Sie liefen auf die Drohne zu. Trotz der Sonnenbrillen erkannte Dana den suchenden Blick der Männer, die ihre Umgebung nach Verdächtigem und Gefahren scannten.

Die eine Figur in der Mitte passte nicht zu den anderen vieren. Sie war weniger trainiert. Bewegte sich anders. Nicht so zielgerichtet, nicht so routiniert. Ein Mitläufer in dieser Situation. Und das Gesicht wurde immer deutlicher erkennbar. Die körnigen Aufnahmen zeigten die schmale Nase und die typischen Züge um den Mund. Das markante Kinn und die beginnenden Falten am Hals.

»Das ist er«, flüsterte sie.

»Ich denke, das ist er wirklich«, meinte auch Steve neben ihr.

»Sieht so aus«, tönten Manolis' und Tanias Stimmen aus der Freisprechanlage.

Die zahllosen grünen Ecken verschlimmerten das Durcheinander in den zwei Fenstern auf Dereks Bildschirm noch. Flickerten und flackerten unruhig um die Köpfe und Körper der Menschen in der Straße. Manche verschwanden. Andere tauchten woanders neu auf. Insgesamt wurden es jedoch weniger.

In einem Fenster blieben schließlich kaum welche übrig. Im anderen konzentrierten sie sich um eine Gruppe von fünf Personen, wenn Derek richtig zählte.

Er sah nur ihre Rücken. Breite, gut trainierte V-Formen in Hemd und Poloshirt. Die zwei hinteren verdeckten die anderen drei immer wieder. Beide trugen mittelgroße Rucksäcke. In ihren Händen hielten sie große reisetaschenartige Dinger. Vor den beiden lief einer ohne Gepäck. Schlanker. Weniger kämpferhaft. Derek erkannte das sofort. Vor ihm waren noch einmal zwei besser trainierte Typen zu sehen. Raubkatzenbewegungen.

»Sind das die Typen vom Dach?«, fragte er.

»Laut Bewegungsmusteranalyse, ja«, drang Walter Vatanens Stimme aus der Gegensprechanlage.

»Bekommen wir Bilder von vorn?«

»Besser nicht«, sagte der Stationsleiter. »Zu riskant. Wir haben gesehen, was die mit Drohnen machen. Und wir wollen im Moment nicht unsere einzigen Augen verlieren.«

»Sie fühlen sich unbeobachtet«, sagte die Stimme aus der Gegensprechanlage, die diesem Manolis gehörte.

»Wohin gehen sie?«, fragte Steve. Alex fuhr flott, aber sicher, fand er.

»Keine Ahnung«, sagte Dana. Das Telefon hatte sie vor sich auf das Armaturenbrett gestützt, sodass Steve und auch Alex bei Gelegenheit mitschauen konnten.

Die fünf Männer mit ihren Taschen und Rucksäcken waren nur mehr kleine Silhouetten auf dem Bildschirm. Wer immer die Drohnen steuerte, hielt sie jetzt oberhalb der Dachkanten, knapp in Verlängerung der Fassadenlinien, manchmal sogar dahinter, sodass Steve die Männer für kurze Momente nicht mehr sah. So weit oben würden sie nicht so leicht entdeckt werden.

Turners Befreier hatten sich in eine Seitenstraße verzogen. Einer ging mit etwas Abstand vorneweg. Danach folgte der, den sie für Turner hielten, mit zwei anderen. Der Dritte lief etwa zehn Meter hinter ihnen auf der anderen Straßenseite. Steve verstand nichts von Leibwächteraufgaben oder Rettungsteamjobs. Hatten sie sich aus Sicherheitsgründen so verteilt? Oder um nicht zu sehr aufzufallen?

In der Straße standen ein paar Passanten und blickten in Richtung der Rauchwolken. Einige sahen neugierig aus den Fenstern. Steve entdeckte mehrere filmende Telefone.

Manchmal warfen die Männer suchende Blicke hoch. Dann zogen sich die Drohnen kurz zurück, und Steve sah nur noch ein paar Dachziegel oder eine Regenrinne.

»Finden Sie diese Jagd wirklich vernünftig?«, fragte Steve Dana.

»Ja. Der Mann war wegen Kriegsverbrechen in Haft! Sie haben Ihr altes Leben dafür geopfert! Ich habe Jahre an dem Fall gearbeitet! Und wurde fast verbrannt! So einfach dürfen wir den Kerl nicht davonkommen lassen!«

»Einfach, na ja«, murmelte Steve. »Befreiung aus einem Gefängnis per Helikopter, ein explodierter Heli mitten in der Stadt ... Einfach ist anders.«

»Wir müssen die Polizei informieren«, sagte Dana. Alex bog in eine breitere Straße. »Notruf hat keinen Sinn, der wird sicher gerade von Tausenden Anrufern geflutet. Und selbst wenn wir durchkommen, wird man uns nicht ernst nehmen.«

Alex überholte den Wagen vor ihnen.

»Ich brauche noch ein Telefon«, sagte Dana. Sie zog das zweite Handy, das Alex' Freunde ihnen mitgegeben hatten, aus der Tasche. »Ich muss die Nummer des Staatsanwalts finden«, sagte sie.

Alex hielt an einer roten Ampel. Dana warf einen schnellen Blick auf das Telefon mit den Luftaufnahmen.

»Die werden doch nicht zu Fuß weiterwollen?«

»Da ist eine«, sagte Peter und zeigte auf dem Monitor auf ein kleines weißes Kreuz nahe einer Dachkante. Walter Vatanen erkannte die Hobbydrohne. »Und da drüben ist die zweite. Aber kein Livestream«, erklärte er. »Wer immer die Dinger steuert, ist an Turner dran, will es der Öffentlichkeit aber nicht mehr zeigen.«

»Oder will die Typen da unten nicht wissen lassen, dass sie noch immer verfolgt werden.«

»Oder das. Oder beides.«

Peter zoomte wieder in das Bild hinein, bis fast nur noch die fünf Männer in der Straße zu sehen waren. Mittlerweile waren sie drei Häuserblocks entfernt, die Schaulustigen wurden weniger.

»Auf jeden Fall sieht mir das nicht nach einer Entführung aus«, sagte Peter. »Turner scheint sich ganz selbstverständlich mit den Typen zu bewegen.«

»Ja, nach Zwang sieht das nicht aus.«

»Wissen wir, was die griechische Polizei macht? Hat sie eine Ahnung, wo die Typen sind?«

»Ich glaube nicht, dass die kleinen Drohnen von der Polizei sind«, sagte Peter. »So gut sind die nicht.«

»Das hieße, dass die Polizei nicht weiß, wo Turner ist.«

»Die Heli-Explosion wird nicht unbemerkt geblieben sein.«

»Aber damit kennen sie nur das ungefähre Gebiet. Und ich vermute, diese Typen haben das alles einkalkuliert.«

»Das hieße, die griechische Polizei kann höchstens annehmen, dass Derek und seine Leute aus irgendeinem Grund wissen, was sie tun. Und sich an deren Fersen heften.«

An einer Kreuzung bogen die Männer in eine kleine Nebenstraße. Schmal, zu beiden Seiten parkende Autos. Kurz darauf blieb der erste stehen. Neben einem dunklen Rechteck, das von oben wie ein Kombi aussah. Vielleicht ein Volvo.

Öffnete dessen Hecktür. Warf seine Tasche und den Rucksack hinein. Blickte sich um. In den Himmel. Blieb ruhig. Hatte wohl nichts entdeckt. Der Dreiertrupp erreichte ihn. Mehr Taschen und Rucksäcke wurden in den Kofferraum gehievt. Dann gesellte sich auch der fünfte dazu. Die anderen vier waren in den Wagen gestiegen. Der fünfte kam hinzu. Letzte Kontrollblicke. Dann stieg auch er ein, mit seiner Tasche.

»Die scheinen ziemlich relaxt«, meinte Walter. »Was macht der andere Heli?«

»Fliegt jetzt Richtung Nordosten«, erklärte Sandra.

Das Fahrzeug parkte aus und fuhr los.

»Wir brauchen das Kennzeichen und den Fahrzeugtyp«, sagte der Stationsleiter.

85

Auf dem Straßenplan Athens waren ihre beiden roten Punkte noch etwa drei Kilometer von der aktuellen Position Turners und seiner Begleiter entfernt. Der blaue Punkt, der ihn markierte, entfernte sich von ihnen. So schnell würden sie ihn nicht einholen.

»Wir haben News zu den Mietern der Villa, von der die Hubschrauber gestartet sind«, erklärte Walters Stimme aus der Freisprechanlage. »Ihr findet sie auf euren Bildschirmen.«

Tatsächlich trudelten die Nachrichten gerade ein. Derek öffnete die Datei. Bilder. Einige davon definitiv ohne Zustimmung des Abgelichteten geschossen. Levantinischer Typ schwer definierbaren Alters, irgendwo zwischen Mitte dreißig und Mitte fünfzig, das schüttere Haar zurückgekämmt. Immer in fabelhaften Anzügen. Allerdings ziemlich geckenhaft.

»Mahir Clement«, fuhr Walter fort. »Französische und libanesische Staatsbürgerschaft. Händler in Gütern aller Art. Taucht bei uns immer wieder in verschiedenen Kontexten auf. Black Ops, Waffen, Sicherheitsbusiness. Bestens vernetzt in alle Richtungen, auch zu diversen Geheimdiensten. Wir versuchen gerade, seine Aktivitäten der vergangenen Tage nachzuverfolgen.«

Dereks Blick wanderte auf Trevors Nacken. Als hätte Trevor es gespürt, fragte er: »Auch schon mit uns gearbeitet?«

»Dazu habe ich hier nichts«, sagte Walter, »aber wir sind noch dran. Zuletzt war er vor allem im Nahen Osten aktiv. Irak, Syrien. Wir halten euch auf dem Laufenden.«

»Habt ihr Kontakt zu den griechischen Behörden?«, fragte Derek den Stationsleiter über die Gegensprechanlage.

»Ja, aber wir sagen ihnen noch nichts. Solange wir nicht mehr wissen.«

»Kennen wir den Informationsstand der griechischen Polizei?«

»Nach allem, was unsere Programme scannen, tappen sie im Dunkeln. Ihre Helis kreisen über dem explodierten Helikopter. Drohnen haben sie keine.«

»Von wem kommen dann diese kleinen Dinger, die da immer noch rumschwirren?«

»Konnten wir bislang nicht herausfinden.«

»Könnt ihr sie wegbekommen?«

»Momentan nicht wirklich.«

»Ihr seht die Bilder besser als wir«, meinte Derek. »Hattet ihr den Eindruck, dass Turner unfreiwillig mit den Typen zu dem Auto unterwegs war?«

»Nein«, sagte der Stationsleiter. »Das schien mir sehr einvernehmlich. Euch nicht?«

»Doch. Uns auch.«

»Dann müssen wir jetzt eine Entscheidung treffen«, sagte Derek. »Die würde ich gern kurz mit dem Präsidenten diskutieren.«

»Irgendetwas passiert da«, sagte der Drohnenpilot, der dem zweiten Helikopter weiterhin folgte.

Walter wanderte hinüber und inspizierte den Riesenschirm.

Das zentrale Fenster zeigte nach wie vor den Hubschrauber, der in einiger Entfernung über bewaldete Berge flog.

Ein kleineres Fenster unterhalb wies auf einer Landkarte zwei bunte Punkte aus. Rot. Blau. Die Positionen der Drohne und des Helikopters. Langsam schoben sie sich nordwärts über vorwiegend grünbraunes Gebiet, das von wenigen Straßen durchzogen wurde. In dem Hauptfenster berührte der Helikopter fast die Bäume.

»Der geht runter«, sagte der Drohnenpilot.

Tatsächlich verschwand der Hubschrauber hinter dem nächsten Hügel nach unten.

Der Pilot spielte ein wenig mit seinen Joysticks. Die Drohne schoss hoch, gleichzeitig senkte sich der Fokus der Kamera auf den Punkt, an dem der Hubschrauber verschwunden war.

Und jetzt wieder erschien. Der Blickwinkel nun eher von oben als von hinten, während die Drohne über die Wipfel flitzte.

»Wohin will der?«, fragte sich der Pilot und zoomte den Hubschrauber heran, um eine bessere Übersicht zu gewinnen.

Ein paar Hundert Meter weiter bremste der Heli seinen Flug. Blieb schließlich in der Luft stehen.

»Da will der hinein?«

Unter dem Hubschrauber lag eine winzige Lichtung, vielleicht doppelt so groß wie der Heli. Die Bäume wanden sich zunehmend im rasenden Wind der Rotoren.

»Wenn sie da aussteigen, wird es schwierig, sie im Schutz der Bäume weiterzuverfolgen«, sagte der Pilot.

Der Hubschrauber setzte präzise in der Mitte des kleinen grünen Feldes auf.

»Unseren Informationen nach weiß die griechische Polizei nicht genau, wo Turner ist und wo seine Befreier mit ihm hinwollen«, erklärte Derek dem Präsidenten. »Unsere Drohnen haben ihn aber weiterhin im Blick. Und wir könnten hinterher. Wir haben den griechischen Behörden zwar erklärt, dass wir nichts mit der Sache zu tun haben. Aber wer weiß, ob sie uns das glauben. Wahrscheinlich nicht. Bislang hängen ihre Polizeiwagen auf jeden Fall an uns dran. Wenn wir also Turner weiterverfolgen, könnte ihn auch die griechische Polizei erwischen.«

Art Jones blickte Derek vom Display seines Telefons entgegen, die Augen vor Aufmerksamkeit leicht zusammengekniffen. »Deine Frage ist jetzt also: Sollen wir Turner mit seinen Befreiern entkommen lassen? Dazu müsstet ihr die Verfolgung aufgeben und die Polizei vielleicht sogar absichtlich in die Irre führen, um Turner noch bessere Chancen zu geben. Oder sollen wir die Griechen einweihen und ihnen die Chance geben, Turner wieder einzufangen?«

»Das ist die Frage, ja«, sagte Derek. »Zweiteres könnte innenpolitisch natürlich ganz schlecht kommen.«

»Allerdings.«

»Aber wenn wir ihn entkommen lassen, lässt das die USA außenpolitisch nicht gut dastehen. Wir verscherzen es uns ernsthaft mit unseren wichtigsten Verbündeten.«

»Damit hätte ich weniger Probleme. Die sind stärker auf uns angewiesen als wir auf sie. Wissen wir denn schon, wer die Typen sind? Und in wessen Auftrag sie handeln?«

»Nein«, Derek. »Aber wir sind dran. Es gibt erste Hinweise.«

Das war großzügig interpretiert. Sie kannten gerade einmal den Unterschlupf der Befreier, einen mutmaßlichen Mittelsmann und die Herkunft der Hubschrauber.

»Eine Lösung, die alle zufriedenstellt, gibt es wohl nicht?«, fragte der Präsident.

»Ich denke darüber nach«, sagte Derek. »Aber als Erstes brauchen wir eine vorläufige Strategie. Turner unterstützen und die Griechen irreführen? Oder folgen und eine erneute Festnahme riskieren oder gar ermöglichen?«

»Wenn du mich fragst: Ersteres. Es sei denn, dir fällt etwas Besseres ein.«

»In Ordnung, danke«, sagte Derek. Er beendete das Gespräch. »Ihr habt es gehört«, meinte er zu seinen Mitpassagieren. Er starrte aus dem Fenster, an dem Athen vorbeizog. »Vielleicht gibt es doch eine dritte Möglichkeit«, dachte er laut.

»Da tut sich nichts«, stellte der Drohnenpilot fest.

Der zweite Helikopter war auf einer Briefmarke mitten im Wald gelandet. Sein Bild füllte fast den Hauptschirm des Piloten. Die Rotoren standen still.

Die Bäume rundum hatten sich wieder beruhigt.

Da öffneten sich auf beiden Seiten des Rumpfes Türen. Links und rechts sprangen je zwei Personen aus der Maschine. Breitschultrige Kerle. Rucksäcke. Taschen. Wie die aus dem anderen Helikopter.

Ohne sich umzusehen oder einen Blick nach oben zu werfen, liefen sie rasch in vier verschiedene Richtungen unter die Bäume.

Der Drohnenpilot zog den Bildausschnitt größer.

Die Baumkronen waren zu dicht, um sie zu erkennen.

»Mist«, zischte der Stationsleiter. »War zu befürchten.«

»Ich habe da Endvor dran«, rief Peter von seinem Tisch. »Er braucht Sie. Dringend!«

»Komme!«

Walter wandte sich um, als er aus den Augenwinkeln den Blitz sah. Fuhr herum, zurück zu dem Pilotenschirm.

Wo der Hubschrauber gestanden hatte, verbreitete sich ein gewaltiger Feuerball.

»Und das in der Waldbrandsaison«, sagte er.

»Ihr habt nach wie vor drei Wagen der griechischen Polizei hinter euch«, hörte Derek die Stimme des CIA-Stationsleiters aus der Freisprechanlage. »Das sehen wir von oben. Wir haben eine Drohne vorübergehend von Turner abgezogen«, erklärte er. »Genügt es, wenn einer eurer Wagen weiterfährt?«

Derek dachte kurz nach. Er ahnte, was jetzt kam.

»Ja«, sagte er.

»In Ordnung. Ihr fahrt an der übernächsten Kreuzung rechts ab.«

Ihr Fahrer tat wie geheißen. Der zweite Range Rover folgte ihnen.

Über die nächsten fünf Minuten hinweg dirigierte sie Walter mal nach rechts, mal nach links, geradeaus, dahin, dorthin. Immer tiefer in ein Wohnquartier mit schmalen Straßen. Keine Ahnung, wo sie waren, Derek und ihr Fahrer ließen sich von den Anleitungen des Stationschefs führen.

Die Polizeiautos waren nie unmittelbar hinter ihnen, sondern hielten so wie schon die ganze Zeit einen Respektabstand von hundert bis zweihundert Metern. In dem Gassengewirr jedoch mussten sie näher heran, um ihre Ziele nicht zu verlieren.

Schließlich führten Walters Anweisungen sie in eine Straße, die gerade noch ein Fahrzeug passieren ließ.

»Das ist eure Passage«, erklärte er. »Diese Gasse ist etwa hundertfünfzig Meter lang. Wenn ich es sage, hält Wagen zwei an. Ihr habt eine Panne. Oder was immer. Wagen eins fährt weiter. Möglichst schnell. Links. Rechts. Die zweite wieder links. Dann gebe ich Bescheid.«

»Alles klar«, klang die Stimme des Fahrers aus dem hinteren Rover.

Derek wandte sich um. Der zweite Range Rover ließ sich bereits ein wenig zurückfallen. Zwei der Polizeiautos waren bereits hinter ihnen. Nun bog auch der dritte ein.

Ihr eigener Fahrer verlangsamte seine Fahrt fast bis auf Schritttempo. Der zweite Rover schloss auf. Die Polizisten reagierten spät. Alle drei Autos waren jetzt recht knapp hinter ihnen.

Derek schaute kurz nach vorn. Ihr Fahrer hatte das Ende der Gasse fast erreicht.

»Alles klar«, sagte er und wusste, dass ihn sowohl die Passagiere des zweiten Wagens als auch der Stationsleiter hörten. »Bis später.«

Hinter ihnen hielt der zweite Range Rover.

Ihr eigener Fahrer ließ die Reifen quietschen und schleuderte den Range Rover nach links um die Kurve.

Die Sirenen der Polizeiwagen hörte er schon nach dem nächsten Abbiegen nicht mehr.

86

Das Büro des Helikopter-Charterunternehmens MyFly lag am Rand des Flughafens Tatoi in einem flachen Nebengebäude. Die Maschinen selbst parkten keine hundert Meter entfernt.

Die Agenten hielten mit dem Wagen vor der Tür. Stiegen aus. Ein kurzer Blick: über dem Eingang eine Kamera. Im Büro ein Tresen, hinter dem eine junge Frau saß. An einem Schreibtisch weiter hinten zwei Männer. Einer mit dunklem Haar, einer weiß-blond gefärbt. Jeans, Poloshirts, der Dunkle trug darüber ein leichtes Sakko. Dahinter eine weitere Tür.

»Was kann ich für Sie tun?«, fragte die Frau die zwei Eintretenden.

»Haben Sie in den letzten dreißig Minuten die neuesten Nachrichten gesehen?«, fragte der Fahrer. Dank eines Vaters, der vor sechzig Jahren aus Griechenland ausgewandert war, und sechs Jahren Dienst in der Athener Station war seine Aussprache perfekt.

»Nein. Warum?«

Die Agenten sahen sich kurz um. Keine sichtbaren Kameras.

Der Beifahrer versenkte seine Rechte beiläufig in der Hosentasche.

Der Fahrer erklärte: »Wir können das hier einfach machen. Oder kompliziert. Vor drei Tagen holte bei Ihnen jemand zwei Helikopter ab. Modell Eurocopter 135. Weiß-orangefarben. Wer hat sie gechartert? Oder gekauft? Wurden sie von Ihren Piloten zu den Kunden geflogen oder abgeholt? Wenn Letzteres, von wem? Haben Sie Bilder von den Überwachungskameras?«

Die Frau blickte irritiert von einem zum anderen. Nun stand der Blondgefärbte von den Schreibtischen auf und kam an den Tresen.

»Kann ich Ihnen helfen?«

Die Hand des Dunkelhaarigen am Tisch dahinter verschwand dezent unter der Tischplatte. Nicht unauffällig genug für den Fahrer.

»Wer charterte oder kaufte vor drei Tagen die zwei Eurocopter? Haben Sie Bilder von den Überwachungskameras?«

Der Fahrer bemerkte eine Veränderung im Gesicht des Mannes.

»Wir sind ein legales Unternehmen«, erklärte der Blonde schließlich. »Das Geschäft war auch legal.«

»Danach habe ich nicht gefragt«, erwiderte der Fahrer.

Auch seine Hand verschwand unauffällig in der Hosentasche.

»Sie haben schon mitbekommen, dass der ehemalige US-Präsident Douglas Turner seit ein paar Tagen im Korydallos-Gefängnis sitzt?«

»War schwer, das nicht mitzubekommen.«

Auf seiner Stirn bildeten sich kleine Schweißperlen. Trotz der Klimaanlage.

»Und Sie haben noch nicht mitbekommen, dass er vor etwa dreißig Minuten aus dem Gefängnis befreit wurde? Oder entführt?«

Die Überraschung im Gesicht der jungen Frau wirkte echt. Im Gesicht des Blonden nicht.

»Nein.«

»Mit Ihren Hubschraubern.«

Flatternde Kiefermuskeln. Die Stirn des Blonden furchte sich, seine Augen irrten einen Atemzug lang umher. Der Fahrer konnte seine sich überschlagenden Gedanken förmlich mitdenken: Wer so etwas plant und durchzieht, hat Nerven, keine Skrupel und ausufernde Mittel. Wer so jemanden ans Messer liefert, liefert sich selbst gleich mit. Nicht ganz sicher konnte sich hingegen der Blonde sein, wer da vor ihm stand. Griechische Zivilermittler? Griechischer Geheimdienst? CIA? In jedem Fall auch keine zimperlichen Zeitgenossen. Die ganz klar unter höchstem Druck arbeiteten.

Die Hand des anderen Mannes war immer noch unter dem Tisch. Lauernder Blick.

»Vielleicht haben wir Bilder von den Kameras«, sagte der Blonde. »Aber was haben wir davon?«

Der Fahrer lächelte.

»Ihr gutes Gewissen?«

Als der Blonde nicht reagierte, fügte er hinzu: »Wenn Sie das besser zu einer Auskunft motiviert: Ihre Gesundheit. Oder Ihr Leben.«

Die Züge des Blonden zerfielen.

Der Dunkelhaarige im Hintergrund sprang auf, in der Hand eine Pistole. Bevor er etwas damit anfangen konnte, knallte neben dem Fahrer ein Schuss aus der Waffe des Beifahrers. In die Decke oberhalb des Dunkelhaarigen. Aus den Abhängeplatten rieselte weißer Staub herab. Die junge Frau warf sich schreiend zu Boden. Der Dunkelhaarige erstarrte. Der Blonde sah sich hektisch um. Bevor der Dunkelhaarige es sich anders überlegte, riss eine zweite Kugel ein weiteres Loch in die Platte über ihm, die sich halb löste und nun bedrohlich von der Decke baumelte. Der Blonde am Tresen wirbelte herum und wollte in Richtung der Hintertür.

Noch bevor er seinen Schreibtisch erreicht hatte, war der Fahrer über ihm.

»Waffe fallen lassen!«, brüllte der Beifahrer, seine eigene im

Anschlag auf den Dunkelhaarigen. Der zögerte, ein dritter Schuss knapp über seinen Kopf schlug in die Wand hinter ihm. Er stürzte zur Tür an der Rückseite des Raums, die Waffe immer noch in der Hand.

»Stehen bleiben! Waffe fallen lassen!«

Ein Knall ertönte. In der Tür vor dem Dunkelhaarigen explodierte ein Loch. Ein Blick über die Schulter, dann ließ er die Waffe fallen. Sie hatte kaum den Boden berührt, da hatte der Beifahrer ihn erreicht und auf den Boden geworfen, den Arm schmerzhaft auf den Rücken verdreht. In einer ähnlichen Haltung hatte der Fahrer den Blonden auf einem der Schreibtische fixiert.

»Unterlagen. Bilder. Jetzt.«

87

»Sie drehen Richtung Osten«, sagte Tania. »Ihr seid etwa sieben, acht Kilometer von ihnen entfernt.«

»Je weiter, desto besser«, murmelte Steve. Er war bereit gewesen, ins Auge des Taifuns zu reisen. Aber das hier hatte er nicht erwartet. Wenn du denkst, es geht nicht mehr schlimmer...

Auf dem Handyscreen waren Bilder des blauen Volvos von schräg oben zu erkennen. Zwischen einer Menge anderer Fahrzeuge, die alle in dieselbe Richtung wollten. Autobahn, dichter Verkehr.

»Richtung Flughafen?«

»Wer weiß?«, meinte Alex. »Mit einem Flieger kämen sie natürlich schneller außer Landes.«

»Das wird sich die Polizei aber auch denken«, meinte Dana, »und dort auf sie warten.«

»Die haben sich sicherlich vorbereitet«, sagte Steve. »Und irgendein Schlupfloch. Vielleicht sogar ein absichtlich offen gelassenes.«

»Alex«, wandte sich Dana an ihren Fahrer, »wir fahren zum Flughafen.«

»Bist du sicher?«, fragte Alex.

»Fällt euch etwas Besseres ein?«

»Das ist doch...«, setzte Steve an. Viel zu gefährlich für drei einfache Typen wie uns. Darum soll sich die griechische Polizei kümmern.

»Ich rufe wieder die Polizeinummer an, die ich von Stouvratos bekommen habe, und gebe denen die neuen Infos durch. Falls sie nicht ohnehin inzwischen ihre Hubschrauber in der Luft haben.«

»Da sind Bilder«, rief Peter dem CIA-Stationsleiter zu.

Auf einem seiner Bildschirme öffnete er ein Video.

Perspektive etwas über Kopfhöhe. Im Hintergrund die Hubschrauber. Im Vordergrund vier Männer mit Schirmkappen und Sonnenbrillen. Trainierte Schultern spannten die Hemden darüber. Ansonsten wenig zu erkennen. Der Zeitcode zeigte drei Tage früher, zehn Uhr einunddreißig. Die Männer verschwanden unten aus dem Bild.

Im Schnelldurchlauf ließ Peter die Aufnahmen über den Monitor laufen. Die Männer zappelten zwischen den Hubschraubern auf die Kamera zu, bis sie fast das Bild füllten und dann verschwanden.

»Die Überwachungskameras über dem Eingang des Charterunternehmens«, erklärte Peter.

Dann tauchten die Köpfe und Schultern der Männer wieder vor der unteren Bildschirmkante auf. Hampelten hastig zu zwei Hubschraubern im Hintergrund. Hantierten daran herum. Stiegen schließlich ein und hoben in einer Staubwolke ab.

»Nicht viel zu erkennen«, meinte Walter.

»Abwarten«, sagte Peter. »Ich schicke sie durch ein paar Programme.«

»Schauen wir uns inzwischen das andere Video an«, sagte Walter.

Es zeigte einen Mann. Schlanker als die anderen. Strohhut, Hemd, Sonnenbrille. Er verabschiedete sich ebenfalls nach unten aus dem Bildausschnitt.

Zeitstempel. Vier Tage früher.

»Da kommt er wieder«, sagte Peter.

»Hut, von hinten«, meinte Walter. »Auch nicht sehr aufschlussreich.«

Sie brauchten ein Bild, in dem man das Gesicht erkannte. Und sie hatten es eilig. Der Mann hippelte im Schnellvorlauf auf die Hubschrauber zu, bog nach links ab.

»Da«, sagte Peter.

Er hielt den Film an. Spulte zurück. Wiederholte die letzten Sekunden in Normaltempo.

Der Mann nahm den Hut ab und wischte sich mit dem Unterarm den Schweiß von der Stirn.

Peter hielt das Video an. In der Sekunde, als der Mann den Arm aus dem Gesicht genommen und den Hut noch nicht wieder aufgesetzt hatte. Ebenmäßige Züge. Getrimmter Schnurrbart unter der markanten Nase. Der dunkle Haaransatz schon etwas hoch, Geheimratsecken.

»Fehler«, sagte Peter. »Hier haben wir ein sehr schönes Profil.«

Du willst nicht an einer Verkehrsampel aufgehalten werden, wenn du die unbekannten Befreier – oder Entführer – eines Ex-US-Präsidenten verfolgst. Ihr Fahrer hatte keine Wahl. Die Autos vor ihnen standen. Also standen sie auch.

Walters Stimme tönte aus der Freisprechanlage: »Hier fallen gerade ein paar Puzzlesteine zusammen! Seht her!«

Auf Dereks Bildschirm poppten Gesichter auf.

»Das sind Bilder einer Überwachungskamera des Hubschrauberverleihs, in dem unsere Entführer die Helis besorgten. Dachten, Sonnenbrillen und Basecaps würden gegen Identifizierung schützen, wie es aussieht. Mann!«

Als Erstes ein Mittdreißiger, harte, kantige Züge. Schmale kleine Nase unter der Sonnenbrille. Volle Lippen. Breiter Nacken. Das blonde Haar, soweit man es unter der Schirmkappe sehen konnte, millimeterkurz geschoren.

»Sean Delmario«, erklärte der Text in der Bildecke rechts unten. Geboren 7.6.1987. »Ehemaliger US-Army-Ranger. Ehrenhaft entlassen. Gegenwärtiger Beruf: Private Security. Wohnsitz: Zypern.«

Das zweite Bild zeigte einen ähnlich formatierten Kerl, bloß mit dunklem Haar.

»Hopper Davies. Geboren 23.2.1989. Ehemaliger US-Army-Ranger. Ehrenhaft entlassen. Gegenwärtiger Beruf: Private Security. Wohnsitz: Berlin.«

Der Mann auf dem dritten Bild war ein anderer Typus. Kein Militär, dachte Derek sofort. Schmaleres Gesicht. Schlanker Hals. Hohle Wangen. Schnurrbart. Geheimratsecken, das dunkle Haar zurückgekämmt.

»Der hier hat nicht mal versucht, unerkannt zu bleiben. Oder ist dämlich. Aaron Bessinados. Geboren 15.11.1979. Beruf: Diverse. Wohnsitz: Beirut, Paris.«

Mit einem Auge schielte Derek auf die Verkehrslichter über den Autodächern vor ihnen. Gelb.

Er wusste, dass er hinter den mitgeschickten Links mehr Informationen finden würde. Über die Freisprechanlage gab der CIA-Stationsleiter das Wichtigste auch so durch.

»Zwei der Jungs, die die Hubschrauber abholten, konnten unsere Programme identifizieren«, sagte er. »Ex-Army, jetzt private Sicherheitsdienste.«

»Wohnsitze Zypern und Berlin«, sagte Derek. »Früher hätte man so etwas Söldner genannt.«

»Die zwei anderen Abholer konnten wir leider nicht finden. Aber zumindest zwei US-Amerikaner waren demnach in die Aktion verwickelt.«

Langsam fuhr ihr Range Rover an.

»Wer ist der Dritte, dieser Aaron Bessinados?«, fragte Trevor. Bedeutete gleichzeitig dem Fahrer mit einer Geste: geradeaus.

»Zwielichtige Gestalt«, erklärte der Stationsleiter. »Klassischer Fixer, Dealer, Händler mit verschiedenen Gütern. Allerdings bestenfalls Mid-Level. Kein Drahtzieher. Er hat die Hubschrauber ausgesucht und bezahlt.«

»Die Ex-Soldaten haben sie dann bloß abgeholt?«, fragte der Botschafter.

»Das behaupten zumindest die Verkäufer. Die Videos legen es nahe.«

»Follow the money«, sagte Derek. »Habt ihr euch schon angesehen, woher das Geld für die Helis kam?«

Auch wenn er sich da nicht viel Hoffnung machte. Wer eine solche Aktion spielte, verwischte seine Spuren.

»Klar. Kann aber dauern. Die ersten Recherchen versickern bei Briefkastenfirmen in Singapur und auf den Kanalinseln.«

War zu erwarten.

Sie kamen nicht recht weiter. Auch auf der Straße nicht. In einem kleinen Fenster auf Trevors Laptopmonitor konnte der Fahrer die Karte mit den verschiedenfarbigen Punkten sehen.

»Was ist mit diesen Ex-Army-Jungs?«, fragte Derek. »Wissen wir mehr? Vor allem über die vergangenen Tage?«

»Sind dabei. Wir checken auch Aufnahmen aus dem Umfeld des Korydallos-Gefängnisses seit Turners Einlieferung. Social Media. Überwachungskameras und Verkehrskameras. Womöglich haben sie sich Intel besorgt.«

»Müssen sie fast«, meinte Trevor. »Irgendwelche Auffälligkeiten in ihrer Vergangenheit?«

»Nicht wirklich«, sagte der Stationschef. »Beide mehrfach ausgezeichnet. Klingt nach fabelhaften Soldaten. In Sean Delmarios Army-Unterlagen gibt es allerdings einen gesperrten Vermerk, für den wir uns erst eine Freigabe holen müssen.«

»Ernsthaft?«

»Wird nicht lange dauern. Hopper Davies war Pilot«, fügte

er hinzu. »Das passt ins Bild. Ein Team aus ein paar Spezialisten, die den Job machen.«

»Und hier ist der zweite Teil des Puzzles«, sagte Walter. Weitere Bilder waren auf Trevors Display zu sehen. Auch bei Derek und dem General erschienen sie. Körnige Aufnahmen eines Privatjets. Wohl schon stark vergrößert. Davor ein Mann, der soeben in die Maschine stieg.

»Das ist Mahir Clement vor fünf Tagen am Flughafen in Limassol, Zypern.«

»Zypern. Wohnsitz von Sean Delmario«, bemerkte Derek sofort. Und den Zeitstempel. »Das war nur wenige Stunden nach Turners Verhaftung.«

»Exakt. Auf den nächsten zwei Bildern seht ihr ihn mit demselben Flugzeug bei der Einreise nach Griechenland. Die übrigen Bilder sind am Tag darauf entstanden.«

Auf Dereks Bildschirm tauchten weitere Bilder auf, die Walter ihnen einspielte. Abstrakte Diagramme, auf denen sich verschiedene Nummern miteinander verbanden.

»Wir haben versucht, Kommunikationsdaten von ihm zu bekommen. Und tatsächlich etwas gefunden.«

88

»Da vorn sind sie«, sagte Trevor. Sie waren etwa zwei Kilometer vom Flughafen Eleftherios Venizelos entfernt. Derek erkannte das Heck des blauen Volvo-Kombis.

»In Ordnung«, sagte der Stationsleiter aus der Freisprechanlage. »Könnt ihr dranbleiben?«

Trevor warf dem Fahrer einen fragenden Blick zu. Der nickte.

»Wir bleiben dran«, sagte Trevor.

»Dann halten wir unsere Drohnen jetzt zurück«, sagte Walter, »sie sind ohnehin schon zu nah am Flughafen.«

»Gut. Wir geben Bescheid, falls wir sie doch noch brauchen.«

Die Luftbilder auf Dereks und Trevors Laptops wurden schwarz.

»Wollen die wirklich über den größten griechischen Flughafen ausfliegen?«, fragte Jeremy McIntyre.

»Die kleinen sind von der Polizei viel einfacher zu sichern«, sagte Trevor. »Kaum Gebäude, wahrscheinlich höchstens ein halbes Dutzend Privatjets, die man kontrollieren müsste. Hier ist das Gelände größer. Auch das der Privatjets. Außerdem werden die Behörden so lange wie möglich versuchen, den regulären Flugverkehr nicht zu beeinträchtigen und die Passagiere nicht zu verunsichern. Sie müssen also behutsamer vorgehen.«

»Wofür die griechische Polizei nicht gerade berühmt ist«, meinte Jeremy.

»Solange sie nicht sicher sein können, dass Turner wirklich

über ATH rausgebracht wird, werden sie auf kleiner Flamme kochen. Patrouillen, Augen offen halten. Eventuell den Privatjetbereich genauer beobachten. Das lässt unseren Flüchtlingen Bewegungsraum.«

»Sie müssen durch die Ausreise, auch als Privatjetnutzer«, wandte Jeremy ein.

»Jeremy, bitte, spiel nicht den Naiven«, sagte Nestor Booth. »Wenn man will, weiß man, wie man diese Hürden umgeht.«

»Selbst wenn sie es bis zu einem Jet schaffen – der braucht einen Startslot ...«

»Können sie bereits nach der Befreiung aus dem Gefängnis beantragt haben«, wandte Trevor ein. »Vielleicht sogar schon vorher. Wirklich, das sind alles keine echten Hindernisse.«

»Ihr meint, wenn wir wissen wollen, was hier gespielt wird, müssen wir es selbst herausfinden?«

Derek grinste ihn schief an.

»Was glaubst du, warum wir hier unterwegs sind?«

»Der Volvo fährt Richtung Privatjets«, erklärte Dana. »Ihm folgt ein Range Rover, der mir sehr bekannt vorkommt. Das ist der Wagen, mit dem Derek Endvor und seine Truppe immer unterwegs waren. Also doch ...«

»Die US-Experten, die Turner rausholen sollten?«, fragte Alex.

»Genau die. Begleiten ihren Schützling jetzt also ganz frech zum Abflug.«

»Keine Anzeichen besonderer Polizeiaktivitäten«, erklärte Tania aus der Freisprechanlage. »Was nichts bedeutet. Riesige Blaulichtbarrikaden wären wahrscheinlich kontraproduktiv. Aber was weiß ich schon.«

»Wir haben nichts mehr von Stouvratos gehört«, sagte Dana. »Ich hoffe, er hat unsere Infos an die Polizei weitergegeben.«

»Wenn das in dem Range Rover da vorn wirklich Arthur Jones' Truppe für Turner ist, würde mich nichts wundern«, bemerkte Alex.

»Unsere Drohnen sind mittlerweile tief in der Sperrzone des Flughafens«, erklärte Tania aus der Freisprechanlage. »Wenn die entdeckt werden, ist auf dem Airport die Hölle los. Dann stoppen die den ganzen Flugverkehr. Und wir können richtig Schwierigkeiten bekommen, falls man uns findet.«

»Wir sehen sie ja jetzt. Könnt ihr die Drohnen vorläufig irgendwo runterlassen? Und bei Bedarf schnell wieder hochbringen?« Dana fragte sich, wie nah oder weit weg die Drohnenpiloten waren. Folgten sie ihnen mit einem Auto? Reichten die Signale der Fernsteuerungen bis hierher? Dana hatte von diesen Dingen keine Ahnung. »Den Flugverkehr zu stoppen könnte im Notfall sogar hilfreich sein«, überlegte sie. Auch wenn sie es vermeiden wollte, einen ganzen Flughafen lahmzulegen, nur weil diese Kerle sich aufführten wie Cowboys.

Sean fuhr auf den Flughafen zu wie ein ganz normaler Chauffeur oder Passagier. Nicht ganz normal.

»Fliegen wir hier ab?«, fragte Douglas Turner von der Rückbank. »Vom offiziellen Flughafen?«

»Mehr oder minder von der Stelle, an der Sie vor ein paar Tagen angekommen sind«, erwiderte Sean.

Turner hatte sicher keine angenehmen Erinnerungen an den Ort. Immerhin war er dort nicht nur angekommen. Man hatte ihn verhaftet. Und ihm die wohl größte Demütigung seines Lebens verpasst.

Sean fuhr nicht auf den großen Parkplatz für Langzeitparker und auch nicht auf den kleineren für Kurzzeitparker. Stattdessen steuerte er die Einfahrt für die VIPs an. Die sich nicht mit dem gewöhnlichen Passagiervolk durch Check-in, Security und

Duty-free wälzen mussten, sondern sich direkt zu den Lounges für Privatjetpassagiere oder den Flugzeugen chauffieren ließen.

Immerhin gab es hier auch eine Schranke mit Zufahrtskontrollen. Sean bog auf die Zufahrt ab und hielt vor dem Schlagbaum.

Aus einem Häuschen daneben lugte ein Mann in Uniform. Sean reichte ihm die vorbereiteten Papiere.

Der Mann nahm sie entgegen. Inspizierte sie.

Währenddessen scannte Sean die Umgebung auf Verdächtiges. Er wusste, dass Hopper, Biff und Sal dasselbe taten. Polizei irgendwo? Trauten sie ihnen den Stunt zu, vom belebtesten und wichtigsten Flughafen des Landes abzufliegen? Oder hielten sie es für so unwahrscheinlich, dass sie die Kräfte und Sicherheitsvorkehrungen hier nicht zu sehr hochgefahren hatten?

Sean und die anderen hatten alle Optionen erwogen. An den wesentlich kleineren Flughäfen Elefsis im Westen und Tatoi im Norden der Stadt hatten sie ebenfalls je einen Charter-Jet bereitstehen. Beide mit Reichweiten, die sie bis in die USA bringen konnten. An kleineren Flughäfen war ein solcher Auftrag allerdings auffälliger. Vielleicht hatte die griechische Polizei sie sogar schon entdeckt. Ihre Schlüsse gezogen. Und beobachtete sie. Ihr eigener Flug war als gewöhnlicher Trip nach Nizza angemeldet. Ein paar reiche Griechen oder Russen, die für ein paar Tage an die Côte wollten.

Trotzdem war dieser Teil der Operation kein Spaziergang. Vielleicht sogar der kritischste.

Der Mann in dem Häuschen musterte Sean.

Der deutete ein Lächeln an.

Nicht zu viel. Nicht zu wenig.

Der Mann warf nur einen halbherzigen Blick auf Seans Mitfahrer. Dann reichte er ihm die Papiere und winkte ihn weiter.

Die Schranke öffnete sich.

»Durch sind sie«, stellte Trevor fest. Das Heck des Volvos verschwand Richtung Privatjetterminal.

Ihr Fahrer hielt vor der Schranke. Präsentierte dem Mann in dem Häuschen mehrere Pässe. Jeremys. Dereks. Trevors. Nestors. Diplomatenpässe.

Der Mann runzelte die Stirn. Verglich die Gesichter.

Der Fahrer herrschte ihn an. Gestikulierte. Diskutierte noch lauter.

Der Wächter nickte unwirsch, reichte ihm die Pässe und öffnete den Schlagbaum.

Ihr Fahrer passierte die Barriere mit der nötigen Gelassenheit.

Der Volvo war nur hundert Meter weiter auf dem Weg zum VIP-Terminal.

Vor dem Gebäude hielt er auf einem der wenigen Parkplätze.

»Fahren Sie hin«, befahl Derek dem Fahrer.

Der gehorchte.

»Da ist ein Wagen hinter uns«, sagte Biff auf dem Beifahrersitz. »Dunkler Range Rover. Folgt uns schon geraume Zeit.«

»Habe ich gesehen«, sagte Sean.

»Was machen wir mit dem?«

»Nichts. Vorerst.«

Er gab Biff ein Zeichen. Der zog eine Pistole aus der Oberschenkeltasche seiner Combathose. Er wandte sich nach hinten und reichte sie, mit dem Griff voraus, Turner.

»Hier«, sagte er, »für alle Fälle.«

Turner blickte ihn verdutzt an, nahm die Waffe entgegen.

»Sie wissen, wie man die bedient?«

Hopper zeigte dahin und dorthin.

»Hier entsichern«, sagte er. »Und hier sichern. Jetzt ist sie gesichert.«

»Weshalb soll ich die brauchen?«

»Weiß man nie«, sagte Sean.

»Stecken Sie das Ding an Ihrem Rücken in den Hosenbund und lassen Sie das Poloshirt drüberhängen.«

Sean musterte den Range Rover, der direkt auf sie zukam.

»Im Fall der Fälle ...«, sagte Sean. »Unsere Maschine ist die weiß-gelbe Bombardier, halb links, sobald man den VIP-Terminal verlassen hat. Der Pilot ist startbereit.«

Noch sah Derek niemanden aus dem Volvo steigen.

Sie hatten ihn fast erreicht, als der Fahrer die Tür öffnete und das Fahrzeug verließ.

Derek erkannte ihn sofort: Sean Delmario. Der Mann, den die CIA identifiziert hatte. Fast gleichzeitig öffneten sich die anderen Türen. Vier weitere Typen wie Delmario stiegen aus. Alles an ihnen schrie Ex-Militär.

Scannten die Umgebung. Entdeckten ihren Range Rover sofort. Blickten ihm kalt entgegen. Einer hielt eine Hand abwehrend vor den Innenraum.

Nicht aussteigen.

Das galt Turner.

Da hielt ihr Fahrer bereits neben ihnen, die Front des Range Rovers gerade mal zwei Meter vor der Fahrerseite des Volvos entfernt.

Delmarios Hand verschwand unter seiner ärmellosen Jacke. Jede Sehne seines Körpers war gespannt.

Derek hatte bereits seine Tür geöffnet und war schnell genug ausgestiegen, sodass er ungeschützt vor Delmario stand. Seine Hände halb hochgehoben, mit den Flächen offen nach vorn, als wollte er jemanden beschwichtigen oder einen Streit schlichten.

Vom Asphalt des Parkplatzes strahlte die Hitze des Tages. Derek trat sofort Schweiß auf die Stirn. Schlecht. Sean Delmario könnte es missdeuten.

Sean Delmario war ein Elitekämpfer gewesen. An Dereks Verhalten, aber auch an seiner Kleidung musste er erkennen, dass Derek keine Schusswaffe bei sich haben konnte. Zumindest keine schnell und einfach erreichbare.

»Sean Delmario«, sagte Derek, »darf ich Sie Sean nennen? Ich bin im Auftrag von US-Präsident Arthur Jones hier. Ich bin unbewaffnet.« Mit einem Kopfnicken nach hinten deutete er auf sein Team. »So wie die anderen auch. Unter ihnen ist der US-Botschafter in Griechenland, ein Army-General, ein Geheimdienstkoordinator aus dem Weißen Haus. Mein Name ist Derek Endvor.«

»Ich weiß«, antwortete Sean.

Kein Kunststück. Dereks Gesicht war während der vergangenen Tage in allen Medien gewesen.

Sean holte seine Hand aus der Jacke.

Ohne Waffe. Entspannte sich.

Derek noch nicht.

»Gut, Sie persönlich kennenzulernen«, sagte Sean. Blickte an Derek vorbei in den Rover.

»Ist das da drin General Booth?«

»Ja«, sagte Derek.

»Fliegen Sie gleich mit uns?«, fragte Sean. »Ich wurde nicht informiert. Wir haben nur noch Platz für drei.«

Wovon redete der? Für den Moment spielte Derek mit.

»Nein«, sagte er.

»Wie Sie wollen«, sagte Sean. »Dann entschuldigen Sie mich, bitte. Wir müssen weiter.« Er winkte seinen Kumpanen, Turner aus dem Fahrzeug zu lassen. »Unser Flieger wartet.« Er sah auf seine Armbanduhr. »Unser Slot ist um siebzehnhundertsechsunddreißig. Das gibt uns noch dreißig Minuten.«

Auf der anderen Seite stieg Douglas Turner aus dem Volvo. Musterte sie. Wandte sich um und wurde von zweien der Männer

Richtung VIP-Lounge begleitet. Die beiden anderen schlossen ihre Türen, umrundeten den Wagen und folgten dem Trio.

Sean wandte sich noch einmal um und winkte.

»Hat mich gefreut, mit Ihnen zu arbeiten.«

Wovon redete der?

89

»Die sind durch die Absperrung gekommen wie ein heißes Messer durch Butter«, stellte Dana fest. »Und weit und breit keine Polizei zu sehen.«

»Das gibt's doch nicht«, sagte Alex. »Die *wollen* den loswerden.«

»Sicherlich wollen sie das«, sagte Steve. »Aber das werden wir nicht zulassen.«

»Ich rufe noch einmal Stouvratos an.«

Dana tippte. Wartete.

»Geht keiner ran. Auch eine Methode«, sagte sie und überlegte kurz. »Okay. Wir müssen eine Entscheidung treffen. Wenn wir da reinfahren, könnte es heikel werden. Alex, denkst du, wir können Steve hier rauslassen, und deine Freunde kümmern sich um ihn? Ich will nicht, dass er da drinnen womöglich der Polizei zu nahe kommt.«

»Haben wir gehört«, sagte Manolis aus der Freisprechanlage. »Klar können wir.«

»Aber ich ...«, setzte Steve an.

»Wann seid ihr da?«, fragte Alex.

»In fünf Minuten.«

Dana wandte sich zu Steve um.

»Ist besser so. Tania und die Jungs passen auf dich auf, bis das hier vorbei ist.«

Steve zögerte.

»Mach schon«, forderte Dana ihn auf. »Wir müssen weiter!«

Steve packte seinen Rucksack.

Dana boxte ihm gegen die Schulter.

»Wird schon. Danke noch einmal fürs Kommen. Bis später!«

Steve sprang hinaus. Etwas verloren stand er auf dem heißen Asphalt, während Alex weiterfuhr.

Er hielt vor der Schranke. »Filme das kommende Gespräch mit«, sagte sie zu ihm und gab ihm das Telefon. »Erst mal so unauffällig wie möglich. Außer ich sage dir, dass er das merken soll.«

Aus dem Häuschen daneben beugte sich ihr ein Mann in Uniform entgegen.

Dana nestelte ihren Pass hervor und präsentierte ihn über Alex hinweg.

Wenn der Mann nicht völlig außerhalb der Welt lebte, hatte er die Ereignisse der vergangenen Tage verfolgt. Mit hoher Wahrscheinlichkeit hatte er Dana schon im Fernsehen gesehen. Und Alex. Und Steve. War die Frage, was er von der ganzen Geschichte hielt. Wollte er Turner in Den Haag haben? Oder in Freiheit? Gehörte er zu jenen, die Dana beschimpften und in die Luft jagen wollten? Oder zu den anderen?

Im ersteren Fall standen ihre Chancen schlecht.

Im zweiteren hatte er vielleicht trotzdem Sorgen, alles korrekt zu machen.

Und: Hoffentlich verstand er Englisch. Sonst müsste Alex eben übersetzen.

»Sprechen Sie Englisch?«

»A little.«

Ein bisschen.

»Wissen Sie, dass Douglas Turner vor einer Stunde aus dem Gefängnis befreit wurde?«

»Ja. Das habe ich online gelesen.«

Er musterte sie mit gerunzelter Stirn. Studierte wieder den Pass. Erkannte er sie schon?

»Dana Marin vom International Criminal Court«, erklärte sie. »Ich schätze, Sie haben mein Gesicht in den vergangenen Tagen gesehen.«

»Sie sind das! Sie haben den Präsidenten verhaftet!«

Präsidenten. Nicht Ex-Präsidenten. Ein Zeichen von schlechtem Englisch oder von Bewunderung Turners? Oder von Autoritäten generell?

»Der Ex-Präsident saß in dem blauen Volvo, den Sie eben durchgewinkt haben. Haben Sie das gesehen?«

»Was sagen Sie?!«

Seine Überraschung wirkte nicht gespielt. Wahrscheinlich hoffte er gerade, dass er sie falsch verstanden hatte.

»Douglas Turner saß in dem Auto. Er soll außer Landes gebracht werden.«

Jetzt sagte auch Alex etwas auf Griechisch. Wahrscheinlich das Gleiche wie Dana, nur deutlicher für den Mann.

»Ich habe ihn nicht gesehen«, erwiderte der.

Konnte sein. Vielleicht hatte er sich auch keine Mühe gegeben.

»Trotzdem war er drin. Ich muss hinein, ihn aufhalten! Und Sie müssen die Flughafenpolizei alarmieren! Wir brauchen hier alle Einsatzkräfte, um den Mann zu stoppen!«

»Aber, ich kann nicht ...«

»Natürlich können Sie! Wollen Sie einem flüchtigen Häftling beim Entkommen helfen?«

»Ich ...«

Wieder mischte sich Alex auf Griechisch ein.

Der Mann zögerte.

»Wir haben keine Zeit mehr!«, rief Dana. »Lassen Sie uns durch! Rufen Sie die Polizei! Machen Sie schon!«

»Sie haben keine Genehmigung, hier ...«

»Und die vor mir hatten sie?«

»Ja. Sie hatten die notwendigen Papiere.«

»Auch die Personen in dem Range Rover?«

»Diplomatenpässe.«

Dana schnaubte.

»Entweder Sie lassen mich jetzt sofort durch, oder es wird öffentlich, dass Sie Douglas Turner bei der Flucht geholfen haben«, zischte sie ihm entgegen und hoffte, dass die Drohung auf dem Video nicht zu hören war, das Alex neben ihr machte. »Einem geflohenen Angeklagten! Manche Ihrer Freunde mögen das vielleicht begrüßen. Andere ganz und gar nicht.« Zeit für deutliche Worte. »Auf wessen Seite stehen Sie?«

Im VIP-Empfang herrschte angenehm klimatisierte Kühle. Die Angestellten hinter den Desks der Privatcharteranbieter sahen nur kurz hoch, als die Neuankömmlinge eintraten. Als sie deren entschiedenen Schritt durch den Raum erkannten, sank ihr Interesse gleich wieder. Keine Kundschaft. Nur zwei behielten sie im Blick. Hatten sie Turner erkannt? Schwerlich, hinter der Sonnenbrille und der Schirmkappe. Oder war es das nicht ganz unauffällige Gepäck, das ihre Aufmerksamkeit geweckt hatte? Sie konnten aber auch nicht die ersten Leibwächter sein, die hier durchspazierten.

Sean hielt sich ganz vorn. Öffnete die Tür zum Flugfeld. Vor dem Terminal warteten mehrere Privatjets. Er zählte zwölf. Verschiedene Modelle. Ihrer war die Bombardier Global zweihundertfünfzig Meter entfernt.

Er zeigte sie Turner.

»Die dort«, sagte er. »Gleich haben wir's.«

Turner war nicht so gelassen; wie er sich gab, verriet ein Blick über die Schulter.

Sean war es auch nicht. Noch immer wusste er nicht, ob Mahir und seine Hintermänner ihnen tatsächlich die griechische Polizei vom Hals halten konnten. Bis jetzt wirkte es so.

Aber darauf verlassen wollte er sich nicht. Sein Blick scannte das Vorfeld. Keine Sicherheitsleute, kein Militär. Nur vereinzelte Servicewagen und -personen. Sean scannte noch einmal. Neben ihm Biff.

»Sieht gut aus«, sagte der.

Sie gaben den anderen ein Zeichen und marschierten los.

»Er hat Sie gekannt«, beharrte Derek. »Kennen Sie ihn?«

General Nestor Booth hatte die Halle verlassen und hastete neben Derek hinter Sean Delmario, seinem Team und Douglas Turner her.

»Ganz sicher nicht«, zischte der General. »Und dass er mich kennt, ist nicht verwunderlich. Ich bin General. Er war einfacher Lieutenant.«

Ein General von vielen, dachte Derek. In seiner Militärzeit hatte er auch längst nicht alle Generäle gekannt.

»Und bevor Sie jetzt Theorien spinnen«, fuhr Nestor fort, »von uns gab es keinerlei Auftrag.«

»Von uns auch nicht«, sagte Trevor schräg hinter Derek. Jeremy schnaufte einige Meter hinter ihnen.

»Sean!«, rief Derek. »Mister President!«

Die Gerufenen wandten sich um, liefen aber weiter.

Derek beschleunigte. Erreichte sie. Lief nun neben dem Anführer der Söldner und dem Ex-Präsidenten.

»Hören Sie mir jetzt genau zu«, sagte er zu Delmario. »Wir wissen, dass Sie von Mahir Clement angeheuert wurden.«

»Das weiß ich auch«, antwortete Sean. »In Ihrem Auftrag. Er hat mir eine Videogrußbotschaft von Ihnen gezeigt.«

Derek wäre fast gestolpert.

»Er hat was?«

»Ein Video. Sie stellen sich vor und hoffen, dass es meinen Einsatz nicht brauchen wird. Kam wohl anders.«

»Ich habe so ein Video nie aufgenommen«, erklärte Derek. »Das muss eine Fälschung gewesen sein.«

»Dann aber eine gute.«

Derek hörte einen Anflug von Verunsicherung in Seans Stimme.

»Alles ist möglich heute.«

Sie hatten ein Viertel der Strecke zu dem einzigen Flugzeug zurückgelegt, dessen Treppe herabgelassen war.

»Mahir hatte zuletzt intensiven Kontakt mit einem russischen Milliardär, der dem Kreml nahesteht«, sagte Derek. Von unten heizte der Asphalt die Luft auf.

»Das meinen Sie nicht ernst«, sagte Sean. Warf ihm einen ganz kurzen Blick zu.

»Sagt unsere Intelligence. Zugegeben, noch wissen wir nichts sicher. Außer dass Sie nicht von uns beauftragt wurden. Warum hätten wir das auch tun sollen? General Booth hat drei Teams in Souda Bay bereitstehen. Die hätten wir geschickt.«

Sean lief unbeirrt weiter. Schwieg.

»Verstehen Sie, was ich sage?«, fragte Derek eindringlich.

Turner, ein wenig außer Atem, wandte sich an ihn: »Wollen Sie behaupten, hinter dieser Aktion stecken die Russen? Warum sollten die das tun?«

»Um uns wie wild gewordene Cowboys dastehen zu lassen?«, schlug Derek vor. »Und die ganze westliche Welt gegen uns aufzubringen?«

Sie kamen dem Flugzeug immer näher.

»Na und?«, mischte Turner sich ein, der alles mit angehört hatte. »Dann hätten die Russen immerhin etwas unternommen! Im Gegensatz zu Arthur, diesem Schlappschwanz!«

»Verstehen Sie nicht, in was für eine Lage das die Vereinigten Staaten bringt? Auf den verschiedenen Ebenen?«

Turner lachte höhnisch.

»Natürlich verstehe ich das! Ich war selbst Präsident! Zum Glück bringt es nicht die Vereinigten Staaten in eine verzwickte Lage. Sondern bloß Arthur. Sein Problem. Mir ist es egal, wer mich hier rausholt. Und Sean hier ist es egal, wer ihm dafür wahrscheinlich sehr viel Geld bezahlt hat. Nicht wahr, Sean?«

Der Angesprochene schwieg und beschleunigte seine Schritte.

Dana entdeckte den Volvo und den Range Rover auf dem Parkplatz.

»Da sind sie«, stieß sie hervor.

»Beide leer«, stellte Alex fest. »Die sind schon unterwegs zum Flieger.«

Hektisch sahen sie sich um.

»Irgendwo müssen Limousinen mit Direktablieferung am Jet ja durchfahren können«, sagte sie. »Siehst du etwas?«

»Da links vorn vielleicht«, rief Alex.

Könnte sein. Alex versuchte es. Trieb den Wagen am VIP-Terminal entlang. Nach etwa zweihundert Metern öffnete sich rechts von ihnen eine Lücke in den Fassaden. Kein Tor. Kein Zaun. Keine Kontrollen. Wer es bis hierher geschafft hatte, schaffte es überallhin.

Zwei Fahrstreifen. Ein Schild:

Private Charter.

Darunter ein Warnschild.

Achtung, Flugzeuge!

Alex zweigte ab.

Vor ihnen öffnete sich das Flugfeld.

»Welcher Flieger ist jetzt der für Turner?«, fragte Alex angesichts des Dutzends Privatjets, die vor ihnen aufgereiht standen.

Dana stoppte abrupt. Blickte nach rechts, zum Terminal. »Da kommen sie«, sagte Dana. »Eins, zwei. Turner. Vier, fünf. Noch mehr. Wer ist das?«

»Kann ich nicht erkennen«, sagte Alex. »Sieht aus wie Typen in Anzügen. Und Freizeitkleidung.«

»Polizei?«

»Höchstens Zivil. Ich sehe keine Waffen.«

Dana prüfte die Maschinen vor ihnen. Einige standen mit den Schnauzen in ihre Richtung. Andere mit dem Heck.

Dana entdeckte, wohin sie mussten.

Sie schätzte die Entfernung auf zweihundert Meter.

Der Trupp mit Turner war vielleicht noch hundert Meter von dem Flugzeug entfernt.

Mit dem Auto waren Alex und Dana schneller dort. Und dann? Noch immer keine Polizei zu sehen, nirgends.

Wo waren die, zum Teufel?

»Da vorn«, sagte sie zu Alex. »Der Jet mit der herabgelassenen Treppe. Ich mache das Telefon hier bereit zum Filmen.«

Nur bei einem der Jets war unter dem Rumpf eine herabgelassene Treppe zu sehen.

Langsam fuhr Alex an. Möglichst spät für Aufmerksamkeit sorgen.

Sean versuchte einzuordnen, was Derek Endvor ihm gerade erzählt hatte. Steckten hinter der Befreiung tatsächlich die Russen? Die Folgen konnten fatal sein. Oder bluffte Derek, aus welchem Grund auch immer? Er war mit Turner und Team auf halbem Weg über den glühenden Beton vom Terminal zum Jet, als er das Fahrzeug entdeckte. Ein blassroter Kleinwagen. Er kam von der Fahrbahn für Direktzufahrten zu den Jets. Vor fünf Tagen hatten Sean und die anderen nach ihrer Ankunft aus Zypern über diesen Weg den Flughafen mit dem Range Rover verlassen.

Sean konnte die Marke nicht erkennen. Das Auto hielt auf die Bombardier zu. Oder eine der Nachbarmaschinen. Wer war das? Wohin fuhren sie? Service? Personal für einen der Jets? Catering? Nach Essen sah es nicht aus. Zu klein. Zu schäbig. Polizei war es auch nicht. Das war schon einmal gut.

Bei den anderen Jets entdeckte Sean keine herabgelassenen Treppen. Musste nichts heißen. Vielleicht wollte jemand eine andere Maschine vorbereiten.

Mit einem Kopfnicken wies er Biff auf das Auto hin.

Der hatte es auch schon gesehen.

Schulterblick. Auch Hopper und Sal hatten ihre Blicke auf den Wagen gerichtet. Sie beschleunigten ihre Schritte.

»Wer ist das?«, fragte Turner.

»Werden wir sehen«, sagte Sean. »Sieht aber nicht wirklich bedrohlich aus, die Karre, finden Sie nicht?«

Sean musste hier jetzt für Ruhe sorgen.

Schulterblick.

Turner hatte die rechte Hand hinter dem Rücken.

Sean konnte sich denken, wo.

Mach jetzt nichts Unüberlegtes.

Die Männer mit Turner gingen schneller.

»Sie haben uns gesehen«, sagte Alex.

Jetzt erkannte Dana auch die ersten Personen in den Anzügen. Derek Endvor sowie weitere Gesichter aus dem Gerichtssaal.

Flogen die jetzt alle gemeinsam aus?

Danas Aufregung und Angst schlugen in Wut um. Diese Unverfrorenheit!

Sie würden das Flugzeug fast gleichzeitig erreichen.

Dana spürte ihren Magen bis in den Hals. Die vergangenen Tage waren absurd genug gewesen. Von den letzten Stunden ganz zu schweigen.

Wo blieb die Polizei?!

Alex beschleunigte, schoss jetzt auf den Jet zu.

Sie würden zuerst da sein.

Jetzt erkannte sie Turner.

Wie früher auf den Drohnenbildern lief er inmitten der anderen. Sonnenbrille. Schirmkappe. Eine Hand hinter dem Rücken. Schmerzen? Hatte er sich auf der Flucht verletzt?

Das Fahrzeug erreichte das Flugzeug. Alex fuhr so nah an die Treppe, dass die Fahrerseite sie fast berührte. Stoppte.

Das Heck ihres Wagens blockierte die Treppe.

Dana öffnete das Handschuhfach. Holte heraus, was sie an Unterlagen fand. Eine Gebrauchsanweisung für das Auto in einer weichen Tasche. Zwei weitere kleinere Taschen mit anderen Unterlagen.

»Nimm, was du an Gegenständen findest«, forderte sie Alex auf.

»Wozu?«

»Frag nicht, mach!«, rief sie. Klemmte sich die Taschen unter den linken Arm. In der Hand ihr Telefon.

»Und sag deinen Kumpels, dass ich auf Twitter live gehe. Account just4alld, mit einer Vier für ›for‹.«

Öffnete Twitter. Stellte auf Livestream. Öffnete mit der Rechten die Tür. Sprang aus dem Wagen. Wechselte das Telefon in die Rechte.

Lief um den Kühler des Autos und hielt das Telefon zum Filmen auf Brusthöhe vor sich.

»Nicht die!«, hörte Sean den Ex-Präsidenten hinter sich.

Er erkannte die Frau sofort.

Dana Marin.

Sie war bei Turners Verhaftung vor ein paar Tagen als Vertreterin des ICC dabei gewesen.

Woher kam die jetzt?

Alles, was sie bei sich trug, waren zwei kleine Taschen unter einer Achsel. Und ein Telefon, direkt auf sie gerichtet.

Keine Waffe.

Auf dem Fahrersitz erkannte Sean noch eine Gestalt.

Die jetzt auch die Tür öffnete und ausstieg.

Ein Typ. Marins griechischer Freund.

»Ich streame das hier live«, rief sie. »Die ganze Welt kann Sie sehen!«

»Sie blufft!«, rief Turner.

Der Fahrer hatte eine Fußmatte aus dem Wagen mitgenommen. Wozu das? Mit der Rechten hielt er ebenfalls ein Telefon vor seine Brust.

Filmte auch.

Oder gab zumindest vor, es zu tun.

»Lassen Sie uns vorbei«, rief Sean, »dann kommt niemand zu Schaden.« Griff mit seiner Rechten zu der Waffe im Schulterholster unter der Jacke.

Die Frau zögerte.

Dann tat sie einen Schritt zur Seite. Noch einen.

Noch einen.

Der junge Grieche folgte ihr wie ein Synchronschwimmer im Trockenen.

Sie hielten die Telefone weiter auf sie gerichtet.

In der Eingangstür des Jets erschien der Co-Pilot.

Sean gab ihm ein Daumen-hoch. Maschinen starten.

Der Co-Pilot verschwand in der Kabine.

»Dana!«, rief Derek Endvor. »Lassen Sie es! Es ist vorbei!«

Noch ein Schritt zur Seite. Sie stand schon auf halbem Weg zwischen dem Auto und der Tragfläche des Jets.

Turner drängte sich an Sean vorbei.

»Worauf warten wir noch?«, rief er.

Sean sah, dass Turner die Waffe aus dem Hosenbund gezogen hatte.

Turner erreichte den Wagen, der die Treppe blockierte.

Mit ein wenig Geschick konnte man daran vorbeiklettern. Er richtete die Waffe auf die Frau.

Verdammt! Nicht nötig!

Sean eilte zu ihm.

Dana Marin trat noch ein paar Schritte zurück. Ihr Telefon hielt sie weiterhin in der Rechten.

Geschickt griff sie mit ihrer Linken nach den Taschen unter ihrer Achsel.

Hinter ihr nahmen die zwei Triebwerke am Heck des Flugzeugs mit leisem Sirren ihren Betrieb auf. Überrascht wandte sie sich um, sah aber sogleich wieder zu ihnen.

Sagte etwas zu dem Griechen, das Sean durch das Triebwerkgeräusch nicht mehr verstand. Übergab ihm ihre Taschen.

Marin wandte sich wieder ihnen zu. Hob die freie Hand über den Kopf. Filmte mit der anderen. Oder tat so.

Verdammt, wenn die tatsächlich live streamte?

Der Mann duckte sich unter die Tragfläche und huschte nach hinten. Wollte der davonlaufen?

Vor dem Triebwerk richtete sich Marins Begleiter wieder auf.

Hob den Arm mit ihren Taschen, als wollte er einen Football werfen.

»Die wollen das Triebwerk lahmlegen!«, rief Sean. Er war zu weit weg, um rechtzeitig hinzurennen und den Mann davon abzuhalten. Musste es trotzdem versuchen.

»Schießen Sie!«, brüllte Turner.

Dana reckte ihre leere Linke so hoch wie möglich.

Zitterte am ganzen Körper.

Jetzt bloß nicht das Telefon fallen lassen.

Auf dem Display waren die Männer neben dem Auto und dem Flugzeug zu sehen. Hinter ihr dröhnten die lauter werdenden Triebwerke.

Turner hatte immer noch die Pistole auf sie gerichtet.

»Nicht schießen!«, brüllte sie. »Zivilistin! Keine Kampfhandlung! Nicht! Schießen!«

Die Triebwerke legten zu. Der Söldnertyp hatte ihr Vorhaben ganz richtig erkannt. Aber Alex hatte anscheinend noch keine Tasche geworfen. Oder nicht getroffen.

Jetzt lief der Söldner auf sie zu. Eine Pistole in der Hand.

»Schießen Sie!«, hörte und sah sie Turner brüllen.

Dana machte mit ihren erhobenen Händen zwei Schritte auf die beiden Männer zu.

Fixierte den Söldner.

»Das ist es, was seinesgleichen tun!«, überbrüllte sie die Triebwerke. »Sie und Ihresgleichen auf Zivilisten schießen lassen, damit Sie selbst im Privatjet fliegen können.«

Der Söldner hatte sie fast erreicht.

Verlangsamte seine Schritte.

»Warum schießt er nicht selbst?!«, rief Dana. »Er hat die Waffe schon auf mich gerichtet!«

»Nun schießen Sie schon, Soldat!«, brüllte der Präsident mit hassverzerrtem Gesicht. »Sie sind Amerikaner! Ich war Ihr Präsident! Das ist Ihr Job!«

»Das wäre jetzt Mord«, sagte Derek.

Bislang hatte er die Situation aus wenigen Metern Entfernung beobachtet. Trevor, Nestor Booth, der keuchende Jeremy neben sich.

Zeit einzugreifen.

Derek hastete zu Turner. Der Mann hatte die Kontrolle über sich verloren. Wenn er sie je gehabt hatte.

Stand mit ausgestrecktem Arm da, die Pistole auf Dana Marin gerichtet.

Der würde doch nicht schießen.

Die Frau stand direkt vor der Tragfläche.

Mit dem Treibstofftank des Jets.

Falls sie wirklich live streamte, waren das schon jetzt verheerende Bilder.

Dann hörte er die Schüsse.

Einen. Noch einen.

Drei, vier.

Fünfsechssieben.

90

Böse, harte Geräusche drangen in Danas Ohren, die den Triebwerklärm noch übertönten.

Achtneun?

Sie hatte die Augenlider zugepresst. Den Kopf zwischen die Schultern gezogen. Die Linke als Zeichen ihrer Waffenlosigkeit immer noch in den Himmel gestreckt. Die Rechte mit dem Telefon vor der Brust.

Ihr Körper ein einziges Beben. Statt Blut raste glühendes Adrenalin durch ihre Adern.

Zehn!

Dana spürte keinen Schmerz.

Sie öffnete die Augen zu schmalen Schlitzen.

Drei Meter vor ihr stand der Söldner.

Den Kopf zurückgelegt. Die Zähne zusammengebissen.

Die Augen geschlossen.

Breite Beine. Die Arme senkrecht neben dem massigen Oberkörper, als stemmte er sich von etwas hoch.

Die geschwollenen Adern an seinem Hals waren dick wie Kabel. Jede Sehne, jeder Muskel daneben zeichnete sich unter der Haut ab. Die freiliegenden Unterarme ebensolche Muskelbündel. In seiner Rechten die Pistole. Den Lauf auf den Boden gerichtet.

Elfzwölf!

Neben seinem Fuß zwei kleine Wölkchen, Splitter flitzten bis zu Danas Füßen. Wo die Projektile den Boden getroffen hatten, prangte schon ein halbes Dutzend kleiner Krater im Asphalt.

Noch ein Schuss!

Der Mann verballerte sein Magazin in den Asphalt neben sich.

Langsam öffnete Dana die Augen weiter. Ließ die Schultern sinken. Stützte ihre linke Hand auf ihrem Kopf ab.

Der Mann ihr gegenüber hatte aufgehört zu schießen.

Nun stand er fast da, als betete er.

Seine Arme entspannten sich. Sein Körper. Die Adern an seinem Hals verschwanden.

Er suchte Danas Blick.

Sie erwiderte ihn.

So sahen sie sich einige Sekunden gegenseitig an.

»Wehrlose Zivilisten erschießen ist nicht mein Job«, sagte er schließlich so laut, dass alle es hören mussten. »Es ist unamerikanisch.«

Er steckte die Waffe in das Holster an seiner Schulter und wandte sich von Dana ab.

Auch Douglas Turner hatte nicht geschossen. Noch immer umklammerte seine Hand die Waffe. Im nächsten Moment trat Derek Endvor zu ihm und nahm sie ihm ab.

Hinter Dana gab das angeworfene Triebwerk hässliche Geräusche von sich, bevor es mit einem Sirren erstarb.

91

»Steve Donner?«

Die junge Frau grinste ihn vom Beifahrersitz einer Schrottkarosse an.

»Tania«, sagte sie. »Dana und Alex sagten, wir sollen uns um dich kümmern.«

Dem langen Typen hinter dem Lenkrad hingen die dunklen Locken ins Gesicht. Dass der so überhaupt die Straße sah.

Auf der Rückbank hockte ein Vollbart über einem Tabletcomputer, neben sich einen Laptop und mehrere Telefone.

»Das sind Manolis und Stavros«, erklärte Tania und wies auf den Fahrer und dann den Typen auf der Rückbank.

Stavros sagte etwas auf Griechisch. Tania und Manolis wandten sich um.

»Alex und Dana haben die Maschine tatsächlich gestoppt!«, jubelte Tania. Stavros drehte den Laptop so, dass sie alle zusehen konnten.

»Was ist das?«, fragte Steve, immer noch skeptisch.

»Dana und Alex streamen live. Die ganze Welt kann das sehen!«

In der Ferne waren Sirenen zu hören.

»Steig schon ein!«, rief Manolis.

Steve sah sich ratlos um. Eine heiße Straße. Ein Parkplatz, über dem die Luft auch um diese Tageszeit noch flirrte. Die Terminals. Ein fremdes Land. Das war alles verrückt.

Na denn.

Stavros schob sein Technikzeug zusammen, und Steve quetschte sich auf die schmale Rückbank.

»Was passiert da jetzt?!«, rief Tania.

Steve blickte alarmiert auf Stavros' Bildschirm mit Danas oder Alex' Livestream.

»Zerstört!«, rief der Muskelmann mit dem Gewehr, der vor Dana das Flugfeld erschossen hatte statt sie und Alex. »Das Triebwerk ist hinüber. Mit der Maschine kommen wir nicht mehr weg!«

»Tun Sie etwas!«, krähte Turner.

»Die Botschaft!«, rief Derek. »Wir müssen in die Botschaft!«

»Aber wie?« Turner wirkte beinahe verzweifelt.

Der Waffenmann sah sich um. Sein Blick fiel auf Alex' Schrottkiste.

Danas und Alex' Blicke trafen sich. Sie dachten dasselbe.

Steckt der Schlüssel?

Da hatte der Kerl Turner bereits am Arm gepackt und drängte ihn zu dem Auto.

»Sie kommen mit!«, rief er Derek Endvor zu. »Und Sie!« Sein Finger deutete auf den US-Botschafter.

Schon hatte er Turner auf dem Rücksitz verstaut. Sprang auf den Fahrersitz. Startete den Motor. Derek Endvor war schnell. Hetzte auf den Beifahrersitz. Nur der dicke Botschafter stand starr.

»Kommen Sie schon!«, brüllte Endvor. »Los!«

Endlich realisierte Dana, was gerade geschah.

Sie sprintete los.

Der Botschafter hatte es auch begriffen. Überraschend behände warf er sich auf die Rückbank. Er hatte die Tür noch nicht geschlossen, da legte der Söldner mit quietschenden Reifen im Rückwärtsgang los. Dana bekam kurz den Kühler des Fahrzeugs zu fassen. Alex packte sogar einen Seitenspiegel.

Der Wagen war stärker.

Die Reifen rauchten über den Asphalt. Alex musste loslassen.

Die Karre raste noch ein paar Meter rückwärts, dann schleuderte sie um hundertachtzig Grad und beschleunigte in Richtung der Lücke, aus der Dana mit Alex vor wenigen Minuten gekommen war.

Irgendwoher hörte Dana Sirenen.

»Wohin wollen die?«, rief Tania. Stavros, Manolis, Tania, Steve, alle in dem Auto hatten ihre Blicke auf die Bildschirme gerichtet. Noch immer standen sie auf dem Parkplatz neben dem Flughafen. Mitten auf der Fahrspur. In Danas und Alex' Livestreams verschwand der Wagen zwischen zwei Flughafengebäuden. Dann brach Alex' Livestream ab. Danas verwackelte.

Tanias Telefon spielte eine harte Melodie.

»Alex?! Was ist da los bei euch?«

Der verbliebene Livestream zeigte Dana, wie sie telefonierte.

Kein Wort zu verstehen, nur Stimmen, die durcheinanderbrüllten, über allem wurden Sirenen immer lauter.

Tania hörte Dana zu. Nickte. »Botschaft. Okay. Verstehe. Machen wir.«

Im nächsten Moment verschwand Dana im Schwarz des Displays. Auch dieser Livestream war tot.

»Wir versuchen es«, rief Tania ihr hinterher. »Viel Glück!«

Sie wandte sich um zu Stavros.

»Die wollen mit Turner in die US-Botschaft flüchten. Wir müssen sie aufhalten.«

»Wie sollen wir das denn machen?«, fragte Manolis.

»Nicht exakt wir«, sagte Tania. »Dana hatte da eine Idee.«

Dana ließ das Telefon sinken.

Jetzt konnte sie nur noch hoffen.

Alex starrte immer noch in die Richtung, in der sein Auto mit Douglas Turner verschwunden war.

Vom Terminal her hörte sie Sirenen und sah Blaulichter näher kommen.

Die Anzugmänner blickten ihnen gelassen entgegen. Die drei Typen in Combatgear diskutierten in knappen Worten miteinander. Legten ihre Taschen und Rucksäcke auf einen Haufen ein paar Meter neben dem Flugzeug. Hantierten mit etwas, das Dana nicht erkannte.

Dann rauchte der Haufen. Flammen züngelten daraus empor. Kleine Explosionen erschütterten ihn. Funken sprühten. Wurden mehr.

Die Umstehenden sprangen zurück.

Als die Polizeifahrzeuge sie erreichten, stand das Bündel meterhoch in Flammen und spuckte in alle Richtungen, als bereitete es ein Silvesterfeuerwerk vor.

92

»Was für ein Kübel!«, schimpfte Turner. Mit beiden Händen klammerte er sich an Handgriffen und Kopfstütze fest.

Sean Delmario holte das Letzte aus dem Kübel raus.

Im Athener Verkehr war die Rostlaube auch nicht schlechter als ein Range Rover, fand Derek. Klein, wendig. Sean wusste ihn zu fahren.

Ohne Rücksicht.

Walter war am Telefon, er schickte ihnen zwei Teams entgegen.

»Wie lange noch?«, fragte er Sean. Der überholte rechts. Zog nach links. Hinter ihnen schnaufte Turner.

»Zehn Minuten?«, schätzte der Ex-Soldat.

Sie rasten durch schmale Gassen, wohl um dem dichten Verkehr zu entkommen. Durfte bloß kein Müllwagen vor ihnen auftauchen. Derek kam die Gegend bekannt vor. Hier irgendwo lag die Botschaft.

»Sie glauben wirklich, dass die Russen dahinterstecken?«, fragte Sean.

»Wir wissen es nicht«, sagte Derek. »Bloß dass wir es nicht waren.«

»Und dieses Video mit Ihnen drauf?«

»Habe ich nie aufgenommen. Ganz sicher nicht. Ein Deep Fake, vermute ich.«

»Der Kreml lacht sich gerade ins Fäustchen«, meinte Sean.

»Mehr als das, wenn sie es waren. Dann wälzen sie sich vor Lachen auf dem Boden.«

»Mahir, die Ratte«, fluchte Sean. Trat das Gaspedal durch, um über eine dunkelgelbe Ampel zu rasen.

»Ich habe von Ihrer Geschichte beim Militär gehört«, sagte Derek. »Warum haben Sie den Auftrag überhaupt angenommen? Bei der Anklage gegen Turner?«

»Ein Mann muss sein Geld verdienen.«

»Das haben Sie schon einmal aufgegeben, weil Sie den Job nicht machen wollten.«

»Nicht auf diese Weise machen wollte.«

Derek sah, wie Sean Turner im Rückspiegel fixierte.

»Außerdem gehe ich davon aus, dass die Anklage nicht stimmt«, sagte er.

Der sollte lieber auf die Straße schauen.

»Oder?«, fragte Sean Turner.

»Ich habe ein reines Gewissen«, antwortete der Ex-Präsident von hinten.

Sean schwieg einen Atemzug lang, bevor er sagte: »Das ist keine Antwort.«

»Da vorn um die Ecke ist die Botschaft!«, rief Derek.

Kaum waren sie abgebogen, standen sie im Stau. Hunderte Demonstranten drängten sich auf der vierspurigen Straße und dem Grünstreifen in der Mitte und blockierten jegliche Durchfahrt. Dereks Puls schoss in die Höhe. Da fuhren sie auf ein Pulverfass zu!

»Da kommen sie nicht durch«, sagte Stavros zu Steve. »Danas Worte haben gewirkt.«

Ihre Drohnen sendeten wieder live.

Damit alle Welt sehen konnte, was geschah.

Wo der Wagen mit Douglas Turner unterwegs war.

Vor allem die Demonstranten vor der US-Botschaft. Vor dem Gericht. Wo auch immer in der Stadt. Um zur US-Botschaft zu eilen und alle Zufahrten zu blockieren.

»Clever von ihr«, sagte Tania. »Sie richtete ihren Appell, dass Turner die Botschaft nicht erreichen dürfe, zwar an die Verantwortlichen in Politik und bei der Polizei. Wusste aber sehr gut, dass die Nachricht auch andere sehen würden.«

Danas Stream sendete noch immer. In einem Fenster auf dem Computer konnten Steve und die anderen verfolgen, wie die Polizei auf dem Flughafen die Personen kontrollierte. Die Situation dort schien sich zunehmend zu entspannen. Nur die drei Söldner standen noch mit ihren Händen hinter dem Kopf verschränkt da.

Im größeren Fenster auf dem Monitor sah Steve aus der Vogelperspektive die Menschenströme rund um die US-Botschaft. Immer mehr Leute mussten die Übertragung seiner Mitpassagiere sehen. Jetzt lösten sich Demonstranten aus der Masse und liefen durch den Stau auf den Wagen mit dem Ex-Präsidenten zu! Auf Stavros' Bildschirm konnte er beobachten, wie aus dem kleinen Auto, in dem Steve die vergangenen Stunden verbracht hatte, drei Punkte sprangen. Gleichzeitig schossen zwischen den Staureihen dahinter mehrere Motorräder auf den Wagen zu.

Polizei.

Zwischen dem Botschaftsblock und den Demonstranten wälzte sich ein schwarzer Block auf die Demonstranten zu.

Noch mehr Polizei.

Wollten die Turner freie Durchfahrt verschaffen? Oder einfach die Demonstranten von der Botschaft fernhalten? Oder gar Turner festsetzen?

»Kommen Sie!«, rief Sean Turner zu. Zerrte ihn am Arm zwischen den Autos hindurch. Von der einen Seite strömten die Demonstranten auf sie zu. Aus dem einen oder anderen Wagen im Stau stiegen erste Fahrer aus und blickten sich neugierig um. Von hinten hörten sie Polizeisirenen. Sean entdeckte die Motorräder. In den vergangenen Tagen waren sie ihm öfter aufgefallen. Auf den Maschinen saßen immer zwei Polizisten in ihren schwarzen Uniformen. Was auf den ersten Blick wie eine ärmliche Sparmaßnahme aussah, wirkte im nächsten Moment umso bedrohlicher. Der Mann auf dem Sozius konnte bei Bedarf sofort von der Maschine springen. Jemanden verfolgen. Festnehmen. Ohne Rücksicht auf das Fahrzeug.

Sean hielt sich dicht an Turners anderer Seite. Erkannten die Menschen sie? Turner und Sean trugen immerhin Sonnenbrillen und Schirmkappen. Noch dreißig Meter. Hinter den Köpfen und Transparenten erkannte Derek bereits das Gebäude der Botschaft. In der Menge und unter den ausgestiegenen Lenkern entdeckte er erste Telefone, in die Höhe gereckt, um zu filmen.

In ihre Richtung.

Verdammt!

Die Menschen strömten auf sie zu. Auf Turner. Sean. Und Derek.

»Dorthin!«, schrie Sean. Versuchte, Turner in Richtung des Bürgersteigs zu ziehen.

Keine Chance. Schon umringten sie schreiende Menschen mit Telefonen, drängten ihre Dreiergruppe immer weiter auseinander. Da half auch Seans Kraft nichts. Fremde Hände zogen an ihm und Turner. Körper schoben sich zwischen ihn und die beiden anderen. Sean wehrte sich gegen die Angriffe. Versuchte, die Hände abzuschütteln, schlug mit der flachen Hand heftig in ein Gesicht, mit der Faust in einen Magen, gegen Nieren. Versuchte noch einmal, Turner zu schützen, doch der war bereits außerhalb seiner Reichweite. Immer enger drängte sich die Masse um ihn. Sean atmete schwer, Schweiß rann in seine Augen. In dem dichten

Getümmel konnte er kaum noch Schwung für seine Hiebe nehmen. Zunehmend fühlte er sich wie in einem reißenden Strom, dessen Gewalt ihn wegtrug, sosehr er auch strampelte. Gegen eine solche Masse war selbst ein ausgebildeter Nahkämpfer letztlich machtlos. Von einer Seite hörte er Rufe. Sah die Helme von Polizisten. Noch schlugen sie nicht zu.

Er reckte den Kopf. Wo steckte Derek Endvor? Und Turner? Sean ruderte in die Richtung, wo er sie zuletzt gesehen hatte. So konnte das doch nicht zu Ende gehen! Seine Schläge brachten ihn kaum weiter. Die Geprügelten konnten nicht einmal ausweichen, so dicht war das Geschiebe. So würden sie unmöglich zur Botschaft durchdringen.

Konstantinos Konstanidis konnte nur noch zwei der drei Männer aus dem Auto sehen. Der dritte war in den Menschenmassen verloren gegangen.

Zu dritt standen die Richter über den Tabletcomputer ihres jüngsten Kollegen gebeugt und verfolgten die Liveübertragung. Laut den aufgeregten Stimmen der Reporter aus dem Computer stammten die Aufnahmen von Hobbydrohnen, deren Besitzer sie ins Internet spielten. TV-Sender und andere Nachrichtenoutlets übernahmen sie unmittelbar und kommentierten.

»Das ist wie die Verfolgungsjagd auf O. J. Simpson«, sinnierte er. »Habe ich als Postdoc-Student in den USA 1994 live miterlebt. Damals hockte das halbe Land vor den Fernsehern.«

In gewisser Weise hatte Konstanidis sich erleichtert gefühlt, als er von der Befreiung erfahren hatte. Die Sache wäre von seinem Tisch gewesen.

»Oder wie die Jagd auf die Boston-Marathon-Bomber 2013«, warf sein jüngerer Kollege ein. »Die wurde schon in den sozialen Medien übertragen. So wie das hier.«

Hätten diese Dana Marin und ihr Begleiter doch nicht alles

verdorben! Und diese Typen, die Turner rausgeholt hatten – auf den letzten Metern so versagt! Statt Dana Marin und den anderen auszuschalten und in den Flieger zu steigen. Nicht zuletzt Turner mit seinem peinlichen Auftritt. Ein paar Schüsse in die Luft hätten wahrscheinlich genügt, um die Marin und ihren Handlanger zu verscheuchen.

»In der Zwischenzeit hält sich ja jeder Mensch mit einem Telefon für einen Reporter«, meinte der dritte Richter. »Oder zumindest für einen Influencer.«

»Wahrscheinlich starrt gerade die halbe Welt auf ihre Telefone und Computer und sieht diese Bilder«, meinte Konstanidis. »So wie wir.«

Er schaute auf die Uhr.

»Die Zeit ist auf jeden Fall um«, sagte er. »Der Zeuge, den die Staatsanwaltschaft und diese Marin uns versprochen haben, ist nicht da.«

Er bemerkte die verdutzten Blicke seiner Kollegen.

»Was ist?«, fragte er ungeduldig. »Und im Übrigen«, fügte er mit einer Geste in Richtung des Tablets hinzu, »der Häftling auch nicht.«

Durch das Getümmel drängten sich kleinere und größere schwarze Cluster. Polizei. Wer immer die Drohne lenkte, senkte das Fluggerät tiefer auf die Menge hinab oder zoomte heran. Inzwischen konzentrierte sich die Übertragung auf die zwei Männer.

»Das sind Douglas Turner und Derek Endvor«, stellte der jüngste Richter fest. Vergeblich versuchten die zwei, sich durch die Demonstranten Richtung Botschaft durchzuschlagen. Wie es schien, hatten die sich jedoch an den Armen ineinandergehängt und bildeten einen Blockadering aus mehreren Reihen rund um die zwei und versuchten auch, sie voneinander zu trennen.

»Diese Schwachköpfe«, sagte Konstanidis.

Das Telefon auf seinem Schreibtisch läutete.

Wer rief denn ausgerechnet jetzt an?!

Er hob ab.

Lautstark meldete sich in seinem Ohr der Justizminister.

»Was geschieht jetzt?«, fragte er.

Das hing davon ab.

Ob Turner es in die Botschaft schaffte.

»Wenn Turner bis in die Botschaft kommt, können wir nicht mehr viel tun«, sagte Konstanidis. »Außer die Amerikaner liefern ihn aus. Was sie nicht tun werden. Vielleicht könnte ja jemand der Polizei Anweisungen geben ...«

»Einen flüchtigen Häftling laufen zu lassen?!«, erregte sich der Justizminister. »Oder ihm gar bei der Flucht zu helfen?!«

»Die Demonstrationen unter Kontrolle zu bringen«, erwiderte Konstanidis. »Da ist sie doch sonst auch nicht zimperlich. Wenn ihn die Polizei festnimmt, steht er bald wieder vor meinem Gericht. Obwohl ich ihn dann mangels Beweisen immer noch gehen lassen kann ...«

Den Satz »Das wollen Sie doch auch nicht« wagte er neben seinen Kollegen nicht laut auszusprechen. Sie hatten schon seine letzte Bemerkung mit denselben Blicken wie vorher quittiert.

»Wo ist er überhaupt?«, murmelte Konstanidis und beugte sich näher über den Monitor, auf dem sich Polizistentrupps zu dem Blockadering durchkämpften.

Zuerst wollten die Demonstrierenden zwischen und rund um Derek und Turner die Polizisten nicht durchlassen. Derek sah Sean nirgendwo mehr, ihn hatten die Menschen noch weiter abgedrängt.

Etwa zwei Dutzend Beamte mit Helmen, Schilden und Schlagstöcken arbeiteten sich durch die Menge vor. Derek versuchte, sie auf sich aufmerksam zu machen. Doch statt die Schlagstöcke gegen den Mob einzusetzen, blieben sie jetzt stehen! Der Anführer hatte den Helm abgenommen und diskutierte mit einigen der Demonstrierenden. Derek verstand kein Wort. Was sollte das? In den USA löste man Demonstrationen anders auf. Auch hier in Athen hatte er schon weniger friedvolle Zusammenstöße gesehen. Schließlich öffneten die Demonstrierenden ihren Ring, in dem sie Derek und Turner festgesetzt hatten, und die Polizisten kamen auf sie zu.

Der Anführer wandte sich an den Ex-Präsidenten: »Douglas Turner, wir haben den Auftrag, Sie vorerst in die Haftanstalt zurückzubringen.«

Turner blickte Derek entsetzt an.

»Sind die verrückt?«, rief er. »Die sollen uns zur Botschaft bringen! Die haben sie ja wohl nicht alle!«

Hoffentlich verstanden diese Polizisten kein Englisch.

Im Bruchteil einer Sekunde scannte Derek die Umgebung. Wo steckte Sean? Wie zur Hölle sollten sie allein hier rauskommen?

Der Ring der Demonstrierenden hatte sich erneut geschlossen. Die würden ihn niemals zur Botschaft durchlassen. Und die Polizisten? Auf wessen Seite die standen, hatte er gerade erfahren.

Er wischte sich den Schweiß von der Stirn.

»Ich denke, wir haben keine andere Wahl«, flüsterte er Turner zu.

Für einen Moment hatte Turners Gesicht etwas Lauerndes. Hoffte er auf eine Intervention der Russen-Söldner? Zu spät. Die Masse der Menschen drängte sie unerbittlich von der Botschaft fort in Richtung Gefangenentransporter.

93

»Denkst du, die Griechen lassen Turner davonkommen?«, fragte der linke Partner des Moderatorenduos in gewohnt aufgeregt-gutgelauntem Ton amerikanischer Nachrichtensprecher. Als ob sie sich über die letzten Sportergebnisse austauschten.

Hinter ihnen war ein Standbild aus Danas Video zu sehen. Sean Delmario wie ein Märtyrer, die leer gefeuerte Waffe gesenkt, den Blick gen Himmel wie zum Gebet. Hinter ihm Douglas Turner mit entsetztem Blick, die Pistole umklammernd.

»Ehrlich?«, antwortete der zweite Moderator ebenso fröhlich. »Nicht einmal ich würde ihn damit davonkommen lassen! Eine Schande, der Mann, für unser ganzes Land!«

»Nun schiiießen Sie schon, Soldaaat!«, äffte der Linke den Ex-Präsidenten nach. »Ich war Ihr Präsideeent!«

»Dass er uns und die Welt auch noch daran erinnern musste!«

»Das ist doch der wahre Patriot!«, rief die Frau auf dem Bild-schirm, die dritte von vier Sprechköpfen in der Talkrunde. Hinter ihnen war ein Standbild der Flughafenszene eingeblendet. Und wieder Sean Delmario, der Betende. »Das ist unamerikanisch! Wie recht er hat!«

»Ich muss widersprechen«, dröhnte der Mann ganz links, ein beleibter Mittfünfziger mit Föhnfrisur, Krawatte und Blazer. »Sein Job wäre es gewesen, den Präsidenten heil nach Hause zu bringen!«

»Und damit Arthur Jones die Wahl zu retten!«, mischte sich der nächste Talkgast ein.

»Das ging ja gründlich daneben!«, meinte die Föhnfrisur.

»Ich muss allerdings Latisha zustimmen«, sagte der andere. »Douglas Turner hat uns alle blamiert! Den will ich hier gar nicht mehr haben.«

»Er war immerhin auch Ihr Präsident!«, empörte sich der vierte Talkgast, ganz rechts.

»War er nie!«

Die Diskussion verknäulte sich in wildem Durcheinanderschreien, das niemand mehr verstand.

»Weiterhin ungeklärt ist die Rolle der drei US-amerikanischen Ex-Soldaten, die von der griechischen Polizei bei dem Flugzeug festgenommen wurden, mit dem Douglas Turner Athen verlassen wollte. Sie schweigen. Die griechischen Behörden können ihnen nicht zweifelsfrei nachweisen, dass sie auch jene Personen waren, die den Ex-Präsidenten in einer filmreifen Aktion aus dem Athener Korydallos-Gefängnis befreiten. Ihre Anwälte geben an, sie seien lediglich Begleiter Turners am Flughafen gewesen. Dagegen sprechen die verbrannten Überreste von Waffen, die von der griechischen Polizei neben dem Flieger sichergestellt wurden. Die drei wurden nach Stellung einer Kaution vorläufig auf freien Fuß gesetzt. Weiterhin unbekannt dagegen ist der Verbleib des Vierten. Sean Delmario bleibt seit den Tumulten vor der US-Botschaft in Athen verschwunden. Ex-Präsident Douglas Turner dagegen wird morgen dem Berufungsgericht vorgeführt.«

»Die Verschwörungstheorien blühen«, erklärte die Moderatorin auf der rechten Seite des Tisches. »Meldungen behaupten, dass der Befreiungsversuch von Douglas Turner gar nicht von einem amerikanischen Militärteam durchgeführt wurde, sondern im Auftrag des Kremls.«

»Darin könnte durchaus ein Körnchen Wahrheit stecken«, meinte ihr Kollege. »Warum sollten die Amerikaner einen solchen Befreiungsversuch zu diesem seltsamen Zeitpunkt durchführen? Und noch dazu durch eine Söldnertruppe statt durch unsere Jungs. Ein paar Stunden später hätte das griechische Gericht Douglas Turner ohnehin freigelassen.«

»Der Kreml gibt dazu keinen Kommentar ab«, sagte die Moderatorin.

»Was kein Dementi ist«, meinte ihr Kollege. »Für Arthur Jones scheint der Wahlkampf auf jeden Fall gelaufen. Weniger Führungsqualität kann man kaum zeigen. Eine desaströs gescheiterte Befreiungsaktion. Womöglich nicht einmal von ihm beauftragt. Und Douglas Turner wieder in Haft.«

»Natürlich muss das griechische Gericht ihn freilassen«, stellte der pensionierte britische Staatsmann, nunmehr Unternehmer, mehrfacher Aufsichtsrat, Berater und Vortragender im dunklen Dreiteiler, mit seiner sonoren Stimme fest. »Douglas Turner war Führer der freien Welt. Als solcher hat er deren Werte immer hochgehalten und verteidigt. Was würde es bedeuten, wenn so ein Mann vor das Gericht in Den Haag gestellt würde, wie die ganzen Schlächter, Massenvergewaltiger, Kindersoldatenzüchter, die wir dort richtigerweise sehen?«

»Es würde bedeuten, dass der Westen sich an ebenjene selbst verordneten Werte hält, die er dem Rest der Welt als die höchsten anpreist«, erwiderte sein Gegenüber, deutscher Außenminister außer Dienst, nunmehr Unternehmer, mehrfacher Aufsichtsrat, Berater und Vortragender im dunklen Dreiteiler.

Es war ein Fest für all die Silberrücken, die das Geschehen und ihre Nachfolger seit Jahren von der Seitenlinie kommentierten.

Auf jedem Bildschirm fanden sich welche, aus fast jedem Land. Freilassen. Nach Den Haag schicken. Das war die Demarkationslinie.

Zu der sich niemand aus der aktiven Spitzenpolitikerriege eindeutig zu äußern wagte an diesem Abend der erregten Debatten auf allen Kanälen.

»Das ist der Moment, in dem Douglas Turners Fluchtversuch endgültig endet«, berichtete der Moderator aufgeregt. »Alexandros Ziras macht die Fluchtmaschine flugunfähig.« Dazu das sehr unscharf vergrößerte Video einer Überwachungskamera des Flughafens, in welchem Alex unerkennbare Gegenstände in das Triebwerk des Privatjets wirft, während vor ihm Dana den Soldaten filmt, wie er neben seinem Fuß den Asphalt in kleine Rauchwölkchen auflöst.

Die Truppe vor dem Bildschirm brach in Lachen und Jubelrufe aus. Manolis und Dimitrios klopften Alex auf die Schulter. Kommentare flogen durcheinander. Bierflaschen wurden klimpernd aneinandergestoßen. Auch Jochen Finkaus saß zwischen ihnen, der Mann, der ihnen Steve gebracht hatte. Die Polizei hatte ihn schnell gehen lassen müssen.

Vom Rand des Zimmers beobachtete Dana den Moment. Neben ihr lehnte Steve am Türrahmen. Während die anderen weiter durch YouTube-Kanäle zappten, auf denen gerade Bilder der Demonstrierenden vor der US-Botschaft liefen, erhoben sich Alex, Jochen und Manolis und gesellten sich zu ihnen.

»Warum sind Sie eigentlich nicht gleich vom Flughafen Volos zurück nach Deutschland geflogen?«, hörte Dana Manolis den Deutschen fragen.

»Ein bisschen Spaß muss sein«, sagte er mit einem schiefen Grinsen. »Und ein wenig Ablenkung und Verwirrung für eure amerikanischen Freunde.«

Lachend stieß Manolis mit seiner Flasche gegen Jochens. Sie hatten Dana erreicht.

»Warum so nachdenklich?«, fragte Alex. »Turner ist zurück im Gefängnis.«

»Für eine Nacht«, sagte Dana.

»Aber für heute haben wir gewonnen!«, rief Manolis.

»Und morgen? Wenn es nur ums Gewinnen geht, hat man schon verloren. Solange die anderen sich nicht an Regeln halten. Wir wissen doch alle, wie das läuft. Am Ende lässt man die Großen laufen. Dann feiern sie, schwingen Reden über die Freiheit und Gerechtigkeit, jemand bekommt Orden... Und wir werden als überflüssig abgewickelt. Lächerlich gemacht. Unsere ganze Arbeit war umsonst. Oder noch schlimmer, man lässt uns weitermachen. Wie Haustiere, denen man wohlwollend amüsiert bei einer putzigen Tätigkeit zusieht...« Sie strich eine Locke aus der Stirn, fuhr düster fort: »Weil wir sicher in einem Käfig sitzen und nichts tun können.« Sie straffte sich. »Aber wenn es uns gelingt, Turner zur Verantwortung zu ziehen, mit unseren beschränkten Möglichkeiten, unserer Unterbesetzung, unseren lächerlichen Budgets, der fehlenden politischen Unterstützung selbst von Unterzeichnerstaaten, wenn uns das gelingt, dann schreiben wir die Gesetze unseres Zusammenlebens neu. Dann bekommen eine Menge Menschen da draußen vielleicht eine Chance auf ein friedlicheres Leben. Darum geht es.«

Manolis antwortete nicht. Alex nickte. Vom Sofa her klangen die blechernen Stimmen aus dem Computer. Das aufgeregte Geschnatter von Menschen nach einer überstandenen Ausnahmesituation.

»Wenn Steve morgen aussagt, sind die Bedingungen des Gerichts erfüllt«, sagte Alex schließlich. »Dann müssen sie ihn drinbehalten. Und nach Den Haag schicken.« Zu Steve gewandt, meinte er: »Du wirst doch aussagen? Der griechische Regierungschef persönlich hat deine Sicherheit garantiert.«

Steve antwortete nicht gleich. Sein Blick verlor sich zwischen Alex und der Ewigkeit.

»Wenn sie ihn freilassen wollen, werden sie ihn freilassen«, sagte er schließlich. »Egal, was ich sage. Aber: Ja natürlich. Warum wäre ich sonst gekommen?«

94

»Danke«, sagte Konstanidis hinter seinem Richtertisch. »Sie
können an Ihren Platz zurückkehren.«

Steve erhob sich. Er hatte nicht hinter einem blinden Paravent
gesessen, sondern offen auf einem Zeugensessel. Inzwischen kannten ohnehin alle sein Gesicht. Und die griechischen Behörden
hatten den internationalen Haftbefehl nicht exekutiert. Vorerst.
Er setzte sich zwischen Dana und Catherine. Die drückte seine
Hand. Am Morgen war sie mit dem ersten Flieger nach Athen
gekommen. Das Gericht hatte sie ausnahmsweise im Saal zugelassen. An Danas anderer Seite beugte sich Maria vor zu Steve und
flüsterte: »Danke.«

Sie hatte noch am Vorabend einen Flieger genommen. Plötzlich war alles ganz einfach gewesen. Neben ihr saß Vassilios, über
der rechten Stirnseite ein Mullverband. Im Gesicht verstreut
Schorf. Den angekokelten Bart hatte er so weit gestutzt, dass von
den Brandresten nichts mehr zu sehen war. Auch ein Teil seines
Haars war einem Schnitt zum Opfer gefallen. Die Ärzte hatten
protestiert, doch der Alte hatte sich die Anwesenheit bei dem
Termin nicht nehmen lassen.

Obwohl Konstanidis' Ultimatum abgelaufen war, hatte er im
neu angesetzten Termin Steves Aussage zugelassen. Alles andere
hätte die Öffentlichkeit wohl auch nicht akzeptiert, und das
wussten er und seine Regierung. Für einen Stromlinienförmigen

wie Konstanidis ein ausschlaggebender Punkt. Er war ein Jurist – aber auch ein politisches Tier, das die Stimmungen spürte.

Auf der gegenüberliegenden Seite war alles wie gehabt. Turner saß mit Ephramidis und dessen Mitarbeitern hinter einem Tisch. Direkt daneben in der ersten Reihe erkannte Dana Alana Ruíz, William Cheaver, Derek Endvor und Jeremy McIntyre.

Hinter dem Richtertisch hatten die drei Robenträger Platz genommen, in der Mitte Konstanidis.

Nun trat der Sachverständige an den Richtertisch und zeigte den drei Männern etwas auf einem Laptop. Seine Analyse des Stimmvergleichs zwischen den wenigen Sätzen von Steve auf dem Band und seiner eben genommenen Stimmprobe.

Die Richter nickten. Gaben dem Sachverständigen ein Zeichen. Der drehte den Computer so, dass alle die identischen Kurven sehen konnten.

»Der Stimmabgleich bestätigt, dass es sich um dieselbe Person handelt«, übersetzte die Dolmetscherin in Danas Kopfhörer die Aussage des Sachverständigen.

Das hätten sie einfacher haben können, dachte Dana. Trotzdem war sie erleichtert.

Der Richter entließ den Mann mit einem weiteren Nicken.

»Möchte der Herr Staatsanwalt noch etwas sagen?«, fragte Konstanidis.

Michalis Stouvratos erhob sich.

»Der Herr Verteidiger hat recht«, sagte er. »Andere gehören wahrscheinlich dringender nach Den Haag. Und vielleicht, hoffentlich, sehen wir sie dort eines Tages. Aber heute geht es nicht um andere. Sondern um Douglas Turner. Es geht nicht einmal um seine Schuld oder Unschuld. Darüber wird Den Haag urteilen. Es geht um vier einfache Punkte, die das Verhaftungsprozedere erfüllen muss. Es geht darum, ob unsere Gerichte in der Lage sind, schon im Kleinen jene Rechte und Gesetze aufrechtzuerhalten, die wir uns auferlegt haben. Denn nur wenn wir selbst uns daran halten, können wir, was der Herr Verteidiger so eindrucksvoll verlangt, auch andere danach beurteilen.«

Es geht um so viel mehr, dachte Dana. Um unschuldige Opfer, zerstörte Leben auf allen Seiten, Macht und Ohnmacht. Doch hier und heute war nicht der Ort, darüber zu verhandeln, da hatte er recht.

Konstanidis hatte ihm geduldig zugehört. Nun ergriff er erneut das Wort.

»Möchte die Verteidigung noch etwas sagen?«

»Hohes Gericht!« Ephramidis sprang auf. »Mein Mandant gehört nicht vor dieses Gericht! Und noch viel weniger vor jenes in Den Haag! Das ist für ganz andere gedacht! Solche, die seit Jahrzehnten brutalste Ausrottungskriege führen, gegen andere Länder, gegen ihre eigene Bevölkerung! Die ihre Länder ausbeuten, ihre Bürger in Gefängnisse sperren, ›umerziehen‹« – er malte mit den Fingern Anführungszeichen in die Luft – »die foltern und auf oft bestialische Weise töten! Warum sind sie nicht hier? Warum nicht in Den Haag? Ich verlange, dass mein Mandant diesen Saal in Freiheit verlässt, jener Freiheit, für die er sein Leben lang gekämpft hat.«

Konstanidis hatte mit ausdrucksloser Miene gelauscht. Nachdem Ephramidis sich gesetzt hatte, wandte der Vorsitzende sich an Turner.

»Möchte der Verhaftete noch etwas sagen?«

Turner schürzte die Lippen trotzig, reckte sein Kinn und schwieg.

95

»Ihr Name?«, fragte der Richter.

»Richard Abraham«, sagte der Mann. Die blauen Flecken und Platzwunden, die der Gefängnisaufstand hinterlassen hatte, begannen schon wieder zu heilen.

»Mein Mandant hat mit dem angeblichen Handtaschendiebstahl nichts zu tun«, erklärte der Anwalt neben ihm.

Sie saßen in einem kleinen Zimmer vor dem Tisch des Richters, der Staatsanwalt gleich neben dem Anwalt.

»Hier sind die beeideten Aussagen von drei Freunden des Beklagten, dass er zu besagter Zeit mit ihnen spazieren war. Es handelte sich offenkundig um eine Verwechslung. Es existiert sogar ein Video. Sie haben es gesehen.«

Das Video zeigte Richard mit seinen Freunden Bull, Hernan und Sal. Von deren Beteiligung an Turners Befreiung die griechischen Behörden bis heute nichts wussten. Der Zeitstempel war identisch mit der angegebenen Zeit des Überfalls im Polizeiprotokoll. Ein wenig Technik und Vorbereitung machten so einiges möglich.

»Euer Ehren«, erklärte der Staatsanwalt, »dem entgegen stehen die Aussagen der Polizisten, die ihn festgenommen haben.«

»Die Bestohlenen haben ihn bei der Gegenüberstellung nicht zuverlässig wiedererkannt«, wandte der Richter ein.

Der Staatsanwalt antwortete nicht gleich.

»Unsere Gefängnisse sind ohnehin zu voll«, erklärte der Richter. »Angesichts der Fakten- und Indizienlage lasse ich Sie gehen«, sagte er zu dem Mann.

»Danke«, antwortete der Mann, der nicht Richard Abraham hieß, aber einen entsprechenden Ausweis vorlegen konnte. Was war schon ein Name?

»Das nächste Mal identifizieren Sie sich vielleicht gleich«, sagte der Richter. »Dann ersparen Sie uns allen die Umstände.«

»Ja, Euer Ehren.«

96

»Schießen Sie schon!«

Noch einmal hatte Arthurs Wahlkampfkoordinatorin Sandra Pilasky die entscheidende Stelle über den Monitor laufen lassen.

»Das ist es, was seinesgleichen tut!«, hörten sie zum x-ten Mal Dana Marins Stimme. »Sie und Ihresgleichen auf Zivilisten schießen lassen, damit Sie selbst im Privatjet fliegen können.«

Sandra stoppte das Band.

»Sie macht hier einen Punkt«, erklärte Sandra und blendete in einem Fenster auf dem Bildschirm eine Statistik ein, »der bei sagenhaften siebenundsechzig Prozent der Bevölkerung absolute oder hohe Zustimmung findet! Bei unseren Wählern ist sie noch höher, aber auch bei Republikanern und Wechselwählern sind es mehr als die Hälfte.«

Die Umfrage hatte sie sofort nach den Ereignissen am Flughafen durchführen lassen. Wenige Stunden später hatten sie die Ergebnisse gehabt und diskutiert. Sie hatten schnell entscheiden müssen, wie sie weiter vorgingen. Konnten. Mussten. Bevor ihnen das griechische Gericht die Entscheidung abnahm. Noch mehr politischen und militärischen Druck, um Turner doch noch freizupressen?

Oder …

Sie ließ das Band weiterlaufen.

»Warum schießt er nicht selbst?!«, rief Dana. »Er hat die Waffe schon auf mich gerichtet!«

Stopp.

Sandra: »Ich weiß nicht, was ein Krisenverhandler zu ihrer Taktik sagen würde, aber für uns ist das Gold! Sie droht, den Präsidenten als Großmaul, als Feigling zu entlarven. Vor laufender Kamera. Und was macht Turner? Was kann er schon tun? Soll er schießen? Einen Mord an einer unbewaffneten Zivilistin vor den Augen der Weltöffentlichkeit begehen?«

Play.

»Nun schießen Sie schon, Soldat! Sie sind Amerikaner! Ich war Ihr Präsident! Das ist Ihr Job!«

Stopp.

»Das ist der erste Moment, wo es kippt«, sagte Sandra. »Unglaubliche dreiundsiebzig Prozent der Bevölkerung verurteilen seine Forderung. Vierzehn Prozent bleiben neutral, und nur dreizehn Prozent finden, dass er ein wenig oder ganz recht hat.«

Im Schnelllauf spielte sie die Passage, in der Sean Delmario das Flugfeld neben seinem Fuß zerschoss und schließlich wie ein Märtyrer stehen blieb.

Normaltempo.

»Wehrlose Zivilisten erschießen ist nicht mein Job« – die Stimme des Söldners verrauscht, aber verständlich. »Es ist unamerikanisch.«

Stopp.

»Bämm!«, rief Sandra. »Dreiundachtzig Prozent Zustimmung! Auch und gerade unter Wechselwählern und Republikanern!«

»Vielleicht sollte der Typ kandidieren«, flüsterte Derek. Was die anderen nicht hören konnten.

»Die restlichen Zahlen habt ihr auch schon bekommen«, sagte Sandra. »Sie sind eindeutig. Turners Verhalten wird von einer ganz überwiegenden Anzahl der amerikanischen Bevölkerung abgelehnt, selbst von seinen ehemaligen Wählern und Parteigängern.«

Sie ließ das Video bei dem Standbild mit dem Söldner anhalten.

»Und jetzt kommt's: Auf die Frage, ob die USA Turner an den ICC ausliefern sollen, antworten derzeit zwei Drittel der demokratischen Wähler mit entschieden oder eher Ja, sechzig Prozent der Wechselwähler und noch immer dreiundfünfzig Prozent der republikanischen Wähler. In allen Gruppen gibt es relativ viele, die unentschieden sind, oder solche, die keine Meinung abgeben wollen. Eher oder entschieden dagegen sind lediglich elf Prozent unserer Wähler, fünfzehn Prozent bei den Wechselwählern und siebenundzwanzig Prozent bei den Republikanern.«

Für sich änderte Derek diese Zahlen noch ein wenig. Er kannte Umfragetechniken und ihre Ergebnisse lange genug. Was die Leute sagten und was sie tatsächlich dachten und taten, deckte sich nicht immer. Und viele waren sich dessen selbst nicht einmal bewusst. Trotzdem, selbst nach einer Korrektur zu negativeren Ergebnissen blieben die Zahlen eindeutig.

»Der notwendige Spin scheint klar«, sagte er. »Der Befreiungsversuch wurde von Privaten versucht, deren Auftraggeber oder Hintergründe noch nicht restlos geklärt werden konnten. Mutig, patriotisch und amerikanisch zu sein bedeutet, andere Menschen zu achten und zu respektieren. Auch und gerade dann, wenn sie schwächer sind. Das ist es doch, was Amerika jahrzehntelang getan hat. Es war gut und vernünftig von Arthur, auf eine gewaltfreie Lösung zu setzen. Und es erfordert mehr Mut und Patriotismus, den Jammerlappen Turner dem Gericht in Den Haag zu überantworten, als ihn mit allen Mitteln zurückzuholen.«

»In etwa«, stimmte Sandra zu. »Das Schöne daran ist: Wir haben die Bilder. Wir haben die Aussagen. Einen rotgesichtigen, panischen Ex-Präsidenten, der sich mit hassverzogener Fratze als Feigling entlarvt. Und einen mehrfach ausgezeichneten amerikanischen Kriegshelden, der die Nation im Augenblick höchster

Anspannung an ihre wahren Werte erinnert. Bereits hundertmillionenfach online geteilt. Wrights Kampagne hat diesen Bildern nichts entgegenzustellen. Auch sie haben die Umfragezahlen gesehen. Kaum noch jemand bei den Republikanern ergreift offen Position für Turner.«

»Die Strategie wäre demnach«, ergriff nun Arthur Jones das Wort, »dass wir das griechische Gericht entscheiden lassen, wie immer es will. Dass wir Turner als amerikanischem Bürger alle denkbare juristische und politische Hilfe zuteilwerden lassen, die ihm zusteht und die wir nach besten Kräften leisten können, selbst wenn er nach Den Haag muss.«

»Natürlich«, sagte Sandra. »So viel erwarten die Wählerinnen und Wähler schon.«

Der Präsident nickte. »Das würde einen Paradigmenwechsel bedeuten«, sagte er. »Es hieße, dass wir die Zuständigkeit des ICC auch für US-Bürger anerkennen. Dass wir unsere gesamte Außenpolitik neu denken müssen. Damit bieten wir der Gegenkampagne eine gefährliche Angriffsfläche.«

»Nicht unbedingt«, meinte Derek. »Die USA haben das Gründungsstatut des ICC immerhin mit unterzeichnet. Und jetzt besinnen sie sich nach den dunklen Jahren der Folter, von Guantánamo und anderen Hässlichkeiten eben wieder auf ihre ursprünglichen Tugenden, so wie es Sean Delmario vor aller Augen tat. Das kann man kommunikativ schon schön spielen, was meinst du, Sandra? Und die Leute werden es gern glauben.«

»Ich denke auch«, sagte Sandra. »So wie es aussieht, haben wir damit das Thema vor allem für die verbleibenden Wahlkampfwochen zwar nicht vom Tisch, können aber auch wieder über anderes reden. Was so hohe Zustimmungswerte hat, gibt wenig Material her für Kontroversen, An- und Untergriffe der Gegenkampagne. Wrights Leute werden sich hüten, Turners armseligen Auftritt noch zu sehr zu thematisieren.«

»Bleibt dieser Whistleblower«, sagte Arthur Jones.

Er hatte ihn nicht Verräter genannt, fiel Derek auf.

»Die Geschichte ist weniger klar«, sagte Sandra. »Auch sein Verhalten stößt auf viel Zustimmung, aber längst nicht auf so viel wie das des Ex-Soldaten. In allen Lagern überwiegen zwar die Sympathisanten, aber bei den Wählerinnen und Wählern der Republikaner steht es dreiundvierzig Prozent Zustimmung zu vierunddreißig Prozent Ablehnung, der Rest neutral. Und auch bei den Wechselwählern finden sein Verhalten gerade einmal einundfünfzig Prozent gut und siebenundzwanzig Prozent schlecht. Das Kopfgeld und der internationale Heftbefehl sind vorläufig ohnehin ausgesetzt. Ansonsten würde ich über die Geschichte einfach nicht mehr viel reden. Groß war sie ohnehin nie. Dann vergeht das von allein. Wirklich wehtun kann sie uns im Wahlkampf nicht mehr.«

97

Die drei Richter betraten den Saal und setzten sich. Dana hielt die Fäuste im Schoß geballt. Auch Maria neben ihr war aufs Höchste angespannt, spürte sie.

In den Stunden seit Turners Flucht und Wiederverhaftung hatten sie zunehmend positive Signale erhalten. Buchstäblich über Nacht hatte sich die Stimmung gedreht. Die USA hatten die Sanktionen gegen Griechenland ausgesetzt. Selbst jene gegen Mitarbeiter des Strafgerichtshofs waren abgeschwächt worden. Maria hatte nach Athen reisen dürfen. Der internationale Haftbefehl gegen Steve war ebenfalls ausgesetzt. Nur eines hatte Dana nicht erfahren, Maria nicht und auch sonst niemand: War all das geschehen, weil die griechische Regierung mit einem Mal den ICC unterstützte? Oder weil längst klar war, dass das griechische Gericht Turner aus der Haft entlassen würde?

»Das Gericht«, hob Konstanidis an, »hat die Identität des Verhafteten bestätigt und festgestellt, dass die Verhaftung korrekt verlaufen ist.« Jetzt kam es darauf an. Für einen Moment schloss Dana die Augen. Bitte! Sie öffnete sie jedoch gleich wieder und hörte Konstanidis sagen: »Das Gericht stellt ferner fest, dass die Rechte des Verhafteten gewahrt wurden und dass die Verbrechen, derer er beschuldigt ist, zu einer Überstellung nach Den Haag befugen würden.«

Mit einem Mal fühlte Dana sich ganz leicht. Ungläubig suchte sie Marias Blick, die ihren mit einem leichten Nicken erwiderte. Steve saß mit offenem Mund da, bevor er Dana unsicher zulächelte. Vassilios schüttelte erstaunt den Kopf, dann nickte auch er Dana zu.

»Das Gericht bestätigt die Haft.«

Dana biss sich auf die Lippen und zwinkerte ein paarmal heftig mit den Augen, um das aufquellende Wasser darin zurückzuhalten. Ausgelassene Gesten des Triumphs oder der Freude verboten sich, auch waren sie nicht angebracht. Zu gegenwärtig waren Dana die Schicksale, die sie während der vergangenen Tage verhandelt hatten und die nur stellvertretend standen für so viele andere. Erstmals jedoch würden sie eine Stimme vor Gericht bekommen, würden sie vielleicht Gerechtigkeit erfahren.

Aus den Augenwinkeln schielte sie zur Seite der Amerikaner. Verschwommen nahm sie wahr, dass sie versteinert dasaßen.

Dana hörte nicht mehr, was Konstanidis noch sagte, sie sah nur, wie die zwei Justizwachtmeister auf Turner zutraten und dieser sich ohne Widerstand erhob. Noch ein paarmal drückte sie ihre Lider fest und kurz zu, dann atmete sie tief durch und straffte sich.

Die Tür neben der Anklagebank schloss sich hinter Douglas Turner und den Justizbeamten. Dana hörte das leise »Klack«, mit dem sie ins Schloss fiel. Raschelnd erhoben sich die Anwesenden auf beiden Seiten. Als könnten die geschäftigen Geräusche ihrer Kleidung, ihrer Papiere und Taschen, Telefone und Computer, ihrer Bewegungen und Schritte die Bedeutung des Moments übertönen. Ihn als beiläufig vorübergehen lassen, als wäre es ein ganz normales Verfahren gewesen. Erledigt. Nächster Schritt. Obwohl alle wussten, dass dies erst der Anfang war. Womöglich von etwas viel Größerem als nur dem Prozess in Den Haag. Das würde schon vor der Tür dieses Gerichts beginnen, wo Hunderte Journalisten und Tausende Schaulustige und Demonstranten warteten. Dana malte sich aus, was da draußen gleich losbrechen würde, wenn sie das Urteil erfuhren.

Die zwei Gruppen trafen sich am Mittelgang.

»Willkommen zurück in der internationalen Gemeinschaft«, sagte Maria zu William Cheaver und Alana Ruíz.

Die beiden blickten sie kurz an, dann gingen sie weiter.

Derek trat auf Dana zu.

Musterte sie.

»Das ist nicht das Ende«, meinte er.

»Wir sehen uns in Den Haag«, sagte Dana.

98

Für die eigene Insel hatte es nicht gereicht. Von den fünfzig Millionen hatte Sean die Chartergebühren für den Jet auf Athens Hauptflughafen Eleftherios Venizelos bezahlen müssen. Plus für die zwei anderen Jets, die er auf kleineren Flughäfen nahe Athen hatte bereitstellen lassen. Auf eigene Kosten. Ganz hatte er Mahir nie getraut. Deshalb war auch eine hohe sechsstellige Summe in die Beschaffung von eigener Intelligence geflossen.

Schließlich hatte er knapp vierundvierzig Millionen aufteilen können. Bull, Dino, Harry und Hernan waren unerkannt entkommen. Trotzdem mussten sie den Ball eine Zeit lang flach halten. Biff, Hopper und Sal waren am Flughafen zwar festgenommen worden. Doch mögliche Beweisstücke waren neben dem Flugzeug verbrannt. Die griechischen Behörden konnten ihnen nicht lückenlos nachweisen, dass sie an der Befreiung Turners teilgenommen hatten. Zwar gab es jede Menge Bildmaterial privater Drohnen auf Onlinevideoportalen. Aber das genügte nicht. Identifizierbar waren sie erst auf Dana Marins Video vom Flughafen. Sie waren lediglich in Begleitung eines flüchtigen Häftlings gewesen. Eine Fluchthilfeabsicht bestritten sie. Frech.

Im Zweifel für die Angeklagten. Vorläufige Entlassung auf Kaution. Dabei würde es wohl bleiben. Zumal die Amerikaner hinter den Kulissen zu ihren Gunsten intervenierten. Hatten sie doch immerhin versucht, ihren Ex-Präsidenten rauszuholen. Einzig Sean. Da war Dana Marins Video von ihm und dem Präsidenten. Wie er die Waffe direkt auf Marin richtete. Wie auch Sean mit einer Waffe dastand. Ihn konnten sie schlecht ohne Weiteres davonkommen lassen. Sean war der Einzige, gegen den die Griechen einen Haftbefehl erlassen hatten.

Nachdem ihn das Gedränge im Getümmel vor der Botschaft von Turner und Endvor getrennt hatte, war er untergetaucht.

Vierundvierzig Millionen durch neun machte immer noch fast fünf für jeden. Nicht viel, wenn du dafür dein bisheriges Leben hinter dir lassen musst. Zurück nach Zypern konnte Sean nicht.

Für einen neuen Start genügten knapp fünf Millionen. Sein Blick glitt über das Meer unter den Klippen. Eine Möwe schwebte vorbei. Hier würde ihn niemand vermuten. Oder finden.

Wie viel Mahir auch immer von den Russen bekommen hatte oder von wem sonst – für ihn hatte es nicht gereicht. Auf seinem Computer las Sean noch einmal die dürre Meldung unter den Bildern einer mittelgroßen Motoryacht und eines beigefarbenen Sacks, der auch ein Körper sein konnte und an einem Strand lag.

Die Leiche des französisch-libanesischen Geschäftsmanns Mahir Clement wurde gestern tot an der französischen Küste nahe Marseille an Land gespült. Die Polizei geht von einem Unfall aus. Clements Yacht war vor zwei Tagen einige Meilen von der Küste entfernt passagierlos treibend aufgefunden worden.

Was hatte die Frau an dem Flugzeug über Turner gesagt?

Das ist es, was Seinesgleichen tut. Sie und Ihresgleichen auf Zivilisten schießen lassen, damit Sie selbst im Privatjet fliegen können.

Auch Mahir war lange Zeit Privatjets geflogen.

Nicht mehr.

Übrig geblieben war eine Wasserleiche an einem französischen Strand. Côte d'Azur, immerhin.

Sean scrollte weiter. Was geschah noch so in der Welt?

Nachwort und Dank

Die Handlung dieses Romans ist frei erfunden, allfällige Ähnlichkeiten mit lebenden oder toten Personen zwangsläufig nicht immer zufällig. Als Vorlage für die Beschreibungen der Night Raids, der gezielten Tötungen und der Ereignisse rund um die Belagerung von Sarajevo und den Bosnienkrieg dienten zahlreiche Quellen, die einzeln aufzuzählen hier den Rahmen sprengen würde. Darunter waren, unter anderem, Dokumente des Internationalen Strafgerichtshofs, des Internationalen Strafgerichtshofs für das ehemalige Jugoslawien, Berichte verschiedener NGOs, Medienberichte etc.

Da es noch keinen vergleichbaren Fall gab, konnte ich mir eine Menge dramaturgischer Freiheiten erlauben, zum Beispiel was den Verlauf eines solchen Verfahrens vor dem Gericht des Haftlandes angeht, aber auch das Vorgehen des ICC in einer solchen Situation. Vielleicht wären die Gerichte weniger oder auch mehr von den politischen Auswirkungen eines solchen Falles beeindruckt. Vielleicht würden nur Dokumente zwischen dem Gericht in Athen, der Staatsanwaltschaft, der Verteidigung sowie dem Strafgerichtshof in Den Haag hin- und hergeschickt werden, ohne dass sich die Juristen je persönlich in einem Gerichtssaal begegneten. Vielleicht käme es zu Verhandlungen, vergleichbar denen, die ich beschreibe. Vielleicht liefe es ganz anders. Die Fragen zur Turners Verantwortung und andere inhaltliche Einwände gegen den Haftbefehl würden erst in Den Haag verhandelt werden. Mit ziemlicher Sicherheit würde alles viel länger dauern. Aus dramaturgischen Gründen habe ich das Verfahren beschleunigt und in nur wenigen Tagen vor den Gerichten in Griechenland ablaufen lassen – schließlich ist der Roman ein Thriller. Etwaige Fehler sind meine.

Ganz besonderer Dank gilt Bettina Scholdan, die mich geduldig und fachkundig ebenso in die Komplexität des internationalen Rechts eingeführt hat wie in die Denkweise von Juristen in einem solchen Fall, noch meine dümmsten Fragen beantwortet und viele wertvolle Anregungen gegeben hat, bis hin zum Verfassen einer meiner liebsten Szenen. Ich danke dem Team bei meinem Verlag Blanvalet und dem Team der Literaturagentur Michael Gaeb, die mich bei der Entstehung dieses Romans wieder einmal enthusiastisch begleitet, beraten und betreut haben. Danke meiner Frau, die nicht nur immer ein offenes Ohr für Diskussionen über meine Ideen hat, und seien sie noch so verrückt, sondern auch meine Schreiblaunen erträgt. Und natürlich danke ich Ihnen, liebe Leserin, lieber Leser, dass Sie Ihre Zeit diesem Buch gewidmet haben!

Marc Elsberg, Dezember 2020

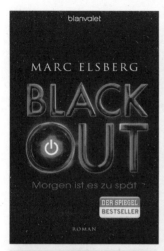